TOM ROB SMITH

Kolyma

Buch

Moskau 1956. Nach Chruschtschows Geheimer Rede herrscht Aufruhr in der Sowjetunion. Überlebende der großen Säuberungen melden sich anklagend zu Wort, es kommt zu ersten Racheakten. Der ehemalige KGB-Agent Leo Demidow soll den Tod von zwei Geheimdienstlern aufklären. Dabei legen seine ehemaligen Kollegen ihm jede Menge Steine in den Weg, denn für sie ist Leo ein Verräter. Erschwerend kommt hinzu, dass die Existenz seines Morddezernats von offizieller Stelle geleugnet wird und Leo verdeckt ermitteln muss.

Als Leos Adoptivtochter Soja gekidnappt wird, lautet die Forderung der Entführer Leben gegen Leben. Denn vor sieben Jahren, als er noch beim KGB war, hatte Leo einen Priester in den Gulag nach Kolyma geschickt. Und jenen soll er jetzt wieder herausholen. Um Soja zu retten, lässt Leo sich in seiner Verzweiflung als Gefangener in die berüchtigte Eishölle am äußersten Rand Sibiriens einschleusen. Doch schon am ersten Abend wird er erkannt, und die Häftlinge beschließen, sich grausam an ihm zu rächen …

Autor

Tom Rob Smith wurde 1979 als Sohn einer schwedischen Mutter und eines englischen Vaters in London geboren, wo er auch heute noch lebt. Er studierte in Cambridge und Italien und arbeitete anschließend als Drehbuchautor. Mit seinem Debüt »Kind 44« gelang Tom Rob Smith auf Anhieb ein internationaler Bestseller. Er wurde u. a. mit dem »Steel Dagger« ausgezeichnet, für den »Man Booker Prize« nominiert und bisher in 26 Sprachen übersetzt. Mit »Kolyma« hat der Autor den zweiten Band um den Geheimdienstoffizier Leo Demidow vorgelegt, womit ihm erneut der Sprung in die Bestsellerlisten gelang. Ein weiterer Band in der Reihe wird in Kürze bei Manhattan erscheinen. Weitere Informationen zum Autor unter www.tomrobsmith.com

Von Tom Rob Smith außerdem lieferbar

Kind 44. Thriller (47207)

Tom Rob Smith

Kolyma

Thriller

Deutsch
von Armin Gontermann

GOLDMANN

Die Originalausgabe erschien 2009
unter dem Titel »The Secret Speech«
bei Simon & Schuster UK Ltd, London

Zert.-Nr. SGS-COC-001940
www.fsc.org

Verlagsgruppe Random House FSC-DEU-0100
Das FSC-zertifizierte Papier *München Super* für dieses Buch
liefert Arctic Paper Mochenwangen GmbH.

3. Auflage
Taschenbuchausgabe September 2010
Wilhelm Goldmann Verlag, München,
in der Verlagsgruppe Random House GmbH

Umschlaggestaltung: UNO Werbeagentur, München
Umschlagmotiv: Collage unter Verwendung
von Getty Images / Tom Stoddart Archive
und trevillion images / Ilona Wellmann Bildern
IK · Herstellung: Str.
Druck und Bindung: GGP Media GmbH, Pößneck
Printed in Germany
ISBN: 978-3-442-47235-2

www.goldmann-verlag.de

Für meine Geschwister
Sarah und Michael

Sowjetunion
Moskau

3. Juni 1949

Im Großen Vaterländischen Krieg hatte er zur Verteidigung von Stalingrad die Brücke von Kalatsch gesprengt. Fabriken hatte er mit Dynamit präpariert und danach in Schutt und Asche gelegt und Raffinerien, die nicht mehr zu verteidigen waren, in Brand gesetzt, bis überall am Horizont Säulen brennenden Öls gelodert hatten. Alles, was die einfallende Wehrmacht vielleicht requirieren konnte, hatte er in aller Eile zerstört. Mochten seine Landsleute auch Tränen vergießen, wenn ihre Heimatstädte in sich zusammenfielen, ihn hatte der Anblick der Zerstörung mit grimmiger Genugtuung erfüllt. Der Feind würde ein verwüstetes Land erobern, verbrannte Erde und einen rauchenden Himmel. Oft hatte er mit dem improvisieren müssen, was gerade zur Hand war, mit Panzergranaten oder Glasflaschen, das Benzin hatte er sich aus liegen gebliebenen Militärlastwagen abgesaugt. Er hatte sich beim Staat den Ruf eines Mannes erarbeitet, auf den Verlass war. Nie hatte er die Nerven verloren und nie einen Fehler gemacht, auch dann nicht, wenn er unter extremen Bedingungen operierte, in eiskalten Winternächten, bis zur Hüfte in reißenden Flüssen oder unter Feindbeschuss. Für einen Mann mit seiner Erfahrung und seinem Temperament war die heutige Aufgabe eigentlich eine Routineangelegenheit. Er musste sich nicht beeilen, und ihm pfiffen auch keine Kugeln um die Ohren. Dennoch zitterten seine Hände, die doch eigentlich als die ruhigsten in seiner gesamten Zunft galten. Schweißtropfen rannen ihm in die Augen und zwangen ihn, sie mit einem Hemdzipfel abzutupfen. Ihm war schlecht wie einem Anfänger. Denn es war das erste Mal, dass der fünfzigjährige Kriegsheld Jekabs Duwakin eine Kirche in die Luft jagen sollte.

Eine Sprengladung musste noch angebracht werden, direkt vor ihm im Altarraum. Den Altar selbst hatte man ebenso fortgeschafft wie die Ikonostase, die heiligen Ikonen und die Kerzenleuchter. Bis auf das Dynamit, das er in die Fundamente gegraben und an den tragenden Säulen befestigt hatte, war die Kirche leer, entweiht und vollkommen geplündert. Sogar das Blattgold hatte man von den Wänden gekratzt. Nichts war mehr übrig außer dem riesigen, Ehrfurcht gebietenden Raum selbst, dessen Hauptkuppel mit ihrer Krone aus Buntglasfenstern ganz oben so sehr vom Tageslicht erfüllt war, dass sie ihm erschien wie ein Teil des Himmels selbst. Jekabs legte den Kopf in den Nacken und bewunderte mit offenem Mund die Spitze der Kuppel etwa fünfzig Meter über ihm. Sonnenstrahlen fielen durch die hohen Fenster und strahlten Fresken an, die schon bald in die Luft fliegen sollten, eine Million Farbtupfer, zerstäubt in alle Einzelteile. Als wolle es nach ihm greifen, breitete sich das Licht über den glatten Steinboden bis fast zu ihm hin aus, eine ausgestreckte, goldene Hand.

»Es gibt keinen Gott«, murmelte er.

Er wiederholte die Worte, diesmal lauter, das Echo hallte von den Wänden der Kuppel wider: »Es gibt keinen Gott!«

Schließlich war ein Sommertag, logisch, dass es da hell war. Das war kein Zeichen. Kein göttliches Zeichen. Das Licht hatte nichts zu bedeuten. Er grübelte zu viel, das war das Problem. Dabei glaubte er gar nicht an Gott. Er versuchte sich die vielen antireligiösen Maximen ins Gedächtnis zu rufen, die der Staat ausgab.

DIE RELIGION GEHÖRTE EINEM ZEITALTER AN,
IN DEM JEDER FÜR SICH SELBST WAR.
UND GOTT WAR FÜR ALLE.

Dieses Gebäude war nicht heilig oder gesegnet. Er musste es sehen als das, was es war, nämlich Stein, Glas und Holzbalken, eine hundert Meter lange und sechzig Meter breite Kirche, die nichts produzierte und keine nachvollziehbare Funktion hatte. Ein archaisches Bauwerk, von einer Gesellschaft, die es nicht mehr gab, aus archaischen Beweggründen errichtet.

Jekabs lehnte sich zurück und strich mit der Hand über den kühlen Steinboden, den die Füße Hunderter, Tausender von Kirchgängern jahrhundertelang blank gescheuert hatten. Überwältigt vom Ausmaß dessen, was er im Begriff war zu tun, kämpfte er gegen das Gefühl an, so als ob ihm etwas im Halse stecken geblieben sei. Doch das ging vorbei. Er war müde und überarbeitet, mehr nicht.

Normalerweise wurde er bei einer Sprengung wie dieser von einer ganzen Mannschaft unterstützt. In diesem Fall hatte er sich jedoch dafür entschieden, seine Männer nur am Rande zu beteiligen. Wozu die Kollegen unnötig in etwas hineinziehen? Keiner von ihnen dachte so klar wie er. Nicht alle hatten sämtliche religiösen Gefühle aus ihrem Herzen verbannt. Er wollte nicht mit Männern zusammenarbeiten, die nicht vollkommen hinter der Sache standen.

Fünf Tage arbeitete er nun schon vom Morgengrauen bis zum Sonnenuntergang. Er hatte jede Sprengladung selbst angebracht und sie so positioniert, dass das Gebäude auf jeden Fall nach innen in sich zusammenfallen würde, eine Kuppel fein säuberlich über der anderen. Eine Sprengung war beileibe keine chaotische Angelegenheit, ganz im Gegenteil. Sorgfalt und Präzision zeichnete seine Arbeit aus, und auf diese Kunst war er besonders stolz. Dieses Bauwerk hier stellte eine ungewöhnliche Herausforderung dar. Nicht etwa wegen der moralischen Frage, sondern wegen der intellektuellen Aufgabe. Angesichts des Glockenturms und der fünf vergoldeten Kuppeln, deren größte auf achtzig Meter hohen Bögen ruhte, würde die heutige

Sprengung einen würdigen Abschluss seiner Karriere darstellen. Danach hatte man ihm den vorzeitigen Ruhestand versprochen. Selbst davon, ihm den Lenin-Orden zu verleihen, war die Rede gewesen, Lohn für einen Auftrag, den sonst keiner übernehmen wollte.

Er schüttelte den Kopf. Er sollte nicht hier sein. Er sollte so etwas nicht tun. Er hätte sich krankmelden sollen. Er hätte jemand anderen zwingen sollen, die alles entscheidende Sprengladung anzubringen. Das hier war keine Arbeit für einen Helden. Aber wenn man sich vor der Arbeit drückte, waren die Risiken viel größer und viel realer als irgendeine abergläubische Idee, dass der Auftrag verflucht sein könnte. Er hatte eine Familie zu beschützen, seine Frau und eine Tochter. Und die beiden liebte er über alles.

* * *

Lasar stand in der Menge, die in einem Sicherheitsabstand von hundert Metern von der Kirche der Heiligen Sophia ferngehalten wurde. Sein ernstes Gebaren stach aus dem aufgeregten Geschnatter der Menschen um ihn herum heraus. Das war die Sorte Leute, dachte er, die wohl auch zu einer öffentlichen Hinrichtung gekommen wären, nicht aus Überzeugung, sondern einfach nur wegen des Spektakels, weil was los war. Die Stimmung war ausgelassen, voller Vorfreude sprudelten die Gespräche. Kinder wippten auf den Schultern ihrer Väter, sie konnten kaum erwarten, dass es losging. Eine Kirche allein reichte ihnen nicht, die Kirche musste schon in sich zusammenfallen, damit sie ihren Spaß hatten.

Vorne an der Absperrung bauten auf einer eigens errichteten erhöhten Bühne Filmleute ihre Stative und Kameras auf. Dabei diskutierten sie, aus welchem Blickwinkel man die Sprengung wohl am besten aufnehmen konnte. Besonderer Wert wurde darauf gelegt, dass man auch ja alle fünf Kuppeln im Visier hatte, und es wurde ernsthaft darüber spekuliert, ob sie wohl schon in der Luft auseinanderbrechen würden, wenn sie ineinanderkrachten, oder erst auf der Erde. Das hing, vermutete man, vom Können der Experten ab, die da drinnen das Dynamit anbrachten.

Lasar fragte sich, ob ein paar in der Masse wohl auch traurig waren. Auf der Suche nach Gesinnungsgenossen blickte er nach rechts und nach links – in einiger Entfernung stand ein Ehepaar, beide stumm und aschfahl im Gesicht, die ältere Frau ganz am Rand hatte eine Hand in der Jackentasche stecken. Sie verbarg etwas, vielleicht ein Kruzifix. Lasar hätte gern die Menge geteilt, die Trauernden von den Schaulustigen getrennt. Er hätte gern an der Seite derer gestanden, die begriffen, was hier verloren gehen würde: eine dreihundert Jahre alte Kirche, erbaut nach dem Vorbild der Kathedrale der Heiligen Sophia in Gorki, deren Namen sie auch trug. Bürgerkriege und Weltkriege hatte sie überdauert, und der jüngste Bombenschaden war eher ein Grund gewesen, sie zu erhalten, als sie zu zerstören. Mit Wut im Bauch hatte Lasar den Artikel in der *Prawda* gelesen, in dem von Baufälligkeit die Rede gewesen war – nichts weiter als ein Vorwand, um das Bevorstehende erträglich zu machen. Der Staat hatte die Zerstörung der Kirche befohlen. Aber noch schlimmer, sogar viel schlimmer war, dass die Orthodoxe Kirche dem Dekret zugestimmt hatte. Beide Parteien, die sich dieses Vergehens schuldig machten, schoben vor, dass es sich um eine rein pragmatische und nicht etwa um eine ideologische Entscheidung handle. Sie hatten eine ganze Liste von Gründen erstellt. Da waren zunächst einmal die durch die deutsche Luftwaffe verursachten Schäden. Dann bedurfte das Kircheninnere einer aufwendigen Restaurierung, für die indes kein Geld da war. Und schließlich wurde der Grund und Boden mitten in der Stadt für ein wichtiges Bauprojekt benötigt. Alle, die etwas zu sagen hatten, waren einer Meinung: Diese Kirche, die noch nicht einmal zu den wichtigsten Moskaus zählte, sollte abgerissen werden.

Was sich hinter dieser beschämenden Argumentation verbarg, war Feigheit. Nachdem die kirchlichen Würdenträger während des Krieges sämtliche Gemeinden hinter Stalin versammelt hatten, waren sie jetzt nur mehr Instrumente des Staates, ein Ministerium des Kremls. Der Abriss war eine Demonstration dieser Unterwerfung. Diese Sprengung hier diente nur einem einzigen Zweck, nämlich die Ergebenheit der Kirche zu beweisen. Ein himmelschreiender Akt der Selbstverstümmelung, um zu zeigen, wie harmlos, fügsam und bezähmt die Religion war. Man brauchte sie gar nicht mehr weiter zu verfolgen.

Lasar verstand die Taktik hinter diesem Opfer. War es nicht besser, eine einzige Kirche zu verlieren als alle? Als junger Mann war er Zeuge geworden, wie theologische Seminare in Arbeiterbaracken umfunktioniert worden waren und Kirchen in antireligiöse Ausstellungsräume. Ikonen hatte man als Feuerholz benutzt, Priester inhaftiert, gefoltert und exekutiert. Permanente Verfolgung oder kritiklose Unterwürfigkeit – das waren die Alternativen gewesen.

* * *

Jekabs hörte das Lärmen der Menge, die sich draußen versammelte, wie sie aufgeregt wartete, dass es endlich losging. Er war spät dran, eigentlich hätte er schon so weit sein sollen. Doch in den letzten fünf Minuten hatte er nichts unternommen, hatte nur die letzte Sprengladung angestarrt und sich nicht gerührt. Hinter sich hörte er das Quietschen der Tür und blickte über die Schulter. Es war sein Kollege und Freund, er verharrte auf der Türschwelle, als ob er Angst habe einzutreten. Er rief ihn an, seine Stimme hallte von den Wänden wider.

»Jekabs! Was ist los?«

»Gar nichts«, antwortete Jekabs. »Bin gleich so weit.«

Sein Freund zögerte einen Augenblick, dann fuhr er mit leiserer Stimme fort: »Heute Abend betrinken wir uns, wir zwei, und feiern deine Pensionierung. Morgen früh hast du bestimmt fürchterliche Kopfschmerzen, aber abends geht es dir dann schon besser.«

Jekabs musste lächeln angesichts dieses Trostversuchs seines Freundes. Die Schuldgefühle würden auch nicht schlimmer sein als ein Kater, sie würden verschwinden.

»Noch fünf Minuten.«

Und damit ließ sein Freund ihn in Ruhe.

Wie in der schlechten Parodie eines Gebets, schweißtriefend, kniete Jekabs sich mit schlüpfrigen Fingern hin. Er wischte sich das Gesicht ab, aber das brachte nichts, sein Hemd war schon klatschnass. Bring die Sache zu Ende! Danach würde er nie wieder arbeiten müssen. Morgen würde er mit seiner kleinen Tochter am Fluss spazieren gehen. Und übermorgen würde er ihr etwas kaufen und zusehen, wie sie sich freute. Ende nächster Woche hätte er die Kirche schon vergessen, ihre fünf goldenen Kuppeln und wie sich ihr kalter Steinboden angefühlt hatte.

Hastig griff er nach dem Zünder und hockte sich vor das Dynamit.

* * *

Buntglas schoss in alle Richtungen aus der Kirche heraus, als in einem Augenblick sämtliche Fenster unten und oben gleichzeitig barsten und die Luft mit farbenfrohen Bruchstücken füllten. Die eben noch solide Rückwand wurde in eine sich auftürmende Staubwolke verwandelt. Scharfe Steinbrocken flogen in hohem Bogen nach oben und krachten dann auf die Erde, fraßen sich durch die Grasnarbe und schlitterten auf die Menge zu. Die kümmerliche Absperrung bot keinen Schutz, mit lautem

Scheppern flog sie zur Seite. Links und rechts von Lasar gingen Menschen zu Boden, weil sie von den Beinen gerissen wurden. Auf den Schultern ihrer Väter hielten sich Kinder die Hände vor die von sirrenden Stein- und Glassplittern zerschnittenen Gesichter. Als wäre sie eins, ein Schwarm, stob die Menge davon, duckte sich, einer suchte Schutz hinter dem anderen aus Angst, dass die Trümmer sie zerfetzen würden. Niemand hatte damit gerechnet, dass es schon losging, viele hatten noch nicht einmal hingesehen. Die Filmkameras waren noch nicht bereit. In der Einsturzzone, die man entweder hoffnungslos unterschätzt oder wo man die Wucht der Explosion verkannt hatte, befanden sich noch Arbeiter.

Mit klingelnden Ohren stand Lasar auf und starrte auf die Staubfahnen, bis sie sich wieder legten. Als die Wolke sich langsam auflöste, enthüllte sie ein Loch in der Wand, das so hoch und breit war wie zwei Männer. Es sah aus, als hätte ein Riese aus Versehen seine Stiefelspitze in die Kirche gesetzt und dann peinlich berührt den Fuß wieder zurückgezogen, um die übrige Kirche nicht auch noch zu beschädigen. Lasar blickte hoch zu den goldenen Kuppeln. Die Umstehenden folgten seinem Blick, und jeder dachte dasselbe: Würden die Türme zusammenfallen?

Aus dem Augenwinkel konnte Lasar sehen, wie die Filmcrew fieberhaft die Kameras ans Laufen brachte, den Staub von den Linsen wischte und die Stative stehen ließ, um nur ja die Szene aufzunehmen. Wenn sie den Einsturz verpassten, egal aus welchem Grund, dann ging es ihnen an den Kragen. Ungeachtet der Gefahr lief keiner von ihnen weg, alle blieben auf ihren Posten und warteten auf die kleinste Bewegung, ein Kippen oder Ruckeln … ein Zittern. Einen Moment lang schien es, als würden selbst die Verletzten in gespannter Erwartung verharren.

Die fünf Kuppeln stürzten nicht ein, majestätisch überragten sie das Chaos zu ihren Füßen. Denn während die Kirche stehen blieb, waren in der Menge viele verwundet, sie bluteten und schrien. Und als ob sich plötzlich der Himmel verdunkelt hätte, spürte Lasar, wie die Stimmung unter den Leuten kippte. Zweifel machten sich breit. War eine überirdische Macht eingeschritten und hatte dieses Verbrechen unterbunden? Die Schaulustigen fingen an, sich zu zerstreuen, eilten schließlich davon. Keiner wollte mehr zusehen. Mit Mühe unterdrückte Lasar ein Lachen. Die Menge war zerstoben, aber die Kirche hatte überdauert! Er wandte sich in der Hoffnung, den Anblick gemeinsam mit ihnen genießen zu können, zu dem älteren Ehepaar um.

Der Mann stand direkt hinter Lasar, so nahe, dass sie sich fast berührten. Lasar hatte sein Näherkommen nicht bemerkt. Der Mann lächelte, aber seine Augen waren kalt. Er trug weder eine Uniform noch zeigte er seinen Ausweis. Trotzdem bestand kein Zweifel, dass er zur Staatssicherheit gehörte. Das war ein Geheimpolizist, ein Mitglied des MGB. Lasar konnte es nicht etwa aus dem schließen, was der Mann tat, sondern aus dem, was er nicht tat. Rechts und links lagen Verletzte herum, doch der Mann zeigte kein Interesse an ihnen. Man hatte ihn in der Menge postiert, um die Reaktionen der Leute zu beobachten. Und Lasar hatte versagt. Als er sich hätte freuen sollen, war er traurig gewesen. Und als er hätte traurig sein sollen, hatte er sich gefreut.

Während der Mann ihn mit einem schmallippigen Lächeln ansprach, ruhten seine toten Augen unverwandt auf Lasar: »Eine kleine Panne, nur ein Malheur, das schnell behoben sein wird. Sie sollten dableiben. Vielleicht klappt es heute doch noch mit der Sprengung. Sie wollen doch bleiben, oder? Sie wollen doch sicher sehen, wie die Kirche einstürzt. Das wird ein ziemliches Schauspiel.«

»Ja.« Eine vorsichtige Antwort und sogar die Wahrheit. Lasar wollte tatsächlich bleiben. Dass die Kirche einstürzte, wollte er allerdings nicht, aber das würde er bestimmt nicht sagen.

Der Mann fuhr fort: »Auf diesem Gelände wird eines der

größten Hallenbäder der Welt entstehen. Für die Gesundheit unserer Kinder. Die Gesundheit unserer Kinder ist wichtig. Wie heißen Sie?«

Die einfachste aller Fragen und doch gleichzeitig die furchteinflößendste.

»Ich heiße Lasar.«

»Was sind Sie von Beruf?«

Die Maskerade einer zwanglosen Plauderei war gefallen, jetzt war es ein offenes Verhör. Unterwerfung oder Verfolgung, Pragmatismus oder Prinzipien – Lasar musste sich entscheiden. Anders als viele seiner Mitbrüder, die sofort zu erkennen waren, hatte er immerhin die Wahl. Er musste ja nicht zugeben, dass er ein Priester war. Wladimir Lwow, der ehemalige Oberprokuror der Heiligen Synode, war der Ansicht gewesen, dass die Priester sich nicht mehr durch ihre Tracht absondern mussten, sondern stattdessen »ihre Priestergewänder abstreifen, die Haare schneiden und sich in normale Sterbliche verwandeln« durften. Lasar stimmte ihm zu. Mit seinem kurz geschorenen Bart und seinem unauffälligen Äußeren könnte er diesen Agenten nun anlügen. Er könnte seine Berufung verleugnen und hoffen, dass seine Lüge ihn schützen würde. Er arbeitete in einer Schuhfabrik oder war Tischler – egal was, nur nicht die Wahrheit. Der Agent wartete.

Am selben Tag

Während ihrer ersten gemeinsamen Wochen hatte Anisja nicht groß über die Sache nachgedacht. Maxim war erst vierundzwanzig Jahre alt und Absolvent des Seminars der Moskauer Theologischen Hochschule, die, nachdem sie 1918 geschlossen worden war, erst kürzlich als Teil der Rehabilitation religiöser Einrichtungen wiedereröffnet worden war. Sie selbst war sechs

Jahre älter als er, verheiratet, also unerreichbar und eine qualvolle Vorstellung für einen jungen Mann, der vermutlich über wenig, wenn überhaupt irgendeine sexuelle Erfahrung verfügte. Maxim war introvertiert und scheu und hatte sich außerhalb der Kirche nie mit jemandem abgegeben. Er hatte nur wenige Freunde und Verwandte, und von denen lebte niemand in der Stadt. So war es nicht verwunderlich, dass er sich in sie vernarrt hatte. Sie hatte seine schmachtenden Blicke geduldet und sich sogar ein wenig geschmeichelt gefühlt. Hoffnungen gemacht allerdings hatte sie ihm ganz und gar nicht. Er jedoch hatte ihr Schweigen als Erlaubnis missverstanden, ihr weiter den Hof machen zu dürfen. Deshalb nahm er jetzt auch ihre Hand und sagte:

»Verlass ihn. Komm mit mir.«

Sie war überzeugt gewesen, dass er niemals den Mut aufbringen würde, seine so dumme, kindische Schwärmerei tatsächlich in die Tat umzusetzen. Da hatte sie sich getäuscht.

Bemerkenswert war, dass er sich, um die Grenze von einer privaten Träumerei zu einem offenen Antrag zu überschreiten, ausgerechnet diesen Ort ausgesucht hatte. Sie standen in der Kirche ihres Mannes, in den im Schatten liegenden Nischen richteten die Fresken von Jüngern, Dämonen, Propheten und Engeln über ihr verbotenes Tun. Maxim setzte seine gesamte Ausbildung aufs Spiel, Schande und der Ausschluss aus der religiösen Gemeinde ohne Hoffnung auf Vergebung würden ihm sicher sein. Sein ernstes, aus tiefstem Herzen kommendes Werben beruhte auf einer derartig absurden Fehleinschätzung, dass ihre Reaktion unwillkürlich die schlimmste nur denkbare war: ein kurzes, perplexes Auflachen.

Bevor er noch reagieren konnte, schlug die schwere Eichentür zu. Aufgeschreckt wandte Anisja sich um und sah ihren Mann. Erregt preschte Lasar auf sie zu, und sie konnte nur vermuten, dass er die Szene als Beweis ihrer Untreue missdeutet hatte.

Anisja riss sich so abrupt von Maxim los, dass ihre vermeintliche Schuld dadurch nur noch betont wurde. Aber als Lasar näher kam, erkannte sie, dass der Mann, mit dem sie seit zehn Jahren verheiratet war, etwas anderes auf dem Herzen hatte. Er warf einen hastigen Blick zurück zur Tür. So atemlos, als sei er gerannt, ergriff er ihre Hände – dieselben Hände, die noch vor Sekunden Maxim gehalten hatte.

»Ich bin aus der Menge herausgefischt worden. Ein Agent hat mich verhört.« Er sprach hastig, die Worte überschlugen sich und waren so dringlich, dass sie Maxims Antrag einfach beiseitefegten.

»Ist man dir gefolgt?«, fragte sie.

Er nickte. »Ich habe mich in Natascha Njurinas Wohnung versteckt.«

»Was ist dann passiert?«

»Er hat draußen gewartet. Ich musste durch die Hintertür verschwinden.«

»Werden sie Natascha jetzt verhaften und verhören?«

Lasar hielt sich die Hände vors Gesicht. »Ich habe Panik gekriegt. Ich wusste nicht, wohin. Ich hätte nicht zu ihr gehen sollen.«

Anisja packte ihn bei den Schultern. »Wenn sie erst Natascha verhaften müssen, um uns zu finden, dann haben wir noch etwas Zeit.«

Lasar schüttelte den Kopf. »Ich habe ihm meinen Namen genannt.«

Sie verstand. Er würde nicht lügen. Er würde seine Prinzipien nicht verraten, weder für sie noch für irgendjemand anders. Die Prinzipien waren wichtiger als ihr Leben. Er hätte nicht zu der Sprengung gehen sollen. Sie hatte ihn vor dem unnötigen Risiko gewarnt. Mit Sicherheit würde man die Menge überwachen, und er war ein auffälliger Zuschauer. Wie üblich hatte er sie ignoriert. Immer tat er so, als bedenke er ihren Rat, aber nie befolgte er ihn. Hatte sie ihn nicht angefleht, die Kirchenoberen nicht vor den Kopf zu stoßen? Waren sie beide in einer so starken Position, dass sie es sich leisten konnten, sich sowohl den Staat als auch die Kirche zu Feinden zu machen? Aber Bündnispolitik interessierte ihren Mann nicht, er wollte einfach seine Meinung sagen, selbst wenn er sich dadurch isolierte. Offen hatte er das neue Verhältnis der Bischöfe zu den Machthabern kritisiert. Störrisch und eigensinnig hatte er von ihr verlangt, seine Haltung zu unterstützen, ohne ihr auch nur einen Kommentar zuzugestehen. Sie bewunderte ihn, bewunderte seine Integrität. Er hingegen bewunderte sie nicht. Sie war viel jünger als er und erst zwanzig Jahre alt gewesen, als sie geheiratet hatten. Er war damals schon fünfunddreißig.

Manchmal fragte Anisja sich, ob er sie nur geheiratet hatte, weil es per se eine reformerische Haltung verriet, wenn ein sogenannter Weißer Priester, der verheiratet war, das Mönchsgelübde ablegte. Die Vorstellung gefiel ihm, passte in sein liberales philosophisches Weltbild. Immer war sie auf den Moment gefasst gewesen, in dem der Staat in ihr Leben eingreifen würde. Doch jetzt, wo dieser Moment gekommen war, fühlte sie sich betrogen. Sie zahlte nun die Zeche für seine Überzeugungen – Überzeugungen, die sie nie hatte beeinflussen oder mitgestalten können.

Lasar legte Maxim eine Hand auf die Schulter. »Es wäre besser, wenn du ins Priesterseminar zurückkehrst und uns denunzierst. Wir werden sowieso verhaftet, und die Denunziation würde ja nur dazu dienen, dass du dich von uns distanzieren kannst. Du bist noch ein junger Mann, Maxim. Keiner wird schlecht von dir denken, wenn du jetzt gehst.«

Aus Lasars Mund war dieser Vorschlag ein zweischneidiges Schwert. Denn seiner selbst hielt Lasar solch eine pragmatische Handlungsweise natürlich für unwürdig, so verhielten sich andere, schwächere Männer und Frauen. Seine moralische Überlegenheit war erdrückend. Er eröffnete Maxim nicht etwa einen Ausweg, sondern fing ihn in einer Falle. Mit bemüht freundlicher Stimme warf Anisja ein: »Du *musst* gehen, Maxim.«

Er antwortete scharf: »Ich will aber dableiben.«

Dass sie ihn eben ausgelacht hatte, hatte an seiner Ehre gekratzt, deshalb reagierte er jetzt stur und aufgebracht. Mit einem Satz, dessen Doppelbödigkeit ihrem Mann verborgen blieb, antwortete sie: »Bitte Maxim, vergiss alles, was geschehen ist. Damit, dass du bleibst, bewirkst du doch nichts.«

Maxim schüttelte den Kopf. »Ich habe meine Entscheidung getroffen.«

Anisja registrierte Lasars Lächeln. Ohne Zweifel hatte er Maxim ins Herz geschlossen. Er hatte ihn unter die Fittiche genommen, ohne zu merken, wie sehr der Junge sie vergötterte. Ihm machten nur Maxims Wissenslücken in Bibelstudien und Philosophie Sorgen. Dessen Entscheidung zu bleiben schien ihm zu gefallen, weil er glaubte, dass sie etwas mit ihm selbst zu tun hatte.

Anisja trat näher an Lasar heran.

»Wir können nicht zulassen, dass er sein Leben riskiert.«

»Wir können ihn auch nicht zwingen zu gehen.«

»Lasar, das hier ist nicht sein Kampf!«

Ihrer war es auch nicht.

»Er hat ihn zu seinem gemacht. Ich respektiere das, und du musst das auch tun.«

»Es ist doch sinnlos!«

Offenbar sah Lasar in Maxim ein Ebenbild seiner selbst, den Märtyrer. Er hatte sich entschieden, sie zu erniedrigen und ihn zu zerstören. »Schluss jetzt!«, schrie er. »Wir haben keine Zeit mehr. Du willst, dass Maxim nichts passiert. Ich auch. Aber wenn er bleiben will, dann bleibt er.«

* * *

Lasar eilte hinter die Ikonostase zu dem steinernen Altar und räumte ihn hastig ab. Jeder, der mit seiner Kirche in Verbindung stand, war jetzt in Gefahr. Für seine Frau oder Maxim konnte er nicht mehr viel tun, sie standen ihm zu nahe. Aber seine Gemeinde, die Menschen, die sich ihm anvertraut und ihre Ängste mit ihm geteilt hatten – deren Namen mussten unbedingt geheim bleiben.

Kaum war der Altar leer, umfasste Lasar ihn an der Querseite. »Schieb!«

Ahnungslos, aber gehorsam drückte Maxim gegen den Altar, dessen Gewicht ihm alle Kraft abverlangte. Der raue steinerne Sockel knirschte über den Steinboden, und als er langsam zur Seite glitt, kam ein Loch zum Vorschein – ein Versteck, das man vor etwa zwanzig Jahren angelegt hatte, als die Attacken gegen die Kirche am heftigsten gewesen waren. Damals hatten sie die Steinplatten entfernt, sodass die nackte Erde zum Vorschein gekommen war. Dann hatten sie vorsichtig gegraben und das Loch mit Holz ausgekleidet, damit die Seiten nicht einbrachen. Ein einen Meter tiefer und zwei Meter breiter Raum war entstanden, in dem sich jetzt eine Stahlkiste befand. Lasar griff danach, Maxim folgte seinem Beispiel und zog am anderen Ende. Gemeinsam hoben sie die Kiste heraus und setzten sie auf dem Fußboden ab, um sie zu öffnen.

Anisja hob den Deckel hoch.

Maxim hockte sich neben sie und konnte die Verblüffung in seiner Stimme nicht verbergen. »Musik?«

Die Kiste war angefüllt mit handgeschriebenen Notenblättern.

Lasar erklärte: »Der Komponist hat hier den Gottesdienst besucht. Er war noch ein junger Mann, nicht viel älter als du, ein Student am Moskauer Konservatorium. Eines Abends kam er zu uns, außer sich vor Angst, dass man ihn verhaften würde. Er fürchtete, dass man seine Arbeit zerstören könnte, und hat uns seine Kompositionen anvertraut. Vieles davon war als antisowjetisch gebrandmarkt worden.«

»Warum?«

»Ich weiß es nicht. Er wusste es selbst nicht. Er hatte niemanden, an den er sich wenden konnte, keine Familie oder Freunde, denen er vertrauen konnte. Deshalb kam er zu uns. Wir erklärten uns bereit, sein Lebenswerk an uns zu nehmen. Kurz darauf ist er verschwunden.

Maxim warf einen flüchtigen Blick auf die Noten. »Die Musik ... ist sie gut?«

»Wir haben sie noch nie gehört. Wir trauen uns nicht, sie jemandem zu zeigen oder uns vorspielen zu lassen. Man könnte Fragen stellen.«

»Ihr habt überhaupt keine Vorstellung davon, wie sie klingt?«

»Ich kann keine Noten lesen. Meine Frau auch nicht. Aber darum geht es hier nicht, Maxim. Als ich versprach, dem Mann zu helfen, ging es dabei nicht um den künstlerischen Rang seiner Arbeit.«

»Ihr riskiert euer Leben. Wenn sie nun wertlos ist ...«

Lasar berichtigte ihn: »Was wir schützen, sind nicht diese Noten. Was wir schützen, ist ihr Recht zu überleben.«

Anisja machte die Selbstgefälligkeit ihres Mannes wütend. Schließlich war der junge Komponist, um den es hier ging, zu ihr gekommen, nicht zu ihm. Danach hatte sie Lasar angefleht und ihn dazu überredet, sich der Musik anzunehmen. Als er jetzt die Geschichte weitererzählte, verschwieg er nicht nur geflissentlich seine eigenen Zweifel und Ängste, sondern stellte überdies Anisja lediglich als passive Befürworterin dar. Sie fragte sich, ob ihm überhaupt bewusst war, wie er die wahre Geschichte zurechtgedrechselt hatte, um seine eigene Bedeutung hervorzuheben, sich selbst im Nachhinein in den Mittelpunkt zu rücken.

Lasar nahm die komplette Loseblattsammlung der Noten, insgesamt vielleicht zweihundert Seiten. Zwischen den Noten befanden sich Dokumente über Kirchenangelegenheiten und mehrere echte Ikonen, die man hier verborgen und durch Reproduktionen ersetzt hatte. Fieberhaft sortierte er alles in drei Stapel und achtete dabei so gut es ging darauf, dass einzelne Kompositionen zusammenblieben. Der Plan war, alles in etwa gleich großen Tranchen hinauszuschmuggeln. Wenn man es auf drei Päckchen aufteilte, bestand eine realistische Chance, dass ein Teil der Musik überleben würde. Die Schwierigkeit bestand darin, drei verschiedene Verstecke zu finden sowie drei Menschen, die bereit wären, ihr Leben für Notenblätter aufs Spiel zu setzen, obwohl sie weder dem Komponisten je begegnet waren noch seine Musik gehört hatten. Lasar wusste, dass viele aus der Gemeinde ihm helfen würden. Und die waren vermutlich auch aus dem einen oder anderen Grund verdächtig. Für diese Aufgabe brauchten sie die Hilfe eines perfekten Sowjetmenschen, von jemandem also, dessen Wohnung nie und nimmer durchsucht werden würde. Und ein solcher Mensch, wenn es ihn überhaupt gab, würde ihnen niemals helfen.

Anisja machte ein paar Vorschläge.

»Martemjan Systow.«

»Eine Plaudertasche.«

»Artjom Nachajew.«

»Der würde sich bereiterklären, die Noten an sich nehmen, es dann aber mit der Angst kriegen, die Nerven verlieren und sie verbrennen.«

»Njura Dmitrijewa.«

»Sie würde zwar Ja sagen, uns aber dafür hassen, dass wir sie gefragt haben. Sie würde nicht mehr schlafen und nichts mehr essen.«

Letzten Endes blieben zwei Namen übrig, auf mehr konnten sie sich nicht einigen. Lasar beschloss, einen Teil der Kompositionen zusammen mit den größeren Ikonen weiterhin in der Kirche versteckt zu halten. Er würde sie in die Kiste zurücklegen und den Altar wieder an seine Stelle rücken. Da Lasar auf jeden Fall verfolgt werden würde, sollten Anisja und Maxim je einen Teil der Noten zu den beiden Adressen schaffen.

Anisja war bereit. »Ich gehe als Erste.«

Maxim schüttelte den Kopf. »Nein, ich.«

Sie erriet, warum er das vorschlug. Wenn Maxim entwischte, dann gab es eine gute Chance, dass auch sie davonkommen würde.

Sie hoben den schweren Balken, der die Haupttür verriegelte, weg. Anisja spürte, wie Maxim zögerte. Bestimmt hatte er Angst, jetzt wo ihm seine gefährliche Lage klar wurde.

Lasar schüttelte ihm die Hand. Über die Schultern ihres Mannes hinweg sah Maxim sie an. Als Lasar sich verabschiedet hatte, trat Maxim zu ihr.

Sie umarmte ihn und sah ihm nach, wie er in der Nacht verschwand.

Lasar verriegelte die Tür wieder, dann ging er nochmals den Plan durch. »Warte zehn Minuten.«

Allein mit ihrem Mann, stand sie ein wenig hilflos vor der Ikonostase. Er kam zu ihr. Doch zu ihrer Überraschung betete er nicht etwa, sondern nahm stattdessen ihre Hand.

* * *

Die zehn Minuten waren vergangen, und sie gingen wieder zur Tür. Lasar schob den Balken weg. Die Noten befanden sich in einer Tasche, die Anisja sich über die Schulter geworfen hatte. Sie hatten sich schon verabschiedet. Draußen blieb sie stehen, wandte sich noch einmal um und sah schweigend zu, wie Lasar die Tür hinter ihr schloss. Sie hörte, wie der Balken wieder vorgelegt wurde. Während sie in Richtung der Straße ging, suchte sie nach Gesichtern in den Fenstern und irgendwelchen Bewegungen im Schatten. Eine Hand umfasste ihr Armgelenk. Sie wirbelte herum.

»Maxim?«

Was machte er hier? Wo waren die Noten, die er bei sich gehabt hatte? Von irgendwo hinter der Kirche rief eine barsche, ungeduldige Stimme: »Leo?«

Anisja sah einen Mann in dunkler Uniform – ein MGB-Agent. Weitere Männer folgten ihm, zusammengerottet wie Kakerlaken. All ihre Fragen schmolzen dahin, sie konzentrierte sich nur noch auf den Namen, den der Mann gerufen hatte: Leo. Mit einem einzigen Wort löste sich das ganze Lügengespinst auf. Deshalb also hatte er keine Freunde oder Verwandten in der Stadt und war in seinen Stunden mit Lasar so schweigsam gewesen. Deshalb kannte er sich in der Heiligen Schrift und Philosophie nicht aus. Deshalb hatte er auch die Kirche als Erster verlassen wollen – nicht etwa, um sie zu beschützen, sondern um ihre Beschatter zu alarmieren, die Mannschaft zusammenzutrommeln und sich für ihre Verhaftung bereitzuhalten. Er war ein Tschekist, ein Beamter der Geheimpolizei. Er hatte sie und ihren Mann getäuscht, hatte sich in ihrer beider Leben geschlichen, um so viele Informationen wie möglich zu bekommen, nicht nur von ihnen, sondern auch von den Leuten, die mit ihnen sympathisierten.

Er hatte einen Schlag gegen die restlichen Widerstandsnester innerhalb der Kirche vorbereitet. War der Versuch, sie zu verführen, auch im Auftrag seiner Vorgesetzten geschehen? Hatten die sie als schwach und leichtgläubig eingeschätzt und diesem gut aussehenden Beamten befohlen, in die Rolle des Maxim zu schlüpfen, um sie zu manipulieren?

Maxim sprach leise und vertraulich, so als habe sich nichts zwischen ihnen geändert. »Anisja, ich gebe dir noch eine Chance. Komm mit mir. Ich habe Vorbereitungen getroffen. An dir ist keiner interessiert. Sie wollen Lasar.«

Der Tonfall in seiner Stimme, so sanft und besorgt, widerte sie an. Als er ihr vorgeschlagen hatte, mit ihm wegzugehen, war das gar keine naive Träumerei gewesen, keine romantische Verliebtheit. Es war die kühl kalkulierte Taktik eines Agenten.

Er fuhr fort: »Ich gebe dir denselben Rat, den ihr mir gegeben habt: Denunziere Lasar. Ich kann für dich lügen. Ich kann dich beschützen. Er ist es, den sie wollen. Mit deiner Loyalität erreichst du gar nichts. Bitte!«

* * *

Leo wurde die Zeit knapp. Sie musste doch begreifen, dass er ihre einzige Chance war zu überleben, was auch immer sie von ihm hielt. Es würde ihr nichts einbringen, an ihren Prinzipien festzuhalten. Sein Vorgesetzter Nikolai Borissow kam auf sie zu. Er war vierzig Jahre alt und hatte den Körperbau eines in die Jahre gekommenen Gewichthebers, immer noch stark, aber von zu viel Alkohol aufgeschwemmt. »Kooperiert sie?«

Leo streckte die Hand aus, seine Augen flehten sie an, ihm die Tasche zu geben. »Bitte!«

Statt einer Antwort schrie sie, so laut sie konnte: »Lasar!«

Nikolai trat vor und schlug sie mit dem Handrücken. Seinen Männern rief er zu: »Los!«

Mit Äxten machten sie sich über die Kirchentür her.

Leo sah den Hass in Anisjas Blick. Nikolai entriss ihr die Tasche. »Er hat nur versucht, dich zu retten, du undankbares Miststück.«

Sie lehnte sich vor und flüsterte Leo ins Ohr: »Hast du ernsthaft geglaubt, dass ich mich in dich verlieben könnte?«

Beamte packten sie an den Armen und rissen sie zurück.

Sie grinste ihn an, ein teuflisches Grinsen. »Niemand wird dich jemals lieben. Niemand.«

Leo wandte sich von ihr ab und hoffte, dass man sie nur schnell fortschaffte.

Tröstend legte ihm Nikolai eine Hand auf die Schulter. »Es wäre ohnehin schwierig genug geworden, plausibel zu machen, dass sie keine Verräterin war. Schwierig für dich, meine ich. So ist es besser, besser für dich. Es gibt auch noch andere Frauen, Leo. Es gibt immer andere.«

Leo hatte seine erste Verhaftung durchgeführt.

Anisja hatte unrecht. Denn es gab ja schon jemanden, der ihn liebte – den Staat. Von einer Verräterin wollte er nicht geliebt werden, das war ja gar keine Liebe. Täuschung und Betrug waren die Waffen eines Agenten, es war sein Recht, sich ihrer zu bedienen. Sein Land war angewiesen auf Betrug. Bevor er Agent beim MGB geworden war, hatte er als Soldat erfahren, wie notwendig Brutalität bei der Bezwingung des Faschismus gewesen war. Selbst die schrecklichsten Dinge konnte man mit dem Wohl des Ganzen rechtfertigen, dem sie letztendlich dienten.

Er betrat die Kirche. Statt zu versuchen zu fliehen, kniete Lasar vor einer Ikone und erwartete betend sein Schicksal. Als er Leo sah, fiel sein trotziger Stolz von ihm ab. Im Moment des Verstehens schien er um Jahre zu altern.

»Maxim?« Zum ersten Mal, seit sie sich kannten, musste nun er seinen Schützling um Erklärungen bitten.

»Mein Name ist Leo Stepanowitsch Demidow.«

Einige Sekunden lang schwieg Lasar. Schließlich murmelte er: »Aber du wurdest mir doch vom Patriarchen empfohlen.«

»Der Patriarch Krassikow ist ein guter Bürger.«

Lasar schüttelte den Kopf, er konnte es einfach nicht fassen. Der Patriarch ein Informant? Sein Schützling ein Spion, den ihm der höchste kirchliche Würdenträger ins Haus geschickt hatte? Man hatte ihn dem Staat ebenso geopfert wie die Kirche der Heiligen Sophia. Er war ein Narr gewesen, der andere gewarnt hatte, sich vorzusehen, und Umsicht gepredigt hatte, während direkt neben ihm ein Beamter des MGB gestanden und alles aufgeschrieben hatte.

Nikolai trat heran. »Wo sind die restlichen Papiere?«

Leo führte sie hinter die Ikonostase und deutete auf den Altar. »Da drunter.«

Drei Agenten schoben den Altar beiseite und brachten die Kiste zum Vorschein. »Hat er noch weitere Namen genannt?«, fragte Nikolai.

Leo antwortete: »Martemjan Systow, Artjom Nachajew, Njura Dmitrijewa, Moissei Semaschko.«

Er erhaschte einen Blick auf Lasars Gesicht, auf dem Entsetzen sich in Abscheu verwandelte. Leo trat zu ihm. »Augen nach unten!«

Lasar wandte den Blick nicht ab.

Leo drückte seinen Kopf hinunter. »Augen nach unten, habe ich gesagt!«

Lasar hob den Kopf wieder. Diesmal versetzte Leo ihm einen Faustschlag. Langsam, mit geplatzter Lippe, hob Lasar den Kopf erneut. Blut tropfte herab, doch er sah Leo an, in seinem Gesicht standen Ekel und Trotz.

Als ob Lasar ihm eine Frage gestellt hätte, antwortete Leo: »Ich bin ein guter Mensch.«

Leo hielt seinen Mentor an den Haaren und prügelte immer weiter auf ihn ein, Schlag auf Schlag, mechanisch wie eine aufziehbare Soldatenpuppe. Immer wieder dieselben Schläge, bis ihm die Fingerknöchel wehtaten und die Arme schmerzten und Lasars eine Gesichtshälfte ganz geschwollen war. Als er schließlich aufhörte und ihn losließ, fiel Lasar zu Boden, um seinen Mund herum bildete sich eine Blutlache.

Nikolai legte Leo einen Arm über die Schulter und sah zu, wie Lasar hinausgetragen wurde und eine Blutspur vom Altar bis hin zur Tür hinterließ. Er zündete sich eine Zigarette an. »Leo, der Staat braucht Leute wie dich und mich.«

Benommen wischte sich Leo das Blut an den Hosenbeinen ab, dann antwortete er: »Bevor wir abziehen, würde ich gerne noch kurz die Kirche durchsuchen.«

Ohne einen Hauch von Misstrauen ging Nikolai auf den Vorschlag ein. »Du bist ein Perfektionist, das gefällt mir. Aber beeil dich. Heute Abend betrinken wir uns. Du hast schon zwei Monate keinen mehr gehoben. Hast ja gelebt wie ein Mönch.«

Nikolai lachte über seinen eigenen Witz und klopfte Leo auf den Rücken, dann marschierte er hinaus. Als Leo allein war, trat er zu dem weggeschobenen Altar und starrte in das Loch. Eingeklemmt zwischen der Kiste und der Erdausschachtung hing ein einzelnes Blatt Papier. Er beugte sich hinab und fischte es heraus. Es war ein Notenblatt. Besser, wenn man gar nicht erfuhr, was hier verloren gegangen war. Er hob das Blatt an die Flamme einer nahe stehenden Kerze und sah zu, wie es sich schwarz färbte.

Sieben Jahre danach

Moskau

12. März 1956

Als Leiter eines kleinen akademischen Druckereiverlags war Suren Moskwin dafür bekannt, dass er Fachbücher von erbärmlichster Qualität druckte. Er verwendete schmierende Druckerschwärze und das dünnste Papier, zusammengehalten wurde das Ganze von einem Buchrücken aus Leim, aus dem sich schon wenige Stunden nach dem Öffnen des Buches die ersten Blätter lösten. Nicht, dass er faul oder inkompetent gewesen wäre, ganz im Gegenteil, er begann frühmorgens mit der Arbeit und hörte erst spätabends auf. Es lag an den Materialien, dass die Bücher so schäbig waren, an Materialien, die der Staat ihm zuteilte. Zwar wurden die Inhalte akademischer Publikationen akribisch überwacht, bei der Bewilligung von Produktionsmitteln jedoch nicht gerade bevorzugt. So kam es, dass Suren in der Systemfalle der Quotierung steckte und gezwungen war, in kürzester Zeit dem schlechtesten Papier eine große Stückzahl von Büchern abzuringen.

Dieses Missverhältnis änderte sich nie, er war ihm ausgeliefert und äußerst beschämt, wie schlecht sein Ruf geworden war. Man machte sich über ihn lustig. Mit von Druckerschwärze verschmierten Fingern witzelten die Studenten und Professoren, dass aus Moskwins Büchern wirklich etwas haften blieb. Derart lächerlich gemacht, fand Moskwin es zunehmend schwierig, morgens überhaupt noch aufzustehen. Er aß nicht ordentlich und trank sich stattdessen durch den Tag, die Flaschen verstaute er in Schubladen und hinter Bücherregalen. Mit fünfundfünfzig Jahren hatte er noch einmal etwas Neues an sich entdeckt –

dass er nämlich öffentliche Demütigungen nur schwer verdauen konnte.

Als er jetzt seine Linotype-Setzmaschinen inspizierte und dabei über sein Versagen brütete, bemerkte er einen jungen Mann, der in der Tür stand. Misstrauisch sprach Suren ihn an: »Ja? Was gibt es? Ist das normal, dass man einfach unangekündigt so dasteht?«

In typischer Studentenkluft, einem langen Mantel und einem billigen schwarzen Schal, trat der Mann vor. Er hielt Suren ein Buch hin. Suren riss es ihm aus den Händen und machte sich auf eine weitere Beschwerde gefasst. Er warf einen flüchtigen Blick auf den Einband: Lenins *Staat und Revolution*. Letzte Woche hatten sie eine neue Ausgabe gedruckt und erst gestern oder vorgestern ausgeliefert. Dieser Mann da war offenbar der Erste, dem aufgefallen war, dass irgendetwas nicht stimmte. Ein Fehler in einem solch grundlegenden Werk war eine ernste Sache, unter Stalin hätte das ausgereicht, um verhaftet zu werden. Der Student beugte sich vor, öffnete das Buch und blätterte vor. Auf dem Innentitel war ein Schwarzweißfoto abgedruckt.

Der Student bemerkte: »Die Bildunterschrift besagt, dass dies ein Foto von Lenin sei. Aber wie Sie sehen können …«

Das Foto zeigte einen Mann, der Lenin nicht im Entferntesten ähnlich sah. Er stand vor einer Mauer, einer kalkweißen Mauer. Die Haare standen ihm zu Berge, und sein Blick war gehetzt.

Geräuschvoll schlug Suren das Buch zu und wandte sich dann an den Studenten: »Glauben Sie etwa, ich hätte Tausende Exemplare dieses Buches mit einem falschen Foto gedruckt? Wer sind Sie überhaupt? Wie heißen Sie? Warum tun Sie das? Mein Problem ist die Materialknappheit, nicht Schludrigkeit!«

Er schubste den Studenten zurück und schlug ihm das Buch gegen die Brust. Der Schal um dessen Hals löste sich und entblößte Teile einer Tätowierung. Dieser Anblick ließ Suren innehalten. Eine Tätowierung passte so gar nicht zu der studentischen Aufmachung. Niemand außer den *wory*, den Berufsverbrechern, hätte seine Haut derart gezeichnet.

Surens Entrüstung war die Wucht genommen, und der Mann nutzte sein Zaudern und eilte hinaus. Immer noch das Buch in der Hand lief Suren ihm halbherzig nach und sah, wie er in der Nacht verschwand.

Mit einem mulmigen Gefühl schloss er die Tür und verriegelte sie. Etwas beunruhigte ihn: das Foto. Er kramte seine Brille hervor, öffnete das Buch und studierte das Gesicht etwas eingehender: diese angstgeweiteten Augen! So wie ein Geisterschiff aus dem dichten Nebel des Meeres auftaucht, fing Suren an zu dämmern, wer dieser Mann war. Er kannte ihn, das Gesicht war ihm vertraut. Seine Haare waren so zerzaust und sein Blick so gehetzt, weil man ihn aus dem Bett gezerrt und verhaftet hatte. Suren erkannte die Fotografie, weil er sie selbst aufgenommen hatte.

Suren hatte nicht immer eine Druckerei geleitet. Zuvor war er beim MGB gewesen. In zwanzig Jahren treuer Dienste hatte er viele seiner Vorgesetzten überdauert. Er hatte die verschiedensten banalen Pflichten übernommen, Zellen gesäubert oder Gefangene fotografiert. Sein niedriger Rang war ihm zustattengekommen, und er hatte genügend Grips besessen, nicht nach Höherem zu streben. Weil er nie auffiel, entging er auch den Säuberungsaktionen, denen die höheren Befehlsebenen regelmäßig anheimfielen. Man hatte ihm unangenehme Sachen abverlangt, und er hatte seine Pflicht unerschütterlich erfüllt. Damals war er ein Mann gewesen, den man fürchten musste. Keiner hatte Witze über ihn gerissen. Das hätte keiner gewagt. Seine angegriffene Gesundheit hatte ihn dazu gezwungen, den Posten aufzugeben. Doch obwohl man ihn fürstlich entlohnt hatte und es ihm an nichts fehlte, die Untätigkeit war nichts für ihn. Wenn er ohne tägliche Aufgabe einfach nur im Bett liegen blieb, machten sich seine Gedanken selbstständig. Sie wanderten zurück in die Vergangenheit und erinnerten ihn an Gesichter wie das, das jetzt in diesem Buch klebte. Deshalb musste er sich beschäftigen und unter Leute kommen. Er brauchte eine Arbeit, damit er sich nicht in seinen Erinnerungen verlor.

Suren klappte das Buch zu und schob es sich in die Jackentasche. Warum passierte das ausgerechnet heute? Das konnte doch kein bloßer Zufall sein. Denn obwohl er es nicht fertigbrachte, ein einigermaßen anständiges Buch oder Magazin abzuliefern, hatte man ihn unerwartet gebeten, ein wichtiges Staatsdokument zu drucken. Um was es sich dabei handelte, hatte man ihm nicht eröffnet. Doch das Prestige dieses Auftrags bedeutete, dass man ihm hochwertige Materialien zur Verfügung stellen würde, gutes Papier und gute Druckerfarbe. Endlich hatte er Gelegenheit, etwas herzustellen, auf das er stolz sein konnte. Heute Abend sollte das Dokument vorbeigebracht werden. Doch irgendjemand, der etwas gegen ihn hatte, wollte offenbar verhindern, dass sein Schicksal sich wendete.

Suren verließ die Druckhalle und eilte in sein Büro, wo er sorgfältig sein dünnes graues Haar scheitelte. Heute trug er seinen besten Anzug – er besaß nur zwei, einen für den täglichen Gebrauch und einen für besondere Anlässe. Das hier war ein besonderer Anlass. Heute hatte man ihm nicht aus dem Bett helfen müssen, er war vor seiner Frau wach gewesen und hatte beim Rasieren vor sich hingesummt. Zum ersten Mal seit Wochen hatte er ordentlich gefrühstückt. Früh war er in der Druckerei angekommen, hatte als Erstes die Flasche aus der Schublade geholt und den Wodka ins Spülbecken gekippt. Dann hatte er den ganzen Tag über saubergemacht, den Boden gescheuert und alles abgestaubt, hatte die Ölflecken von den Linotype-Maschinen gewischt. Seine Söhne, die beide an der Universität studierten, hatten ihn besucht und über die Verwandlung gestaunt. Suren hatte sie daran erinnert, dass es eine Frage des Prinzips war, seinen Arbeitsplatz makellos sauber zu halten. Der Arbeitsplatz war es schließlich, der einem Menschen Identität und Selbstwertgefühl verlieh. Zum Abschied hatten sie ihn geküsst und ihm bei seinem neuen Auftrag Glück gewünscht. Nach all den Jahren der Geheimniskrämerei und den letzten des Misserfolgs waren sie endlich einmal stolz auf ihn.

Er schaute auf die Uhr. Es war sieben Uhr abends. Sie konnten jeden Augenblick da sein. Er musste diesen Fremden und das Foto einfach vergessen, das war doch nicht wichtig. Er durfte sich davon nicht ablenken lassen. Plötzlich wünschte er sich, er hätte den Wodka nicht weggegossen. Ein Schlückchen hätte ihn jetzt beruhigt. Aber wahrscheinlich hätte man das gerochen. Lieber keinen heben, lieber nervös sein, das zeigte, dass man die Arbeit ernst nahm. Suren griff nach der Flasche Kwass, einem alkoholfreien Brottrunk. Der musste reichen.

In der ganzen Aufregung und weil der Alkoholentzug ihn zittrig gemacht hatte, stieß er gegen einen Druckstock mit stählernen Matrizen für die Buchstaben. Der Druckstock fiel vom Schreibtisch, und alles purzelte heraus, die Buchstaben lagen über den gesamten Fußboden verstreut.

Klong, klong!

Suren erstarrte. Urplötzlich war er nicht mehr in seinem Büro, sondern stand in einem schmalen Backsteinflur, von dem zu beiden Seiten Eisentüren abgingen. Er kannte den Ort genau: Das Orjoler Gefängnis, wo er beim Ausbruch des Großen Vaterländischen Krieges Wärter gewesen war. Weil sie gezwungen gewesen waren, sich vor der rasch vorrückenden deutschen Armee zurückzuziehen, hatte man ihm und den anderen Wärtern befohlen, sämtliche Häftlinge zu liquidieren, um bloß keine Sympathisanten als mögliche Rekruten für die Nazi-Invasoren zurückzulassen. Da bereits Stukas ihre Tieffliegerangriffe flogen und die Gebäude in Schussweite der Panzer lagen, war es logistisch gesehen eine ziemlich knifflige Angelegenheit, wie man in ein paar Minuten zwanzig Zellen voll mit Hunderten politischer Gefangener eliminieren sollte. Für Kugeln oder Schlingen hatten sie keine Zeit mehr. Es war seine Idee gewesen, Handgranaten zu benutzen, zwei für jede Zelle. Er war zum Ende des Flurs gegangen, hatte den Sicherungsstift herausgezogen und sie hineingeschleudert. *Klong, klong!* – so hatte es sich angehört, als die Handgranaten über den Betonboden schepperten. Dann hatte er die Gitterfenster zugeknallt, damit man sie nicht wieder herauswerfen konnte, und war durch den Flur zurückgelaufen, um der Explosion zu entgehen. Dabei hatte er sich vorgestellt, wie die Männer an den Handgranaten herumnestelten und sie ihnen aus den schmuddeligen Fingern glitten bei dem Versuch, sie durch die verschlossenen Gitterfenster zu werfen.

Suren presste seine Hände fest gegen die Ohren, so als ob er damit die Erinnerung verbannen könnte. Aber das Lärmen hielt an, immer lauter, Handgranaten auf dem Betonboden, eine Zelle nach der anderen.

Klong, klong, klong, klong!

»Aufhören!«, schrie er. Als er die Hände von den Ohren nahm, merkte er, dass jemand an der Tür klopfte.

13. MÄRZ

Die Kehle des Opfers war durch eine Reihe tiefer, dilettantischer Schnitte zerfetzt worden. Oberhalb und unterhalb dessen, was vom Hals des Mannes noch übrig war, gab es keine Verletzungen, was gleichermaßen nach Raserei und Überlegung aussah. Gemessen an der Grausamkeit des Angriffs war rund um die Einschnitte nur wenig Blut ausgetreten. Offenbar hatte der Mörder das Opfer niedergeschlagen, es zu Boden gedrückt und ihm selbst dann noch Schnitt auf Schnitt zugefügt, als Suren Moskwin, der fünfundfünfzigjährige Leiter einer kleinen Druckerei für Lehrbücher, schon längst tot gewesen war.

Seine Leiche war am frühen Morgen gefunden worden, als seine Söhne Wsewolod und Awksenti besorgt in die Firma gegangen waren, weil ihr Vater nicht nach Hause gekommen war. Verstört hatten sie die Miliz verständigt. Die hatte das Büro vollkommen durchwühlt vorgefunden, die Schreibtischschubladen waren herausgezogen, der Boden mit Papieren übersät, die Aktenschränke waren aufgebrochen worden. Daraus hatte man geschlossen, dass es sich um einen Einbruch handelte, der schiefgegangen war. Erst am späten Nachmittag, etwa sieben Stunden nach dem Fund der Leiche, hatte die Miliz schließlich das Morddezernat verständigt, das vom ehemaligen MGB-Agenten Leo Stepanowitsch Demidow geleitet wurde.

An derlei Verzögerungen war Leo gewöhnt. Vor drei Jahren hatte er Kapital aus der Tatsache geschlagen, dass ihm die Aufklärung einer Mordserie an über vierundvierzig Kindern gelungen war, und das Morddezernat gegründet. Von Anfang an war das Verhältnis zur regulären Miliz belastet gewesen und Kooperation nicht gerade an der Tagesordnung. Viele Beamte der Miliz und KGB-Offiziere fassten schon die schiere Existenz einer solchen Behörde als Kritik an der eigenen Arbeit und am Staat auf. Und eigentlich hatten sie damit sogar recht. Denn Leos Motive bei der Gründung dieses Dezernats waren eine unmittelbare Reaktion auf seine Arbeit als Agent gewesen. In seiner früheren Laufbahn hatte er viele Zivilisten verhaftet, und das nur aufgrund von Namenslisten, die seine Vorgesetzten ihm ausgehändigt hatten. Das Morddezernat dagegen war ausschließlich an bewiesenen Sachverhalten interessiert, nicht an politisch motivierten. Leo hatte in jedem einzelnen Fall die Ermittlungsergebnisse seinen Vorgesetzten zu präsentieren. Was die mit der Wahrheit dann anstellten, war deren Angelegenheit. Insgeheim hoffte Leo, dass sich das Konto seiner Verhaftungen eines Tages ausgleichen und mehr Schuldige als Unschuldige dabei herauskommen würden. Selbst bei vorsichtiger Schätzung hatte er da noch einen weiten Weg vor sich.

Die Freiheiten, die dem Morddezernat gewährt wurden, beruhten darauf, dass seine Arbeit der strengsten Geheimhaltungsstufe unterworfen war. Er und seine Leute berichteten direkt an die höchsten Stellen im Innenministerium und arbeiteten als verdeckte Unterabteilung des Hauptbüros für Verbrechensbekämpfung. Die normale Bevölkerung sollte immer noch an die Weiterentwicklung der Gesellschaft glauben. Sinkende Verbrechensraten waren ein Dogma dieses Glaubens, und Fakten, die auf das Gegenteil hindeuteten, wurden aus dem nationalen Bewusstsein getilgt. Kein Bürger konnte sich an das Morddezernat wenden, weil gar keiner wusste, dass es überhaupt existierte. Aus diesem Grund konnte Leo auch nicht im Radio zur Mithilfe aufrufen oder Zeugen bitten, sich zu melden. So etwas wäre gleichbedeutend gewesen mit der öffentlichen Bekanntmachung, dass es tatsächlich Verbrechen gab. Die Freiheit, die man Leo zugestanden hatte, war ziemlich relativ, und nachdem er alles in seiner Macht Stehende unternommen hatte, um seine frühere Laufbahn bei der Geheimpolizei hinter sich zu lassen, stellte er nun fest, dass er wieder eine geheime Polizeieinheit leitete, allerdings eine ganz andere.

Die rasche Erklärung von Moskwins Tod hatte ihn misstrauisch gemacht. Leo untersuchte den Schauplatz des Verbrechens. Sein Blick blieb an dem windschiefen Stuhl haften, der unauffällig vor dem Schreibtisch stand. Leo trat näher, hockte sich hin und fuhr mit dem Finger über eine dünne Bruchstelle an einem der Holzbeine. Vorsichtig stützte er sich auf die Lehne, drückte zu und sofort brach das Bein entzwei. Der Stuhl war kaputt. Sobald sich jemand auf ihn gesetzt hätte, wäre er zusammengebrochen. Trotzdem hatte er so vor dem Tisch gestanden, als sei er in Ordnung.

Leo richtete seine Aufmerksamkeit wieder auf die Leiche und betrachtete die Hände des Opfers. Keine Wunden, keine Kratzer, kein Zeichen, dass der Mann sich verteidigt hatte. Er kniete sich hin und beugte sich zum Hals des Opfers hinunter. Außer im Nacken, der auf dem Boden gelegen und vor den Messerhieben geschützt gewesen war, war kaum noch heile Haut übrig. Leo holte ein Messer hervor, schob es dem Opfer unter den Nacken, und als er die Klinge anhob, kam ein Stückchen Haut zum Vorschein, die nicht aufgeschlitzt war, allerdings aufgescheuert. Er ließ den Hautlappen wieder sinken und zog das Messer zurück. Gerade wollte er aufstehen, da entdeckte er ein schmales Büchlein in der Anzugtasche des Mannes. Er griff hinein und holte es heraus – Lenins *Staat und Revolution*. Schon bevor er es aufschlug, konnte er sehen, dass etwas an der Bindung ungewöhnlich war. Man hatte ein Blatt eingeklebt. Als er die betreffende Seite aufschlug, sah er das Bild eines mitgenommen aussehenden Mannes. Leo hatte zwar keine Ahnung, wer er war, doch diese Art von Fotografie kannte er gut – der grellweiße Hintergrund, der verwirrte Gesichtsausdruck des Verdächtigen: Das hier war ein Verhaftungsfoto.

Überrascht über diese Absonderlichkeit stand Leo auf. Nesterow betrat den Raum und warf einen Blick auf das Buch. »Was Bemerkenswertes?«

»Ich bin mir nicht sicher.«

Timur war Leos engster Kollege und Freund. Sie machten aus der Freundschaft, die sie zueinander entwickelt hatten, kein großes Gewese. Sie tranken nicht zusammen oder alberten herum und redeten noch nicht einmal viel miteinander, außer über die Arbeit. Eine Partnerschaft, die nicht viele Worte brauchte. Zyniker hätten gar Feindseligkeiten aus dem Verhältnis der beiden herausgelesen. Obwohl fast zehn Jahre jünger, war Leo jetzt Timurs Vorgesetzter, nachdem er zuvor sein Untergebener gewesen war und ihn förmlich mit »General Nesterow« angeredet hatte. Objektiv betrachtet hatte Leo mehr von ihrem gemeinsamen Erfolg profitiert. Manche Leute hatten auch angedeutet, er sei ein karrieresüchtiger und nur auf den eigenen Vorteil bedachter Einzelkämpfer. Aber Timur zeigte keinen Neid, ihm war der Rang Nebensache. Er war stolz auf seine Arbeit, konnte seine Familie versorgen, und nach endlosem Dahindümpeln auf irgendwelchen Wartelisten hatte man ihm bei seinem Umzug nach Moskau nun sogar eine moderne Wohnung mit fließendem Wasser und elektrischem Strom rund um die Uhr zugewiesen. Ganz gleich, wie das Verhältnis der beiden von außen gesehen wirken mochte, sie vertrauten einander auf Leben und Tod.

Timur machte eine Geste zum Betriebsraum hin, wo die gewaltigen Linotype-Maschinen standen wie riesige mechanische Insekten. »Die Söhne sind gerade gekommen.«

»Bring sie rein.«

»Obwohl die Leiche ihres Vaters noch im Raum ist?«

»Ja.«

Die Miliz hatte den Söhnen gestattet, nach Hause zu gehen, bevor Leo sie am Ort des Verbrechens hatte befragen können. Leo hatte nicht die Absicht, sich auf Informationen zu verlassen, die er aus zweiter Hand von der Miliz bekam, also würde er sich bei den beiden entschuldigen, dass sie ihren toten Vater noch einmal sehen mussten. Außerdem war er neugierig auf ihre Reaktion.

Die beiden Vorgeladenen Wsewolod und Awksenti, beide Anfang zwanzig, erschienen in der Tür.

Leo stellte sich vor. »Ich bin der Ermittlungsbeamte Leo Demidow. Mir ist klar, dass das hier unangenehm für Sie ist.«

Keiner der beiden sah den toten Vater an, sie hielten ihre Augen auf Leo gerichtet. Der Ältere, Wsewolod, sagte: »Wir haben schon die Fragen der Miliz beantwortet.«

»Meine Fragen werden nicht lange dauern. Ist dieser Raum noch in dem Zustand, wie Sie ihn heute morgen angetroffen haben?«

»Ja, alles ist so wie vorhin.«

Das Reden übernahm ausschließlich Wsewolod. Awksenti blieb stumm, nur die Augen schlug er gelegentlich hoch. Leo fuhr fort. »Stand da auch dieser Stuhl vor dem Tisch? Vielleicht ist er ja bei einem Kampf umgestoßen worden.

»Was für ein Kampf?«

»Zwischen Ihrem Vater und dem Mörder.«

Schweigen. Leo fuhr fort.

»Der Stuhl ist kaputt. Wenn man sich auf ihn gesetzt hätte, wäre er zusammengebrochen. Ist doch komisch, dass jemand einen kaputten Stuhl vor seinem Schreibtisch stehen hat. Man kann gar nicht darauf sitzen.«

Die beiden Söhne warfen einen Blick auf den Stuhl. Wsewolod antwortete. »Haben Sie uns nur noch einmal kommen lassen, um über einen Stuhl zu reden?«

»Der Stuhl ist wichtig. Ich glaube, dass Ihr Vater ihn dazu benutzt hat, sich zu erhängen.«

Eigentlich war es eine groteske Behauptung. Sie hätten empört sein sollen, doch sie blieben stumm. Leo spürte, dass er mit seiner Vermutung ins Schwarze getroffen hatte, und fuhr mit seiner Theorie fort.

»Ich glaube, dass Ihr Vater sich erhängt hat, vielleicht von einem der Deckenbalken in der Druckerei. Er hat sich auf den Stuhl gestellt und ihn dann weggetreten. Sie beide haben heute Morgen die Leiche gefunden. Sie haben ihn hierhergeschleift und den Stuhl wieder aufgestellt, ohne zu bemerken, dass er beschädigt war. Einer von Ihnen oder vielleicht auch Sie beide haben ihm die Kehle durchgeschnitten in dem Bemühen, die Abschürfungen durch die Schlinge zu vertuschen. Das Büro haben Sie dann so hergerichtet, als sei eingebrochen worden.«

Die beiden waren vielversprechende Studenten. Der Selbstmord ihres Vaters konnte ihre akademische Laufbahn beenden und all ihre Aussichten zerstören. Selbstmord, versuchter Selbstmord, Depressionen, selbst eine Andeutung darüber, dass man nicht mehr leben wollte – all das wurde als Verunglimpfung des Staates interpretiert. Selbstmord hatte ebenso wenig wie Mord einen Platz in der Entwicklung zu einer besseren Gesellschaft.

Die Söhne wogen offensichtlich ab, ob es oder ob es nicht möglich war, die Beschuldigung abzustreiten.

Leo sprach leiser weiter. »Eine Autopsie wird erweisen, dass seine Wirbelsäule gebrochen ist. Ich muss seinen Selbstmord ebenso rigoros verfolgen, wie ich den Mord an ihm verfolgen würde. Woran ich interessiert bin, ist der Grund für den Selbstmord, nicht Ihr verständlicher Wunsch, ihn zu vertuschen.«

Der jüngere Sohn, Awksenti, machte zum ersten Mal den Mund auf und antwortete. »*Ich* habe ihm die Kehle durchgeschnitten.«

Der junge Mann fuhr fort. »Ich habe seinen Körper vom Strick genommen. Da ist mir klar geworden, was er für unser Leben angerichtet hat.«

»Haben Sie irgendeine Ahnung, warum er sich umgebracht hat?«

»Er hat getrunken. Er hat unter seiner Arbeit gelitten.«

Sie sagten die Wahrheit, doch es war nicht die ganze Wahrheit, ob nun aus Ahnungslosigkeit oder Berechnung. Leo fühlte ihnen weiter auf den Zahn. »Ein fünfundfünfzigjähriger Mann bringt sich nicht um, weil seine Leser Druckerschwärze an den Fingern haben. Ihr Vater hat schon viel Schlimmeres überlebt.«

Der Ältere wurde wütend. »Vier Jahre habe ich dafür studiert, Arzt zu werden. Alles umsonst, kein Krankenhaus nimmt mich jetzt mehr.«

Leo führte sie aus dem Büro hinunter in die Druckerei, weg vom Anblick der Leiche ihres Vaters.

»Sie haben sich erst morgens Gedanken gemacht, als Ihr Vater noch nicht nach Hause gekommen war. Sie haben also damit gerechnet, dass er lange arbeiten würde, sonst wären Sie ja gestern Abend schon besorgt gewesen. Wenn das aber der Fall war, warum gibt es keine gesetzten Seiten, die gedruckt werden sollten? Hier sind vier Linotype-Setzmaschinen. Aber es wurde keine einzige Seite gesetzt. Nichts deutet darauf hin, dass hier gearbeitet wurde.«

Sie traten an die riesigen Maschinen heran. Vorne befand sich eine Setzmaschine, die an eine Schreibmaschine erinnerte. Leo wandte sich wieder an die Söhne.

»Sie könnten im Augenblick gut einen Freund gebrauchen. Einfach ignorieren kann ich den Selbstmord Ihres Vaters nicht. Ich kann aber meine Vorgesetzten bitten, dafür zu sorgen, dass seine Tat nicht Ihre Laufbahn behindert. Die Zeiten haben sich geändert. Die Fehler Ihres Vaters müssen nicht unbedingt auf Sie zurückfallen. Aber meine Hilfe müssen Sie sich erst verdienen. Erzählen Sie mir, was passiert ist. Woran arbeitete Ihr Vater gerade?«

Der Jüngere zuckte die Achseln. »Irgendein staatliches Dokument. Wir haben es nicht gelesen. Wir haben alle gesetzten Seiten vernichtet. Er war noch nicht fertig. Wir dachten, dass er vielleicht verzweifelt war, weil er schon wieder so ein schlecht produziertes Amtsblatt drucken musste. Die Vorlage haben wir verbrannt und den Zeilensatz eingeschmolzen. Es ist nichts mehr da. Das ist die Wahrheit.«

Leo gab sich noch nicht geschlagen. Er deutete auf die Setzmaschinen. »An welcher Maschine hat er gearbeitet?«

»An der da.«

»Zeigen Sie mir, wie sie funktioniert.«

»Aber wir haben Ihnen doch schon gesagt, dass wir alles vernichtet haben.«

»Bitte!«

Awksenti warf seinem Bruder einen verstohlenen Blick zu, offenbar bat er um dessen Zustimmung. Sein Bruder nickte.

»Die Maschine wird bedient wie eine Schreibmaschine. Da hinten fügt das Gerät die Matrizen der verschiedenen Lettern zusammen. Jede Zeile entsteht durch das Zusammenfügen der einzelnen Lettern und den Keilen für die Leerzeichen dazwischen. Wenn eine Zeile fertig ist, wird sie mit einer Mischung aus geschmolzenem Blei und Zinn ausgegossen, so entsteht ein Block. Die Blöcke werden dann in einem solchen Druckstock umbrochen, bis man eine ganze Textseite hat. Die wird dann mit mehreren anderen zu einem Bogen zusammengestellt, mit Druckerschwärze eingewalzt und das Papier darübergerollt. Damit ist der Text gedruckt. Aber wie gesagt, wir haben alle Seiten eingeschmolzen. Es ist nichts mehr da.«

Leo umrundete die Maschine. Seine Augen folgten dem Ablauf des mechanischen Prozesses, dem Aneinanderreihen der Matrizen auf der Zeile.

»Wenn ich tippe, dann werden also die Matrizen auf diesem Gitter hier aneinandergereiht?«, fragte er.

»Genau.«

»Ganze Textzeilen gibt es keine mehr, die haben Sie zerstört. Aber auf dem Gitter liegt noch eine halbe Zeile, eine, die nicht fertig gesetzt war.«

Leo deutete auf eine unvollständige Reihe von Matrizen.

»Ihr Vater war mitten in einer Zeile.«

Die Söhne spähten in die Maschine hinein. Leo hatte recht.

»Ich will diese Worte drucken.«

Der Ältere der beiden fing an, Leerzeichen zu tippen. Er erklärte: »Wenn wir bis zum Ende der Zeile, bis zur festgelegten Spaltenbreite Leerzeichen einfügen, löst das automatisch den Gießvorgang aus.«

Als die Zeile voll war, presste ein Kolben geschmolzenes Metall in die Form, und ein schmaler rechteckiger Block fiel heraus. Es waren die letzten Worte, die Suren Moskwin gesetzt hatte, bevor er seinem Leben ein Ende bereitete.

Die gegossene Zeile lag auf der Seite, die Lettern wiesen von ihnen weg.

»Ist es heiß?«, fragte Leo.

»Nein.«

Leo griff sich die Zeile und stellte sie in den Druckstock. Er schwärzte die Oberfläche ein und legte ein Blatt weißes Papier darauf, dann rieb er darüber.

Am selben Tag

Leo saß am Küchentisch und starrte das Blatt Papier an. Nur vier Wörter waren von dem Dokument übrig, dessentwegen Suren Moskwin sich das Leben genommen hatte.

Unter Folter wurde Eikhe

Immer und immer wieder hatte Leo die Wörter gelesen, ohne die Augen abwenden zu können. Ohne jeden Zusammenhang wirkten sie geradezu hypnotisch. Leo durchbrach den Bann und schob das Blatt beiseite, dann nahm er seine Mappe und legte sie auf den Tisch. Darinnen befanden sich zwei geheime Dokumente. Um Einsicht in sie zu erhalten, hatte er eine Erlaubnis einholen müssen. An das erste, die Akte von Suren Moskwin, war er ohne Schwierigkeiten gekommen. Bei dem zweiten allerdings hatte es Fragen gegeben. Die zweite Akte, die er angefordert hatte, war über Robert Eikhe.

Als er den ersten Ordner aufblätterte, spürte er die Last der Vergangenheit dieses Mannes an der Anzahl der Seiten, die man über ihn angelegt hatte. Moskwin war ein Beamter der Staatssicherheit gewesen, ein Tschekist genau wie Leo. Er war viel länger dabei gewesen als Leo und hatte seinen Posten immer behalten, während Tausende anderer Beamter erschossen worden waren. Der Akte beigefügt hatte man eine Liste: Es waren die Namen derer, die Moskwin im Verlauf seiner Karriere denunziert hatte.

Nestor Jurowski, Nachbar. Exekutiert
Rosalia Reisner, Freundin. Zehn Jahre
Jakow Blok, Ladenbesitzer. Fünf Jahre
Karl Urizky, Kollege. Wärter. Zehn Jahre

Neunzehn Jahre im Dienst, zwei Seiten von Denunzierten und an die hundert Namen. Und doch hatte er nur einmal ein Familienmitglied ans Messer geliefert.

Jona Radek. Cousin. Exekutiert

Leo erkannte ein System. Die Daten der Denunzierungen waren zufällig, mehrere fielen in ein und denselben Monat, dann kam mehrere Monate nichts. Die vermeintlich chaotischen Zeitsprünge waren in Wahrheit mit Bedacht gewählt und verrieten umsichtige Kalkulation. Den Cousin zu denunzieren war mit ziemlicher Sicherheit ein strategischer Schachzug gewesen. Moskwin musste sicherstellen, dass es nicht so aussah, als mache seine Loyalität zum Staat vor der eigenen Familie Halt. Der Cousin war geopfert worden, um dieser Liste ihre Glaubwürdigkeit zu verleihen und Moskwin vor der Anschuldigung zu schützen, er habe nur Leute verraten, an denen ihm persönlich nichts lag. Der Mann war ein Überlebenskünstler und so gar kein Kandidat für einen Selbstmord.

Als Leo die Daten und Orte von Moskwins diversen Tätigkeiten überprüfte, lehnte er sich plötzlich überrascht zurück. Moskwin war ja sogar ein Kollege von ihm gewesen, alle beide hatten sie vor sieben Jahren in der Lubjanka gearbeitet! Ihre Wege hatten sich allerdings nie gekreuzt, soweit Leo sich erinnern konnte. Leo war ein Ermittler gewesen, der Verhaftungen durchführte und Verdächtige beschattete. Moskwin war Wärter gewesen, der Gefangene transportierte und ihren Arrest überwachte. Leo hatte alles Erdenkliche unternommen, um sich von den Verhörzellen im Keller fernzuhalten, so als hätte er sich weismachen wollen, dass die Bodendielen ihn von den Dingen abschirmten, die da unten Tag für Tag vor sich gingen. Wenn Moskwin aus Schuldgefühlen Selbstmord begangen hatte, was hatte die dann nach all der langen Zeit so extrem hervorgerufen? Leo klappte die Akte zu und wandte seine Aufmerksamkeit dem zweiten Dokument zu.

Robert Eikhes Akte war dicker und schwerer, und auf den Umschlag hatte man GEHEIM gestempelt. Der Stapel war verschnürt, so als habe man etwas Giftiges darin festhalten wollen. Nervös wickelte Leo die Schnur ab. Der Name kam ihm irgendwie bekannt vor. Beim Überfliegen der Seiten sah er, dass Eikhe seit 1905 Parteimitglied gewesen war, also noch vor der Revolution und zu einer Zeit, als die Mitgliedschaft in der Kommunistischen Partei unweigerlich Exil oder Exekution bedeutet hatte. Seine Akte war makellos, er war sogar Kandidat fürs Zentralkomitee des Politbüros gewesen. Trotzdem hatte man ihn am 29. April 1938 verhaftet. Ganz offensichtlich war dieser Mann kein Verräter. Dennoch hatte Eikhe gestanden. Das Protokoll befand sich in den Akten, Seite um Seite wurden seine antisowjetischen Aktivitäten ausgebreitet. Leo hatte selbst zu viele vorgefertigte Geständnisse entworfen, um hier nicht die Hand eines Agenten am Werke zu sehen. Alles gespickt mit den üblichen Phrasen im üblichen Stil seiner früheren Arbeitgeber, ein Versatzstück, das man jeden Beliebigen zu unterzeichnen hätte zwingen können. Als er weiter vorblätterte, entdeckte Leo die Unschuldserklärung, die Eikhe während seiner Gefangenschaft geschrieben hatte. Im Unterschied zu seinem Geständnis wirkten die Formulierungen hier menschlich und verzweifelt. In erbarmungswürdiger Weise überhäuften sie die Partei mit Lobpreisungen, beschworen die Liebe zum Staat und erwähnten nur mit ängstlicher Zurückhaltung die Ungerechtigkeit seiner Verhaftung. Beim Lesen verschlug es Leo den Atem.

Unfähig, die Folter zu ertragen, der mich Uschakow und Nikolajew unterzogen – besonders Ersterer, der wusste, dass meine gebrochenen Rippen nicht richtig verheilt waren, und mir große Schmerzen zufügte –, sah ich mich gezwungen, mich selbst und andere zu bezichtigen.

Leo wusste, was als Nächstes kam. Am 4. Februar 1940 war Eikhe erschossen worden.

* * *

Raisa blieb stehen und betrachtete ihren Mann. Er war ganz in seine vertraulichen Dokumente versunken und nahm ihre Anwesenheit gar nicht wahr. Dieses Bild von Leo, wie er blass, angespannt und mit gekrümmten Schultern über irgendwelchen geheimen Akten hockte und das Schicksal anderer Menschen in den Händen hielt, hätte original aus ihrer unglücklichen gemeinsamen Vergangenheit stammen können. Die Versuchung war groß, so zu reagieren wie schon viele Male zuvor, wegzugehen und ihn zu ignorieren. Eine Woge schlimmer Erinnerungen kam über sie wie ein Übelkeitsanfall. Aber sie kämpfte gegen das Gefühl an. Dieser Mann war Leo nicht mehr. Und sie war auch nicht mehr in dieser Ehe mit ihm gefangen. Raisa trat vor, streckte den Arm aus und legte ihm eine Hand auf die Schulter. Stand zu ihm, dem Mann, den sie gelernt hatte zu lieben.

Bei der Berührung fuhr Leo zusammen. Er hatte nicht bemerkt, dass seine Frau den Raum betreten hatte. Hastig stand er auf, sodass der Stuhl hinter ihm umfiel. Jetzt, Auge in Auge, sah er ihre Nervosität. Er hatte nie gewollt, dass sie sich noch einmal so fühlen sollte. Er hätte ihr erklären sollen, was er tat. Stattdessen war er in alte Gewohnheiten zurückgefallen, das Schweigen und die Heimlichtuerei. Er legte einen Arm um sie. Als sie ihren Kopf an seine Schulter legte, wusste er, dass sie auf die Dokumente schielte. Er erklärte es ihr. »Ein Mann hat sich umgebracht. Ein ehemaliger Agent des MGB.«

»Jemand, den du kanntest?«

»Soweit ich mich erinnere, nicht.«

»Musst du der Sache nachgehen?«

»Selbstmord wird behandelt wie …«

Sie unterbrach ihn. »Ich meine, musst ausgerechnet *du* der Sache nachgehen?«

Raisa wollte, dass er den Fall abgab und nichts mehr mit dem MGB zu tun hatte, noch nicht einmal indirekt. Er löste sich aus der Umarmung. »Der Fall wird nicht lange dauern.«

Sie nickte zögerlich, dann wechselte sie das Thema. »Die Mädchen sind im Bett. Liest du ihnen noch was vor? Vielleicht hast du ja auch keine Zeit.«

»Doch, die Zeit habe ich.«

Er schob die Dokumente zurück in ihre Ordner. Im Vorbeigehen beugte er sich vor, um seine Frau zu küssen, doch sie wehrte sanft mit dem Finger ab und sah ihm in die Augen. Sie sagte nichts. Dann erst nahm sie ihren Finger weg und küsste ihn – ein Kuss, der ihm vorkam, als nehme sie ihm unverbrüchlichste Versprechen ab.

Als er ihr Schlafzimmer betrat, wollte er die Akten verstecken, eine alte Gewohnheit. Dann besann er sich eines Besseren und ließ sie für Raisa auf dem Beistelltisch liegen, für den Fall, dass sie sie lesen wollte. Danach eilte er durch den Flur zurück ins Zimmer seiner Töchter und versuchte dabei, die Anspannung aus seinem Gesicht zu verbannen. Mit einem breiten Lächeln öffnete er die Tür.

Leo und Raisa hatten zwei kleine Schwestern adoptiert. Soja war mittlerweile vierzehn und Elena sieben. Leo trat an Elenas Bett, hockte sich auf die Ecke und holte ein Buch aus dem Regal, eine Kindergeschichte von Juri Strugazky. Er schlug es auf und fing an, laut vorzulesen.

Beinahe sofort unterbrach Soja ihn. »Die kennen wir schon.«

Sie zögerte einen Moment, doch dann fügte sie hinzu: »Und wir fanden sie schon beim ersten Mal blöd.«

Die Geschichte ging über einen Jungen, der Bergmann werden wollte. Der Vater des Jungen, ebenfalls ein Bergmann, war bei einem Unfall umgekommen, und die Mutter des Jungen hatte nun Angst, dass auch ihr Sohn diesen gefährlichen Beruf ergreifen wollte. Soja hatte recht, Leo hatte die Geschichte schon einmal vorgelesen. Verächtlich fasste sie den Inhalt zusammen. »Der Sohn gräbt am Ende mehr Kohle als je ein Mensch zuvor, wird ein Volksheld und widmet den Preis seinem Vater.«

Leo klappte das Buch zu. »Du hast recht. Nur eins, Soja. Zu Hause kannst du immer alles sagen, was du willst, aber draußen sei bitte vorsichtiger. Es ist gefährlich, kritische Meinungen zu äußern, selbst bei so etwas Harmlosem wie einer Kindergeschichte.«

»Willst du mich etwa verhaften?«

Soja hatte Leo nie als ihren Vormund akzeptiert. Ebenso wenig hatte sie ihm je den Tod ihrer Eltern vergeben. Leo bezeichnete sich nicht als Vater der beiden, und Soja nannte ihn höchst formell Leo Demidow, sie verhielt sich so distanziert, wie es nur ging. Keine Gelegenheit ließ sie aus, ihn daran zu erinnern, dass sie nur aus praktischen Erwägungen bei ihm lebte und ihn als Mittel zum Zweck betrachtete. Er bot ihrer kleinen Schwester materielle Annehmlichkeiten und ersparte ihr das Waisenhaus. Trotzdem achtete Soja peinlich darauf, sich von nichts beeindrucken zu lassen, nicht von der Wohnung, nicht von Ausflügen oder Landpartien und auch nicht von den guten Mahlzeiten. Sie war schön, aber streng, wirkte beinahe hart. Immerwährende Kümmernis schien ihr ein großes Bedürfnis zu sein. Es gab nur wenig, was Leo tun konnte, damit sie davon loskam. Er hoffte, dass ihr Verhältnis sich irgendwann einmal langsam bessern würde. Wenn es nötig war, würde er bis in alle Ewigkeit darauf warten.

»Nein, Soja, solche Sachen mache ich nicht mehr. Und ich werde sie auch nie mehr machen.«

Leo griff ins Regal und holte eines von den *Detskaja Literatura*-Magazinen heraus, die für Kinder im ganzen Land gedruckt wurden. Bevor er anfangen konnte, unterbrach ihn Soja. »Warum denkst du dir nicht eine Geschichte aus? Das würde uns gefallen, nicht wahr, Elena?«

Als Elena in Moskau angekommen war, war sie noch sehr jung gewesen, erst vier Jahre alt. Jung genug also, um sich an die Veränderungen in ihrem Leben zu gewöhnen. Im Gegensatz zu ihrer Schwester hatte sie Freundinnen gefunden und lernte in der Schule fleißig. Da sie für Schmeicheleien empfänglich war, strebte sie nach dem Lob ihrer Lehrer und wollte es allen recht machen, auch ihren neuen Pflegeeltern.

Elena wurde unruhig. Am Ton in der Stimme ihrer Schwester

erkannte sie, dass Soja ihre Zustimmung erwartete. Verlegen, weil sie sich jetzt auf eine Seite schlagen sollte, nickte sie nur. Leo spürte die Gefahr und antwortete: »Es gibt noch so viele Geschichten, die wir nicht gelesen haben. Ich finde sicher eine, die uns gefällt.«

Soja gab nicht nach. »Die sind doch alle gleich. Erzähl uns mal was Neues. Denk dir was aus.«

»Ich fürchte, darin bin ich nicht so gut.«

»Du willst es nicht mal versuchen? Mein Vater hat sich alle möglichen Geschichten ausgedacht. Lass sie auf einem entlegenen Bauernhof spielen, einem Bauernhof im Winter, alles ist tief verschneit. Der Fluss in der Nähe ist zugefroren. Und sie könnte so anfangen: Es waren einmal zwei kleine Mädchen, sie waren Schwestern ...«

»Bitte, Soja.«

»Die Schwestern lebten bei ihrer Mutter und ihrem Vater und waren die glücklichsten Kinder der Welt. Aber da erschien eines Tages ein Mann, der hatte eine Uniform an und war gekommen, um sie zu verhaften. Und ...«

Leo unterbrach sie: »Soja, bitte.«

Soja sah verstohlen zu ihrer Schwester und verstummte. Elena weinte.

Leo stand auf. »Ihr seid beide müde. Morgen besorge ich euch ein paar bessere Bücher. Ich verspreche es.«

Er schaltete das Licht aus und schloss die Tür. Im Flur tröstete er sich damit, dass es irgendwann einmal besser werden würde. Alles, was Soja brauchte, war ein bisschen Zeit.

* * *

Soja lag im Bett und hörte zu, wie ihre Schwester schlief, lauschte auf das gleichmäßige, leise Atmen. Damals mit ihren Eltern auf dem Bauernhof hatten sie sich zu viert ein kleines

Zimmer mit dicken Lehmwänden geteilt, das von einem Holzfeuer gewärmt wurde. Soja hatte neben ihrer Schwester unter groben, handgesteppten Decken geschlafen. Das Geräusch, wenn ihre Schwester schlief, bedeutete Sicherheit. Es bedeutete, dass ihre Eltern auch da waren. Hier gehörte es nicht hin, hier in diese Wohnung, wo Leo gleich nebenan war.

Soja konnte nie gut einschlafen. Stundenlang lag sie im Bett und wälzte Gedanken, bevor endlich die Erschöpfung sie überkam. Sie war die Einzige, der die Wahrheit heilig war, die Einzige, die sich weigerte zu vergessen. Leise glitt sie aus dem Bett. Abgesehen vom Atmen ihrer Schwester war es still in der Wohnung. Soja kroch zur Tür, ihre Augen hatten sich schon an die Dunkelheit gewöhnt. Mit einer Hand an der Wand tastete sie sich durch den Flur. In der Küche fiel Licht von der Straße durchs Fenster. Wie ein Dieb huschte Soja hinein, öffnete eine Schublade und tastete nach dem Griff. Schwer lag das Messer in ihrer Hand.

Am selben Tag

Soja presste die Klinge flach gegen ihr Bein und näherte sich Leos Schlafzimmer. Langsam schob sie die Tür auf, bis der Spalt groß genug war, dass sie hindurchhuschen konnte. Geräuschlos schlich sie über den Holzboden. Die Vorhänge waren zugezogen, und das Zimmer lag im Dunkeln, aber sie kannte sich aus und wusste, wie sie leise zu Leo gelangte, der am jenseitigen Ende schlief.

Als sie direkt über ihm stand, hob Soja das Messer. Obwohl sie ihn nicht sehen konnte, stellte sie sich in Gedanken die Umrisse seines Körpers vor. In den Bauch würde sie nicht stechen, da könnte die Decke die Klinge abhalten. Sie würde in den Hals stoßen und das Messer so tief darin versenken, wie es nur ging, bevor er sie überwältigen konnte. Mit perfekter Körperbeherrschung ließ sie das Messer sinken. Durch die Klinge spürte sie erst seinen Arm, dann seine Schulter – sie lenkte das Messer weiter nach oben, ließ es dabei immer wieder vorsichtig weiter sinken, bis die Spitze seine Haut berührte. Jetzt war sie genau an der richtigen Stelle. Nur noch den Griff mit beiden Händen umklammern und fest zustoßen.

In unregelmäßigen Abständen wiederholte Soja dieses Ritual, manchmal einmal pro Woche, manchmal auch einen ganzen Monat lang nicht. Das erste Mal war vor drei Jahren gewesen, kurz nachdem ihre Schwester und sie aus dem Waisenhaus in diese Wohnung gezogen waren. Damals war sie wild entschlossen gewesen, Leo umzubringen. An ebendiesem Tag war er mit ihnen in den Zoo gegangen. Weder sie noch Elena hatten je einen Zoo gesehen, und beim Anblick der exotischen Tiere, Kreaturen, die sie nie zuvor zu Gesicht bekommen hatte, hatte sie sich für einen Moment vergessen. Fünf oder zehn Minuten, aber bestimmt nicht länger, hatte der Zoobesuch ihr Spaß gemacht. Sie hatte gelächelt. Er hatte es zwar nicht mitbekommen, da war sie sich sicher, aber das änderte nichts. Als sie ihn mit Raisa gesehen hatte, ein glückliches Paar, das Familie spielte, heuchelte und log, da war ihr klar geworden, dass sie versuchten, sich den Platz ihrer Eltern zu ergaunern. Und sie hatte es zugelassen. In der Straßenbahn auf dem Weg nach Hause hatte sie sich so schuldig gefühlt, dass sie sich übergeben musste. Leo und Raisa hatten es auf die Süßigkeiten und das Ruckeln der Trambahn geschoben. In jener Nacht hatte sie, vom Fieber geschüttelt, in ihrem Bett gelegen und geweint und sich die Beine blutig gekratzt. Wie hatte sie nur das Andenken ihrer Eltern so leichtfertig verraten können? Leo glaubte wohl, dass er mit neuen Kleidern, leckerem Essen, Ausflügen und Schokolade ihre Liebe erringen konnte – widerlich! Sie hatte sich geschworen, dass ihr so ein Fehler nie wieder passieren würde. Und es gab nur eine Methode, um ganz sicher zu sein. Da hatte sie das Messer genommen, fest entschlossen, ihn zu töten. Sie hatte genauso dagestanden wie jetzt, zum Mord bereit.

Dieselbe Erinnerung aber, die sie in das Zimmer getrieben hatte, die Erinnerung an ihre Eltern, war auch der Grund, warum sie Leo dann doch nicht umgebracht hatte. Sie hätten nicht gewollt, dass das Blut dieses Mannes an ihren Händen klebte. Sie hätten gewollt, dass sie sich um ihre kleine Schwester kümmerte. Also ließ sie Leo gehorsam und heimlich weinend am Leben. Immer wieder kehrte sie zurück und schlich sich mit einem Messer ins Schlafzimmer, aber nicht, weil sie ihre Meinung geändert hatte, nicht aus Rachegedanken, sondern im Angedenken an ihre Eltern. Es war ihre Art zu sagen, dass sie sie nicht vergessen hatte.

Plötzlich klingelte das Telefon. Soja fuhr zurück, das Messer glitt ihr aus der Hand und schepperte zu Boden. Soja ging auf die Knie und versuchte in der Stockfinsternis verzweifelt, es wiederzufinden. Leo und Raisa bewegten sich, das Bett knarrte unter ihnen. Gleich würden sie nach dem Lichtschalter greifen. Ganz aufs Tasten angewiesen, klopfte Soja verzweifelt die Dielen ab. Als das Telefon zum zweiten Mal klingelte, blieb ihr nichts anderes übrig, als das Messer zurückzulassen, um das Bett zu huschen und zur Tür zu eilen. In dem Moment, als das Licht anging, schlüpfte sie durch den Spalt.

* * *

Schlaftrunken setzte Leo sich auf, immer noch zwischen Traum und Wachen. Da hatte sich doch etwas bewegt, eine Gestalt. Oder doch nicht? Das Telefon klingelte. Grundsätzlich klingelte es nur wegen der Arbeit. Leo sah auf die Uhr: fast Mitternacht. Er warf einen Blick auf Raisa. Sie war wach und wartete darauf, dass er dranging. Er murmelte eine Entschuldigung und stand auf. Die Tür stand offen. Die machten sie doch immer zu, bevor sie schlafen gingen. Vielleicht auch nicht, spielte ja auch keine Rolle. Er trat in den Flur.

Leo nahm den Hörer ab. Die Stimme am anderen Ende klang dringlich und laut.

»Ich bin's, Leo. Nikolai.«

Nikolai. Der Name sagte ihm nichts. Leo gab keine Antwort. Der Mann interpretierte sein Schweigen richtig und fuhr fort: »Nikolai, dein früherer Chef! Dein Freund! Ich habe dir damals deinen ersten Auftrag gegeben. Der Priester, weißt du noch?«

Leo wusste noch. Von Nikolai hatte er schon lange nichts mehr gehört. Der Mann hatte in seinem jetzigen Leben nichts mehr zu suchen, und es passte ihm gar nicht, dass er anrief. »Nikolai, es ist schon spät.«

»Spät? Was ist denn mit dir los? Früher haben wir um diese Zeit erst angefangen zu arbeiten.«

»Jetzt nicht mehr.«

»Nein, jetzt nicht mehr.« Nikolais Stimme verlor sich, doch dann fuhr er laut fort: »Ich brauche dich sofort.«

Er lallte. Er war betrunken.

»Nikolai, warum schläfst du dich nicht erst mal aus und wir reden morgen?«

»Es muss unbedingt noch heute Abend sein!« Seine Stimme brach. Er hörte sich an, als ob er gleich losheulen würde.

»Was ist denn los?«

»Triff dich mit mir. Bitte!«

Leo wollte Nein sagen. »Wo?«

»In deinem Büro.«

»Ich bin in einer halben Stunde da.«

Leo hängte ein. Unter seine Verärgerung mischte sich Unbehagen. Nikolai hätte ihn nicht ohne Grund kontaktiert. Als er ins Schlafzimmer zurückkehrte, hatte Raisa sich aufgesetzt.

Achselzuckend erstattete Leo Bericht. »Ein ehemaliger Kollege. Er will, dass wir uns treffen. Sagt, es muss unbedingt noch heute Abend sein.«

»Ein Kollege? Von wann? Von damals?«

»Ja.«

»Und der ruft dich einfach so mir nichts, dir nichts an?«

»Er war betrunken. Ich werde mit ihm reden.«

»Leo ...?« Sie beendete den Satz nicht.

Leo nickte. »Mir hat es auch nicht gefallen.«

Er schnappte sich seine Kleider, zog sich rasch an und war praktisch schon ausgehfertig. Als er sich die Schnürsenkel zuband, sah er etwas Reflektierendes unter dem Bett. Seltsam. Er beugte sich vor und hockte sich hin.

»Was ist los?«, fragte Raisa.

Es war ein großes Küchenmesser. Direkt daneben war eine Kerbe im Boden.

»Leo?«

Eigentlich sollte er es ihr zeigen.

»Es ist nichts.«

Als sich Raisa vorbeugte, um nachzuschauen, verbarg er das Messer hinter seinem Rücken und schaltete das Licht aus.

Im Flur legte er die Schneide flach in seine Hand. Er äugte zum Schlafzimmer seiner Töchter hinüber. Dann trat er zur Tür und schob sie auf. Das Zimmer war dunkel. Beide Mädchen waren im Bett und schliefen. Leo trat zurück und lächelte, als er den leichten Atem der schlafenden Elena ausmachte. Dann blieb er stehen und hörte genauer hin. Aus Sojas Zimmerecke kam kein Laut. Sie hielt die Luft an.

14. März

Leo fuhr zu schnell und kam in einer Kurve ins Schleudern, die Räder rutschten über das Glatteis. Er ging vom Gas und brachte den Wagen wieder auf die Fahrbahn zurück. Sein Rücken war schweißnass, und er war heilfroh, als er endlich das Büro des Morddezernats erreicht hatte. Er parkte am Straßenrand und legte den Kopf aufs Steuer. Im kalten, unbeheizten Wageninnern erzeugte sein Atem einen feinen Nebel. Es war ein Uhr morgens. Die Straßen waren verlassen und mit Schneematsch bedeckt. Leo fing an zu frösteln, er hatte weder Handschuhe noch eine Mütze mitgenommen, als er aus der Wohnung geeilt war. Nur raus, nur weg von der Frage, warum die Schlafzimmertür offen gestanden hatte, warum seine Tochter so getan hatte, als schliefe sie, und warum unter seinem Bett ein Messer gelegen hatte.

Bestimmt gab es dafür eine Erklärung, eine simple, ganz banale Erklärung. Vielleicht hatte er die Tür offen stehen lassen. Vielleicht war seine Frau zur Toilette gegangen und hatte danach vergessen, die Tür wieder zuzumachen. Und dass Soja nur vorgetäuscht hatte zu schlafen – da hatte er sich bestimmt verhört. Aber warum hätte sie eigentlich schlafen sollen? War doch logisch, dass sie wach war. Das Telefon hatte sie geweckt, und sie hatte im Bett gelegen und versucht, wieder einzuschlafen, mit Recht sauer. Und was das Messer betraf … keine Ahnung, er konnte sich auch gerade nicht darauf konzentrieren. Aber dafür gab es bestimmt einen harmlosen Grund, auch wenn ihm gerade nicht einfiel, was für einen.

Leo stieg aus dem Wagen, schloss die Fahrertür und ging zu seinem Büro. Es lag südlich des Flusses, im Stadtteil Samoskworetschje, einem Viertel mit vielen Fabriken. Seinem Morddezernat war eine Etage über einer riesengroßen Bäckerei zugewiesen worden. Das war gleichermaßen eine Herabsetzung wie eine Erinnerung daran, dass die Arbeit des Dezernats unsichtbar zu bleiben hatte. Das Büro lief unter der Adresse *Knopffabrik 14*, und Leo fragte sich immer wieder, was wohl in den anderen dreizehn Knopffabriken so vor sich ging.

Während er den heruntergekommenen Eingangsbereich betrat, dessen Fußboden ein einziges Gewirr von bemehlten Fußabdrücken war, ließ er die Ereignisse des Abends in seinem Kopf noch einmal Revue passieren. Für zwei der drei Vorkommnisse hatte er eine einleuchtende Erklärung gefunden, aber an dem dritten, dem Messer, ließ sich einfach nichts deuteln. Die Sache würde bis zum Morgen warten müssen, dann konnte er mit Raisa darüber sprechen. Im Moment war Nikolais unerwarteter Anruf dringlicher. Leo musste sich darauf konzentrieren, warum ihn ein Mann, den er seit sechs Jahren nicht gesprochen hatte, mitten in der Nacht besoffen anrief und sich unbedingt mit ihm treffen wollte. Sie beide verband eigentlich gar nichts, weder Verpflichtung noch Freundschaft. Nichts außer diesem einen Jahr, 1949, Leos erstem als MGB-Agent.

Nikolai erwartete ihn oben an der Treppe, wie ein Penner kauerte er im Türeingang. Als er Leo kommen sah, stand er auf. Sein Wintermantel war von einem guten Schneider, vielleicht sogar von einem ausländischen, mittlerweile aber vernachlässigt und abgetragen. Das Hemd war hochgerutscht, seine Wampe quoll hervor. Nikolai war dicker und kahler geworden. Er sah alt und müde aus, das Gesicht von Sorgen zerfurcht, die Augen zusammengekniffen. Dass er nach Rauch, Schweiß und Schnaps stank, war trotz des allgegenwärtigen Back- und Teiggeruchs unangenehm deutlich zu riechen. Leo reichte ihm die Hand. Nikolai schob sie weg und warf stattdessen die Arme um ihn, als sei er gerade von einem Berggipfel gerettet worden. In seiner Umklammerung lag etwas Erbarmungswürdiges. Und das von einem Mann, dessen Erbarmungslosigkeit früher legendär gewesen war.

Plötzlich fiel Leo die Kerbe in der Holzdiele wieder ein. Warum hatte er die eigentlich vergessen? Weil sie unwichtig war, deshalb! Die konnte von wer weiß was stammen. Vielleicht war sie schon länger da, so etwas fiel einem ja nicht unbedingt auf, irgendein Kratzer vom Möbelrücken. Doch die Kerbe war frisch gewesen, und wenn Leo ehrlich war, wusste er, dass das Messer und die Kerbe etwas miteinander zu tun hatten.

Nikolai hatte angefangen zu sprechen, er lallte. Leo achtete kaum auf seine Worte, nickte nur hin und wieder, während er die Tür zum Dezernat aufschloss und seinen Gast in sein Büro führte.

Als sie einander gegenübersaßen, presste Leo die Hände aneinander und stemmte die Ellbogen auf den Schreibtisch. Er registrierte zwar, dass Nikolai sprach, hörte aber gar nicht richtig zu, weil seine Gedanken immer wieder abschweiften. Hier und da bekam er etwas mit. Jemand schickte Nikolai Fotos.

»Leo, das sind Fotos von denen, die ich damals verhaftet habe!«

Aber für das Geschwafel des anderen war in Leos Kopf kein Platz. Eine einzige, entsetzliche Erkenntnis machte sich gerade in ihm breit und ließ keinem anderen Gedanken Raum. Das Messer war fallen gelassen worden und hatte sich mit der Spitze kurz in den Boden gebohrt, bevor es unters Bett geschlittert war. Und zwar war es, von wem auch immer, aus Panik fallen gelassen worden, aus Schreck über ein plötzliches Geräusch – einen unerwarteten Telefonanruf. Die betreffende Person war aus dem Zimmer geflohen und hatte die Tür offen gelassen, weil sie sie in der Eile nicht mehr hatte schließen können.

SIE

Selbst jetzt noch, wo er alle Puzzleteile zusammengelegt hatte, fiel es ihm schwer, die einzige logische Erklärung gelten zu lassen; dass die mit dem Messer Soja gewesen war.

Er sprang hoch, ging zum Fenster und riss es auf. Kalte Luft schlug ihm entgegen. Er wusste nicht, wie lange er so da gestanden und in den nächtlichen Himmel hinausgestarrt hatte, als er plötzlich hinter sich einen Laut vernahm und ihm wieder einfiel, dass er ja nicht allein war. Er wandte sich um und wollte sich gerade entschuldigen, schluckte den Satz aber hinunter. Nikolai, der Mann, der ihm beigebracht hatte, dass Grausamkeit eine Notwendigkeit, etwas Gutes war, heulte.

»Du hast mir nicht mal zugehört, Leo!«

Mit tränenüberströmten Wangen fing Nikolai auf einmal an zu lachen, was Leo unwillkürlich an ihre gemeinsamen Trinkgelage nach den Verhaftungen erinnerte. Aber heute Abend klang Nikolais Lachen anders. Tönern. Die ganze überhebliche Prahlerei war weg. »Du willst alles vergessen. Stimmt's, Leo? Kann ich dir nicht verdenken. Ich würde wer weiß was geben, wenn ich das alles vergessen könnte. Was für eine wunderbare Vorstellung ...«

»Tut mir leid, Nikolai, aber ich habe etwas anderes im Kopf. Eine Familienangelegenheit.«

»Dann hast du meinen Rat also befolgt ... eine Familie, das ist gut. Die Familie ist das Wichtigste. Was wäre ein Mann ohne die Liebe seiner Familie?«

»Können wir morgen weiterreden? Wenn wir ausgeruhter sind?«

Nickend stand Nikolai auf. An der Tür blieb er noch einmal stehen und blickte zu Boden. »Ich ... schäme mich.«

»Mach dir deswegen keine Gedanken. Jeder trinkt doch schon mal zu viel. Wir reden morgen weiter.«

Nikolai starrte ihn an. Leo erwartete, dass er wieder loslachen würde, aber diesmal drehte Nikolai sich um und lief zur Treppe.

Leo war froh, endlich allein zu sein und nachdenken zu können. Es hatte keinen Zweck, sich länger etwas vorzumachen. Er war für Soja die allgegenwärtige Erinnerung an ihren entsetzlichen Verlust. Er hatte nie mit ihr darüber gesprochen, was an jenem Tag geschehen war. Das Messer war ein Schrei nach Hilfe. Wenn er seine Familie retten wollte, musste er etwas tun. Er konnte die Sache ins Lot bringen. Mit Soja reden, das war die Lösung. Er musste sofort mit ihr reden.

Am selben Tag

Nikolai trat nach draußen, seine Stiefel drückten sich in die dünne Schneedecke. Es fröstelte ihn am Bauch, und er stopfte sich das Hemd in die Hosen. Er konnte kaum klar sehen und schwankte wie an Deck eines Bootes. Warum hatte er Leo eigentlich angerufen? Was hatte er sich denn von seinem ehemaligen Schützling erhofft? Vielleicht hatte er einfach nur ein wenig Gesellschaft gesucht und nicht nur die Gesellschaft eines anderen Betrunkenen. Er war gekommen, um mit einem Menschen zusammen zu sein, der die gleiche Scham verspürte wie er – einem, der ihn nicht verurteilen konnte, ohne sich gleichzeitig mitzuverurteilen.

ICH SCHÄME MICH.

Leo hätte diese Worte besser als jeder andere verstehen müssen. Die geteilte Scham hätte sie einander nahebringen und zu Brüdern machen sollen. Leo hätte ihn umarmen und sagen sollen: *Ich auch*. Hatte er die eigene Vergangenheit so leicht vergessen? Nein, sie beide gingen nur unterschiedlich damit um. Leo hatte eine neue, ehrbare Laufbahn eingeschlagen und seine blutverschmierten Hände in warmer, sauberer Achtbarkeit gewaschen. Nikolais Methode war gewesen, sich bis zur Bewusstlosigkeit zu betrinken, nicht aus Lust, sondern um die Erinnerung zu ertränken.

Irgendjemand wollte aber nicht, dass die Erinnerung aufhörte. Und schickte ihm Fotos von Männern und Frauen vor einer weißen Wand – zurechtgeschnitten, sodass man nur noch die Gesichter sehen konnte. Erst hatte er die Abgebildeten nicht erkannt, obwohl ihm sofort klar gewesen war, dass es Verhaftungsfotos waren, so wie die Gefängnisbürokratie sie verlangte. Die Fotos kamen nacheinander, erst wöchentlich, mittlerweile wurde täglich ein Umschlag bei ihm zu Hause abgegeben. Beim Durchsehen waren ihm irgendwann wieder die Namen eingefallen und die Wortwechsel – löchrige Erinnerungen, eine verworrene Collage aus der Verhaftung des einen Bürgers, dem Verhör eines anderen und der Exekution eines dritten. Als immer mehr Fotos ankamen und er irgendwann den ganzen Haufen in der Hand hielt, hatte er sich gefragt, ob er wirklich so viele Menschen verhaftet hatte. Dabei wusste er, dass es in Wahrheit noch viel mehr gewesen waren.

Nikolai hätte gerne seine Untaten gestanden und um Vergebung gebeten. Allein, eine Aufforderung, sich zu entschuldigen, kam ebenso wenig wie Anweisungen über die Buße. Der erste Umschlag hatte seinen Namen getragen. Seine Frau hatte ihn gebracht, und nichtsahnend hatte er ihn vor ihr geöffnet. Als sie gefragt hatte, was er enthielt, hatte er gelogen und die Fotografien vor ihr verborgen. Von da an war er gezwungen gewesen, die Briefe heimlich aufzumachen. Auch nach zwanzig Jahren Ehe ahnte Nikolais Frau immer noch nichts von seiner Arbeit. Sie wusste nur, dass er Beamter bei der Geheimpolizei war, sonst aber nicht viel. Vielleicht schaute sie aber auch ganz bewusst nicht genauer hin. Ob aber nun bewusst oder nicht, auf jeden Fall lag ihm viel an ihrer Unwissenheit – alles hing davon ab. Wann immer er in ihre Augen blickte, sah er darin nur bedingungslose Liebe. Wenn sie etwas gewusst hätte, wenn sie die Gesichter der Leute gesehen hätte, die er verhaftet hatte, wenn sie dieselben Gesichter dann nach zweitägigem Verhör gesehen hätte, dann hätte in ihren Augen die Angst gelauert. Das Gleiche galt für seine Töchter. Sie lachten und flachsten mit ihm herum. Sie liebten ihn so, wie er sie liebte. Er war ein guter Vater, aufmerksam und geduldig. Nie brüllte er, und zu Hause rührte er keinen Tropfen an. Zu Hause war er immer noch ein guter Mensch.

Jemand wollte ihm das wegnehmen. In den letzten beiden Tagen hatte auf den Umschlägen nicht mehr sein Name gestanden. Jeder hätte sie aufmachen können, seine Frau oder seine Töchter. Mittlerweile hatte Nikolai Angst, aus dem Haus zu gehen, für den Fall, dass in seiner Abwesenheit etwas ankam. Er hatte seiner Familie das heilige Versprechen abgenommen, ihm jede Post zu bringen, ob sein Name draufstand oder nicht. Gestern war er ins Zimmer seiner Töchter gekommen und hatte auf dem Nachttisch einen unadressierten Brief gefunden. Zum ersten Mal hatte er sich vergessen und war außer sich geraten vor Wut. Er hatte die Mädchen angebrüllt, ob sie den Umschlag aufgemacht hatten. Verstört über seine plötzliche Verwandlung hatten sie angefangen zu weinen und ihm versichert, dass sie den Umschlag nur zur sicheren Verwahrung auf den Nachttisch gelegt hatten. Nikolai hatte die Angst in ihren Augen gesehen, und es hatte ihm das Herz gebrochen. In diesem Moment hatte er beschlossen, Leo um Hilfe zu bitten. Der Staat musste diese Verbrecher fassen, die ihm so sinnlos nachstellten. Jahrelang hatte er seinem Land gedient. Er war ein Patriot. Er hatte es sich verdient, in Ruhe gelassen zu werden. Leo konnte ihm helfen, der hatte eine ganze Mannschaft von Ermittlern an der Hand. Schließlich war es in ihrem gemeinsamen Interesse, diese Konterrevolutionäre zu fassen. Wie in den alten Zeiten. Nur hatte Leo gar nichts davon wissen wollen.

Die Frühschicht kam bereits in der Bäckerei an. Die Leute blieben stehen und starrten im Eingang auf Nikolai.

»Was ist los?«, schnauzte er sie an.

Sie gaben keine Antwort, sondern warteten nur zusammengedrängt ein paar Meter von ihm entfernt, aus Angst, an ihm vorbeizugehen.

»Brecht ihr etwa den Stab über mich?«

Ihre Gesichter waren ausdruckslos. Die Gesichter von Männern und Frauen, die das Brot für die Stadt backen wollten. Er musste zusehen, dass er nach Hause kam, an den einzigen Ort, wo man ihn liebte und seine Vergangenheit keine Rolle spielte.

Er wohnte nicht weit weg. Während er durch die verlassenen Straßen torkelte, hoffte er nur, dass in seiner Abwesenheit kein weiteres Päckchen mit Fotografien angekommen war. Nikolai blieb stehen, sein Atem ging flach und schwer wie der eines alten, kranken Hundes. Aber da war noch etwas, ein Geräusch. Nikolai wandte sich um und spähte hinter sich. Das waren doch Schritte, das harte *Tapp Tapp* von Absätzen auf dem gepflasterten Bürgersteig. Er wurde verfolgt. Nikolai taumelte in den Schatten hinein und stierte angestrengt nach irgendwelchen Gestalten. Sie waren hinter ihm her, seine Feinde stellten ihm nach, jagten ihn so, wie er einst sie gejagt hatte.

Jetzt rannte er, nur noch nach Hause, so schnell es ging. Er geriet ins Stolpern, fing sich wieder, der Mantel schlug ihm um die Fußknöchel. Urplötzlich blieb er stehen und wirbelte herum. Er würde sie schon kriegen, er kannte die Tricks. Es waren seine Tricks. Sie gingen mit seinen eigenen Methoden gegen ihn vor. Nikolai starrte in finstere Ecken und düstere Nischen, gute Verstecke, die er die MGB-Rekruten zu nutzen gelehrt hatte.

»Ich weiß, dass ihr da seid«, rief er laut.

Seine Stimme hallte auf der scheinbar leeren Straße wider. Ein Laie hätte sie wirklich für leer gehalten, aber Nikolai kannte sich da aus. Doch seine trotzige Gegenwehr hielt nicht lange an. »Ich habe Kinder. Zwei Töchter, die mich lieben. Die verdienen das nicht. Wenn ihr mich verletzt, dann verletzt ihr auch sie.«

Seine Kinder waren noch während seiner Zeit beim MGB geboren worden. Jeden Abend kam er, nachdem er tagsüber Väter und Mütter, Söhne und Töchter verhaftet hatte, nach Hause und gab seiner Familie vor dem Schlafengehen einen Kuss. »Was ist denn mit all den anderen? Es gibt doch Millionen andere! Wenn ihr uns alle umbringen wolltet, wäre ja gar niemand mehr übrig. Wir haben doch alle mit dringesteckt.«

Leute erschienen an den Fenstern, sein Geschrei hatte sie angelockt. Egal auf welches Gebäude er zeigte, auf welches Haus, in jedem befanden sich ehemalige Agenten und Gefängniswärter. Auf die Männer und Frauen in Uniform kam man vielleicht zuerst. Aber da gab es doch auch noch die Zugführer, die die Gefangenen in die Gulags brachten. Die Schreibtischhengste, die die Dokumente abstempelten. Das Küchen- und Reinigungspersonal. Das System verlangte die stillschweigende Zustimmung aller, selbst wenn sie nur zustimmten, nichts zu tun. Nichts zu tun reichte schon. Das System war auf fehlenden Widerstand ebenso angewiesen wie auf Freiwillige. Nikolai würde hier nicht den Sündenbock abgeben. Er war nicht der allein Verantwortliche. Jeder trug mit an der kollektiven Schuld. Zu gelegentlicher Reue war er ja bereit, und bestimmt eine Minute am Tag dachte er über die schrecklichen Dinge nach, die er getan hatte. Aber den Leuten, die hinter ihm her waren, reichte das nicht. Sie wollten mehr.

Voller Angst machte Nikolai kehrt und rannte los, diesmal verzweifelt und so schnell er nur konnte. Er verfing sich in seinem Mantel, stolperte und klatschte in den matschigen Schnee. Seine Kleider sogen sich mit Dreckwasser voll. Mühsam rappelte er sich wieder auf. Sein Knie pochte, seine Hose war zerrissen. Nikolai rannte weiter, das Wasser troff aus seinen Rockschößen.

Es dauerte nicht lange, und er fiel wieder hin. Diesmal fing er an zu heulen, verzweifelte, erschöpfte Schluchzer. Er drehte sich auf den Rücken und riss sich den Mantel vom Leib, der mittlerweile viel zu schwer war. Vor vielen Jahren hatte er ihn in einem der Nomenklatura vorbehaltenen Geschäfte gekauft. Wie stolz er darauf gewesen war, ein Zeichen seines Status. Jetzt brauchte er ihn nicht mehr. Er würde nie wieder das Haus verlassen, er würde daheim bleiben, die Tür abschließen und die Vorhänge zuziehen.

Nikolai erreichte seinen Wohnblock und betrat hechelnd und schwitzend den Flur. Dreckwasser tropfte aus seinen Kleidern. Klatschnass stand er an die Wand gedrückt da, sein Körper hinterließ einen Abdruck an der Mauer. Er lugte auf die Straße in der Hoffnung, einen Blick auf seine Verfolger erhaschen zu können. Als er niemanden entdecken konnte – was für durchtriebene Typen! –, kraxelte er die Treppe hinauf, rutschte dabei aus und kroch auf allen vieren weiter. Je näher er seinem Heim kam, desto mehr beruhigte er sich. Hinter diesen Wänden konnten sie ihn nicht kriegen, nicht in seiner Zuflucht. Als hätte er ein nervenstärkendes Tonikum zu sich genommen, konnte er plötzlich wieder klar denken. Er war betrunken. Er hatte überreagiert, mehr nicht. Natürlich hatte er sich im Laufe der Jahre Feinde gemacht, Leute, die einen Groll gegen ihn hegten und ihm seinen Erfolg neideten. Wenn sie nichts weiter ausrichten konnten, als ihm ein paar Fotos zu schicken, brauchte er sich keine Sorgen zu machen. Die Mehrheit – die Gesellschaft – achtete und schätzte ihn. Auf dem Treppenabsatz atmete Nikolai tief durch und kramte nach seinem Schlüssel.

Draußen vor seiner Wohnungstür lag ein Päckchen, etwa dreißig Zentimeter lang, zwanzig breit und zehn hoch. Es war in Packpapier gewickelt und fest verschnürt. Auf dem Papier stand kein Name, keine Anschrift, nur eine Tuschezeichnung – ein Kruzifix. Nikolai sank auf die Knie. Mit zitternden Händen löste er die Schnur. In dem Päckchen befand sich eine Schachtel. Auf dem Deckel stand:

NICHT FÜR PRESSEZWECKE

Er nahm den Deckel ab. Diesmal waren es keine Fotos. Stattdessen fand Nikolai einen säuberlichen Stapel bedruckter Papierbögen. Ein richtiges Dokument, etwa hundert Seiten dick. Obenauf lag ein Begleitschreiben. Nikolai nahm es hoch und überflog es. Es war nicht an ihn gerichtet, sondern ein offizieller behördlicher Brief mit der Anweisung, dass diese Rede an jede Schule, jede Fabrik, jede Arbeiter- und Jugendvereinigung im ganzen Land verteilt werden solle. Aufmerksam las Nikolai die erste Seite. Er schüttelte den Kopf. Das konnte doch einfach nicht sein! Es war eine Lüge, ein heimtückisches Machwerk, das ihn in den Wahnsinn treiben sollte. Nie und nimmer hätte der Staat so etwas veröffentlicht. Nie und nimmer würden sie ein solches Dokument unter die Leute bringen. Das war unmöglich.

UNSCHULDIGE
OPFER
FOLTER

Solche Worte konnten einfach nicht schwarz auf weiß gedruckt und unter ausdrücklicher Billigung des Staates an alle Schulen und Fabriken verteilt werden. Wenn er den erwischte, der diese zugegebenermaßen gut informierte Falschmeldung lanciert hatte, würde er ihn hinrichten lassen.

Unwillkürlich knüllte Nikolai die Seite zusammen, die er gerade gelesen hatte, und warf sie weg. Dann riss er die nächste und übernächste Seite in kleine Schnipsel und schleuderte sie ebenfalls weg. Er hörte auf, krümmte sich und rollte sich zusammen, sein Kopf lag auf den noch ungelesenen Seiten.

»Das kann einfach nicht wahr sein«, murmelte er.

Ganz undenkbar. Und doch waren die Seiten da, sogar mit einem offiziellen Begleitschreiben samt Siegel. Informationen, die nur die Behörden wissen konnten, sogar mit Quellen, Zitaten und Verweisen. Das Schweigekomplott, von dem Nikolai angenommen hatte, es würde ewig halten, war gebrochen. Das hier war kein Trick.

Die Rede war echt.

Ohne auf die verstreuten Papierfetzen zu achten, rappelte Nikolai sich hoch, schloss die Tür auf und betrat seine Wohnung. Die Rede ließ er im Hausflur liegen. Es spielte keine Rolle mehr, ob er die Tür hinter sich verschloss und die Vorhänge zuzog. Sein Zuhause war kein Zufluchtsort mehr. Es gab überhaupt keine Zuflucht mehr. Bald würden alle es wissen, jeder Schuljunge und jeder Fabrikarbeiter. Und sie würden es nicht nur wissen, sie würden offen darüber reden dürfen und aufgefordert werden, die Sache zu diskutieren.

Nikolai drückte die Schlafzimmertür auf und stierte hinab auf seine Frau. Sie lag schlafend auf ihrer Seite des Bettes, die Hände hatte sie unter den Kopf geschoben. Wie wunderschön sie war. Er vergötterte sie. Sie lebten ein perfektes, privilegiertes Leben. Sie hatten zwei wunderbare, glückliche Töchter. Seine Frau hatte nie irgendeine Demütigung erlebt, nie eine Schande. Sie kannte Nikolai nur in der Rolle des liebenden Ehegatten, eines sanftmütigen Mannes, der für seine Familie gestorben wäre. Er setzte sich aufs Bett und strich ihr mit einem Finger über den blassen Arm. Er würde nicht damit leben können, dass sie die Wahrheit erfuhr, anders von ihm dachte, sich von ihm zurückzog, ihm Fragen stellte oder – schlimmer noch – schwieg. Ihr Schweigen wäre unerträglich. All ihre Freundinnen würden ihr Fragen stellen. Man würde den Stab über sie brechen. Wie viel wusste sie? Hatte sie es schon immer gewusst? Es war besser, wenn er ihre Schande nicht mehr miterlebte. Es war besser, wenn er jetzt starb.

Nur ändern würde sein Tod nichts. Sie würde es trotzdem herausfinden. Sie würde aufwachen, seine Leiche entdecken, ihn beweinen und betrauern. Dann würde sie die Rede lesen. Zwar würde sie zu seiner Beerdigung kommen, sich aber fragen, was er alles getan hatte. Sie würde Momente ihrer Zweisamkeit neu bedenken – als er sie berührt hatte, als sie miteinander geschlafen hatten. Hatte er da erst ein paar Stunden vorher jemanden umgebracht? War ihr Heim mit Blut erkauft? Vielleicht würde sie am Ende sogar denken, dass er den Tod verdient hatte und sein Selbstmord das einzig Richtige gewesen war, nicht nur für sich selbst, sondern auch für ihre Töchter.

Nikolai griff nach dem Kissen. Seine Frau war kräftig und würde sich wehren, aber obwohl er außer Form war, traute er sich doch zu, sie zu überwältigen. Vorsichtig stellte er sich vor sie hin, und sie wandte sich ihm zu. Sie spürte die Nähe seines Körpers und freute sich bestimmt, dass er nach Hause gekommen war. Sie rollte sich auf den Rücken und lächelte ihn an. Er konnte ihr nicht mehr ins Gesicht sehen. Jetzt rasch handeln, bevor er die Nerven verlor. Schnell drückte er das Kissen hinunter, er wollte nicht mehr sehen müssen, wie sie die Augen öffnete. Er drückte so fest er nur konnte. Sofort griff sie nach dem Kissen, griff nach seinen Handgelenken. Sie kratzte, aber es half ihr nichts, er ließ nicht locker, und sie konnte sich nicht befreien. Anstatt seinen Griff zu lockern, versuchte sie jetzt, sich unter ihm hinauszuwinden. Er setzte sich auf sie und klemmte ihre Taille mit den Beinen fest, sodass sie sich nicht mehr rühren konnte. Dabei drückte er weiter mit dem Kissen zu. Sie war hilflos unter ihm gefangen und wurde schwächer. Ihre Hände kratzten nicht mehr, sondern hielten nur noch seine Handgelenke umklammert, dann erschlafften sie und sanken neben ihr hin.

Er blieb weiter auf ihr sitzen und drückte noch ein paar Minuten mit dem Kissen zu, obwohl sie sich schon nicht mehr rührte. Endlich richtete er sich auf und ließ los. Das Kissen ließ er auf ihrem Gesicht liegen, er wollte sich den Anblick ihrer blutunterlaufenen Augen ersparen. Ihre Augen waren immer so voller Liebe gewesen, und so wollte er sich an sie erinnern. Er schob die Hand unter das Kissen, um ihre Augenlider zu schließen. Seine Fingerspitzen glitten über ihr Gesicht, immer näher, und schließlich berührte er die ein wenig klebrige Oberfläche einer Pupille. Vorsichtig schloss er ihre Augenlider, dann hob er das Kissen hoch und sah sie an. Ganz friedlich lag sie da. Nikolai legte sich neben sie und legte ihr den Arm um die Taille.

Er war so erschöpft, dass er beinahe eingeschlafen wäre. Er schüttelte sich selbst wach. Er war noch nicht fertig. Also stand er auf, zog die Bettlaken glatt, nahm das Kissen und ging hinaus ins Wohnzimmer und von dort in das Schlafzimmer seiner Töchter.

Am selben Tag

Soja und Elena schliefen. Leo konnte hören, wie sie ein- und ausatmeten. Vorsichtig schloss er die Tür und versuchte seine Augen an die Dunkelheit zu gewöhnen. Er durfte einfach nicht als Vater versagen. Sollten sie das Morddezernat schließen, sollten sie ihn seiner Privilegien berauben, aber es musste einen Weg geben, wie er seine Familie retten konnte. Das war das Einzige, was zählte. Und trotz ihrer Probleme war er überzeugt, dass diese Familie für sie alle immer noch das Beste war. Er konnte sich einfach nicht vorstellen, ohne sie zu sein. Allerdings standen die beiden Mädchen Raisa viel näher als ihm. Es lag also ganz offensichtlich nicht an der Adoption, sondern an seiner Vergangenheit. Es war naiv von ihm gewesen zu glauben, dass seine Beziehung zu Elena und Soja einfach nur Zeit bräuchte.

Dass man sie wie bei einer optischen Täuschung nur weit genug von dem Vorfall wegschaffen musste, damit er immer kleiner und bedeutungsloser wurde. Der Vorfall – immer noch benutzte er beschönigende Floskeln für den Mord an ihren Eltern. Sojas Wut brannte noch genauso wie an dem Tag, als man ihre Eltern erschossen hatte. Anstatt das Problem zu verleugnen, musste er sich mit ihrem Hass auseinandersetzen.

Mit dem Gesicht zur Wand schlief Soja auf ihrer Seite des Zimmers. Leo streckte die Hand aus und umfasste ihre Schulter. Sanft drehte er sie auf den Rücken. Eigentlich hatte er sie ganz sacht wecken wollen, doch stattdessen setzte sie sich abrupt auf, und sofort versteifte sich ihr Körper. Sie rutschte von seiner Berührung weg. Ohne genau zu wissen, was er da eigentlich tat, legte er die andere Hand auf ihre Schulter, damit sie nicht weiter von ihm abrücken konnte. Er tat das aus bester Absicht, um ihrer beider willen. Sie musste ihm zuhören.

Um einen gleichmäßigen, beruhigenden Ton bemüht, sprach er sie flüsternd an. »Soja, wir zwei müssen uns unterhalten. Wenn ich bis morgen früh damit warte, dann finde ich wieder eine Entschuldigung und schiebe es auf übermorgen auf und dann auf überübermorgen. Ich habe es schon drei Jahre aufgeschoben.«

Sie antwortete nicht, rührte sich auch nicht, sondern starrte ihn nur an. Obwohl er sich in der Küche mindestens eine Stunde lang genau überlegt hatte, was er sagen wollte, waren all die schön zurechtgelegten Worte jetzt wie weggeblasen.

»Du warst in meinem Schlafzimmer. Ich habe das Messer gefunden.«

Das war der falsche Einstieg. Er war doch hier, um über seine Fehler zu sprechen, und nicht, um sie auszuschimpfen.

Er versuchte es noch einmal: »Zuerst einmal möchte ich dir sagen, dass ich heute ein anderer Mensch bin. Ich bin nicht mehr der Beamte, der damals auf den Hof eurer Eltern gekommen ist.

Außerdem habe ich versucht, deine Eltern zu retten, erinnerst du dich? Da habe ich versagt. Mit diesem Versagen werde ich bis zum Ende meine Tage leben müssen. Aber auch wenn ich deine Eltern nicht zurückholen kann, ich kann deiner Schwester und dir Chancen eröffnen. So stelle ich mir diese Familie vor. Es ist eine Chance. Für dich und Elena, aber auch für mich.«

Leo hielt inne. Er wollte sehen, ob sie sich über seine Meinung lustig machen würde. Doch sie schwieg und rührte sich nicht. Ihre Lippen waren fest zusammengepresst, ihr Körper stocksteif.

»Kannst du es nicht ... wenigstens versuchen?«

Mit zitternder Stimme sprach sie ihre ersten Worte. »Lass mich los.«

»Ach Soja, nun werd doch nicht gleich wütend. Sag mir einfach nur, was du denkst. Sei ehrlich. Sag mir, was du von mir willst. Sag mir, was für ein Mensch ich sein soll.«

»Lass mich los.«

»Nein, Soja. Du musst bitte verstehen, wie wichtig das hier ist.«

»Lass mich los.«

»Soja ...«

Ihre Stimme wurde immer schriller, sie überschlug sich fast.

»Lass mich los lass mich los lass mich los lass mich los.«

Fassungslos fuhr Leo zurück. Soja wimmerte wie ein verwundetes Tier. Wie hatte die Sache nur derart schiefgehen können? Ungläubig sah er zu, wie sie vor seiner Zuneigung zurückwich. So hatte er sich das nicht gedacht. Er wollte ihr doch nur zeigen, dass er sie liebte! Sie machte alles kaputt, für alle. Elena wollte zu dieser Familie gehören, da war Leo sich sicher. Sie nahm immer seine Hand, lächelte ihn an und lachte. Sie wollte glücklich sein. Raisa wollte glücklich sein. Alle wollten sie glücklich sein. Nur Soja nicht, die sich standhaft weigerte anzuerkennen, dass er sich geändert hatte, und sich kindisch an ihren Hass klammerte wie an eine Lieblingspuppe.

Dann stieg ihm der Geruch in die Nase. Als er das Laken abtastete, merkte er, dass es feucht war. Trotzdem brauchte er einen Moment, bis ihm klar wurde, dass Soja ins Bett gemacht hatte. Er stand auf. »Das ist nicht schlimm«, flüsterte er. »Ich kümmere mich darum. Mach dir keine Gedanken. Es war mein Fehler. Ich bin schuld.«

Soja schüttelte den Kopf. Sie sagte keinen Ton, sondern presste nur ihre Hände ganz fest an die Schläfen.

Leo war entsetzt, wie viel Kummer seine Liebe hervorrief. »Soja, ich nehme das Laken mit.«

Sie schüttelte den Kopf und klammerte sich an das vollgepinkelte Bettzeug, als würde das sie vor ihm schützen. Mittlerweile war Elena aufgewacht, sie weinte.

Leo wandte sich zur Tür und drehte sich dann doch noch einmal um. Er konnte sie doch nicht einfach so liegen lassen. Wie sollte er das Problem lösen, wenn er selbst das Problem war?

»Ich will dich doch nur lieb haben, Soja.«

Elena sah von Soja zu Leo. Dass sie wach war, bewirkte eine Veränderung in Soja. Langsam gewann sie die Fassung zurück und erklärte Leo ruhig: »Ich wasche die Laken aus. Ich mache es selbst. Ich brauche deine Hilfe nicht.«

Leo ging aus dem Zimmer und ließ das kleine Mädchen, das er für sich einzunehmen gehofft hatte, mit seinem Urin und seinen Tränen allein.

* * *

Er ging in die Küche und lief dort auf und ab, vollkommen verzweifelt. Die Akten hatte er zwar weggeräumt, doch das Blatt aus Moskwins Setzmaschine lag noch da wie zuvor.

Unter Folter hatte Eikhe

Das hatte ihm gerade noch gefehlt. Eine Erinnerung an seine frühere Tätigkeit, die ihn auf ewig wie ein Schatten verfolgen würde. Sojas Reaktion im Kinderzimmer fiel ihm wieder ein. Zum ersten Mal sah Leo sich gezwungen, eine Möglichkeit ins Auge zu fassen, die noch vor ein paar Minuten undenkbar für ihn gewesen wäre. Vielleicht musste man die Familie wieder auseinanderreißen.

War sein Wunsch, sie auf Biegen und Brechen zusammenzuhalten, zur blinden Besessenheit geworden? Er zwang Soja dazu, immer wieder am Schorf zu kratzen. So würde die Wunde niemals heilen und sich nur vor Hass und Bitterkeit entzünden. Und wenn Soja nicht mit ihm zusammenleben konnte, dann konnten sie Elena auch nicht behalten. Die beiden Schwestern waren doch unzertrennlich. Es würde ihm nichts anderes übrig bleiben, als ein neues Elternhaus für sie zu suchen, eines ohne Verbindungen zum Staat, vielleicht außerhalb Moskaus in einer kleineren Stadt, wo der Machtapparat nicht so allgegenwärtig war. Raisa und er würden nach passenden Pflegeeltern suchen müssen, mögliche Kandidaten treffen und sich dabei fragen müssen, ob die es wohl besser machen würden, ob sie die Mädchen glücklich machen würden. Leo hatte bei dem Versuch ja jämmerlich versagt.

Raisa erschien in der Tür. »Was ist los?«

Sie war aus dem Schlafzimmer gekommen. Von der Bettnässerei und seinem Gespräch mit Soja wusste sie nichts, ihre Frage bezog sich auf Nikolai, dessen Anruf und das mitternächtliche Treffen. Leo brach fast die Stimme vor Niedergeschlagenheit. »Nikolai war betrunken. Ich habe ihm gesagt, dass wir weiterreden, wenn er wieder nüchtern ist.«

»Und das hat die ganze Nacht gedauert?«

Worauf wartete er eigentlich? Er sollte sie bitten, sich hinzusetzen, und alles erzählen.

»Leo, was ist los?«

Keine Geheimnisse mehr, das hatte er ihr versprochen. Aber er konnte doch nicht zugeben, dass er sich drei Jahre lang abgemüht hatte, ein guter Vater zu sein, nur um jetzt nichts weiter vorzuweisen zu haben als Sojas Hass. Er konnte doch nicht zugeben, dass er sie mitten in der Nacht geweckt und erbärmlich angefleht hatte, ihr Vater sein zu dürfen. Leo hatte Angst. Wenn man die Familie trennte, dann würde Raisa sich vielleicht fragen, auf welcher Seite sie eigentlich stehen wollte. Würde sie bei den Mädchen bleiben oder bei ihm? In seiner Zeit als Agent des MGB hatte sie ihn und alles, was er verkörperte, verabscheut. Elena und Soja dagegen hatte sie von Anfang an grenzenlos geliebt. Ihre Liebe zu ihm war kompliziert. Ihre Liebe für die beiden war einfach. Und wenn sie sich entscheiden musste, dann fiel ihr vielleicht wieder der Mann ein, der er eigentlich war, der er jedenfalls einmal gewesen war. Seine Beziehung zu Raisa hing davon ab, dass er sich als guter Vater erwies, da war er sich sicher. Und zum ersten Mal nach drei Jahren log er sie an. »Nichts ist los. Es war nur ein Schock, Nikolai wiederzusehen, das ist alles.«

Raisa nickte. Sie schaute in den Flur hinaus. »Sind die Mädchen wach?«

»Sie sind wach geworden, als ich zurückkam. Tut mir leid. Ich habe mich bei ihnen entschuldigt.«

Raisa wies auf die Seite, die er aus der Setzmaschine gezogen hatte. »Die räumst du wohl besser weg, bevor die Mädchen sich an den Tisch setzen.«

Leo nahm das Blatt und brachte es in ihr Schlafzimmer. Er hockte sich aufs Bett und beobachtete voller Angst, wie Raisa die Küche verließ, um den Mädchen guten Morgen zu sagen. Ihm war beinahe schlecht vor Nervosität, während er darauf wartete, dass Raisa die Wahrheit entdeckte. Seine Lüge hatte ihm nur eine Gnadenfrist verschafft, mehr nicht. Raisa würde sich anhören, was Soja zu dem Vorfall zu sagen hatte.

Er sah auf und stellte zu seiner Überraschung fest, dass Raisa ganz unaufgeregt aus dem Kinderzimmer kam und ohne ein Wort in die Küche ging. Nur Sekunden später erschien Soja und trug ihre Laken ins Badezimmer, wo sie sie in die Badewanne legte und das heiße Wasser anstellte. Sie hatte Raisa nichts gesagt. Sie wollte nicht, dass Raisa etwas erfuhr. Noch mehr als Leo verabscheute sie den Gedanken daran, dass er es geschafft hatte, sie derart zu blamieren.

Leo stand auf, ging in die Küche und fragte: »Wäscht Soja Wäsche?«

Raisa nickte. Leo fuhr fort: »Das muss sie doch nicht. Ich kann sie reinigen lassen.«

Raisa senkte die Stimme. »Ich glaube, ihr ist ein kleines Malheur passiert. Lass sie lieber in Ruhe. In Ordnung?«

Leo nickte. »In Ordnung.«

Elena kam als Erste herein, sie hatte sich die Bluse falsch zugeknöpft. Schweigend setzte sie sich hin. Leo lächelte sie an, aber sie starrte nur in sein freundliches Gesicht, als sei es etwas Unbekanntes und Bedrohliches. Sie lächelte nicht zurück. Leo hörte Sojas Schritte. Dann brachen sie ab. Soja wartete im Flur, wo niemand sie sehen konnte.

Schließlich kam sie herein. Sie starrte Leo, der auf der anderen Seite der Küche saß, direkt ins Gesicht. Dann warf sie Raisa, die den Haferbrei anrührte, einen flüchtigen Blick zu, schließlich ihrer Schwester, die schon frühstückte. Sie verstand, dass er ebenfalls nichts erzählt hatte. Das Messer war ihr Geheimnis. Das vollgepinkelte Bett war ihr Geheimnis. Sie waren Komplizen in dieser falschen Familie. Soja wollte die Familie nicht auseinanderreißen. Ihre Liebe zu Elena war stärker als ihr Hass auf ihn.

Behutsam wie eine Straßenkatze schlich Soja an ihren Platz. Sie frühstückte nicht, sondern warf ihm nur gelegentlich einen verstohlenen Blick zu. Auch Leo aß nichts, rührte nur den Brei in der Schüssel um und konnte nicht aufsehen. Raisa ließ sich nicht beeindrucken. »Wollt ihr etwa beide nichts essen?«

Leo wartete, dass Soja antwortete, doch sie schwieg. Also begann Leo zu essen.

Da stand Soja auf und stellte ihre unberührte Schüssel ins Waschbecken. »Mir ist nicht gut.«

Raisa stand auf und fühlte ihre Temperatur. »Kannst du zur Schule gehen?«

»Ja.«

Die Mädchen verschwanden vom Tisch. Raisa trat ganz nahe an Leo heran. »Was ist denn heute mit dir los?«

Leo war sich sicher, wenn er den Mund aufmachte, würde er anfangen zu heulen. Also sagte er nichts, unter dem Tisch hatte er die Hände zu Fäusten geballt.

Kopfschüttelnd ging Raisa hinaus, um den Kindern zu helfen. Sie wuselten vor der Wohnungstür herum, die letzten Vorbereitungen zum Gehen, dann zogen sie ihre Mäntel an. Die Tür wurde aufgemacht. Raisa kam noch einmal in die Küche zurück, sie hatte ein Päckchen dabei, in braunes Packpapier gewickelt und verschnürt. Sie legte es auf den Tisch und ging. Geräuschvoll fiel die Wohnungstür ins Schloss.

Minutenlang rührte Leo sich nicht. Dann streckte er zögerlich die Hand aus und zog das Päckchen zu sich heran. Sie wohnten in einer Wohnanlage des Ministeriums, und normalerweise wurde die Post am Tor abgegeben. Dieses Päckchen aber hatte auf der Türschwelle gelegen. Es war etwa dreißig Zentimeter lang, zwanzig breit und zehn hoch. Es trug weder Namen noch Adresse, nur eine Tuschezeichnung, die ein Kruzifix darstellte. Leo riss das Packpapier ab und entdeckte eine Schachtel, auf deren Deckel gestempelt war:

NICHT FÜR PRESSEZWECKE

Am selben Tag

Der Metro-Waggon war nicht besonders voll, aber trotzdem umklammerte Elena ganz fest Raisas Hand, als hätte sie Angst, sie könnten getrennt werden. Die beiden Mädchen waren ungewöhnlich still. Leos Verhalten heute Morgen hatte sie verstört. Raisa verstand nicht, was über ihn gekommen war. Normalerweise war er in Anwesenheit der Mädchen so behutsam, aber diesmal schien es ihm nichts auszumachen, dass sie sich zum Frühstück hinsetzten und mitbekamen, wie sehr dieses eine Wort ihn beschäftigte: *Folter*. Als sie ihn gebeten hatte, das Blatt wegzuräumen, war das eigentlich eine Mahnung gewesen, sich zusammenzureißen. Er hatte zwar gehorcht, war aber in genau demselben konfusen Zustand zurückgekehrt, hatte die Mädchen nur angestiert und keinen Ton gesagt. Diese blutunterlaufenen Augen und der gehetzte, angespannte Gesichtsausdruck. Seit Jahren hatte sie ihn nicht mehr so gesehen, seit seiner Zeit bei der Staatssicherheit nicht, wenn er die ganze Nacht auf einem Einsatz gewesen und völlig erschöpft zurückgekehrt war, aber trotzdem nicht einschlafen konnte. Stattdessen war er in der Dunkelheit in irgendeiner Ecke zusammengesunken und hatte schweigend vor sich hingebrütet, so als würden die Ereignisse der vergangenen Nacht immer und immer wieder in seinem Kopf ablaufen wie eine endlose Filmrolle. In jener Zeit hatte er nie über seine Arbeit gesprochen, aber sie hatte trotzdem gewusst, was er machte: wahllos Leute verhaften. Insgeheim hatte sie ihn dafür gehasst.

Diese Zeiten waren vorbei. Leo hatte sich geändert, da war sie sich sicher. Immerhin hatte er sein Leben riskiert, um sein Geld nicht mehr mit mitternächtlichen Verhaftungen und erzwungenen Geständnissen zu verdienen. Der Apparat der Staatssicherheit existierte immer noch. Jetzt hieß er zwar KGB, aber er war immer noch im Leben jedes Einzelnen gegenwärtig. Leo allerdings hatte mit diesen Operationen nichts mehr zu tun, nachdem er einen hochrangigen Posten ausgeschlagen hatte. Stattdessen war er ein großes Risiko eingegangen und hatte seine eigene Ermittlungsabteilung aufgebaut. Jeden Abend erzählte er ihr, was der Arbeitstag gebracht hatte – zum Teil, weil ihm an ihrem Rat lag, zum Teil auch, weil er damit zeigen wollte, wie sehr sein Dezernat sich vom KGB unterschied. Vor allem aber, um ihr zu beweisen, dass es zwischen ihnen keine Geheimnisse mehr gab. Doch Raisas Bestätigung allein reichte ihm nicht. Wenn sie Leo mit den Mädchen erlebte, kam er ihr oft vor wie ein Verfluchter, wie eine Figur aus einem Kinderbuch, die nur mit dem Satz *Ich liebe dich* aus dem Munde ebendieser Mädchen aus dem dunklen Bann der Vergangenheit errettet werden konnte.

Trotz aller Enttäuschungen war es ihr nie vorgekommen, als sei er neidisch auf Raisas so ungezwungenes Verhältnis zu Elena und Soja, noch nicht einmal, wenn Soja ihn bewusst quälte, indem sie sich ihr offen mit Herzlichkeit zuwandte, ihn dagegen ihre Kälte spüren ließ. In den letzten drei Jahren hatte er jede Zurückweisung und Unfreundlichkeit über sich ergehen lassen, ohne auch nur einmal aus der Haut zu fahren. Alle Feindseligkeiten hatte er geschluckt, so als halte er sie für eine gerechte Strafe. In diese beiden Mädchen hatte er all seine Hoffnungen auf Vergebung gelegt. Soja wusste das und wehrte sich. Je mehr er um ihre Zuneigung buhlte, desto mehr hasste sie ihn. Es hätte keinen Zweck gehabt, wenn Raisa ihn auf diesen Zusammenhang hingewiesen oder ihm geraten hätte, etwas gelassener an die Sache heranzugehen. Das lag einfach nicht in seiner Natur. So fanatisch, wie er einst dem Kommunismus gehuldigt hatte, so fanatisch huldigte er jetzt seiner Familie. Seine Vision von Utopia war kleiner und weniger abstrakt geworden, jetzt umfasste sie nur noch vier Menschen und nicht mehr die ganze Welt. Aber erreichbarer geworden war sie dadurch nicht.

Der Zug fuhr in den Bahnhof ZPkiO ein, eine Abkürzung des vollen Namens *Zentralnili Park Kultury i Otdycha Imeni Gorkowo*. Als die Mädchen die offizielle Ansage zum ersten Mal aus der Lautsprecheranlage hörten, hatten sie laut losgelacht, auch Soja, die mit dieser unerwarteten Absurdität nicht gerechnet hatte und unwillkürlich ein wunderschönes Lächeln preisgab, das sie bislang vor allen Blicken verborgen hatte. In diesem Moment konnte Raisa einen flüchtigen Blick auf das Kind erhaschen, das es jetzt nicht mehr gab, verspielt und ausgelassen. Innerhalb von Sekunden war das Lächeln wieder verschwunden, und als Raisa das sah, schmerzte sie das sehr. Auch für sie waren hier schließlich starke Emotionen im Spiel. Da sie selbst keine Kinder bekommen konnte, war eine Adoption ihre einzige Chance gewesen, Mutter zu sein. Leo mochte vielleicht von der Geheimpolizei ausgebildet worden sein, ihr Inneres verbergen konnte sie trotzdem erheblich besser als er. Sie hatte eine taktische Entscheidung getroffen und von Anfang an darauf geachtet, dass die Mädchen nicht ständig spürten, wie wichtig sie ihr waren. So war sie mit ihnen ohne viel Aufhebens und Tamtam umgegangen und hatte sich im Wesentlichen um die alltäglichen Dinge gekümmert: Schule, Kleider, Essen, Ausflüge, Hausaufgaben. Doch auch wenn Leo und sie unterschiedlich mit der Situation umgingen, hatten sie doch beide denselben Traum: den Traum einer liebevollen, glücklichen Familie.

Raisa und die Mädchen verließen den Bahnhof an der Ecke Ostoschenka und Novokrimski und folgten auf dem Weg zu ihrer jeweiligen Schule einem in den Schnee geschaufelten Fußpfad. Raisa hatte beide Mädchen in derselben Schule anmelden wollen, wo im besten Falle auch noch sie selbst unterrichtet hätte, damit alle drei zusammen sein konnten. Doch die Schulbehörde oder eine höhere Stelle hatte entschieden, dass Raisa am Lyzeum 1535 unterrichten sollte, und da diese Schule nur ältere Schüler aufnahm, musste Elena woanders die Grundschule besuchen. Raisa hatte sich gewehrt, weil doch die meisten Schulen alle Altersklassen aufnahmen und es gar nicht notwendig war, dass man sie auseinanderriss. Doch ihr Antrag war abschlägig beschieden worden. Auch Geschwister gingen schließlich zur Schule, um eine Bindung zum Staat einzugehen, und nicht, um die Familienbande zu stärken. Angesichts einer solchen Philosophie hatte Raisa mit der Stelle am Lyzeum 1535 noch Glück gehabt und ihren Antrag zurückgezogen, um diesen Vorteil nicht zu verspielen. So konnte sie wenigstens ein Auge auf Soja haben. Obwohl Elena jünger war und zunächst vor der neuen Schule in einer großen Stadt auch Angst gehabt hatte, machte Soja Raisa viel größere Sorgen. Sie war in ihren schulischen Leistungen weit zurück, weil ihre Dorfschule nicht den Moskauer Standard gehabt hatte. Ohne Frage war sie intelligent, aber eben ein ungeschliffenes Talent ohne Zielstrebigkeit und Disziplin. Anders als Elena unternahm sie keinerlei Anstrengungen, sich einzufügen, so als sei die selbstgewählte Einsamkeit ihr Prinzip.

Vor der Grundschule, einem umgebauten Stadtpalais des Adels aus vorrevolutionärer Zeit, verwandte Raisa unnötig viel Zeit darauf, Elenas Uniform zu richten. Dann endlich nahm sie sie fest in den Arm und flüsterte: »Alles wird gut. Ich verspreche es.«

In den ersten Monaten hatte Elena jedes Mal geweint, wenn sie von Soja getrennt worden war, und obwohl sie sich allmählich daran gewöhnt hatte, dass sie beide acht Stunden lang nicht zusammen sein konnten, stand sie noch immer am Ende jedes Schultags am Tor und wartete sehnsüchtig darauf, dass sie wieder vereint wurden. Ihre Freude, sobald sie ihre ältere Schwester wiedersah, war nicht geringer geworden, noch immer begrüßte sie sie so überschwänglich, als sei ein ganzes Jahr vergangen.

Nachdem Soja ihre Schwester umarmt hatte, huschte Elena in die Schule. An der Tür blieb sie noch einmal stehen und winkte ihnen zum Abschied zu. Als sie drinnen war, gingen Soja und Raisa schweigend zum Lyzeum weiter. Raisa widerstand der Versuchung, Soja etwas zu fragen. Sie wollte sie vor dem Unterricht nicht aufregen. Selbst die harmlosesten Erkundigungen konnten bei Soja eine Abwehrhaltung und alle möglichen Arten von Fehlverhalten auslösen, das sich durch den ganzen Tag zog. Wenn Raisa sie nach den Hausaufgaben fragte, war das eine implizite Kritik an ihren schulischen Leistungen. Wenn sie sich nach ihren Klassenkameraden erkundigte, bezog Soja das darauf, dass sie sich mit niemandem anfreunden wollte. Das einzige Thema, über das man gefahrlos sprechen konnte, waren ihre sportlichen Fähigkeiten. Soja war groß und stark. Selbstverständlich hasste sie alle Mannschaftssportarten, weil sie sich nicht unterordnen konnte. Bei Einzelsportarten sah es anders aus. Sie war eine hervorragende Schwimmerin und Läuferin, die Schulschnellste in ihrer Altersgruppe. Aber Soja mochte keine Wettbewerbe. Wenn sie an einem Wettkampf teilnahm, vermasselte sie das Rennen ganz bewusst, hatte allerdings genügend Stolz, um nicht als Letzte anzukommen. Sie strebte den vierten Platz an, und gelegentlich, wenn sie sich verschätzte oder sich von der Stimmung mitreißen ließ, wurde sie auch schon einmal Dritte oder sogar Zweite.

Das Lyzeum 1535 war 1929 in schmucklos kantigem Stil erbaut worden. Es sollte das pädagogische Gleichheitsprinzip verkörpern, eine neue Schule für eine neue Schülergeneration. Zwanzig Meter vor dem Tor blieb Soja plötzlich wie angewurzelt stehen und stierte vor sich hin.

Raisa beugte sich zu ihr hinunter. »Was hast du denn?«

Mit gesenktem Kopf murmelte Soja: »Ich bin traurig. Ich bin immer traurig.«

Raisa biss sich auf die Lippe und unterdrückte ihre Tränen. Sie legte Soja eine Hand auf den Arm. »Sag mir, was ich tun kann.«

»Elena kann nicht zurück ins Waisenhaus. Da darf sie auf keinen Fall wieder hin.«

»Davon kann doch gar keine Rede sein.«

»Ich will, dass sie bei dir bleibt.«

»Das wird sie auch. Ihr beide. Das ist doch klar. Ich habe euch sehr lieb.« Raisa hatte noch nie gewagt, diesen Satz auszusprechen.

Soja musterte sie. »Ich wäre glücklich ... wenn ich nur mit dir zusammenleben könnte.«

So hatten sie noch nie miteinander gesprochen. Raisa musste behutsam sein. Wenn sie jetzt das Falsche sagte, die falsche Antwort gab, dann würde Soja sich wieder verschließen, und Raisa bekam vielleicht nie wieder so eine Gelegenheit. »Was möchtest du denn, dass ich tue?«

Soja dachte nach. »Verlass Leo.«

Ihre wunderschönen Augen waren so groß und schienen jede Einzelheit an Raisas Reaktion genau zu registrieren. In Sojas Gesicht spiegelte sich ihre ganze Hoffnung, dass sie Leo nie mehr wiedersehen musste. Sie verlangte nichts anderes von Raisa, als sich von Leo scheiden zu lassen. Woher hatte sie überhaupt von so etwas wie Scheidung gehört? Darüber sprach doch kaum einer. Die ursprünglich tolerante Haltung des Staates in dieser Frage hatte sich unter Stalin verhärtet. Scheidungen waren fortan schwieriger, teuer und schlecht angesehen. Früher hatte Raisa oft über ein Leben ohne Leo nachgedacht. Hatte Soja irgendwelche Überbleibsel dieser Verbitterung gespürt und daraus eine Hoffnung abgeleitet? Hätte sie überhaupt gewagt zu fragen, wenn sie nicht glaubte, dass Raisa möglicherweise Ja sagen würde?

»Soja ...«

Einerseits verspürte Raisa das heftige Verlangen, diesem Mädchen alles zu geben, was es nur wollte. Andererseits war Soja noch jung und brauchte eine leitende Hand. Sie konnte nicht einfach irgendwelche absurden Forderungen stellen und dann auch noch erwarten, dass sie erfüllt wurden.

»Leo hat sich geändert. Lass uns heute Abend mal darüber reden, du, ich und er.«

»Ich will nicht mit ihm reden. Ich will ihn überhaupt nicht sehen. Ich will seine Stimme nicht hören. Ich will, dass du ihn verlässt.«

»Aber Soja ... ich liebe ihn.«

Alle Hoffnung wich aus Sojas Gesicht. Ihr Ausdruck verhärtete sich. Ohne ein weiteres Wort rannte sie los, ließ Raisa stehen und eilte durch das Haupttor.

Raisa sah Soja nach, wie sie in der Schule verschwand. Ihr hinterlaufen konnte sie nicht. Vor den anderen Schülern hätte sie nicht mit ihr sprechen können, und es war ohnehin zu spät. Soja würde schweigen und keine Antwort mehr geben. Der günstige Moment, die Gelegenheit war vorbei. Raisa hatte ihre Antwort gegeben – *Ich liebe ihn*. Mit grimmiger Gefasstheit hatte Soja die Worte hingenommen, wie eine zum Tode Verurteilte, deren Richterspruch gerade bestätigt worden war. Während Raisa das Schulgelände betrat, verfluchte sie sich innerlich für ihre so eindeutige Antwort. Ohne auf die Schüler und Lehrer zu achten, an denen sie vorbeikam, dachte sie über Sojas Traumvorstellung nach – ein Leben ohne Leo.

Als sie fahrig und durcheinander das Lehrerzimmer des Schulgebäudes betrat, konnte sie sich immer noch nicht richtig konzentrieren. Sie fand ein Päckchen, das man für sie hinterlegt hatte und dem ein Brief beilag. Sie riss ihn auf und überflog ihn. Er wies sie an, das beiliegende Dokument allen Schülern in allen Altersstufen vorzulesen.

Der Brief kam vom Bildungsministerium. Raisa riss das Packpapier ab, in das das Päckchen gewickelt war, und warf einen Blick auf den Deckel.

NICHT FÜR PRESSEZWECKE

Sie nahm den Deckel ab und holte einen dicken Stapel ordentlich gedruckter Blätter heraus. Als Politiklehrerin erhielt sie regelmäßig Material, das sie an ihre Schüler weitergeben musste. Als sie das Begleitschreiben in den Papierkorb warf, sah sie, dass der schon voll war mit weiteren Exemplaren des Briefes. Offenbar hatten alle Lehrer ihn bekommen, und jeder Klasse wurde die Rede vorgelesen. Weil sie spät dran war, nahm Raisa die Schachtel und eilte hinaus.

Als sie in ihrer Klasse ankam, stellte sie fest, dass die Schüler miteinander quatschten und ihr Zuspätkommen weidlich auskosteten. Es waren dreißig, zwischen fünfzehn und sechzehn Jahre alt. Viele von ihnen unterrichtete sie schon, seit sie vor drei Jahren an diese Schule gekommen war. Sie legte die Schachtel auf den Schreibtisch und erklärte ihnen, dass sie heute eine Rede von ihrem Genossen Vorsitzenden Chruschtschow hören würden. Sie wartete, bis der Applaus abgeebbt war, dann begann sie, laut vorzulesen.

> *Sonderbericht des 20. Parteitags der Kommunistischen Partei der Sowjetunion. Von Nikita Sergejewitsch Chruschtschow, Generalsekretär der Kommunistischen Partei der Sowjetunion.*

Es war der erste Parteitag seit dem Tod Stalins. Raisa erinnerte ihre Klasse daran, dass die kommunistische Revolution eine weltweite Bewegung war und zu solchen Kongressen nicht nur sowjetische Führer kamen, sondern auch die Abgesandten der Arbeiterparteien anderer Länder. Sie wappnete sich für eine Stunde voller Plattitüden und Selbstbeweihräucherungen und hoffte dabei inständig, dass Soja den Tag überstehen würde, ohne dass es Ärger gab.

Sehr schnell jedoch kehrte Raisas Aufmerksamkeit wieder zu dem Text zurück, den sie gerade vorlas. Das war beileibe keine normale Rede. Sie fing auch gar nicht erst mit den üblichen Aufzählungen aufsehenerregender sowjetischer Erfolge an. In der Mitte des vierten Absatzes unterbrach Raisa sich und umklammerte mit beiden Händen die Seiten. Sie konnte nicht fassen, was da stand. Die Klasse war mucksmäuschenstill. Mit unsicherer Stimme fuhr Raisa fort.

> *… Der Kult um die Person Stalins ist allmählich immer größer geworden. Ein Kult, der die Ursache wurde für eine ganze Reihe zunehmend ernster und schwerwiegender Pervertierungen der Parteiprinzipien, der Parteidemokratie und der revolutionären Rechtsprechung.*

Staunend blätterte Raisa vor und fragte sich, ob da noch mehr kam. Still las sie weiter.

> *Die negativen Charakterzüge Stalins, die zu Lenins Zeiten noch schlummerten, führten in seinen letzten Jahren zu einem schwerwiegenden Machtmissbrauch …*

Raisa hatte ihr ganzes Berufsleben damit zugebracht, Propaganda für den Staat zu machen und ihre Schüler zu lehren, dass der Staat immer recht hatte, dass er gut und gerecht war. Wenn man Stalin nun vorwarf, dass er um seine Person einen Kult errichtet hatte, dann war Raisa dabei ein Werkzeug gewesen. Vor sich selbst hatte sie die Unwahrheiten damit gerechtfertigt, dass man den Schülern unbedingt die Sprache der Lobhudelei beibringen musste, ohne die sie sich unweigerlich verdächtig machen würden. Das Verhältnis zwischen Schüler und Lehrer basierte auf Vertrauen, und Raisa glaubte, dass sie dieses Prinzip auch aufrechterhalten hatte. Aber nicht in dem orthodoxen Sinne, dass sie ihnen die Wahrheit sagte, sondern indem sie ihnen die Wahrheiten beibrachte, die sie kennen mussten. Diese Worte stempelten sie nun zur Betrügerin. Sie sah auf. Die Schüler waren viel zu durcheinander, um derlei Spitzfindigkeiten sofort zu kapieren. Aber irgendwann würden sie das. Sie würden begreifen, dass Raisa nicht etwa ein leuchtendes Vorbild war, sondern nur eine Sklavin desjenigen, der sich eben gerade an der Macht befand.

Die Tür flog auf. Draußen stand Julia Peschkowa, eine Lehrerin. Ihr Gesicht war puterrot, der Mund stand ihr offen. Sie war offenbar so entsetzt, das sie keinen Ton herausbrachte.

Raisa stand auf. »Was ist denn los?«

»Komm schnell mit.«

Julia war Sojas Lehrerin. Panik überfiel Raisa. Sie klappte den Text zu und befahl ihrer Klasse, ruhig sitzen zu bleiben, dann folgte sie Julia, aus der sie noch nichts Vernünftiges herausbekommen hatte, durch den Flur und die Treppe hinunter.

»Was ist passiert?«

»Es ist Soja. Es ist wegen der Rede. Ich habe sie vorgelesen, und da ist sie … sieh es dir lieber selbst an.«

Sie hatten Sojas Klassenzimmer erreicht. Julia trat zurück und ließ Raisa den Vortritt. Raisa öffnete die Tür. Soja war auf dem Lehrerschreibtisch, den sie an die Wand geschoben hatte. Alle anderen Schüler hatten sich am gegenüberliegenden Ende des Raumes so weit weg wie möglich zusammengedrängt, so als ob Soja eine ansteckende Krankheit hätte. Um Soja herum lagen verstreut die Seiten der Rede und einige Glasscherben. Stolz und triumphierend stand Soja da. Ihre Hände waren blutig. Sie hielten die Reste eines Plakats, das ein Bild von Stalin zeigte; darunter standen die Worte:

DER VATER ALLER KINDER

Soja war auf den Tisch gestiegen, um an das Plakat heranzukommen. Sie hatte den Rahmen eingeschlagen und sich dabei in die Hand geschnitten. Dann hatte sie das Plakat entzweigerissen und das Stalinbild geköpft. Ihre Augen loderten siegestrunken. Sie hob die beiden mit ihrem Blut besudelten Plakathälften hoch, als seien sie die Leiche eines besiegten Feindes.

»Mein Vater ist er nicht!«

Am selben Tag

Im Treppenhaus vor Nikolais Wohnung lagen die verstreuten Reste der Rede. Als Leo die zerrissenen Seiten sah und einen Blick auf ein paar der Worte warf, zog er seine Waffe. Timur hinter ihm folgte seinem Beispiel. Während das Papier unter seinen Füßen raschelte, streckte Leo den Arm aus und griff nach der Türklinke. Die Wohnung war unverschlossen. Vorsichtig schob er die Tür auf, und beide traten sie in den leeren Wohnungsflur. Nichts Auffälliges war zu sehen. Die Türen zu den anderen Räumen waren geschlossen, nur die zum Badezimmer stand offen.

Die Badewanne war randvoll, einzig Nikolais Kopf und die Insel seines feisten, haarigen Bauches ragten aus dem blutigen Wasser. Augen und Mund waren weit aufgerissen, wie aus Erstaunen darüber, dass nicht ein Teufel, sondern ein Engel ihn im Tode begrüßt hatte. Leo hockte sich neben seinen ehemaligen Lehrmeister. Alles, was er von ihm gelernt hatte, hatte er in den letzten drei Jahren wieder zu verlernen versucht.

»Leo ...«, rief Timur ihn.

Der Klang in der Stimme seines Stellvertreters ließ Leo sofort aufstehen und ihm ins benachbarte Schlafzimmer folgen.

Die beiden Mädchen sahen aus, als schliefen sie. Die Bettdecken waren bis zu den Hälsen hochgezogen. Bei Nacht wäre einem die Stille im Zimmer normal vorgekommen. Aber es war helllichter Tag, und das Sonnenlicht drängte durch den Spalt zwischen den Vorhängen. Beide lagen mit dem Gesicht zur Wand und hatten einander den Rücken zugekehrt. Das Haar der älteren Schwester war über das Kissen ausgebreitet. Leo strich es zurück und betastete ihren Hals. Man spürte noch einen winzigen Rest Wärme, die sich unter der dicken Daunendecke gehalten hatte, in die sie liebevoll gemummelt war. Ihr Körper wies keinerlei Zeichen von Verletzungen auf. Die Jüngere, kaum vier Jahre alt, lag genauso da. Sie war schon kalt, ihr kleiner Körper hatte die Wärme schneller verloren als der ihrer Schwester. Leo schloss die Augen. Er hätte diese Mädchen retten können.

Nebenan hatte man Nikolais Frau Ariadna genauso gebettet wie ihre Töchter – so als schlafe sie. Leo hatte sie flüchtig gekannt. Vor sieben Jahren hatte Nikolai nach ihren Verhaftungen oft darauf bestanden, dass Leo bei ihm zu Hause aß. Und egal, wie spät es war, Ariadna hatte ihnen immer etwas zum Abendessen vorgesetzt und erinnerte Leo und Nikolai nach ihren gemeinsamen Grausamkeiten wieder an die Tugenden von Höflichkeit und Gastfreundschaft. Diese Abendessen sollten ihm den Wert des Häuslichen zeigen, wo ihr blutiges Handwerk keinen Raum hatte, wo man sich die Illusion aufrechterhalten konnte, dass man doch eigentlich nur ein liebevoller Ehemann war. Jetzt saß Leo an Ariadnas Frisiertisch und musterte die elfenbeinerne Haarbürste, die Parfums und Puderdöschen – alles Luxusartikel, die Ariadna als Lohn für ihre bedingungslose Hingabe angenommen hatte. Sie hatte nie begriffen, dass ihre Unwissenheit keine Frage der Wahl war, sondern ihre Lebensversicherung. Nikolai konnte ausschließlich eine ahnungslose Familie ertragen.

Erzähl deiner Frau kein Wort.

Als junger Beamter hatte Leo die Warnung, die man ihm nach seiner ersten Verhaftung zugeflüstert hatte, noch als eine Mahnung zur allgemeinen Vorsicht und Verschwiegenheit aufgefasst, als Lektion, dass er nicht einmal denen vertrauen durfte, die ihm am nächsten standen. Aber Nikolai hatte etwas ganz anderes im Sinn gehabt.

Leo hielt es in der Wohnung nicht mehr aus. Als er aufstand, merkte er, wie unsicher er auf den Beinen war. Hastig wandte er sich von den Toten ab und lief hinaus ins Treppenhaus, wo er sich an die Wand lehnte und tief durchatmete. Er starrte hinab auf die Überreste von Chruschtschows Rede, die jemand in mörderischer Absicht vor Nikolais Wohnungstür abgelegt hatte. Als Nikolai spät in der Nacht zurückgekehrt war, hatte er wohl noch einen kleinen Teil gelesen, das meiste lag unberührt in der Schachtel. Eine Seite war zerrissen. Hatte Nikolai etwa geglaubt, dass er diese Worte würde zerstören können? Wenn er auch nur auf den Gedanken gekommen war, hatte der Begleitbrief ihn spätestens eines Besseren belehrt. Die Rede sollte vervielfältigt und unter die Leute gebracht werden. Dass man den offiziellen Brief beigelegt hatte, sollte Nikolai sagen, dass er die Geheimnisse seiner Vergangenheit nicht mehr kontrollieren konnte.

Leo sah verstohlen zu Timur herüber. Bevor Timur ins Morddezernat eingetreten war, hatte er als Offizier in der Miliz gedient und Besoffene, Diebe und Vergewaltiger verhaftet. Auch wenn die Miliz gelegentlich politische Gegner verhaften musste, hatte er das Glück gehabt, damit nie etwas zu tun zu bekommen.

Timur, der sonst selten die Kontrolle über sich verlor, war erkennbar aufgebracht. »Was für ein Feigling!«

Leo nickte. Das stimmte. Er war zu feige gewesen, um sich der Ablehnung zu stellen. Nikolais Leben war seine Familie gewesen. Ohne sie konnte er nicht leben. Aber sterben konnte er auch nicht ohne sie.

Leo hob ein Blatt aus der Rede hoch und musterte es, als sei es ein Messer oder eine Pistole – auf jeden Fall eine höchst effektive Mordwaffe. Er hatte die Rede am Morgen, nachdem man sie ihm zugestellt hatte, gelesen. Der offen ausgesprochene Angriff hatte ihn schockiert, und er hatte eins sehr schnell begriffen: Wenn man ihm diese Rede geschickt hatte, dann hatte Nikolai sie auch erhalten. Das Ziel war klar: die Menschen, die für die aufgezählten Verbrechen verantwortlich waren.

Stapfende Schritte erfüllten den Hausflur. Der KGB war da.

Die Beamten, die die Wohnung betraten, musterten Leo mit offener Feindseligkeit. Er gehörte nicht mehr zu ihnen, hatte sich von ihnen abgewandt. Hatte sogar eine Beförderung abgelehnt, nur um sein Morddezernat zu leiten – ein Dezernat, dessen Schließung sie von Anfang an betrieben hatten. In den Augen dieser Leute, bei denen die Loyalität über allem anderen stand, war er das Schlimmste, was man sein konnte – ein Verräter.

Derjenige, der hier das Sagen hatte, war Leos Vorgesetzter Frol Panin, der im Innenministerium die Abteilung Verbrechensbekämpfung leitete. Er war um die fünfzig und gut aussehend, elegant gekleidet und charmant. Leo hatte zwar noch nie einen Hollywoodfilm gesehen, aber er konnte sich vorstellen, dass Panin jemand war, den sie dort spielen lassen würden. Der Mann sprach mehrere Fremdsprachen und war ein ehemaliger Botschafter, der Stalins Herrschaft überlebt hatte, weil er sich immer im Ausland befunden hatte. Man sagte ihm nach, dass er keinen Alkohol trank, jeden Tag Sport trieb und sich jede Woche die Haare schneiden ließ. Anders als viele andere Kader, die sich ihrer bescheidenen Herkunft rühmten und betonten, wie gleichgültig ihnen so etwas Bourgeoises wie das äußere Erscheinungsbild war, erschien Panin unverschämterweise immer wie aus dem Ei gepellt. Er schrie nicht herum und blieb immer höflich, eine neue Art von Funktionär, der Chruschtschows Rede zweifellos gutgeheißen hatte. Hinter seinem Rücken wurde schlecht über ihn geredet. Unter Stalin, hieß es, hätte sich so ein Waschlappen nicht lange gehalten. Seine Hände waren zu weich, seine Fingernägel zu sauber. Und Leo war sich sicher, dass Panin das als Kompliment nahm.

Rasch verschaffte Panin sich einen Überblick über den Ort des Verbrechens, dann wandte er sich an die KGB-Beamten. »Niemand verlässt das Gebäude. Zählen Sie in allen anderen Wohnungen die Bewohner durch, und vergleichen Sie die Zahlen mit denen des Meldeamtes. Stellen Sie sicher, dass Ihnen keiner durch die Lappen geht. Niemand geht zur Arbeit. Die, die schon weg sind, werden zurückgeholt und verhört. Befragen Sie jeden Einzelnen, und finden Sie heraus, was er gesehen oder gehört hat. Wenn Sie den Verdacht haben, dass jemand lügt, stecken Sie ihn in eine Zelle. und verhören Sie ihn noch mal. Keine Gewalt, keine Drohungen, machen Sie ihnen lediglich klar, dass unsere Geduld nicht unbegrenzt ist. Wenn jemand etwas wissen sollte ...«

Panin unterbrach sich, dann fuhr er fort: »... das sehen wir dann. Außerdem werden wir die Geschichte nach außen anders darstellen. Gleichen Sie die Details untereinander ab, aber kein Wort über Mord. Ist das klar?«

Dann besann er sich, dass es wohl nicht klug war, die Erfindung einer plausiblen Lügengeschichte anderen zu überlassen, und ergänzte: »Diese vier Bürger wurden nicht ermordet. Sie wurden verhaftet und weggeschafft. Die Kinder hat man in ein Waisenhaus gebracht. Fangen Sie an, Gerüchte über ihre subversiven Ansichten zu streuen. Setzen Sie die Maulwürfe ein, die wir hier in der Gegend haben. Es ist von größter Wichtigkeit, dass beim Abtransport niemand die Leichen sieht. Sperren Sie, wenn nötig, die Straße.«

Es war besser, wenn die Leute glaubten, dass eine gesamte Familie auf Nimmerwiedersehen verhaftet worden war, als dass sie erfuhren, dass ein pensionierter MGB-General seine Familie umgebracht hatte.

Panin wandte sich an Leo. »Sie haben Nikolai letzte Nacht getroffen?«

»Er hat mich gegen Mitternacht angerufen. Ich war überrascht. Wir hatten über fünf Jahre nichts mehr voneinander gehört. Er war aufgeregt und betrunken. Er wollte sich mit mir treffen. Ich stimmte zu, obwohl es schon spät und ich müde war. Nikolai machte einen verwirrten Eindruck. Ich sagte ihm, er solle nach Hause gehen, wir würden reden, wenn er wieder nüchtern sei. Das war das Letzte, was ich von ihm gesehen habe. Als er nach Hause kam, hat er wohl Chruschtschows Rede auf seiner Türschwelle gefunden. Dass sie dort lag, war Teil eines Komplotts gegen ihn, vermutlich angezettelt von denselben Leuten, die heute Morgen die Rede auch vor meiner Wohnungstür deponiert haben.«

»Haben Sie die Rede gelesen?«

»Sie war der Grund, warum ich hergekommen bin. Dass sie mir genau in dem Moment zugestellt wurde, wo Nikolai mit mir Kontakt aufnahm, konnte ja kein Zufall mehr sein.«

Panin drehte sich um und starrte auf Nikolai in dem blutigen Badewasser hinab. »Ich war im Kreml dabei, als Nikita Chruschtschow die Rede gehalten hat. Sie dauerte mehrere Stunden, und keiner hat sich gerührt. Totenstille und völlige Fassungslosigkeit. Nur eine ganz kleine Gruppe von Leuten hat sie verfasst, ausgewählte Mitglieder des Zentralkomitees. Es gab keine Vorwarnung. In den ersten zehn Tagen des 20. Parteitags hatte es nur unbedeutende Redebeiträge gegeben. Die Delegierten applaudierten immer noch, wenn Stalins Name fiel. Am letzten Tag bereiteten sich die ausländischen Delegierten schon auf die Heimreise vor. Wir wurden für eine geschlossene Sitzung einberufen. Chruschtschow schien an der Sache ziemlichen Gefallen zu haben. Er war ganz versessen darauf, die Fehler der Vergangenheit einzuräumen.«

»Gegenüber dem ganzen Land?«

»Seiner Meinung nach durften diese Worte die Wände des Saales nicht verlassen, wenn man nicht den Ruf unserer Nation beschädigen wollte.«

Leo konnte den Zorn in seiner Stimme nicht mehr verbergen. »Und warum sind dann jetzt Millionen Exemplare im Umlauf?«

»Er hat gelogen. Er will ja, dass die Leute das lesen. Sie sollen wissen, dass er der Erste war, der sich entschuldigt hat. Damit hat er schon seinen Platz in der Geschichte eingenommen. Er ist der Erste, der Stalin kritisiert und nicht dafür hingerichtet wird. Der Vermerk, die Rede solle nicht in der Presse abgedruckt werden, war eine Konzession an ihre Gegner. Angesichts der sonstigen Verbreitungspläne ist solch eine Klausel natürlich absurd.«

»Aber Chruschtschow verdankt seinen Aufstieg immerhin Stalin.«

Panin lächelte nur. »Wir sind doch alle mitschuldig, oder etwa nicht? Und das spürt er. Er gesteht, aber nur ein bisschen. In vielerlei Hinsicht ist es die gute alte Denunziationsmasche. Stalin ist schlecht, deshalb bin ich gut. Ich bin im Recht, deshalb sind die anderen im Unrecht.«

»Leute wie Nikolai und ich sind es, die er hier an den Pranger stellt. Er macht uns zu Ungeheuern.«

»Oder er zeigt der Welt, was für Ungeheuer wir tatsächlich sind. Dabei schließe ich mich selbst mit ein, Leo. Es betrifft jeden, der dabei war, der das System am Laufen hielt. Wir reden hier nicht über fünf Namen. Wir reden über Millionen Menschen, die allesamt entweder aktiv involviert oder Mitläufer waren. Ist Ihnen schon einmal der Gedanke gekommen, dass es vielleicht mehr Schuldige gibt als Unschuldige?«

Leo warf einen Seitenblick auf die KGB-Beamten, die die beiden Töchter untersuchten. »Diejenigen, die Nikolai die Rede zugeschickt haben, müssen gefasst werden.«

»Da stimme ich Ihnen zu. Welche Spuren haben Sie?«

Leo schlug sein Notizbuch auf und holte das zusammengefaltete Blatt hervor, das er aus Moskwins Druckmaschine gezogen hatte.

Unter Folter wurde Eikhe

Panin studierte das Blatt, während Leo eine Seite aus Nikolais Exemplar der Rede hervorzog. Er deutete auf eine Zeile.

Unter Folter wurde Eikhe gezwungen, ein von den Ermittlungsrichtern vorformuliertes Protokoll seines Geständnisses zu unterzeichnen.

Als Panin die vier Worte wiedererkannte, fragte er: »Woher stammt das erste Blatt?«

»Aus einer Druckerei, die von einem Mann namens Suren Moskwin geleitet wurde, einem ehemaligen MGB-Agenten. Ich bin sicher, dass man auch ihm die Rede zugeschickt hat. Seine Söhne behaupten, dass er einen offiziellen Staatsauftrag über zehntausend Exemplare hatte. Aber ich finde keinerlei Hinweis auf diesen Auftrag. Ich glaube nicht, dass es ihn gegeben hat. Er war gelogen. Man hat Moskwin gesagt, es gehe um einen Staatsauftrag, und ihm dann die Rede ausgehändigt. Er hatte die ganze Nacht durchgearbeitet und den Text gesetzt, bis er zu diesen Worten kam. Da hat er beschlossen, sich umzubringen. Sie haben ihm die Rede gegeben, weil sie wussten, welchen Effekt sie auf ihn haben würde. Aus diesem Grund haben sie sie auch Nikolai und mir zugespielt. Nikolai hat gestern erzählt, dass man ihm Fotos von Leuten zugeschickt hat, die er verhaftet hatte. Und auch Moskwin wurde mit Fotos von Menschen gequält, mit denen er zu tun gehabt hatte.«

Leo holte den manipulierten Band des Lenin-Textes hervor und hielt das Verhaftungsfoto hoch, das man statt des Leninporträts eingeklebt hatte. »Ich bin sicher, dass die Gemeinsamkeit zwischen uns dreien – zwischen Suren, Nikolai und mir – eine ganz bestimmte Person ist. Jemand, der vor Kurzem freigelassen wurde, oder ein Verwandter eines …«

Leo hielt kurz inne, dann beendete er den Satz: »… eines Opfers.«

»Wie viele Leute haben Sie in Ihrer Zeit als MGB-Beamter verhaftet?«, fragte Panin.

Leo dachte nach. Manchmal hatte er ganze Familien verhaftet, sechs Leute in einer Nacht. »In den ganzen drei Jahren? Mehrere Hundert.«

Timur konnte seine Überraschung nicht verbergen. So viele.

Panin fragte weiter: »Und glauben Sie wirklich, der Täter würde eine Fotografie schicken?«

»Sie haben keine Angst vor uns, jetzt nicht mehr. Wir sind es, die Angst haben.«

Panin klatschte in die Hände und trommelte die Beamten zusammen. »Durchsuchen Sie die Wohnung. Wir suchen nach einem Stapel Fotografien.«

Leo fügte hinzu: »Bestimmt hat Nikolai sie gut versteckt. Es war ihm ungeheuer wichtig, dass seine Familie sie nicht finden konnte. Er war Agent, also wusste er, wie man Sachen sicher versteckt, und auch, wo man als Erstes nachsehen würde.«

Sie durchsuchten jeden Winkel. Nach zwei Stunden hatten sie die luxuriöse Wohnung, auf deren Möblierung und Ausstattung Nikolai Jahre verwandt hatte, auf den Kopf gestellt. Um unter den Betten suchen und die Dielen herausreißen zu können, hatte man die Leichen der ermordeten Kinder und der Frau in Bettlaken gehüllt und im Wohnzimmer übereinandergestapelt. Um sie herum wurden Schränke zertrümmert und Matratzen aufgerissen. Fotos fand man keine.

Frustriert starrte Leo auf Nikolai in seinem blutigen Bad hinab. Dann kam ihm ein Gedanke, und er trat an die Wanne heran. Ohne sein Hemd auszuziehen, steckte er den Arm ins Wasser. Er tastete nach Nikolais Hand. Wie ein Schraubstock umschlossen die Finger einen dicken Umschlag. Nikolai hatte ihn im Tode umklammert. Das Papier war aufgeweicht und löste sich auf; sobald Leo es berührte, trieb der Inhalt an die Oberfläche. Timur und Panin kamen hinzu und beobachteten gemeinsam mit Leo, wie eins nach dem anderen die Gesichter von Männern und Frauen vom Grund der Badewanne aufstiegen. Bald war die ganze Oberfläche mit Hunderten sich überlappender Gesichter bedeckt, die im blutroten Wasser auf und ab tanzten. Wie wild schossen Leos Augen zwischen alten Frauen und jungen Männern hin und her, zwischen Müttern und Vätern, Söhnen und Töchtern. Niemand kam ihm bekannt vor. Dann blieb sein Blick an einem Foto haften. Er holte es aus dem Wasser.

»Kennen Sie diesen Mann?«, fragte Timur.

Leo kannte ihn. Er hieß Lasar.

Am selben Tag

Jemand hatte auf den Umschlag ein Kruzifix gezeichnet, das sorgfältig ausgeführte Tuschebild des orthodoxen Kreuzes. Die Zeichnung war klein, etwa handflächengroß. Der Zeichner hatte sich große Mühe gegeben. Die Proportionen stimmten, der Strich war gekonnt. Sollte das Bild etwa Furcht einflößen, so als sei er ein Kobold oder Dämon? Nein, vermutlich war es eher ironisch gemeint, ein Hinweis auf seinen Glauben. Wenn das stimmte, dann hatte der Betreffende sich zumindest psychologisch verschätzt und die beabsichtigte Wirkung verfehlt.

Krassikow erbrach das Siegel und leerte den Inhalt des Umschlags auf seinen Schreibtisch. Noch mehr Fotos. Krassikow war versucht, sie ins Feuer zu werfen, so wie er es schon mit den anderen gemacht hatte, aber dann trieb ihn doch die Neugier.

Er setzte die Brille auf, kniff die Augen zusammen und schaute sich den neuen Stapel Gesichter genau an. Auf den ersten Blick sagte ihm keines etwas. Er wollte sie schon beiseitelegen, da erregte eines seine Aufmerksamkeit. Er konzentrierte sich und versuchte, sich an den Namen des Mannes mit diesen intensiven Augen zu erinnern.

Lasar

Das hier waren die Priester, die er denunziert hatte. Er zählte sie durch. Dreißig Gesichter. Hatte er tatsächlich so viele verraten? Nicht alle waren während seiner Zeit als Patriarch von Moskau und ganz Russland, der höchsten religiösen Autorität im Land, verhaftet worden. Er hatte schon vorher denunziert, über viele Jahre hinweg. Er war jetzt fünfundsiebzig Jahre alt. Im Verlauf eines so langen Lebens waren dreißig Denunziationen gar nicht mal so viel. Sein wohlkalkulierter Gehorsam gegenüber dem Staat hatte unermesslichen Schaden von der Kirche abgewendet. Vielleicht war es eine unselige Allianz, aber diese dreißig Priester waren nun einmal notwendige Opfer gewesen. Es war nachlässig von ihm, dass er sich nicht mehr an die Namen erinnern konnte. Eigentlich sollte er jeden Abend für sie beten. Stattdessen waren sie aus seinem Gedächtnis geronnen wie Regenwasser eine Scheibe hinunter. Vergessen war nun einmal einfacher, als um Vergebung zu bitten.

Doch noch nicht einmal als er jetzt ihre Fotografien in der Hand hielt, verspürte er Bedauern. Und das war kein Trotz. Weder litt er unter Alpträumen, noch unter Seelenpein. Sein Gewissen war unbeschwert. Ja, er hatte Chruschtschows Rede gelesen, die ihm wohl dieselben Leute zugestellt hatten, die ihm auch diese Fotos geschickt hatten. Er hatte die Kritik an Stalins mörderischem System gelesen – einem Regime, das er unterstützt hatte, indem er seine Priester anwies, Stalin in ihren

Reden zu preisen. Natürlich hatte es einen Kult um den Diktator gegeben, und er war selbst ein loyaler Anbeter gewesen. Na und? Wenn diese Rede eine Zukunft sinnloser Nabelschau einläuten sollte, bitte sehr. Seine Zukunft war es sowieso nicht. War es vielleicht seine Schuld, dass die Kirche in den ersten Jahrzehnten des Kommunismus so verfolgt worden war? Natürlich nicht! Er hatte nur auf die Umstände reagiert, in denen er und seine geliebte Kirche sich befunden hatten. Er hatte doch gar keine Wahl gehabt. Die Entscheidung, ein paar von seinen Mitbrüdern ans Messer zu liefern, war zwar unangenehm, aber nicht schwer gewesen. Einige davon hatten geglaubt, sagen und tun zu können, was ihnen gerade passte, nur weil es das Wort Gottes war. Naive Menschen, die unbedingt Märtyrer sein wollten und ihn damit zunehmend ermüdet hatten. In gewisser Hinsicht hatte er ihnen nur das gegeben, was sie selbst gewollt hatten – die Gelegenheit, für ihren Glauben zu sterben.

Wie alles andere musste auch die Religion Kompromisse eingehen. Der *pomestni sobor*, die örtliche Bischofsversammlung, hatte ihn als Patriarch vorgeschlagen. Der Staat brauchte jemanden, der politisch dachte, flexibel und gerissen war, deshalb hatte er seiner Nominierung zugestimmt und die Wahlen überhaupt zugelassen, die dann auch prompt zu seinen Gunsten ausgegangen waren. Es hatte Stimmen gegeben, die sagten, mit dieser Wahl werde das Gesetz des apostolischen Kanons verletzt, denn die Hierarchie der Kirche dürfe nicht von weltlichen Autoritäten bestimmt werden. Seiner Meinung nach war das nur ein verworrenes theoretisches Argument, und das in einer Zeit, in der die Anzahl der Kirchen im Land von zwanzigtausend auf weniger als tausend zurückgegangen war. Sollten sie vielleicht allesamt untergehen, indem sie sich stolz an ihre Prinzipien klammerten wie ein Kapitän an den Mast seines sinkenden Schiffes? Seine Ernennung hatte zum Ziel gehabt, den Niedergang umzukehren und sich gegen weitere Verluste zu stemmen. Mit Erfolg. Neue

Kirchen waren gebaut worden. Priester wurden jetzt ausgebildet und nicht mehr erschossen. Er hatte nur getan, was man von ihm verlangte. Seine Handlungen waren nie böswillig gewesen. Und die Kirche hatte überlebt.

Krassikow stand auf, er war diese Erinnerungen leid. Er nahm die Fotos und warf sie ins Feuer. Dann sah er zu, wie sie sich aufrollten, schwarz wurden und verbrannten. Er hatte damit gerechnet, dass es zu Vergeltungsaktionen kommen konnte. Man konnte nicht einem so komplexen Gebilde wie der Kirche vorstehen und ihr Verhältnis zum Staat verwalten, ohne sich dabei auch Feinde zu machen. Krassikow war ein vorsichtiger Mensch und hatte Maßnahmen zu seinem Schutz eingeleitet. Als alter, gebrechlicher Mann war er nur noch dem Namen nach der Patriarch und in das Alltagsgeschäft nicht mehr involviert. Stattdessen verbrachte er viel Zeit in einem Kinderhort, den er nicht weit von der Sankt-Anna-Kathedrale gegründet hatte. Manche behaupteten, der Kinderhort sei nichts anderes als das Ringen eines Sterbenden nach Erlösung. Sollten sie doch, ihm war das egal. Die Arbeit bereitete ihm Freude, das war das ganze Geheimnis. Die eigentliche Knochenarbeit wurde von jüngeren Mitarbeitern erledigt, er selbst beschränkte sich auf die seelische Begleitung der etwa hundert Kinder, die sie aufnehmen konnten, um sie aus der Abhängigkeit von *tschifir*, einem aus Teepflanzen gewonnenen Rauschgift, heraus- und in ein frommes Leben zu führen. Da er sein Leben Gott geweiht hatte und das Gelübde ihm eigene Kinder verbot, war dies eine Art Ausgleich.

Krassikow schloss die Tür zu seinem Büro, sperrte ab und ging die Treppe zum Hauptsaal des Kinderhorts hinab, wo die Kinder ihre Mahlzeiten einnahmen und unterrichtet wurden. Sie hatten vier Schlafsäle, zwei für Mädchen und zwei für Jungen. Daneben gab es einen Gebetsraum mit einem Kruzifix, Ikonen und Kerzen – hier unterrichtete er die Kinder in Glaubensdingen. Keines durfte im Hort bleiben, wenn es sich nicht Gott öffnete. Wer sich weigerte zu glauben, wurde ausgeschlossen. An Straßenkindern, derer man sich annehmen konnte, gab es keinen Mangel. Nach staatlichen Schätzungen, in die er eingeweiht war, existierten über das ganze Land verteilt etwa achthunderttausend obdachlose Kinder, die meisten davon in den größeren Städten. Sie lebten in Bahnhöfen und schliefen in schmalen Gassen. Manche waren aus Waisenhäusern weggelaufen, andere aus Arbeitslagern. Viele waren vom Land in die Städte gekommen, wo sie wie Rudel wilder Hunde überlebten, indem sie den Abfall durchwühlten oder stahlen. Krassikow neigte nicht zur Gefühlsduselei. Ihm war klar, dass diese Kinder unzuverlässig und potenziell gefährlich waren. Deshalb bediente er sich der Dienste ehemaliger Soldaten der Roten Armee, um sie unter Kuratel zu halten. Der Gebäudekomplex war gesichert. Niemand konnte unerlaubt hinein oder hinaus. Jeder, der hineinwollte, wurde durchsucht. Drinnen gab es Wärter, zwei waren stets am Eingang postiert, die anderen machten die Runde. Offiziell waren die Männer dafür da, die Kinder unter Kontrolle zu halten. Doch sie versahen noch einen weiteren Dienst: Sie waren Krassikows Leibwächter.

Krassikow warf einen prüfenden Blick durch den Saal und suchte die dankbaren Gesichter nach seinem neuesten Ankömmling ab, einem vielleicht dreizehn oder vierzehn Jahre alten Jungen. Er hatte sein Alter nicht verraten und überhaupt kaum den Mund aufgemacht. Der Junge stotterte ganz fürchterlich und hatte ein seltsam erwachsenes Gesicht, so als sei er mit jedem Jahr auf Erden um drei Jahre gealtert. Es wurde Zeit, dass man ihm die Aufnahmebedingungen klarmachte und prüfte, ob er es mit seinem Bekenntnis zu Gott ernst meinte.

Krassikow gab einem der Wärter ein Zeichen, das Kind zu ihm zu bringen. Der Junge scheute zurück wie ein geprügelter Hund, jeder menschliche Kontakt machte ihn misstrauisch. Man hatte ihn nicht weit vom Kinderheim entfernt in einer Einfahrt gefunden, eingehüllt in Lumpen. Er hatte eine Tonfigur umklammert, die einen auf einem Schwein reitenden Mann darstellte, so als sei das Schwein ein Pferd. Drolliger Nippes, was darauf schließen ließ, dass er aus der Provinz kam. Die einst farbenfrohe Figur war mittlerweile verblasst. Bemerkenswerterweise war sie aber noch heil, nur das linke Ohr des Schweins fehlte. Der drahtige, kräftige Junge ließ sie keinen Augenblick aus den Augen und ließ sie vor allem nicht los. Sie hatte wohl irgendeinen sentimentalen Wert für ihn, vielleicht ein Gegenstand aus seiner Vergangenheit.

Krassikow lächelte den Wärter an und bat ihn freundlich zu gehen. Dann öffnete er die Tür zum Gebetsraum und wartete darauf, dass der Junge ihm folgte. Doch der Bursche rührte sich nicht und hielt nur die angemalte Figur umklammert, als sei sie voller Gold.

»Du musst nichts tun, was du nicht willst. Aber wenn du Gott nicht in dein Herz lässt, kannst du hier nicht bleiben.«

Der Junge warf einen verstohlenen Blick auf die anderen Kinder. Sie hatten alles stehen und liegen lassen und glotzten neugierig, wie er sich entscheiden würde. Noch nie hatte einer Nein gesagt. Zögerlich betrat der Junge den Gebetsraum. Als er an Krassikow vorbeikam, sagte dieser: »Verrat mir doch noch mal deinen Namen.«

Der Junge stammelte: »Ser … gej.«

Krassikow schloss die Tür hinter ihnen beiden. Der Raum war vorbereitet, die Kerzen brannten. Das Licht des Nachmittags verblasste. Krassikow kniete sich vor das Kruzifix, gab Sergej aber keine Anweisungen, sondern wartete darauf, dass der Junge es ihm nachtat. Eine einfache Probe, um herauszufinden, ob das Kind irgendein religiöses Fundament hatte. Diejenigen, die sich auskannten, knieten sich neben ihn, die anderen blieben an der Tür stehen. Sergej rührte sich nicht, er blieb an der Tür.

»Viele der Kinder sind unwissend, wenn sie zu uns kommen. Du wirst noch lernen. Ich hoffe, dass eines Tages Gott den Platz dieses Spielzeugs einnimmt, das du so lieb hast.«

Statt einer Antwort verriegelte der Junge zu Krassikows Erstaunen die Tür. Noch bevor Krassikow fragen konnte, was das sollte, zog er aus dem abgebrochenen Schweineohr einen Draht hervor. Im nächsten Moment hob er die Figur über den Kopf und schleuderte sie dann mit aller Kraft zu Boden. Instinktiv wandte Krassikow sich ab, um nicht getroffen zu werden. Aber die Tonfigur zerbarst nur zu seinen Füßen in mehrere ungleich große Stücke. Entsetzt starrte er die Tonscherben an. Neben den Überresten des Schweins lag da noch etwas anderes, rund und schwarz. Krassikow beugte sich vor und hob es auf. Es war eine Taschenlampe.

Verwirrt versuchte er sich wieder aufzurichten, aber bevor ihm das gelang, wurde ihm eine Schlinge über den Kopf gestreift, ein dünner Stahldraht mit Schlaufe. Das andere Ende des Drahtes hielt der Junge, er hatte sich den Draht um die Hand gewickelt. Jetzt zog er an. Der Draht straffte sich, und Krassikow röchelte, als ihm die Luft abgeschnürt wurde. Sein Gesicht wurde puterrot, das Blut war gestaut. Seine Finger glitten über den Draht, aber er schaffte es nicht darunterzufassen und die Schlinge zu weiten.

Der Junge zog fester, dann sprach er Krassikow in ruhigem, gelassenen Tonfall an, ohne eine Spur seines vorherigen Gestotters. »Wenn du ehrlich antwortest, bleibst du am Leben.«

* * *

Am Eingang des Kinderheims wurde Leo und Timur von zwei Wärtern der Zutritt verwehrt. Entnervt von dieser Verzögerung zeigte Leo den Männern das Foto von Lasar und redete auf sie ein. »Jeder, der etwas mit der Verhaftung dieses Mannes zu tun gehabt hat, ist in Gefahr. Zwei Männer sind bereits tot. Wir glauben, dass der Patriarch in Gefahr ist.«

Die Wärter ließen sich nicht beeindrucken. »Wir geben es weiter.«

»Wir müssen sofort mit ihm sprechen!«

»Auch wenn Sie von der Miliz sind, der Patriarch hat uns Anweisung gegeben, niemanden einzulassen.«

Plötzlich hörte man von oben tumultartigen Lärm und Schreie. Von einem Moment zum anderen verwandelte sich die Selbstgefälligkeit der Wärter in Panik. Sie verließen ihren Posten, rannten, gefolgt von Leo und Timur, die Treppe hinauf und sprengten in einen großen Saal voller Kinder. Ein Knäuel von Mitarbeitern umringte eine Tür und rüttelte vergebens daran. Die Wärter stürzten sich ins Getümmel und zerrten am Türgriff, dabei prasselten alle möglichen Erklärungen auf sie ein.

»Mit dem neuen Jungen.«

»Krassikow antwortet nicht.«

»Irgendwas ist zerdeppert.«

Leo beendete das Geschnatter: »Tretet die Tür ein!«

Unsicher wandten sie sich zu ihm um.

»Schnell!«

Der Schwerste und Stärkste der Wärter drängte sich nach vorn und ließ seine Schulter gegen den Türrahmen krachen. Beim zweiten Versuch brach die Tür auf.

Leo und Timur kletterten durch die aufgesplitterte Lücke in den Raum. Eine junge Stimme rief in ebenso gebieterischem wie selbstsicherem Ton: »Bleibt, wo ihr seid!«

Die Wärter blieben wie angewurzelt stehen – unerschrockene Männer, die nichts gegen das unternehmen konnten, was sie da vor sich sahen.

Der Patriarch hockte ihnen zugewandt auf den Knien, sein Gesicht war krebsrot. Der Mund war aufgerissen, die Zunge hing abstoßend heraus wie eine zusammengerollte Schnecke. Sein Hals wurde von einem dünnen Stahldraht zusammengequetscht, der bis hin zu dem Jungen lief. Der Junge hatte seine Finger mit Lappen umhüllt und darum in mehreren Windungen den Draht gewickelt. Wie ein Herrchen mit seinem Hund stand er da und übte eine absolute, tödliche Kontrolle aus. Wenn er den Draht nur noch ein kleines bisschen mehr spannte, würde er den Patriarchen entweder erwürgen oder ihm tief in die Kehle schneiden.

Vorsichtig machte der Junge einen Schritt zurück und hielt dabei den Draht weiter straff, er lockerte ihn keine Sekunde. Jetzt war er schon fast am Fenster. Leo löste sich aus der Gruppe der Wärter, die von ihrem eigenen Versagen wie gelähmt waren. Etwa zehn Meter lagen noch zwischen ihm und dem Patriarchen. Leo konnte es nicht riskieren vorzupreschen. Selbst wenn er den Patriarchen erreichte, würde er nie und nimmer seine Finger unter den Draht bekommen.

Der Junge schien Leos Überlegungen zu ahnen und sagte: »Noch einen Schritt, und er ist tot.«

Er riss das kleine Fenster auf und kletterte auf den Sims. Sie befanden sich im ersten Stock, zu hoch zum Springen.

»Was willst du?«, fragte Leo.

»Dass dieser Mann um Verzeihung bittet, dass er Priester verraten hat. Priester, die er eigentlich beschützen sollte.«

Der Junge sprach, als ob er seinen Text auswendig gelernt hatte. Leo warf dem Patriarchen einen raschen Blick zu. Die Bedrohung seines Lebens würde ihn bestimmt gefügig machen. Der Junge hatte den Auftrag, ihm eine Entschuldigung abzupressen. Wenn er deshalb hergekommen war, dann würde der Patriarch gehorchen. Das war der einzige Spielraum, den Leo hatte.

»Er wird sich entschuldigen. Lockere den Draht. Lass ihn sprechen. Deshalb bist du doch hergekommen.«

Nickend bestätigte der Patriarch, dass er die Bedingung erfüllen würde. Der Junge überlegte kurz, dann lockerte er die Schlinge. Krassikow keuchte und atmete mühsam ein.

Unüberwindliche Widerstandskraft blitzte in den Augen des alten Mannes auf, und Leo erkannte, dass er sich vollkommen verschätzt hatte. Der Patriarch sammelte die letzten Kräfte und spuckte seine Worte buchstäblich aus.

»Wer immer dich geschickt hat, sag ihm … dass ich ihn … wieder verraten würde!«

Die Blicke aller anderen schossen zu dem Jungen hinüber. Aber der war schon weg. Er war aus dem Fenster gesprungen.

Der Draht peitschte hoch, als plötzlich das ganze Gewicht des Jungen am Hals des alten Mannes zerrte und den Patriarchen mit solcher Wucht zurückriss, dass er von den Knien hochschoss wie eine Marionette an ihren Fäden. Dann fiel er auf den Rücken und wurde über den Boden geschleift, bis er schließlich in das kleine Fenster krachte und sein Körper sich im Rahmen verkeilte. Leo sprang vor und griff nach dem Draht, der den Hals des Patriarchen abschnürte. Er versuchte ihn zu lockern, aber der Draht hatte bereits die Haut durchgeschnitten und die Muskeln durchtrennt. Leo war machtlos.

Er warf einen Blick aus dem Fenster und entdeckte den Jungen unten auf der Straße. Ohne ein Wort rannten Leo und Timur aus dem Zimmer und ließen die bestürzten Wärter zurück. Sie durchquerten den Hauptsaal mit der Kinderschar und stürzten nach unten. Der Kerl war geschickt und flink, aber er war auch noch jung und bestimmt nicht schneller als sie.

Als sie die Straße erreichten, war er wie vom Erdboden verschluckt. In der näheren Umgebung gab es weder Seitengassen noch Kurven, und in der kurzen Zeit, die sie bis nach draußen gebraucht hatten, konnte er unmöglich die ganze Straße hochgelaufen sein. Leo rannte zu dem Fenster, aus dem noch der Draht hing. Er fand die Fußabdrücke des Jungen und folgte ihnen bis zu einem Kanaldeckel. Der Schnee war beiseitegeschoben worden. Timur hob den Deckel hoch. Das Loch war tief, eine Eisenleiter führte hinab in die Kanalisation. Der Junge war schon fast unten, die Hände hatte er immer noch mit Lappen umwickelt. Als er die Helligkeit über sich wahrnahm, spähte er kurz nach oben, und sein Gesicht schien im Tageslicht auf. Sobald er Leo sah, ließ er die Leiter los und ließ sich fallen, dann verschwand er in der Finsternis.

Leo drehte sich Timur zu. »Hol die Taschenlampen aus dem Wagen.«

Ohne abzuwarten, griff Leo nach der Leiter und kletterte hinab. Die eisernen Leitersprossen waren eiskalt, und ohne Handschuhe blieb seine Haut an ihnen kleben. Jedes Mal, wenn er seinen Griff löste, riss sie ein. Im Wagen lagen Handschuhe, aber er konnte seine Verfolgung jetzt nicht unterbrechen. Die Kanalisation war ein Labyrinth aus Tunneln, und in jedem konnte der Junge verschwinden. Leo biss vor Schmerzen die Zähne zusammen. Seine Handflächen fingen an zu bluten, weil immer mehr Hautfetzen abgerissen wurden. Tränen schossen ihm in die Augen. Er blinzelte nach unten und schätzte die restliche Strecke ab. Zum Springen war er noch zu hoch, er musste weiterklettern und das rohe Fleisch gegen den eiskalten Stahl pressen. Leo schrie auf und ließ die Leiter los.

Er kam unglücklich auf einem Betonvorsprung auf, glitt aus und wäre beinahe in einen Abwasserkanal gestürzt. Als er festen Tritt gefunden hatte, blickte er sich prüfend um. Es war ein großer Backsteintunnel, etwa in der Größe eines U-Bahntunnels. Das Sonnenlicht aus dem Schacht über ihm erhellte zwar ein Stückchen Erde um ihn herum, aber kaum mehr. Vor ihm herrschte Stockfinsternis bis auf ein flackerndes Licht etwa fünfzig Meter vor ihm, es sah aus wie ein Glühwürmchen. Das war der Junge. Er hatte eine Taschenlampe, offenbar hatte er seine Flucht gut vorbereitet.

Das Licht verschwand. Entweder hatte der Junge die Taschenlampe ausgeschaltet, oder er war in einen anderen Tunnel abgebogen. Leo konnte ihm in der Dunkelheit nicht folgen, konnte nicht einmal den Betonsims erkennen. Er spähte hinauf in den Schacht und wartete auf Timur. Jetzt kam es auf jede Sekunde an.

»Na los …«

Oben kam Timurs Gesicht zum Vorschein.

»Lass sie fallen.«

Wenn er die Taschenlampe nicht auffing, würde sie auf dem Betonboden zerschellen und er den Jungen erst weiter verfolgen können, wenn Timur unten war. Bis dahin konnte der Junge schon weg sein. Timur trat zurück, um nicht im Licht zu stehen. Dann erschien genau in der Mitte des Schachts sein ausgestreckter Arm mit der Taschenlampe. Er ließ los.

Leos Augen verfolgten, wie die Lampe sich drehte, die Wand streifte, zurückgeschleudert wurde – ihr Fall war vollkommen unvorhersagbar. Er machte einen Schritt vor, streckte die Hand aus und schnappte nach dem Griff. Seine rohen Hände brannten, als er ihn umklammerte. Er widerstand dem Instinkt loszulassen und schaltete die Lampe ein. Die Birne funktionierte noch. Er leuchtete in die Richtung, in die der Junge verschwunden war, und sah einen schmalen Vorsprung, der über dem langsam dahinfließenden Fäkalienstrom den ganzen Tunnel säumte. Leo setzte sich in Bewegung, kam aber wegen des Eises und Schlamms nur langsam voran, immer wieder rutschten seine klobigen Stiefel auf dem glitschigen Boden aus. Durch die Kälte war der Gestank noch erträglich, außerdem atmete Leo nur kurz und flach.

Da, wo der Junge verschwunden war, hörte der Vorsprung auf. Von hier ging ein viel schmalerer Nebentunnel ab, nur ungefähr einen Meter breit und vom Grund vermutlich schulterhoch. Dieser Seitentunnel mündete in den Kanal unter Leo. Die Wände waren mit Exkrementen überzogen. Dort musste der Junge hinaufgeklettert sein. Leo blieb keine Wahl, als ebenfalls in den Tunnel zu kriechen.

Leo deponierte zuerst die Taschenlampe, nahm dann allen Mut zusammen und drückte die Hände an die dreckstarrenden Seitenwände. Es brannte wie Feuer, als das rohe Fleisch auf Dreck und Fäkalien traf. Benommen vor Schmerzen versuchte Leo sich hochzuziehen. Er wusste, wenn er jetzt den Halt verlor, würde er in den Dreckstrom unter sich fallen. Aber weiter im Tunnel gab es nichts mehr, woran er sich festhalten konnte. Er streckte den Arm aus, seine Hand glitt über die spiegelglatte Oberfläche. Eine Stiefelspitze fand Halt in der Ziegelmauer, und er drückte sich in den Tunnel hoch. Dann blieb er auf dem Rücken liegen und versuchte sich den Schmutz von den Händen zu wischen. Hier in der Enge war der Gestank unerträglich. Leo würgte, schaffte es aber, sich nicht zu übergeben. Er nahm die Taschenlampe und leuchtete in den Tunnel hinein. Dann kroch er auf dem Bauch voran und schob sich dabei mit den Ellbogen weiter vor.

Eine Reihe verrosteter Gitterstäbe hinderte ihn am Weiterkommen. Der Abstand zwischen ihnen machte weniger als eine Handbreit aus. Der Junge musste einen anderen Weg genommen haben. Leo wollte schon umkehren, hielt dann aber inne. Es gab keinen anderen Weg, da war er sich sicher. Er wischte den Schleim von den Stäben und untersuchte sie. Zwei waren locker. Er umklammerte sie und rüttelte daran. Sie ließen sich herausziehen. Der Junge hatte seine Fluchtroute vorher ausgekundschaftet, deshalb hatte er auch eine Taschenlampe dabei und vorher gewusst, dass man sich die Finger mit Lappen umwickeln musste. Er hatte von Anfang an vorgehabt, durch die Kanalisation zu entkommen. Selbst nachdem Leo die beiden Gitterstäbe entfernt und seine Jacke ausgezogen hatte, konnte er sich nur mit Mühe durch die Lücke zwängen. Er fand sich in einer höhlenartigen Kammer wieder.

Als er den Fuß aufsetzen wollte, schien der Boden unter ihm in Bewegung zu sein. Leo leuchtete hinunter. Alles war voller Ratten, in drei oder vier Lagen krochen sie übereinander. Größer noch als sein Ekel war sein Erstaunen darüber, dass sie alle in einer Richtung unterwegs waren. Er richtete den Lichtkegel in die Richtung, aus der sie kamen, und sah, dass sie aus einem größeren Tunnel flohen. In diesem Tunnel entdeckte Leo den Jungen, etwa hundert Meter lagen zwischen ihnen. Der Junge rannte nicht, sondern stand mit einer Hand an die Tunnelwand gelehnt. Leo spürte, dass etwas nicht stimmte, und schlich sich behutsam weiter vor.

Ruckartig drehte der Junge sich um, und als er seinen Verfolger gesehen hatte, rannte er weiter. Seine Taschenlampe hatte er mittlerweile an einer Kordel um den Hals hängen, sodass er beide Hände frei hatte. Leo streckte eine Hand aus und legte sie an die Tunnelwand. Etwas vibrierte so heftig, dass seine Finger zu zittern anfingen.

Der Junge sprintete weiter, das Wasser klatschte ihm um die Fußgelenke. Leo verfolgte die Flucht mit der Taschenlampe. Wendig wie eine Katze nutzte der Junge die Rundungen der Tunnelwände aus, lief an einer Seite hinauf, schnellte zurück und sprang hoch. Sein Ziel war die unterste Sprosse einer Leiter, die aus einem senkrechten Schacht über ihm lugte. Der Junge verfehlte sie und landete klatschend auf dem Boden. Leo rannte los. Hinter sich konnte er Timurs angeekeltes Fluchen hören, bestimmt wegen der vielen Ratten. Der Junge war schon wieder auf den Beinen und nahm Anlauf für einen zweiten Sprung in Richtung Leiter.

Urplötzlich schwoll das beinahe unbewegliche Rinnsal an und verbreiterte sich. Ein unheimliches Getöse erfüllte den Tunnel. Leo richtete die Taschenlampe nach oben. Der Lichtstrahl erfasste weiße Gischt, eine Bugwelle, die in kaum zweihundert Metern Entfernung auf sie zuraste.

Ihnen blieben nur noch Sekunden. Der Junge machte einen weiteren Versuch, die Leiter zu erreichen. Er lief die Wand hoch und griff nach der untersten Sprosse. Diesmal erwischte er sie mit beiden Händen. Er zog sich hoch und kletterte in den senkrechten Schacht, weg vom Wasser. Leo drehte sich um. Das Wasser kam immer näher. Gerade hatte Timur den Haupttunnel erreicht.

Als er am Fuß der Leiter ankam, klemmte Leo sich die Taschenlampe zwischen die Zähne und sprang hoch. Er erwischte die eiserne Sprosse und zog sich mit brennenden Händen hoch. Über sich sah er den Jungen kraxeln. Ohne auf die Schmerzen zu achten, kletterte Leo ihm so schnell wie möglich nach. Er holte auf, erwischte seinen Fuß und hielt ihn fest, obwohl der Junge sich freizutreten versuchte. Leo richtete mit der anderen Hand den Lichtstrahl nach unten. Am Fuße des Schachts sah er, wie Timur verzweifelt seine Taschenlampe fallen ließ und zur untersten Sprosse hochsprang. Gerade hatte er sie mit beiden Händen gepackt, da schoss das Wasser um ihn herum ein, sodass weiße Gischt den Schacht hinaufspritzte.

Der Junge lachte. »Wenn du deinen Freund retten willst, musst du mich schon loslassen.«

Er hatte recht. Leo musste ihn loslassen, hinabklettern und Timur helfen.

»Sonst stirbt er.«

Nach Luft schnappend tauchte Timur aus dem Wasser auf und zog sich hoch. Dann hängte er seinen Arm in die nächste Sprosse ein und kletterte aus der Gischt. Sein Körper war immer noch unter Wasser, aber er hatte festen Halt. Er sah zu Leo hoch. »Alles klar.«

Erleichtert blieb Leo, wo er war, und hielt weiter das Fußgelenk des Jungen umklammert, der wie wild um sich trat. Timur zog sich bis zu Leo hoch, nahm ihm die Taschenlampe aus dem Mund und richtete sie auf das Gesicht des Jungen.

»Wenn du noch einmal zutrittst, breche ich dir das Bein.«

Der Junge hörte auf. Timur hatte keinen Zweifel daran gelassen, dass er es ernst meinte.

Leo befahl ihm: »Wir klettern jetzt zusammen hoch bis zum nächsten Absatz. Und zwar langsam, verstanden?«

Der Junge nickte. Mühsam kletterten alle drei nach oben, ein Gewirr von Armen und Beinen, das aussah wie eine missgestaltete Spinne.

Oben an der Leiter wartete Leo, das Fußgelenk des Jungen umklammert, bis Timur über sie beide hinübergeklettert war und den Gang über ihnen erreicht hatte.

»Lass ihn los.«

Leo ließ das Bein los und kletterte hinterher. Timur hielt die Arme des Jungen auf den Boden gedrückt. Um seine blutigen Handflächen zu schonen, nahm Leo die Taschenlampe mit spitzen Fingern und richtete sie auf das Gesicht des Jungen. »Deine einzige Chance, am Leben zu bleiben, ist, mit mir zu reden. Du hast einen sehr wichtigen Mann umgebracht. Eine Menge Leute werden wollen, dass du hingerichtet wirst.«

Timur schüttelte nur den Kopf. »Du verschwendest deine Zeit. Schau dir mal seinen Hals an.«

Am Hals des Jungen prangte eine Tätowierung. Es war ein orthodoxes Kreuz.

»Er gehört einer Bande an«, erklärte Timur. »Der würde eher sterben, als den Mund aufzumachen.«

Der Junge grinste. »Du bist hier unten. Aber da oben ist deine Frau ... Raisa ...«

Leo reagierte sofort. Er zerrte den Jungen am Hemd hoch, zog ihn von Timur weg und hob ihn von den Beinen. Auf so eine Gelegenheit hatte der Junge nur gewartet. Wie ein Aal schlüpfte er aus seinem Hemd, ließ sich zu Boden fallen und hechtete zur Seite – Leo hielt von einem Moment auf den anderen nur noch sein Hemd in Händen. Mit der Taschenlampe suchte er den Schacht ab und entdeckte den Jungen, der am Rand des Schachtes kauerte. Dann machte er einen Schritt vor und stürzte sich in das Wasser unter ihm. Leo warf sich auf ihn, aber zu spät. Er stierte nach unten, doch von dem Jungen gab es keine Spur mehr. Er war in den reißenden Fluss gefallen und weggetrieben worden.

Verzweifelt suchte Leo die Umgebung ab: ein Betontunnel ohne irgendeine Öffnung. Raisa war in Gefahr. Und hier war kein Herauskommen.

Am selben Tag

Raisa saß dem Schuldirektor Karl Enukidse gegenüber, einem freundlichen Mann mit grauem Bart. Auch Sojas Lehrerin Julia Peschkowa war dabei. Karl hatte die Hände unter seinem Kinn verschränkt und kratzte sich ausgiebig den Bart. Dabei sah er abwechselnd Raisa und Julia an. Julia versuchte jeden Augenkontakt zu vermeiden, biss sich auf die Lippen und wünschte sich nur weg von hier. Raisa konnte ihre Angst verstehen. Wenn die Zerstörung des Stalin-Bildes untersucht wurde, würde Soja vom KGB in die Mangel genommen werden. Aber die anderen auch. Man würde sich fragen, wer daran schuld war. War dem Kind der Vorwurf zu machen oder den Erwachsenen, die es beeinflusst hatten? War Karl ein Subversiver, der seine Schüler anstatt zu glühendem Patriotismus zu regimekritischem Verhalten anleitete? Fehlte es Julias Unterricht an sowjetischer Prägung? Fragen würden aufkommen über Raisas Befähigung als Vormund. Rasch rechneten sich alle die möglichen Konsequenzen aus.

Raisa brach das Schweigen. »Wir benehmen uns, als sei Stalin noch am Leben. Aber die Zeiten ändern sich schnell. Heute ist keinem mehr danach, ein vierzehnjähriges Kind zu denunzieren. Ihr habt doch die Rede gelesen. Chruschtschow gibt zu, dass die Verhaftungen zu weit getrieben wurden. Wir müssen doch eine interne Schulangelegenheit nicht gleich nach oben melden. Das können wir unter uns regeln. Worum geht es hier denn überhaupt? Doch nur um ein verstörtes junges Mädchen, für das ich die Verantwortung trage. Lasst *mich* ihr helfen.«

Aber nach der Reaktion der beiden anderen zu urteilen, ließ sich lebenslange Leisetreterei nicht einfach durch eine einzige Rede wegwischen, egal, wer sie gehalten und was er gesagt hatte.

Daher wechselte Raisa die Strategie. »Es wäre am besten, wenn der Vorfall gar nicht erst gemeldet würde.«

Julia hob den Kopf. Karl lehnte sich zurück. Eine neue Runde des Abwägens setzte ein. Raisa hatte versucht, die Sache unter den Teppich zu kehren. Dieser Vorschlag ließ sich gegen sie verwenden.

Julia reagierte. »Wir sind nicht die Einzigen, die wissen, was passiert ist. Die Schüler in meiner Klasse haben alles mitbekommen. Es sind über dreißig. Mittlerweile haben die doch längst mit ihren Freunden gesprochen, also wissen es noch mehr. Und die Zahl wird weiter steigen. Ich wäre überrascht, wenn morgen nicht die ganze Schule darüber spricht. Die Nachricht wird sich über die Schulgrenzen hinaus verbreiten, die Eltern werden es erfahren und wissen wollen, warum wir nichts unternommen haben. Was sollen wir dann sagen? Dass wir die Sache nicht für so wichtig gehalten haben? Das können wir doch gar nicht entscheiden, Raisa. Da müssen wir uns auf den Staat verlassen. Die Leute werden es mitbekommen, Raisa, und wenn wir nicht reden, dann macht es sonst jemand.«

Sie hatte recht. Die Sache zu verheimlichen war unmöglich. In die Defensive geraten, konterte Raisa: »Und wie wäre es, wenn Soja die Schule mit sofortiger Wirkung verlässt? Ich würde mit Leo sprechen und der mit seinen Kollegen, wir würden eine andere Schule für Soja finden. Dass ich ebenfalls den Dienst quittieren würde, versteht sich von selbst.«

Dass Soja ihre Ausbildung hier fortsetzen konnte, war ohnehin aussichtslos. Die anderen Schüler würden sie schneiden. Sie würden nicht mehr mit ihr sprechen, viele würden nicht einmal mehr neben ihr sitzen wollen. Die Lehrer würden sie nicht mehr in ihrer Klasse haben wollen. So sicher, als hätte man ihr ein Kreuz auf den Rücken geschmiert, war Soja von jetzt an eine Ausgestoßene.

»Ich schlage vor, dass Sie, Karl Enukidse, über unseren Abgang keine Meldung machen. Wir sind einfach nicht mehr da, fertig.«

Die anderen Schüler und Lehrer würden annehmen, dass man sich um die Angelegenheit »gekümmert« hatte. Niemand würde darüber sprechen wollen, weil so hart durchgegriffen worden war. Das Thema würde verschwinden wie ein sinkendes Schiff auf See, an dem andere Schiffe vorbeifuhren, während sämtliche Passagiere in die entgegengesetzte Richtung schauten.

Karl dachte über den Vorschlag nach. Schließlich fragte er: »Und Sie würden sich um alles kümmern, was es zu regeln gäbe?«

»Ja.«

»Auch die Sache mit den zuständigen Behörden besprechen? Haben Sie Verbindungen zum Bildungsministerium?«

»Leo bestimmt, da bin ich mir sicher.«

»Und ich muss nicht mit Soja reden? Ich muss mich überhaupt nicht mit ihr abgeben?«

Raisa schüttelte den Kopf. »Ich nehme einfach nur meine Tochter und verschwinde von hier. Sie machen weiter wie gehabt, als wäre ich nie da gewesen. Morgen werden weder Soja noch ich zum Unterricht erscheinen.«

Karl warf Julia einen vielsagenden Blick zu, der bedeutete, dass er dafür war. Jetzt kam es auf sie an.

Raisa wandte sich ihrer Freundin zu. »Julia?«

Sie kannten sich jetzt schon seit drei Jahren. Oft hatten sie sich gegenseitig geholfen. Sie waren Freundinnen.

Julia nickte. »Ich denke, das wäre wohl das Beste.«

Es war das letzte Mal, dass sie miteinander sprachen.

Im Flur vor dem Büro wartete Soja. Lässig lehnte sie an der Wand, so als habe sie nur ihre Hausaufgaben nicht gemacht. Ihre Hand war verbunden, der Schnitt hatte heftig geblutet. Nachdem der Kuhhandel perfekt war, schloss Raisa die Bürotür hinter sich und lehnte sich dagegen. Plötzlich war sie nur noch erschöpft. Sie war gerade noch einmal davongekommen. Jetzt kam es auf Leo an. Raisa ging zu Soja: »Komm, gehen wir nach Hause.«

»Mein Zuhause ist das nicht.«

Keine Dankbarkeit. Nichts als Verachtung. Raisa war kurz davor, in Tränen auszubrechen.

Als sie das Schulgebäude verließen, blieb Raisa am Tor stehen. Waren sie so schnell verraten worden? Zwei uniformierte Beamte kamen auf sie zu. »Raisa Demidowa?«

Der Ältere der beiden übernahm das Reden. »Wir sind von Ihrem Mann geschickt worden, um Sie nach Hause zu begleiten.«

»Was ist los?«

»Ihr Mann will sichergehen, dass Ihnen nichts passiert. Die Einzelheiten kann ich Ihnen leider nicht erklären, außer dass sich eine Reihe von Vorfällen ereignet hat. Unsere Anwesenheit ist eine reine Vorsichtsmaßnahme.«

Raisa überprüfte ihre Ausweise. Sie waren in Ordnung.

»Arbeiten Sie für meinen Mann?«, fragte sie.

»Wir gehören zu seinem Morddezernat.«

Da das Dezernat geheim war, tat schon dieses Eingeständnis das Seine, um Raisas Argwohn zu bestärken. Sie reichte die Ausweise zurück und sagte zu den Männern: »Wir müssen Elena noch abholen.«

Während sie zum Wagen liefen, zerrte Soja an ihrer Hand. Ihre Stimme war nur ein Flüstern. »Ich traue ihnen nicht.«

* * *

Als Karl wieder allein in seinem Büro war, starrte er aus dem Fenster.

Die Zeiten ändern sich schnell.

Vielleicht stimmte das ja. Er wollte es so gerne glauben und die ganze Geschichte ad acta legen, so wie sie es besprochen hatten. Er hatte Raisa immer gemocht. Sie war intelligent und schön, und er wünschte ihr nur das Beste. Dann griff er nach dem Telefonhörer und überlegte, mit welchen Worten er ihre Tochter am besten denunzierte.

Am selben Tag

Zornig blitzte Soja im Fond des Wagens die Milizbeamten an und verfolgte jede ihrer Bewegungen, als sei sie mit zwei Giftschlangen zusammengesperrt. Der Beamte auf dem Beifahrersitz hatte sich zwar um eine oberflächliche Freundlichkeit bemüht, sich umgedreht und die Mädchen angelächelt, doch an beiden war sein Lächeln abgeprallt. Für Soja gab es zwischen KGB und Miliz keinen Unterschied. Sie verabscheute diese Männer, sie hasste ihre Uniformen und Rangabzeichen, ihre Ledergürtel und die schwarzen Stiefel mit den Stahlkappen.

Raisa sah aus dem Fenster, um herauszufinden, wo in der

Stadt sie waren. Der Abend war hereingebrochen, und flackernd gingen die Straßenlaternen an. Raisa, die nicht gewohnt war, im Auto nach Hause zu fahren, versuchte zu erkennen, wo sie sich befanden. Das war doch gar nicht der Weg zu ihrer Wohnung. Bemüht, dass man ihr die innere Unruhe nicht anhörte, beugte sie sich vor und fragte: »Wohin fahren wir?«

Der Beamte auf dem Beifahrersitz drehte sich um, sein Gesicht war ausdruckslos. Unter seinem Rücken knarzte die Lederpolsterung.

»Wir bringen Sie nach Hause.«

»Das ist aber gar nicht die richtige Richtung.«

Soja schnellte vor: »Lassen Sie uns raus!«

Der Beamte zog eine Visage. »Was?«

Soja fragte nicht zweimal. Während der Wagen noch fuhr, zog sie an der Verriegelung und stieß die Tür mitten auf der Straße auf. Grelle Scheinwerfer blitzten durchs Fenster, als ein entgegenkommender Laster ausbrach, um einen Zusammenstoß zu vermeiden.

Raisa packte Soja, umklammerte ihre Taille und zog sie gerade noch rechtzeitig wieder hinein, bevor der Laster die offene Tür streifte und zuknallte. Durch den Aufprall wurde das Blech eingedellt und das Fenster zerschmettert, Glassplitter regneten ins Wageninnere. Die Beamten brüllten, Elena schrie. Der Wagen knallte über die Bordsteinkante und schoss auf den Bürgersteig, wo er schlitternd am Rand zum Stehen kann.

Eine benommene Stille folgte. Blass und keuchend drehten die beiden Beamten sich um. »Was ist denn mit der los?«

Der Fahrer tippte sich an die Stirn: »Die ist wohl nicht ganz richtig im Kopf.«

Raisa achtete nicht auf sie, sondern untersuchte Soja. Sie war unverletzt, aber ihre Augen glühten. Etwas Unbändiges ging von ihr aus wie die Urkräfte eines Wildkindes, das bei Wölfen aufgewachsen und jetzt von Menschen gefangen worden war, sich aber nicht zähmen und zivilisieren lassen wollte.

Der Fahrer stieg aus und nahm die beschädigte Tür in Augenschein. Dann kratzte er sich kopfschüttelnd den Schädel.

»Wir bringen Sie doch nur nach Hause? Wo liegt denn da ein Problem?«

»Das ist nicht der richtige Weg.«

Der Beamte holte einen Zettel aus der Tasche und reichte ihn Raisa durch das Loch, in dem einmal das Fenster gewesen war. Es war Leos Handschrift. Verdutzt las Raisa die Adresse, bis sie merkte, dass es die der Wohnung von Leos Eltern war. Ihr Zorn verrauchte. »Da wohnen Leos Eltern.«

»Ich wusste nicht, wessen Wohnung das ist. Ich führe nur meine Befehle aus.«

Soja wand sich aus der Umklammerung und kletterte über ihre Schwester hinweg aus dem Wagen. Raisa rief ihr nach. »Soja, es ist alles in Ordnung!«

Soja ließ sich nicht beeindrucken und kam nicht zurück. Der Fahrer ging auf sie zu. Als Raisa sah, dass er sie packen wollte, schrie sie: »Rühren Sie sie nicht an! Lassen Sie sie in Ruhe! Wir gehen den Rest zu Fuß.«

Der Fahrer schüttelte wieder den Kopf. »Wir haben aber Befehl, bei Ihnen zu bleiben, bis Leo kommt.«

»Dann fahren Sie eben hinter uns her. Wir steigen nicht wieder in den Wagen.«

Elena saß immer noch weinend auf der Rückbank. Raisa legte einen Arm um sie. »Soja geht es gut. Ihr ist nichts passiert.«

Elena schien diese Worte abzuwägen, dann sah sie ihre Schwester an. Als sie sah, dass Soja unverletzt war, versiegten die Tränen.

Die letzten wischte Raisa ihr weg. »Wir gehen zu Fuß weiter. Es ist nicht mehr weit. Schaffst du das?«

Elena nickte. »Ich mag es nicht, wenn man mich nach Hause fährt.«

Raisa lächelte. »Ich auch nicht.«

Raisa half Elena aus dem Wagen. Entnervt über diesen Exodus der Fahrgäste rang der Fahrer die Hände.

Leos Eltern wohnten in einem niedrigen Bau im Norden der Stadt, zusammen mit zahlreichen anderen Senioren, deren Kinder Staatsbeamte waren. Es handelte sich um eine Art Altenheim für Privilegierte. Im Winter spielten die Einwohner miteinander im Wohnzimmer des einen oder anderen Karten, im Sommer spielten sie draußen auf dem Rasen Karten. Sie gingen zusammen einkaufen, kochten zusammen – eine Gemeinschaft mit nur einer Regel: Nie sprachen sie über die Arbeit ihrer Kinder.

Raisa betrat das Gebäude und führte die Kinder zum Aufzug. Just als die Milizbeamten sie einholten, schlossen sich die Türen, sodass die Polizisten die Treppe nehmen mussten. Nie und nimmer hätte Soja es auf so engem Raum mit den beiden Männern ausgehalten. Als sie im siebten Stock ankamen, führte Raisa die Mädchen durch den Flur bis zur letzten Wohnung. Leos Vater Stepan öffnete die Tür, er war überrascht, sie zu sehen. Schnell verwandelte sich seine Überraschung in Sorge. »Was ist denn los?«

Leos Mutter Anna kam aus dem Wohnzimmer, auch sie war besorgt.

Raisa erklärte den beiden: »Leo will, dass wir hierbleiben.«

Sie deutete auf die Polizisten, die sich vom Treppenhaus her näherten, und fügte hinzu: »Wie haben eine Eskorte dabei.«

»Wo ist Leo? Was ist los?« Angst lag in Annas Stimme.

Raisa schüttelte den Kopf. »Ich weiß es nicht.«

Die Beamten erschienen an der Tür. Der Ältere der beiden, der auch den Wagen gefahren hatte, war noch ganz außer Atem vom Treppensteigen.

»Gibt es noch einen Zugang zu dieser Wohnung?«, fragte er.

Anna antwortete: »Nein.«

»Dann bleiben wir hier draußen.«

Aber Anna wollte mehr wissen. »Können Sie uns erklären, was hier vor sich geht?«

»Es ist zu Racheakten gekommen. Mehr weiß ich nicht.«

Raisa schloss die Tür. Aber Anna war noch nicht besänftigt: »Es geht Leo doch gut, oder?«

Zähneknirschend musste Soja sich Anna anhören und zusehen, wie beim Sprechen die Hautfalten unter ihrem Kinn wabbelten. Dick und fett war sie, weil sie den lieben langen Tag nichts tat, als sich von ihrem Sohn mit teuren und knappen Lebensmitteln versorgen zu lassen. Soja konnte es kaum ertragen, sich ihre Sorgen um Leo anzuhören. Diese Stimme, die beinahe erstickte vor Angst um ihren Mördersohn.

Geht es Leo gut? Es geht ihm doch gut, oder?

Und die Leute, die er verhaftet hatte, die Familien, die er zerstört hatte? Ging es denen gut? Sie hätschelten ihn wie ein Kind. Noch schlimmer als ihre Sorge war ihr elterlicher Stolz. Jede seiner Geschichten begeisterte sie, bei jedem seiner Worte hingen sie ihm an den Lippen. Diese ganzen Liebesbezeugungen waren nicht zum Aushalten: die Küsse, Umarmungen, Scherze. Sowohl Stepan als auch Anna waren willfährige Spießgesellen in Leos Scharade und taten so, als seien sie eine ganz normale Familie. Sie planten Ausflüge und Einkaufsbummel, natürlich nur zu den privilegierten Geschäften und nicht etwa denen mit den langen Schlangen und dem knappen Angebot. Alles war nett. Alles war angenehm. Alles war eine Lüge, die den Mord an ihrem Vater und ihrer Mutter vertuschen sollte. Soja hasste sie dafür, dass sie sie liebten.

»Racheakte?«, fragte Anna.

Sie wiederholte das Wort, als sei die Vorstellung unsinnig und erstaunlich, als könne niemand auch nur den geringsten Grund haben, ihren Sohn nicht zu mögen. Soja konnte sich nicht mehr zurückhalten und mischte sich ein.

»Rache für die vielen Unschuldigen, die verhaftet worden sind! Was habt ihr denn gedacht, was euer Sohn die ganzen Jahre gemacht hat? Habt ihr nicht die Rede gelesen?«

Unisono drehten sich Stepan und Anna entsetzt zu ihr um. Sie kannten die Rede nicht, hatten sie nicht gelesen. Soja merkte, dass sie im Vorteil war, und setzte ein Grinsen auf.

»Was für eine Rede?«, fragte Stepan.

»Die Rede darüber, wie euer Sohn unschuldige Opfer gefoltert hat, wie er sie zu Geständnissen zwang, wie er sie schlug. Darüber, wie die Unschuldigen in die Gulags geschickt wurden, während die Schuldigen in Wohnungen wie der hier lebten.«

Raisa stellte sich schützend vor Soja. »Du musst aufhören. Hör sofort auf!«

»Warum denn? Es stimmt doch. Ich habe die Rede nicht geschrieben. Sie gehörte zu meinem Unterricht. Ich wiederhole nur, was man mir gesagt hat. Ihr habt kein Recht, Chruschtschows Worte zu zensieren. Bestimmt hat er gewollt, dass wir darüber reden, sonst hätte er sie uns ja gar nicht vorlesen lassen. Sie ist kein Geheimnis. Alle wissen Bescheid. Alle wissen, was Leo getan hat.«

»Soja, hör mir zu ...«

Aber Soja war jetzt in Fahrt und nicht mehr zu bremsen: »Ihr glaubt, keiner sollte die Wahrheit über euren wunderbaren Sohn erfahren? Diesen wunderbaren Sohn, der ihnen diese wunderbare Wohnung besorgt hat, der ihnen mit den Einkäufen hilft – euren wunderbaren Mördersohn?«

Stepans Gesicht wurde fahl, seine Stimme zitterte vor Erregung. »Du weißt ja nicht, was du redest!«

»Glaubt ihr mir nicht? Dann fragt doch Raisa. Die Rede ist echt. Alles, was ich gesagt habe, ist die Wahrheit. Und alle werden wissen, dass euer Sohn ein Mörder ist.«

Anna konnte nur noch flüstern. »Was ist das für eine Rede?«

Raisa schüttelte den Kopf. »Darüber müssen wir im Moment nicht reden.«

Aber Soja ließ nicht locker. Sie hatte Gefallen an ihrer frisch entdeckten Macht gefunden. »Sie wurde von Chruschtschow geschrieben und beim 20. Parteitag gehalten. Darin heißt es, dass euer Sohn und alle Staatsbeamten wie er Mörder sind. Sie haben gegen das Gesetz gehandelt. Sie sind keine Polizisten, sie sind Kriminelle! Fragt Raisa! Fragt sie, ob es stimmt! Fragt sie doch!«

Stepan und Anna wandten sich an Raisa. »Ja, es gibt da eine Rede. Darin kommen kritische Anmerkungen über Stalin vor.«

»Nicht nur über Stalin, auch über die Leute, die seinen Befehlen gehorcht haben, einschließlich eures Sohnes, dieses Mörders.«

Stepan trat auf Soja zu. »Hör auf, so was zu sagen.«

»Was zu sagen? Mörder? Leo, der Mörder? Was glaubt ihr, für wie viele Morde er noch verantwortlich ist, abgesehen von meinen Eltern?«

»Das reicht!«

»Ihr habt es die ganze Zeit gewusst. Ihr wusstet, womit er sein Geld verdiente, und es war euch egal, weil ihr gern in einer schönen Wohnung wohnen wolltet. Ihr seid genauso schlimm wie er. Er war wenigstens bereit, sich dafür die Finger schmutzig zu machen!«

Anna schlug zu, eine saftige Ohrfeige. Dabei schrie sie auf sie ein. »Du weißt ja nicht, wovon du redest, Fräulein. So redest du nur, weil du verwöhnt bist. Seit drei Jahren sehen sie dir jetzt schon alles nach. Du kannst machen, was immer du willst. Noch nie bist du gescholten worden. Wir haben das mitangesehen und nichts gesagt. Leo und Raisa wollten dir alles geben. Und jetzt sieh dich an, sieh, was aus dir geworden ist. Undankbar und verabscheuenswürdig bist du, und dabei versuchen doch alle nur, dich zu lieben.«

Der Schlag brannte Soja im Gesicht, und das Gefühl breitete sich über ihren ganzen Körper aus, von ihrer stechenden Fingerspitze bis hinauf in den Nacken. Ihre Hand schoss vor, und sie kratzte Anna, grub ihre Fingernägel so tief ein und riss so viel Haut ab, wie es nur ging. »Ich scheiße auf eure Liebe!«

Anna schrie auf und fuhr zurück. Aber Soja war noch nicht fertig, wie Klauen schlugen ihre Finger nach Anna. Raisa hielt ihr den Arm fest und drehte ihn um. Außer sich suchte Soja nach einem neuen Ziel und richtete ihre Wut gegen Raisa. So fest sie nur konnte, biss sie ihr in den Arm.

Der Schmerz war so heftig, dass Raisa schwindelig wurde und ihr fast die Beine wegknickten. Stepan packte Sojas Kiefer und riss sie auseinander, als hätte er es mit einem tollwütigen Hund zu tun. Blut strömte aus den tiefen Bissmalen. Soja strampelte und trat wie wild um sich. Stepan warf sie zu Boden, wo sie mit blutverschmierten, gefletschten Zähnen liegen blieb.

Es klopfte an der Tür. Die Wachen hatten den Tumult gehört und wollten hinein. Raisa untersuchte den Biss: Er blutete heftig. Soja lag immer noch auf dem Fußboden, die Augen wild, aber nicht mehr kampfeslustig. Stepan eilte ins Badezimmer und kam mit einem Handtuch zurück, das er auf Raisas Arm presste. Es klopfte wieder. Raisa drehte sich zu Anna um, die noch fast genauso dastand wie eben, als sie angegriffen worden war. Über ihr Gesicht zogen sich Kratzer, vier blutige Linien.

»Anna, wimmele die Polizisten ab. Sag ihnen, sie brauchen nicht einzugreifen.«

Anna reagierte nicht. Raisa musste laut werden. »Anna!«

Ihre geschundene Gesichtshälfte abwendend, öffnete Anna die Tür und wollte die beiden Wachposten beruhigen. Sie hatte zwei Polizeibeamte erwartet und stutzte, als jetzt vier draußen standen, als hätten sie sich wie Bakterien geteilt und vermehrt. Die beiden neuen Beamten trugen allerdings andere Uniformen. Sie gehörten zum KGB.

Die KGB-Agenten betraten die Wohnung und registrierten alles, was sie sahen: das Mädchen mit den blutigen Zähnen und dem blutigen Mund auf dem Boden; die Frau mit dem blutenden Arm; die ältere Frau mit dem zerkratzten Gesicht.

»Raisa Demidowa?«

Mit absurd anmutender Entschlossenheit versuchte Raisa, ihre Stimme fest und ruhig klingen zu lassen, während sich das Handtuch über ihren Bisswunden schon rot färbte. »Ja?«

»Wir müssen Ihre Tochter mitnehmen.« Ihre Aufmerksamkeit wandte sich Soja zu.

Raisas Plan war fehlgeschlagen. Entweder Julia oder der Schuldirektor hatten sie verraten. Ihrer Verletzung und allem, was gerade erst geschehen war, zum Trotz stellte sich Raisa instinktiv und beschützend vor Soja.

»Ihre Tochter hat ein Porträt von Stalin zerstört.«

»Wir kümmern uns bereits um die Angelegenheit.«

»Wir müssen sie mitnehmen.«

»Ist sie verhaftet?«

Als sie merkte, dass die KGB-Agenten entschlossen waren, ihren Befehl auszuführen, wandte Raisa sich an die eingeschüchterten Milizbeamten, die Polizisten, die Leo zu ihrem Schutz gesandt hatte. »Sie werden wohl warten müssen, bis mein Mann zurückgekehrt ist, nicht wahr?«

Der Ältere der beiden KGB-Agenten schüttelte den Kopf. »Unser Befehl lautet, Ihre Tochter zum Verhör zu bringen. Ihr Mann hat nichts damit zu tun.«

»Diese Männer haben Befehl sicherzustellen, dass wir hierbleiben, und zwar gemeinsam, bis mein Mann wieder da ist.«

Unterwürfig trat der Milizbeamte vor. Raisas Mut sank.

»Das sind Beamte vom KGB …«

»Leo ist sicher gleich da. Wir bleiben zusammen, bis er kommt. Er kann das hier bestimmt aufklären. Sie ist doch erst vierzehn. So schnell wird man sie ja wohl nicht irgendwo hinbringen müssen. Wir können warten.«

Der KGB-Mann trat näher und wurde lauter. »Wir müssen sie jetzt sofort mitnehmen!«

Irgendetwas an der Ungeduld der KGB-Leute war verdächtig. Das ganze Verhalten dieser Agenten war verdächtig. Der Ältere übernahm das ganze Reden, während der Jüngere nur stumm danebenstand und sich offensichtlich unwohl fühlte. Sein Blick wechselte vom einen zum anderen, so als würde er damit rechnen, dass ihn im nächsten Moment jemand angriff. Beide wirkten irgendwie linkisch in ihren Uniformen. Wieso waren sie überhaupt so schnell da gewesen? Normalerweise dauerte es Stunden, bis der KGB einen Plan fasste und eine Verhaftung anordnete. Und was noch seltsamer war, warum waren sie zu dieser Adresse gekommen? Wie konnten sie wissen, dass Raisa nicht zu Hause sein würde? Misstrauisch geworden durch diese Unstimmigkeiten, richtete Raisa den Blick auf den Hals des Agenten. Über dem Hemdkragen lugte irgendein Fleck hervor: Es war die Ecke einer Tätowierung.

Diese Männer waren gar nicht vom KGB.

Raisa warf einen verstohlenen Blick auf die Milizbeamten und versuchte ihnen die Gefahr klarzumachen, in der sie schwebten. Die Polizisten hatten sich von der Verkleidung dieser Agenten an der Nase herumführen lassen, weil sie es schon bei der bloßen Erwähnung des KGB mit der Angst bekamen. Im Bemühen, die Aufmerksamkeit der Miliz auf sich zu lenken, wurde sie stattdessen von dem Hochstapler bemerkt. Mochten auch die Polizeibeamten ihre Signale nicht verstehen, er verstand sie. Bevor Raisa auch nur die Hand heben konnte, um die Miliz zu warnen, hatte der Tätowierte schon seine Waffe gezogen. Er drehte sich um und feuerte zweimal, je eine Kugel in die Stirn der beiden Beamten. Während sie zu Boden fielen, richtete der Mann seine Waffe auf Raisa.

»Ich nehme jetzt Ihre Tochter mit.«

Raisa trat näher an die Mündung heran und deckte Soja, die immer noch zusammengekrümmt am Boden lag. »Nein.«

Die Waffe wanderte zu Elena.

»Geben Sie mir Soja. Sonst töte ich Elena.«

Ein Schuss fiel.

Die Kugel verfehlte Elena und schlug in die Wohnungswand ein – eine Warnung. Als sie in seine Augen blickte, zweifelte Raisa keinen Augenblick daran, dass dieser Mann eine Siebenjährige ebenso leichten Herzens töten würde, wie er die beiden Beamten erschossen hatte. Raisa musste eine Entscheidung treffen. Sie trat zur Seite und ließ es zu, dass sie Soja mitnahmen.

Mühelos hob der Mann Soja hoch. »Wenn du dich wehrst, schlage ich dich bewusstlos.«

Er warf sie über seine Schulter und rief, während er sie zur Tür trug: »Ihr bleibt in der Wohnung!«

Sie zogen den Schlüssel ab. Die Wohnungstür ging zu und wurde verriegelt.

Raisa stürzte zu Elena und hockte sich hin. Elena saß auf den Knien und starrte auf den Boden. Ihr Körper zitterte, ihre Augen waren leer. Sie nahm Elenas Hand, hob ihren Kopf und versuchte zu ihr durchzudringen. »Elena?«

Das Mädchen schien sie nicht zu hören, es gab keine Antwort.

»Elena?«

Immer noch keine Antwort, kein Erkennen, kein Bewusstsein. Elenas Körper war schlaff.

Raisa übergab Elena in Annas Obhut, stand auf und rüttelte an der Türklinke. Kein Hinauskommen. Sie sprang zurück zu den Leichen der Beamten, nahm einem die Waffe ab und steckte sie sich hinten in den Hosenbund. Dann rannte sie durchs Wohnzimmer und öffnete die Tür zu dem kleinen Balkon. Stepan hielt sie am Arm.

»Was hast du vor?«

»Passt auf Elena auf.«

Raisa trat auf den Balkon und schloss die Tür hinter sich.

Sie waren im siebten Stock, etwa zwanzig Meter über der Straße. Unmittelbar darunter befanden sich genau gleiche Balkone, einer nach dem anderen. Die konnte sie nacheinander als Haltepunkte benutzen und einen Balkon nach dem anderen hinunterklettern. Wenn sie allerdings abstürzte, würden die kleinen Schneehaufen ihren Fall nicht nennenswert abfedern.

Raisa streifte sich die dünn besohlten Schuhe von den Füßen und kletterte auf den Sims. Sie hatte nicht an die Bisswunde in ihrem Arm gedacht, die immer noch blutete. Der Arm fühlte sich geschwächt an, ihr Griff weniger fest. Unsicher, ob sie ihr eigenes Gewicht würde halten können, umklammerte sie den eiskalten Betonvorsprung und ließ sich außen am Balkonsims herunter. Jetzt hing sie nur noch an ihren Fingern. Blut tropfte ihr auf die Schulter. Selbst wenn sie sich ganz lang machte, erreichte sie den Balkonsims im sechsten Stock nicht. Sie riskierte die Schätzung, dass der Abstand nur noch wenige Zentimeter betragen konnte. Ihr blieb ohnehin keine Wahl, als loszulassen.

Den Bruchteil einer Sekunde fiel sie, dann trafen ihre Füße auf den Sims unter ihr. Sie versuchte, das Gleichgewicht zu finden, und schwankte hin und her, da hörte sie Sojas Stimme. Als sie über ihre Schulter blickte, sah sie die Männer aus dem Vordereingang kommen, einer trug Soja, der andere richtete seine Waffe auf Raisa. Auf dem schmalen Sims balancierend, hatte sie keine Chance.

Der Mann feuerte. Sie sah das Mündungsfeuer aufblitzen, dann zerbarst Glas. Raisa fiel dem Schnee entgegen.

Am selben Tag

Ungewaschen und immer noch nach Kanalisation stinkend holte Leo alles aus dem Lastwagen heraus. Die Karre war schwerfällig und langsam und überhaupt nicht das, was er in der Eile brauchen konnte. Aber der Laster war nun einmal das erste Fahrzeug gewesen, das Timur und er hatten requirieren können, nachdem sie fast einen Kilometer südlich von der Stelle, wo sie ursprünglich in das Abwassersystem eingestiegen waren, wieder herausgekrochen kamen. Obwohl seine Hände wie Hackfleisch aussahen, hatte er abgelehnt, dass Timur fuhr, stattdessen ein Paar Handschuhe angezogen und mit den Fingerspitzen das Lenkrad ergriffen. Jedes Mal, wenn er schalten musste, stiegen ihm Tränen in die Augen. Er war zur Wohnung seiner Eltern gefahren, nur um dort zu erleben, dass der ganze Bereich von der Miliz abgesperrt war. Elena, Raisa und seine Eltern hatte man in ein Krankenhaus gebracht. Elena wurde wegen eines Schocks behandelt. Raisa war in kritischem Zustand. Soja war verschwunden.

Schlitternd brachte er das Fahrzeug vor dem Städtischen Notfallkrankenhaus 31 zum Stillstand, ließ es mit den Schlüsseln im Zündschloss am Rand stehen und rannte hinein, Timur auf seinen Fersen. Alle starrten sie an, entsetzt über ihren Anblick und Gestank. Aber Leo achtete nicht darauf, was für ein Bild er abgab – er wollte Antworten. Endlich wurde er auf die Station geführt, wo Raisa um ihr Leben kämpfte.

Vor dem Operationssaal erklärte ein Chirurg ihm, dass Raisa aus einiger Höhe abgestürzt war und unter inneren Blutungen litt.

»Wird sie überleben?«

Der Arzt wagte keine Prognose.

Als er die Privatstation betrat, wo Elena behandelt wurde, sah

Leo seine Eltern an ihrem Bett stehen. Anna trug ein Pflaster auf dem Gesicht. Stepan schien unverletzt. Elena schlief, ihr kleiner Körper verlor sich beinahe in dem großen Krankenhausbett. Man hatte ihr ein leichtes Beruhigungsmittel verabreicht, weil sie hysterisch geworden war, als sie begriffen hatte, dass Soja fort war. Leo streifte einen blutdurchtränkten Handschuh ab, nahm Elenas Hand und drückte sie voller Mitleid gegen sein Gesicht. Er hätte ihr gern gesagt, wie leid es ihm tat.

Timur legte ihm eine Hand auf die Schulter. »Frol Panin ist da.«

Leo folgte Timur zu dem Büro, das Panin und sein bewaffnetes Gefolge in Beschlag genommen hatten. Die Bürotür war verriegelt. Nur wer vorher seinen Namen nannte, gelangte hinein. Drinnen befanden sich zwei uniformierte und bewaffnete Wachposten. Obwohl Panin unaufgeregt und elegant wie immer wirkte, verriet dieser zusätzliche Schutz dennoch, dass er Angst hatte.

Er las Leos Erkenntnis in dessen Augen ab. »Alle haben Angst, Leo. Jedenfalls alle, die an der Macht sind.«

»Sie hatten mit Lasars Verhaftung doch gar nichts zu tun.«

»Das Problem beschränkt sich nicht nur auf Ihren Hauptverdächtigen. Was ist, wenn sein Verhalten andere zu Racheakten verleitet? Was ist, wenn jeder, dem Unrecht widerfahren ist, jetzt Vergeltung sucht? Leo, so etwas wie das hier ist noch nie vorgekommen: Unsere eigenen Staatssicherheitsleute werden verfolgt und umgebracht. Wir haben keine Ahnung, was als Nächstes kommt.«

Leo schwieg. Ihm wurde klar, dass es Panin nicht etwa um Raisas, Elenas oder Sojas Wohlergehen ging, sondern um die weiter reichenden Auswirkungen. Er war ein Vollblutpolitiker, der in den Dimensionen von Nationen und Armeen, Grenzen und Regionen dachte, nicht in denen einzelner Menschen. Er war zwar charmant und unterhaltsam, dennoch umgab ihn eine gewisse Kälte, die in Momenten wie diesem sichtbar wurde, wo ein normaler Sterblicher wenigstens ein paar Worte des Trostes gefunden hätte.

Es klopfte an der Tür. Die Wachposten griffen nach ihren Pistolen.

Eine Stimme rief: »Ich suche den Beamten Leo Demidow. Für ihn wurde ein Brief am Empfang abgegeben.«

Panin nickte den Wachleuten zu, die vorsichtig und mit gezückten Waffen die Tür öffneten. Einer nahm den Brief in Empfang, während der andere den Mann durchsuchte, der ihn gebracht hatte, aber nichts entdeckte. Man überreichte Leo den Umschlag.

Auf dem Umschlag war mit Tusche sorgfältig ein Kruzifix aufgemalt. Leo riss ihn auf und zog ein einzelnes Blatt Papier heraus.

An der Kirche der Heiligen Sophia
Um Mitternacht
Allein

15. März

Eine halbe Stunde nach Mitternacht wartete Leo an dem Ort, wo einst die Kirche der Heiligen Sophia gestanden hatte. Jetzt waren die Kuppeln und Heiligtümer verschwunden. An ihrer Stelle erstreckte sich ein riesiges Loch, zehn Meter tief, zwanzig breit und siebzig lang. An einer Seite war die Grubenwand abgerutscht und ein unregelmäßiger Abhang entstanden, der hinunter in das mit braunem Schneematsch, Eis und Schlammwasser gefüllte Loch führte. Auch die übrigen Seiten drohten einzustürzen; so, wie sie sich nach innen neigten, wirkten sie wie ein Maul, das sich um eine riesige schwarze Zunge schloss. Seit 1950 ruhten die Arbeiten. Eine Baustelle ohne Bautätigkeit, abgesperrt und stillgelegt. Rund um den eisernen Absperrzaun befanden sich verblichene Warnschilder, Zutritt verboten. Nach dem ersten, schiefgegangenen Versuch, bei dem ein Sprengmeister getötet und mehrere Schaulustige verletzt worden waren, war die Kirche abgerissen und abtransportiert worden. Man hatte die Trümmer auf Lastwagen geschaufelt und irgendwo außerhalb der Stadt abgekippt, sie waren jetzt nur noch ein von Unkraut überwachsener Schutthaufen. Auf dem abgeräumten Gelände hatten die Vorarbeiten für die größte Schwimmsporthalle im ganzen Land begonnen, die unter anderem ein fünfzig Meter langes Schwimmbecken und mehrere *banjas* haben sollte, eine für Männer, eine für Frauen und eine Marmorsauna für Staatsbeamte.

Eine flächendeckende Medienkampagne hatte für die entsprechende Begeisterung gesorgt. Die Baupläne waren in der *Prawda* veröffentlicht worden, und in den Kinos liefen Wochenschauen, in denen man echte Menschen vor den gemalten Kulissen der fertigen Halle sehen konnte. Doch während die Propaganda angeheizt wurde, kam die eigentliche Arbeit ins Stocken. Der

Untergrund so nahe am Fluss war weich und drohte abzurutschen. Die Fundamente hatten sich schon bewegt und Risse bekommen, und nun bedauerten die Behörden, dass sie sich die alten Kirchenfundamente nicht genau angesehen hatten, bevor sie sie herausgerissen und weggeschmissen hatten. Einige der klügsten Köpfe des Landes wurden mit Lösungsvorschlägen beauftragt, kamen aber nach eingehender Analyse zu dem Schluss, dass der Grund sich nicht für ein Gebäude eignete, das ein ausgedehntes Netz von Rohrleitungen und Abflüssen benötigte, tiefer, als die Fundamente der Kirche je gereicht hatten. Man entließ daraufhin diese Experten und besorgte sich fügsamere, die nach einer anderen Art eingehender Analyse erklärten, das Problem sei lösbar, man brauche lediglich mehr Zeit. Das war die Antwort, die der Staat hatte hören wollen, denn er konnte ja schlecht zugeben, einen Fehler gemacht zu haben. Die zweiten Experten hatte man in luxuriösen Wohnungen untergebracht, wo sie Zeichnungen anfertigten, Zigarren rauchten und Berechnungen anstellten. Derweil füllte sich die Grube im Herbst mit Regenwasser, im Winter mit Schnee und im Sommer mit Mücken. Die Propagandafilme in den Kinos wurden abgesetzt. Die gewitzteren Bürger verstanden, dass es wohl am besten war, wenn man das ganze Projekt einfach vergaß. Unbesonnenere bemerkten trocken, dass eine Wassergrube nicht gerade ein angemessener Ersatz für eine dreihundert Jahre alte Kirche war. Im Sommer 1951 hatte Leo einen Mann verhaftet, weil er einen Witz in diese Richtung gemacht hatte.

Leo sah auf seine Uhr. Er wartete jetzt schon über eine Stunde. Er zitterte vor Kälte und Erschöpfung, und seine Unrast machte ihn schier verrückt. Er hatte keine Ahnung, ob seine Frau die Operation überlebt hatte, und da er keinerlei Kommunikationsmöglichkeiten hatte, konnte er es auch nicht herausfinden. Es stand außer Frage, dass seine Entscheidung, Raisas Seite zu verlassen und sich mit den Erpressern zu treffen, die richtige gewesen war. Im Krankenhaus konnte er ohnehin nichts ausrichten. Doch egal, wie sehr Soja ihn hasste, egal, wie sie sich benommen hatte, egal, ob sie ihm den Tod wünschte – er hatte die Verantwortung für sie übernommen und versprochen, zu dieser Verantwortung zu stehen, ob sie ihn nun liebte oder nicht. In Vorbereitung auf das Treffen war er nach Hause gefahren, hatte sich den Abwassergestank vom Leib geschrubbt, dann hatte er sich Zivilkleidung angezogen. Die Hände hatte man ihm schon im Krankenhaus verbunden. Schmerzmittel hatte er abgelehnt, weil er befürchtete, die würden seine Sinne trüben. Die Uniform hatte er bewusst abgelegt, weil er befürchtete, dass die Rangabzeichen der Staatsmacht einen rachsüchtigen Priester eher noch anstacheln würden.

Als er ein Geräusch hörte, drehte er sich um und suchte die Finsternis nach seinem Gegenspieler ab. Aus einigen benachbarten Gebäuden jenseits des Absperrzauns fiel ein schwaches Licht. Kostbare Baumaschinen – Kräne und Schaufelbagger – hatte man einfach abgestellt und dem Rost überlassen, weil niemand wagte, das Fiasko einzugestehen und sie an einen Einsatzort zu bringen, wo man sie hätte gebrauchen können. Leo hörte das Geräusch erneut, ein Klappern von Metall gegen Stein. Es kam nicht aus der Grube, sondern vom Fluss.

Vorsichtig näherte er sich dem Kai, beugte sich wachsam vor und spähte hinunter auf das Wasser. Nicht weit von dort, wo er stand, griff eine Hand nach oben. Behände zog ein Mann sich hoch und blieb einen Augenblick auf der Kaimauer hocken, dann sprang er hinunter auf das Baustellengelände. Neben ihm kletterte ein zweiter Mann herauf. Sie kamen aus der Mündung eines Abwasserkanals und kraxelten die Mauer hoch wie eine aufgescheuchte Ameisenkolonie, die auf eine Bedrohung reagierte. Leo erkannte den Jungen wieder, der den Patriarchen ermordet hatte, er kletterte als Nächster heraus und nutzte dabei gekonnt die Vorsprünge in der Mauer. So geschickt, wie er sich anstellte, war es kein Wunder, dass er den Sprung in den reißenden Kanal vorhin überlebt hatte.

Während die Bande ihn nach Waffen durchsuchte, musterte Leo sie. Es waren sieben Männer und der Junge. An ihren Hälsen und Händen hatten sie Tätowierungen. Einige ihrer Kleidungsstücke waren gut geschneidert, andere fadenscheinig. Nichts passte zusammen, so als hätten sie sich willkürlich aus den Kleiderschränken Hunderter verschiedener Leute bedient. Ihr Erscheinungsbild ließ keine Fragen offen. Sie gehörten einer kriminellen Bruderschaft an, den *wory* – einem Bündnis, das sie während ihrer Zeit in den Gulags geschlossen hatten. Trotz seines Berufs kamen Leo *wory* nur selten unter. Sie betrachteten sich als jenseits des Staates.

Die Bandenmitglieder verteilten sich und durchsuchten das Gelände, um sich zu vergewissern, dass keine Gefahr drohte. Schließlich pfiff der Junge, das Zeichen, dass die Luft rein war. Zwei Hände erschienen auf dem Kai. Lasar kletterte auf die Mauer, eine Silhouette im Licht von der anderen Uferseite, die die *wory* überragte. Nur war das gar nicht Lasar, sondern eine Frau. Es war Anisja, Lasars Ehefrau.

Anisjas Haar war kurz geschnitten, ihre Gesichtszüge hart. Alle Weichheit war aus ihrem Gesicht und ihrem Körper verschwunden. Dennoch erschien sie Leo lebendiger, temperamentvoller, heißblütiger als je zuvor, so als gehe eine enorme Kraft von ihr aus. Sie trug weite Hosen, ein offenes Hemd und eine kurze, dicke Jacke, nicht viel anders als ihre Männer. In ihrem Gürtel steckte eine Pistole, die die Banditenkluft vervollständigte. Von ihrem erhabenen Standpunkt aus blickte sie auf Leo hinab, stolz, dass ihr Auftauchen ihn überrascht hatte. Leo brachte nur ein einziges Wort heraus. Ihren Namen. »Anisja?«

Sie lächelte. Ihre Stimme war jetzt rau und dunkel, nicht mehr melodisch, nicht mehr die Stimme der Frau, die im Chor ihres

Mannes gesungen hatte. »Dieser Name bedeutet mir nichts mehr. Meine Männer nennen mich Frajera.«

Nicht weit entfernt von der Stelle, wo Leo stand, sprang sie von der Mauer. Dann richtete sie sich auf und musterte sein Gesicht. »Maxim.«

Sie benutzte den Decknamen, den er sich damals zur Tarnung zugelegt hatte.

»Beantworte mir eine Frage und lüg nicht. Wie oft hast du an mich gedacht? Jeden Tag?«

»Nein.«

»Hast du einmal pro Woche an mich gedacht?«

»Nein.«

»Einmal im Monat?«

»Ich weiß es nicht mehr.«

Frajera gestattete ihm, sich in ein peinliches Schweigen zu flüchten, doch dann merkte sie an: »Ich garantiere dir, dass die Opfer jeden Tag an dich denken, am Morgen und auch am Abend. Sie erinnern sich an deinen Geruch und den Klang deiner Stimme. Sie erinnern sich so deutlich an dich, wie ich dich jetzt sehe.«

Frajera hob die rechte Hand. »Diese Hand hast du berührt, als du mir damals den Vorschlag unterbreitet hast, ich solle meinen Mann verlassen. Das war es doch, was du gesagt hast, oder? Ich sollte ihn im Gulag sterben lassen und derweil mit dir ins Bett steigen.«

»Ich war jung.«

»Stimmt, das warst du. Sehr jung. Und trotzdem hat man dir Macht über mich gegeben, und über meinen Mann. Du warst ein verknalltes Bürschlein, kaum aus dem Halbstarkenalter heraus. Du hast gedacht, du würdest anständig handeln, als du versucht hast, mich zu retten.«

Wie oft war sie dieses Gespräch schon in Gedanken durchgegangen. Sieben Jahre Hass hatten ihre Worte geformt. »Ich bin um Haaresbreite davongekommen. Wenn die Angst mich überwältigt hätte, wenn ich eingeknickt wäre, dann hätte ich mich als Frau eines MGB-Agenten wiedergefunden, als Komplizin deiner Verbrechen. Als eine, mit der du deine Schuld geteilt hättest.«

»Du hast jeden Grund, mich zu hassen.«

»Ich habe mehr Gründe, als du ahnst.«

»Aber Raisa, Soja und Elena, die haben doch mit meinen Fehlern nichts zu tun.«

»Du willst sagen, sie sind unschuldig? Seit wann kümmert das Agenten wie dich? Wie viele unschuldige Leute hast du verhaftet?«

»Du willst also jeden Einzelnen umbringen, der dir Unrecht getan hat?«

»Suren habe ich nicht umgebracht. Und auch nicht deinen Mentor Nikolai.«

»Seine Töchter sind tot.«

Frajera lächelte. »Mich bringst du nicht zum Weinen, Maxim. Ich habe kein Herz mehr. Nikolai war ein eitler Weichling. Ich hätte mir denken sollen, dass er auf eine so erbärmliche Weise sterben würde. Aber als Botschaft an den Staat war es so auf jeden Fall effektiver, als wenn er sich einfach nur erhängt hätte.«

Die Kirche der Heiligen Sophia hatte man zerstört und durch eine tiefe, dunkle Grube ersetzt. Leo fragte sich, ob das Gleiche auch mit Frajera passiert war. Ihr moralisches Fundament war herausgebrochen und durch ein finsteres Loch ersetzt worden.

»Ich gehe davon aus, dass du von allein auf die Verbindung zwischen Suren, der die Druckerei geleitet hat, Nikolai, dem Patriarchen und dir selbst gekommen bist«, fuhr Frajera fort. »Du kanntest Nikolai, er war dein Vorgesetzter. Der Patriarch war derjenige, der dich in die Lage versetzte, die Kirche zu unterwandern.«

»Suren hat für den MGB gearbeitet, aber persönlich kannte ich ihn nicht.«

»Er war Wärter, als man mich verhört hat. Ich weiß noch genau, wie er auf Zehenspitzen dastand und in die Zelle lugte. Ich erinnere mich an das obere Ende seines Kopfes, an die neugierigen Augen, die zusahen, so als hätte er sich in ein Kino geschlichen.«

»Was hast du vor?«, fragte Leo.

»Wenn alle Polizisten Verbrecher sind, dann müssen die Verbrecher eben zu Polizisten werden. Die Unschuldigen müssen buchstäblich im Untergrund hausen, in der Scheiße der Stadt, während die Gauner in ihren gut geheizten Wohnungen sitzen. Die Welt steht Kopf, und ich drehe sie wieder richtig herum.«

Leo unterbrach sie. »Und was ist mit Soja? Du willst sie töten. Ein junges Mädchen, das mich noch nicht einmal leiden kann. Ein Mädchen, das sich nur deshalb entschlossen hat, bei mir zu wohnen, um seiner kleinen Schwester das Waisenhaus zu ersparen!«

»Deine Versuche, an meine Menschlichkeit zu appellieren, laufen ins Leere. Anisja ist tot. Sie starb, als der Staat ihr das Kind wegnahm.«

Leo verstand nicht. Um seine offensichtliche Verwirrung aufzulösen, fügte sie hinzu: »Maxim, ich war schwanger, als du mich verhaftet hast.«

Mit chirurgischer Präzision untersuchte Frajera diese frische Wunde, zog sie auseinander und sah zu, wie sie blutete. »Du hast dir also nie die Mühe gemacht herauszufinden, was man mit Lasar gemacht hatte. Du hast dir nicht mal die Mühe gemacht herauszufinden, was man mit mir gemacht hatte. Wenn du in die Akten geschaut hättest, dann hättest du herausgefunden, dass ich acht Monate nach meiner Verurteilung ein Kind geboren habe. Drei Monate lang wurde mir erlaubt, meinen Sohn zu stillen, dann wurde er mir weggenommen. Man sagte mir, ich solle ihn vergessen, weil ich ihn nie wiedersehen würde. Als ich nach Stalins Tod begnadigt und frühzeitig entlassen wurde, habe ich nach meinem Kind gesucht. Man hatte ihn in einem Waisenhaus untergebracht, aber seinen Namen geändert. Alle Zeugnisse meiner Mutterschaft waren gelöscht worden. Das sei so üblich, wurde mir mitgeteilt. Es ist eine Sache, ein Kind zu verlieren. Eine andere ist es zu wissen, dass dein Kind lebt, irgendwo, und von deiner Existenz nichts weiß.«

»Frajera, ich kann den Staat nicht entschuldigen. Ich habe Befehle befolgt. Und ich habe Fehler gemacht. Die Befehle waren schlecht. Der Staat war schlecht. Aber ich habe mich geändert.«

»Ich weiß, wie du dich geändert hast. Du bist nicht mehr beim KGB, du bist jetzt bei der Miliz. Du kümmerst dich nur noch um richtige Verbrechen, nicht mehr um politische. Du hast zwei wunderbare junge Mädchen adoptiert. Und das ist deine Vorstellung von Reue, oder? Was geht mich das alles an? Was ist mit dem, was du mir schuldest? Und all den anderen Männern und Frauen, die du verhaftet hast? Wie soll diese Schuld beglichen werden? Hast du vor, eine bescheidene Stele zu errichten, um der Toten zu gedenken? Willst du eine Bronzetafel anbringen, auf der unsere Namen stehen, aber in klitzekleiner Schrift, damit alle draufpassen? Reicht das?«

»Willst du mich umbringen?«

»Darüber habe ich schon oft nachgedacht.«

»Dann bring mich um, und lass Soja am Leben. Lass meine Frau am Leben.«

»Du würdest liebend gern in den Tod gehen, um sie zu retten. Es würde dich adeln, würde dich von deinen Verbrechen reinwaschen. Glaubst du immer noch, dass du weiter der Held sein kannst?«

Frajera deutete auf seine Kleider. »Zieh dich aus.«

Leo schwieg. Hatte er richtig gehört? Sie wiederholte die Anweisung. »Maxim, zieh deine Klamotten aus.«

Leo legte seinen Hut ab, dann seine Handschuhe und den Mantel und legte alles zu Boden. Er knöpfte sein Hemd auf und legte es schlotternd vor Kälte auf dem Haufen ab.

Frajera hob die Hand. »Das reicht.«

Zitternd und mit hängenden Armen stand er da.

»Ist dir kalt, Maxim? Das ist nichts im Vergleich zu den Wintern in Kolyma, dem Eisblock unseres Landes, wohin du meinen Mann geschickt hast.«

Zu Leos Verblüffung fing auch Frajera an, sich auszuziehen. Sie legte ihre Jacke ab, dann ihr Hemd und entblößte ihren Oberkörper. Die Haut war übersät mit Tätowierungen: eine unter ihrer rechten Brust, eine auf dem Bauch, mehrere auf den Armen, den Händen, den Fingern. Sie trat näher an Leo heran.

»Willst du wissen, was ich in den letzten Jahren erlebt habe? Willst du wissen, wie eine Frau, die Ehefrau eines Priesters, zur Anführerin einer *wory*-Bande werden konnte? Die Antworten sind mir auf die Haut geschrieben.«

Die Nacktheit schien ihr nichts auszumachen. Sie nahm ihre Brust in die Hand und hob sie hoch, damit Leo die Tätowierung besser sehen konnte. Es war ein brüllender Löwe. »Der bedeutet, dass ich mich an allen rächen werde, die mir etwas angetan haben, von den Anwälten über die Richter und Gefängniswärter bis hin zu den Polizisten.«

Mitten auf ihrem Brustkorb prangte zwischen ihren Brüsten ein Kruzifix. »Das hat nichts mit meinem Mann zu tun, Maxim. Es repräsentiert meine Allgewalt als rechtmäßige Diebin. – Die hier verstehst du vielleicht.«

Frajera berührte die Tätowierung auf ihrem Bauch. Sie zeigte eine hochschwangere Frau, und ein Kreuzschnitt zeigte, was sich in ihrem gewölbten Bauch befand. Statt eines ungeborenen Kindes war der schwangere Bauch angefüllt mit Stacheldraht, der aufgewickelt war wie eine lange, schartige Nabelschnur.

»Du hast die reine Haut eines Kindes, Maxim. Mir und meinen Männern kommt das unehrlich vor. Wo sind deine Verbrechen? Wo sind all die Dinge, die du getan hast? Ich sehe keinerlei Spuren davon. Du trägst kein einziges Stigma. Ich sehe keine Schuld auf dir geschrieben.«

Frajera machte noch einen Schritt auf ihn zu, beinahe berührte ihr Körper jetzt seinen.

»Ich kann dich anfassen, Maxim. Wenn du aber auch nur einen Finger auf mich legst, wirst du getötet. Meine Haut ist gleichbedeutend mit meiner Autorität. Wenn du mich berühren würdest, wäre das ein Übergriff, eine Beleidigung.«

Sie drückte sich an ihn und flüsterte: »Jetzt, sieben Jahre später, bin ich an der Reihe, *dir* ein Angebot zu machen. Lasar ist immer noch in Kolyma, er arbeitet in einer Goldmine. Sie wollen ihn nicht freilassen. Er ist ein Priester. Priester sind neuerdings wieder verhasst, wo wir keine Kriege haben, für deren Rechtfertigung der Staat sie braucht. Man hat Lasar gesagt, dass er seine volle Strafe absitzen muss – fünfundzwanzig Jahre. Ich will, dass du ihn rausholst. Ich will, dass du diesen Fehler wiedergutmachst.«

»Dazu habe ich nicht die Macht.«

»Du hast Verbindungen.«

»Frajera, ihr habt den Patriarchen ermordet. Sie machen euch für den Tod zweier Agenten verantwortlich, Nikolai und Moskwin. Nie und nimmer werden sie mit dir verhandeln. Niemals werden sie Lasar gehen lassen.«

»Dann musst du dir etwas anderes überlegen, um ihn freizubekommen.«

»Bitte, Frajera! Wenn du mich vor einer Woche gefragt hättest, hätte man vielleicht noch etwas deichseln können. Aber nach dem, was du getan hast, ist das unmöglich. Hör mich an: Für Soja würde ich alles tun, alles, was in meiner Macht steht. Aber Lasar kann ich nicht freibekommen.«

Frajera lehnte sich zu ihm vor und flüsterte: »Vergiss nicht, ich kann dich berühren, aber du darfst mich nicht berühren.«

Kaum war die Warnung ausgesprochen, küsste sie ihn auf die Wange. Zuerst zärtlich, doch dann gruben sich ihre Zähne in seine Haut, immer fester biss sie zu, bis sein Blut floss. Der Schmerz war schlimm. Leo hätte sie gern weggestoßen, aber wenn er sie berührte, würde man ihn töten. Es blieb ihm nichts übrig, als den Schmerz zu ertragen. Endlich ließ sie los, trat zurück und bewunderte ihr Bissmal.

»Jetzt hast du deine erste Tätowierung, Maxim.«

Noch mit seinem Blut auf ihren Lippen schloss sie: »Befreie meinen Mann, Maxim, sonst ermorde ich deine Tochter.«

Drei Wochen danach

Westlicher Pazifik

Sowjetische Hoheitsgewässer, Ochotskisches Meer, Gefangenenschiff *Stary Bolschewik*

7. April 1956

Der Offizier Genrich Duwakin stand an Deck und zog sich mit den Zähnen die derben Handschuhe aus. Seine Finger waren vor Eiseskälte ganz taub, er spürte sie kaum noch. Er hauchte sie an, rieb die Hände aneinander und versuchte, seinen Blutkreislauf wieder in Gang zu bringen. Sein Gesicht fühlte sich im beißend kalten Wind wie tot an, die Lippen waren blutleer und blau. Die hervorstehenden Nasenhaare waren gefroren, und wenn er die Nasenlöcher zusammenkniff, brachen sie ab wie Miniatur-Eiszapfen.

Solche geringfügigen Unannehmlichkeiten konnte er ertragen, denn seine Mütze war ein wahres Wunder an Wärme, gefüttert mit Rentierfell und zusammengenäht von Leuten, die sich vorstellen konnten, dass das Leben desjenigen, der sie tragen würde, möglicherweise von der Qualität ihrer Arbeit abhing. Drei lange Klappen bedeckten seine Ohren und den Nacken. Die Ohrenklappen, die unter dem Kinn zusammengebunden waren, ließen Duwakin aussehen wie ein Kind, das man gegen die Kälte eingepackt hatte – ein Eindruck, der durch seine weichen, knabenhaften Züge noch verstärkt wurde. Bislang hatte die peitschende Salzluft seiner samtigen Haut nichts anhaben können, und seine Pausbacken hatten der schlechten Kost ebenso widerstanden wie dem Schlafmangel. Er war siebenundzwanzig Jahre alt, wurde aber oft für jünger gehalten, eine körperliche Unreife, die ihm nicht eben half. Anstatt wild und Furcht einflößend zu sein, wie es sich gehörte, war er ein tollpatschiger, unbeholfener

Tagträumer – nicht gerade das, was man sich unter einem Wärter auf einem so berüchtigten Gefangenenschiff wie der *Stary Bolschewik* vorstellte.

Die *Stary Bolschewik* hatte etwa die Größe einer Handelsbarkasse und war ein unverwüstliches Schiff. Einst war sie ein sturmerprobter holländischer Dampfer gewesen, in den dreißiger Jahren hatte man sie dann gekauft, umbenannt und für die Belange der sowjetischen Geheimpolizei umgerüstet.

Ursprünglich war die *Stary Bolschewik* für den Import kolonialer Waren gebaut worden, Elfenbein, scharfe Gewürze und exotische Früchte. Mittlerweile beförderte sie Männer in die tödlichsten Arbeitslager im gesamten Gulag-System. Am Bug ragte vier Stockwerke hoch der Schiffsturm auf, der auch die Quartiere für die Wärter und die Mannschaft beherbergte. Oben im Turm befand sich die Brücke, wo der Kapitän und die Mannschaft das Schiff navigierten – eine verschworene Gemeinschaft, die mit den Gefangenenwärtern nichts gemein hatte und vor der Aufgabe des Schiffes bewusst die Augen verschloss, so als hätte man damit nichts zu tun.

Der Kapitän öffnete die Luke, ging von der Brücke und ließ den Blick schweifen über den Meeresabschnitt, den sie gerade hinter sich ließen. Er gestikulierte zu Genrich an Deck hinüber, nickte ihm zu und rief: »Alles klar!«

Sie hatten bereits die Pérouse-Straße passiert, den einzigen Punkt auf ihrer Reise, wo sie sich den japanischen Inseln genähert und internationalen Kontakt riskiert hatten. Man hatte Vorkehrungen getroffen, damit das Schiff nicht anders aussah als ein ganz normaler, ziviler Handelsfrachter. Das schwere Maschinengewehr, das mitten auf Deck montiert war, hatte man abgebaut, die Uniformen unter langen Mänteln versteckt. Genrich war nie wirklich klar geworden, warum sie sich solche Mühe gaben, um ihre wahre Mission vor den Blicken japanischer Fischer geheim zu halten. Manchmal fragte er sich, ob es wohl in

Japan auch solche Gefangenenschiffe mit Leuten wie ihm darauf gab.

Genrich montierte das Maschinengewehr wieder zusammen. Anstatt es nach draußen zu richten, richtete er den Lauf nach unten, in Richtung der verstärkten Bodenluke, die hinunter in den Laderaum führte. In der Dunkelheit unter Deck war eine Ladung von fünfhundert Männern zusammengepfercht, sie hockten so eng auf ihren Bänken wie die Streichhölzer in einer Schachtel. Es war der erste Gefangenentransport des Jahres, vom Durchgangslager Buchta Nachodka an der südlichen Pazifikküste bis nach Kolyma im Norden. Beide Häfen lagen zwar an derselben Küste, doch die Entfernung zwischen ihnen war riesig. Es gab keine Möglichkeit, Kolyma über Land zu erreichen, man gelangte nur mit dem Flugzeug oder dem Schiff dorthin. Der nördliche Hafen von Magadan diente als Zugang zu einem Netz von Arbeitslagern, die wie Pilzsporen an der Landstraße von Kolyma hinauf in die Berge, Wälder und Minen klebten.

Fünfhundert Gefangene war die kleinste Charge, die Genrich je bewacht hatte. Unter Stalin hätte das Schiff um diese Zeit im Jahr viermal so viele Leute transportiert, um den Stau in den Durchgangslagern abzubauen, der sich über den Winter gebildet hatte.

Die *Sek*-Züge mit ihren Waggons voller Gefangener kamen weiter an, während die Schiffe angedockt blieben. Nur wenn die Eisschollen schmolzen, war das Ochotskische Meer befahrbar. Im Oktober fror es schon wieder zu, und eine Fahrt zum falschen Zeitpunkt konnte bedeuten, dass man vom Eis eingeschlossen wurde. Genrich hatte schon von Schiffen gehört, die sich zu spät im Winter oder zu früh im Frühjahr aufgemacht hatten. Weil man weder umkehren noch das Ziel erreichen konnte, waren die Wachen über das Eis geflohen und hatten dabei Schlitten mit Dosenfleisch und Brot hinter sich hergezogen. Die zurückgelassenen Gefangenen hatte man dagegen im Laderaum dem Tod durch Verhungern oder Erfrieren überlassen, was immer als Erstes eintreten mochte.

Mittlerweile ließ man die Gefangenen weder verhungern oder erfrieren, noch brachte man sie reihenweise um und warf die Leichen über Bord. Genrich hatte Chruschtschows Geheime Rede, in der er Stalin und die Exzesse in den Gulags angeprangert hatte, nicht gelesen. Er hatte zu viel Angst gehabt. Es gab Gerüchte, dass es sich dabei nur um ein Täuschungsmanöver handelte, um Konterrevolutionäre ausfindig zu machen. Vielleicht ließen sich Leute dazu verleiten, leichtsinnig zu werden und in die Kritik einzufallen, nur um dann prompt verhaftet zu werden. Aber Genrich glaubte nicht, dass das stimmte, dazu kamen ihm die Veränderungen zu echt vor. Das ganze System war im Schockzustand. Die althergebrachte Praxis von Brutalität und Gleichgültigkeit, ohne dass man jemanden dafür zur Rechenschaft gezogen hätte, war einem konfusen Mitleid gewichen.

Im Durchgangslager überprüfte man hektisch die Urteile der Gefangenen. Tausende, die für Kolyma vorgesehen gewesen waren, begnadigte man plötzlich wieder und schickte sie genauso abrupt in die Freiheit, wie man sie dieser entrissen hatte. Während man die meisten Frauen schon 1953 amnestiert und freigelassen hatte, saßen nun also diese freien Männer hilflos an der Küste. Jeder hielt ein Pfund schwarzen Roggenbrots umklammert, ihre Freiheitsration, mit der sie auskommen sollten, bis sie wieder zu Hause waren. Für die meisten lag das viele tausend Kilometer weit weg. Ohne jeglichen Besitz, ohne Geld, nur in ihren Lumpen und mit ihrem Freiheitsbrot starrten sie hinaus aufs Meer und konnten nicht fassen, dass sie einfach weglaufen durften, ohne erschossen zu werden.

Wie störende Vögel hatte Genrich sie von der Küste weggescheucht und ihnen geraten, endlich die Reise nach Hause anzutreten. Wie diese Reise möglich sein sollte, hatte er ihnen nicht sagen können.

Wochenlang wurden Genrichs Vorgesetzte von der Angst zerfressen, dass man sie vor ein Strafgericht stellen werde. In dem Versuch zu demonstrieren, wie sehr sie sich geändert hatten, unterzogen sie die Dienstvorschriften einer umfangreichen Revision – verzweifelte Signale nach Moskau, dass sie mit den neumodischen Anstandsregeln im Einklang waren. Genrich zog derweil nur den Kopf ein und machte, was man ihm befahl. Weder stellte er etwas infrage, noch schlug er etwas vor. Wenn man ihm befahl, die Gefangenen hart anzufassen, würde er sie hart anfassen. Wenn er nett sein sollte, war er eben nett. Vielleicht lag es an seinem Kindergesicht, aber das Nettsein fiel ihm leichter als das Hartsein.

Jahrelang hatte die *Stary Bolschewik* Tausende politischer Gefangener transportiert, die nach Artikel 58 verurteilt worden waren, weil sie das Falsche gesagt hatten, am falschen Ort gewesen waren oder die falschen Leute gekannt hatten. Jetzt aber hatte sie eine neue Aufgabe, ihre Fracht war erlesener. Es handelte sich nur noch um die brutalsten und gefährlichsten Verbrecher, Männer, bei denen jedermann zugestimmt hätte, dass man sie auf keinen Fall wieder laufen lassen durfte.

* * *

In dem stockfinsteren Bauch der *Stary Bolschewik* befand sich neben den stinkenden Leibern von fünfhundert Mördern, Vergewaltigern und Dieben auch Leo. Die Schultern an die Bordwand gedrückt, lag er in einer der obersten Kojen. Auf der anderen Seite befand sich nichts als weites Meer, dessen eiskalte Wassermassen nur von einer Stahlplatte abgehalten wurden, die kaum dicker war als sein Daumen.

Am selben Tag

Die Luft war abgestanden und verpestet und erhitzt von dem vibrierenden Kohlenmotor, der sich im nächsten Schiffsraum befand. Die Gefangenen kamen zwar nicht an die Maschine heran, aber ihre Hitze drang durch die einfache Abtrennwand aus Holzbalken, die man nachträglich eingezogen hatte. Am Anfang der Reise war der Laderaum bitterkalt gewesen, und die Gefangenen hatten sich um die Kojen möglichst nahe am Motor geprügelt. Als nach wenigen Tagen die Temperaturen in die Höhe geschossen waren, prügelten sich dieselben Gefangenen nun um Kojen weiter weg. Der gesamte Laderaum unter Deck war in ein mit Sträflingen verseuchtes Insektennest verwandelt worden, das durchzogen wurde von einem Gitter schmaler Durchgänge, in denen zu beiden Seiten hohe Reihen von Stockbetten standen. Leo belegte eine der oberen Kojen, die er sich erkämpft und danach verteidigt hatte. Sie waren begehrt, weil sie weit über dem schmutz- und fäkalienübersäten Boden lagen. Je schwächer man war, desto weiter unten war man auch, beinahe so, als hätte man die Leute durch mehrere darwinistische Filter geschüttelt. Den rußigen Laternen, aus denen in der ersten Woche noch ein mattes Licht wie von Sternen im Smog einer Stadt geglommen hatte, war mittlerweile das Kerosin ausgegangen. Alles war so dunkel, dass Leo noch nicht einmal die Hand vor Augen sehen konnte, wenn er sich im Gesicht kratzte.

Es war ihr siebter Tag auf See. Leo hatte die Tage so gewissenhaft wie möglich gezählt und die nur höchst selten gewährten Besuche des Aborts dazu genutzt, sein Zeitgefühl wiederzuerlangen. An Deck, das festmontierte Maschinengewehr direkt auf sie gerichtet, mussten sich die Gefangenen in einer Reihe vor einem Loch aufstellen, das eigentlich für die Ankerkette vorgesehen war und von wo aus es direkt ins Meer ging. Es war eine hässliche Pantomime, wie die Gefangenen sich hinhockten und hin und her trippelnd versuchten, bei der kabbeligen, von eisigen Winden gepeitschten See ihr Gleichgewicht zu halten. Einige Gefangene, die sich nicht rechtzeitig anstellen konnten, konnten nicht mehr an sich halten. Dann lagen sie in ihren eigenen Exkrementen und warteten ab, bis alles verkrustet war, erst dann rührten sie sich wieder. Die psychologische Bedeutung der Reinlichkeit war offensichtlich. Nach sieben Tagen dort unten konnte ein Mensch verrückt werden. Leo tröstete sich damit, dass die Situation vorübergehen würde. Seine Hauptsorge war, nicht seine Spannkraft zu verlieren. Viele der Gefangenen waren durch die monatelange Überführung geschwächt. Ihre Muskeln waren weich geworden durch die Untätigkeit und das schlechte Essen, ihr Kopf durch die Vorstellung, jahrzehntelang in den Bergwerken arbeiten zu müssen. Leo machte regelmäßig Turnübungen, so hielt er seinen Körper stramm und seinen Geist konzentriert auf die Aufgabe, die vor ihm lag.

Nach seiner Begegnung mit Frajera in dem ausgebaggerten Loch, wo einst die Kirche der Heiligen Sophia gestanden hatte, war Leo ins Krankenhaus zurückgekehrt und hatte erfahren, dass Raisa die Operation überlebt hatte. Die Ärzte waren zuversichtlich, dass sie wieder vollkommen gesund werden würde.

Als Raisa aufgewacht war, hatte sie sich sofort nach Soja und Elena erkundigt. Leo, der sah, wie blass und schwach sie war, hatte versprochen, dass er sich voll und ganz auf seine entführte Tochter konzentrieren werde, Raisa solle sich bei ihrem Zustand keine Sorgen machen. Sie hatte sich Frajeras Forderungen angehört und geantwortet:

Tu, was nötig ist.

Frajera hatte die Kontrolle über eine Verbrecherbande übernommen. Soweit Leo beurteilen konnte, gehörte sie nicht zu den *torpedy*, den einfachen Fußsoldaten – sie war die *awtoritet*, die Anführerin. Eigentlich hieß es, dass die *wory* Frauen verachteten. Sie schrieben zwar Lieder darüber, wie sehr sie ihre Mutter liebten, und brachten einander um, wenn der eine die Mutter des anderen beleidigt hatte, aber deshalb hielten sie Frauen noch lange nicht für ebenbürtig. Trotzdem hatte es die Frau eines Priesters, die ihr Leben im Schatten ihres Mannes verbracht und ihn in seiner Aufgabe unterstützt hatte, geschafft, in die *worowskoi mir* vorzudringen, ja sie hatte es bis ganz nach oben geschafft. Frajera hatte sich die Rituale der Männer zu eigen gemacht. Ihren Körper hatte sie mit Tätowierungen geschmückt und ihren eigentlichen Namen abgelegt zugunsten eines *klikucha*, eines *wory*-Spitznamens. Die geheime Welt der *worowskoi mir* schützte sie, und ihre Machenschaften wurden wahrscheinlich von Taschendieben und Handel auf dem schwarzen Markt finanziert. Wenn sie es von Anfang an auf Rache abgesehen hatte, dann hatte sie sich auf jeden Fall die richtigen Verbündeten ausgesucht. Die *wory*-Banden waren die einzigen Gruppierungen, über die der Staat keine Kontrolle hatte. Es war unmöglich, ihre Reihen zu infiltrieren, das hätte viel zu lange gedauert. Ein Polizist hätte jahrelang verdeckt operieren, morden und vergewaltigen müssen, um sich zu beweisen. Nicht, dass der Staat für so etwas keine geeigneten Kandidaten finden konnte, aber bislang hatte man den *wory* keine große Bedeutung zugemessen. Diese Banden funktionierten nach ihrer eigenen, undurchdringlichen Binnenstruktur von Loyalität und Belohnung. Keine dieser Gruppierungen hatte je ein Interesse an Politik gezeigt, jedenfalls bis dato nicht – bis Frajera auf der Bildfläche erschienen war.

Hätte Frajera ihre Forderung, den Ehemann freizulassen, vor ihren Morden gestellt, wäre das vielleicht sogar möglich gewesen. Chruschtschows Rede hatte das bisherige Rechtssystem aus den Angeln gehoben. Mit Hinblick auf Lasars Verurteilung zu fünfundzwanzig Jahren hätte Leo auf einen Straferlass hinwirken können, eine Begnadigung oder die Aussetzung der Reststrafe auf Bewährung. Zum Problem wäre allenfalls Chruschtschows neue Kampagne gegen die Religion geworden. Nach den Morden jedoch bestand keine Chance mehr, noch über Lasars Freilassung zu verhandeln. Da gab es keinen Spielraum. Frajera war eine Terroristin, die man zur Strecke bringen und töten musste, und dabei war es ganz egal, dass sie Soja als Geisel genommen hatte. Frajeras Bande galt jetzt als konterrevolutionäre Zelle. Es machte die Sache nicht besser, dass sie keinerlei Neigung zeigte, ihren Blutdurst zu zügeln. In den Tagen unmittelbar nach Sojas Entführung hatte Frajera mehrere Staatsbeamte ermorden lassen, Frauen und Männer, die unter Stalin gedient hatten. Einige waren genauso gefoltert worden, wie sie früher selbst gefoltert hatten. Als ihnen der Spiegel ihrer eigenen Verbrechen vorgehalten wurde, hatten die Machteliten es mit der Angst bekommen. Sie forderten die Tötung jedes Mitglieds von Frajeras Zelle und von jedermann, der ihnen half.

Zum Glück für Leo war sein Chef Frol Panin ein ehrgeiziger Mann. Obwohl der KGB und die Miliz die größte Menschenjagd in Gang gesetzt hatten, die Moskau je erlebt hatte, hatten sie keine Spur von Frajera und ihrer Bande gefunden. Den lautstarken Forderungen nach ihrer Ergreifung folgten nur Fehlschläge. Die Presse berichtete von den Vorgängen nichts und schrieb in den Tagen nach den grauenvollsten Hinrichtungen lieber über die wirtschaftliche Entwicklung, so als ob deren Zahlen die auf der Straße grassierenden Gerüchte ersticken könnten. Staatsdiener schafften ihre Familien aus der Stadt. Eine Flut von Urlaubsanträgen war eingegangen. Die Situation war unerträglich. Panin begehrte offenbar den Ruhm desjenigen, der Frajera zur Strecke gebracht hatte, den Lorbeerkranz des heldenhaften Drachentöters, und Lasar war sein Köder. Da er nicht dafür sorgen konnte, dass Lasar auf normalem Wege freigelassen wurde, womit man ja zugegeben hätte, dass der Staat erpressbar war, blieb als einzige Möglichkeit, ihm zum Ausbruch zu verhelfen. Panin hatte angedeutet, dass einige bedeutende Leute ihr Vorhaben unterstützten, und handelte mit stillschweigender Einwilligung der Machthabenden.

Lasar war Häftling im Gulag 57 in der Region Kolyma. Flucht galt als unmöglich, niemand hatte es je geschafft. In vielen Gulags bestanden die Sicherheitsvorkehrungen im Wesentlichen aus der Lage, der Abgeschiedenheit des Orts. Außerhalb des Lagers gab es keine Möglichkeit zu überleben. Die Chancen, das riesige und erbarmungslose Gebiet zu durchqueren, waren minimal. Wenn Lasar verschwand, konnte man ihn getrost für tot erklären. Mit Panins Hilfe war es ein einfaches Unterfangen, in einen Gulag zu kommen. Sie mussten nur die entsprechenden Papiere fälschen und Leo als Sträfling ausgeben. Wieder herauszukommen würde weniger einfach sein.

Leo wurde aus seinen Gedanken gerüttelt. Der Schiffsrumpf vibrierte, und der Bug brach aus. Leo fuhr hoch. Sie hatten Eis gerammt.

Am selben Tag

Genrich rannte nach vorn und schaute angestrengt über die Reling. Langsam zog ein Eisberg vorbei. Die Spitze war nicht größer als ein Auto, der größte Teil schwamm unter Wasser, ein riesiger dunkelblauer Schatten. Auf den ersten Blick schien der Rumpf unbeschädigt zu sein. Von den Gefangenen unter Deck war auch kein Schreien zu hören, es brach also kein Wasser herein. Genrich spürte den Schweiß unter seinem Rentierfell. Er signalisierte dem Kapitän, dass die Gefahr vorüber war.

Auf den ersten Fahrten im Jahr rammte der Schiffsbug gelegentlich Reste des Eisschelfs, was dem betagten Rumpf unheilvolles Getöse entlockte. Früher hatten solche Kollisionen Genrich jedes Mal in Angst versetzt. Die *Stary Bolschewik* war ein altersschwacher Kahn, der kaum in der Lage war, sich durchs Wasser zu pflügen, geschweige denn Eis wegzuschieben. Als Handelsschiff taugte er nicht mehr, nur noch für Gefangene. Ursprünglich war der Kohlendampfer für eine Geschwindigkeit von elf Knoten ausgelegt gewesen, doch er schaffte selten mehr als acht und keuchte dabei wie ein lahmes Maultier. Im Lauf der Jahre war der Rauch, der aus dem einzigen Schornstein am Heck kam, immer dicker und schwärzer geworden. Das Schiff fuhr langsamer, ächzte dafür aber umso lauter. Doch obwohl es immer anfälliger geworden war, hatte Genrich allmählich seine Angst vor der See verloren. Er konnte bei Sturm durchschlafen und sein Essen sogar bei sich behalten, wenn Teller und Bestecke von einer Seite zur anderen rutschten. Nicht, dass er etwa mutig geworden wäre. Aber eine andere Angst hatte von ihm Besitz ergriffen – die vor den übrigen Wärtern.

Auf seiner ersten Fahrt hatte er einen Fehler begangen, den er nie wieder hatte ausbügeln können und den seine Kameraden ihm nie vergeben hatten. Unter Stalin hatten die Wärter oft gemeinsame Sache mit den *urki* gemacht, den Berufsverbrechern. Die Wärter sorgten dafür, dass eine oder zwei weibliche Gefangene in den Laderaum der Männer verlegt wurden. Manchmal erkaufte man sich die Zustimmung der Frauen durch falsche Essensversprechungen, manchmal wurden sie betäubt. Gelegentlich wurden sie auch einfach nur hinuntergezerrt, aller Gegenwehr und allem Geschrei zum Trotz. Das hing von den jeweiligen Vorlieben der *urki* ab, denn manchen machte das Niederringen einer sich zur Wehr setzenden Frau mindestens so viel Spaß wie der Sex selbst. Die Gegenleistung für solche Transaktionen waren Informationen über die Politischen, jene Gefangenen also, die man für Verbrechen gegen den Staat verurteilt hatte. Aus den Berichten über Gesagtes, über mitangehörte Gespräche konnten die Wärter, sobald das Schiff angelegt hatte, wertvolle Denunziationen fabrizieren. Als kleinen Bonus vergingen sich am Ende auch die Wachleute noch an den bewusstlosen Frauen und untermauerten damit ein Bündnis, das so alt war wie die Gulags selbst. Dämlicherweise hatte Genrich das Angebot höflich abgelehnt. Er hatte nicht damit gedroht, die anderen zu verraten. Er hatte keine Missbilligung an den Tag gelegt. Er hatte lediglich höflich bekundet:

Ich will das nicht.

Diese Worte bereute er mittlerweile mehr als alles, was er je getan hatte. Von diesem Moment an hatte man ihn ausgestoßen. Er hatte gedacht, das würde vielleicht eine Woche dauern. Es ging nun aber schon sieben Jahre so. Manchmal, wenn er an Bord festgesessen hatte, um sich herum nichts als Meer, war er fast verrückt geworden vor Einsamkeit. Nicht alle Wärter hatten bei jeder Vergewaltigung mitgemacht, aber alle hatten wenigstens gelegentlich mitgemacht. Er jedoch bekam nie mehr die Gelegenheit, seinen Fehler wiedergutzumachen. Sein damaliger Affront stand bis heute zwischen ihm und den anderen, denn er war ja nicht etwa Ausdruck einer momentanen Befindlichkeit gewesen: *Heute ist mir nicht danach*, sondern aus tiefstem Herzen gekommen: *Das macht man nicht!* Manchmal lief Genrich nachts an Deck auf und ab und sehnte sich nach jemandem, mit dem er sprechen konnte. Aber wenn er sich dann umwandte, standen die anderen Wärter weitab von ihm beisammen. Alles, was er in der Dunkelheit von ihnen sehen konnte, waren ihre glimmenden Zigaretten, deren rote Spitzen ihn anfunkelten wie hasserfüllte Augen.

Mittlerweile machte er sich keine Sorgen mehr darüber, dass die See sein Schiff verschlucken oder das Eis den Rumpf aufreißen könnte. Das wäre beinahe eine Erleichterung gewesen. Stattdessen ließ ihn die Angst nicht los, dass er sich eines Nachts schlafen legen würde, nur um irgendwann davon aufzuwachen, dass die anderen Wärter ihn an Armen und Beinen gepackt hatten und wegzerrten, so wie man diese Frauen wegzerrte, dass er dagegen ankämpfte und schrie, aber trotzdem über Bord geworfen wurde, in die schwarze, eiskalte See. Da würde er noch eine oder zwei Minuten hilflos herumpaddeln und zusehen, wie die Lichter des Schiffs kleiner wurden.

Doch jetzt machte ihm diese Angst nicht mehr zu schaffen, zum ersten Mal nach sieben Jahren. Die gesamte Wachmannschaft des Schiffes war ausgetauscht worden. Vielleicht hatte ihre Auswechslung ja etwas mit den Reformen zu tun, die die Lager neuerdings auf den Kopf stellten. Er wusste es nicht, es spielte auch keine Rolle. Hauptsache, sie waren alle weg, alle außer ihm. Ihn hatte man dabehalten und von der Schicksalswendung der anderen ausgespart. Und diesmal hatte er nicht das Geringste dagegen, ausgeschlossen zu sein. Er war jetzt Teil einer neuen Wachmannschaft, von der keiner ihn hasste, keiner irgendetwas über ihn wusste. Er war wieder ein Fremder, und diese Anonymität war ein wundervolles Gefühl, beinahe so, als sei er von einer tödlichen Krankheit genesen. Jetzt, wo er die Chance hatte, von vorne anzufangen, wollte er alles tun, was er nur konnte, um auf jeden Fall zu dieser Mannschaft zu gehören.

Er wandte sich um und sah, dass auf der anderen Seite des Decks einer der neuen Wärter rauchte. Vermutlich hatte ihn der Lärm der Kollision nach draußen gelockt. Es war ein großer, breitschultriger Mann Ende dreißig, der die Ausstrahlung eines Anführers besaß. Jakow Messing, so hieß er, hatte während der Überfahrt kaum etwas gesagt. Kein Wort hatte er über sich selbst preisgegeben, und Genrich wusste immer noch nicht, ob Jakow an Bord bleiben würde oder ob er nur unterwegs zu einem neuen Lager war. Im Umgang mit den Häftlingen war er rigoros und den anderen Wärtern gegenüber zugeknöpft, außerdem war er ein brillanter Kartenspieler und bärenstark. Falls sich auf dem Schiff wieder eine neue Clique bilden würde wie vorher, dann bestand wenig Zweifel, dass sie sich um Jakow scharen würde.

Genrich überquerte das Deck, grüßte Jakow mit einem Kopfnicken und deutete auf sein Päckchen billiger Zigaretten.

»Darf ich?«

Jakow hielt ihm das Päckchen und ein Feuerzeug hin. Nervös nahm sich Genrich eine Zigarette, zündete sie an und inhalierte tief. Der Rauch kratzte in seinem Rachen. Er rauchte nur selten und tat sein Bestes, um den Anschein zu erwecken, er habe Spaß an diesem geteilten Vergnügen. Es war jetzt unheimlich wichtig, dass er einen guten Eindruck hinterließ. Allerdings wusste er nichts zu sagen. Jakow war schon fast mit seiner Zigarette fertig, bald würde er wieder hineingehen. So eine Gelegenheit, wo sie beide allein waren, kam vielleicht nicht noch einmal. Genrich musste also jetzt mit ihm reden. »Es war ja bisher eine ruhige Fahrt.«

Jakow schwieg. Genrich schnippte seine Asche ins Meer und redete weiter.

»Ist das dein erstes Mal? An Bord, meine ich? Dass du noch nie auf diesem Schiff warst, weiß ich, aber ich habe mich gefragt, ob du vielleicht schon mal … auf anderen Schiffen warst. So welchen wie diesem.«

Jakow antwortete mit einer Gegenfrage. »Wie lange bist du schon hier an Bord?«

Genrich lächelte, er war erleichtert, dass er eine Antwort aus ihm herausbekommen hatte. »Sieben Jahre. Und jetzt haben sich die Dinge geändert. Ob wirklich zum Besseren, weiß ich nicht. Auf diesen Überfahrten war früher schon was los …«

»Wie meinst du das?«

»Na ja … wir hatten … eine Menge Spaß. Du weißt schon, was ich meine.«

Genrich grinste, um seine versteckte Anspielung zu unterstreichen. Jakows Gesicht blieb teilnahmslos.

»Nein«, antwortete Jakow. »Was meinst du?«

Jetzt musste Genrich erklären. Er senkte die Stimme und versuchte Jakow mit einem verschwörerisch flüsternden Ton zu schmeicheln. »Normalerweise haben die Wärter am zweiten oder dritten Tag ...«

»Die Wärter? Du bist doch selbst einer.«

Ein unachtsamer Ausrutscher. Das hörte sich an, als ob Genrich nicht dazugehört hatte, und jetzt wollte der andere wissen, ob das stimmte. Genrich stellte die Sache klar. »Ich meine, ich. Wir. Also, wir alle.«

Er betonte das Wort »wir« und wiederholte es zur Sicherheit noch einmal.

»Also, wir quatschen die *urki* an, um zu sehen, ob sie uns was anbieten wollen. Eine Liste von Namen, eine Liste von Politischen, von Leuten, die was Dummes gesagt haben. Wir fragen sie, was sie dafür haben wollen: Alkohol, Tabak ... Frauen?«

»Frauen?«

»Hast du schon mal von der *Eisenbahnfahrt* gehört?«

»Hilf mir auf die Sprünge.«

»In den guten alten Zeiten haben die Männer sich hintereinander aufgereiht, bis sie bei den weiblichen Gefangenen an der Reihe waren. Ich war immer der letzte Waggon, sozusagen. Du weißt schon, von der Eisenbahn ... von den Männern, die nacheinander drankamen, war ich immer der Letzte.«

Er lachte. »Aber besser als gar nichts, sage ich mir immer.«

Die Hände in die Hüften gestemmt, hielt er inne und schaute hinaus aufs Meer. Gern hätte er jetzt Jakows Reaktion gesehen. Nervös wiederholte er: »Besser als gar nichts.«

Aus den Augenwinkeln studierte Timur Nesterow im fahlen Licht der Abenddämmerung das Gesicht des jungen Mannes, der da mit seinen Vergewaltigungsgeschichten angab. Der Bursche wollte, dass man ihm auf die Schulter klopfte, ihm gratulierte und versicherte, dass die guten alten Zeiten einfach besser gewesen waren. Timurs Tarnung als Beamter und Gefängniswärter Jakow Messing hing entscheidend davon ab, dass er nicht auffiel. Er durfte sich nicht bemerkbar machen, durfte keinen Staub aufwirbeln. Er war nicht hier, um über diesen Mann zu urteilen oder die Frauen zu rächen. Trotzdem fiel es ihm schwer, sich nicht seine eigene Frau als Gefangene an Bord dieses Schiffes vorzustellen. Einmal war sie ganz nahe dran gewesen, verhaftet zu werden. Sie war wunderschön, und dann wäre sie den Gelüsten dieses jungen Kerls auf Gedeih und Verderb ausgeliefert gewesen.

Timur warf seine Zigarette ins Meer und ging zum Eingang. Er war schon fast drinnen, als der Wärter ihm hinterherrief: »Danke für die Zigarette.«

Timur blieb stehen und fragte sich, wie er diese Mischung aus guten Manieren und gedankenloser Grausamkeit einordnen sollte. Genrich kam ihm eigentlich eher wie ein Kind als wie ein Mann vor. Und wie ein Kind vielleicht versucht hätte, einen Erwachsenen zu beeindrucken, deutete der junge Beamte jetzt zum Himmel. »Sieht nach Sturm aus.«

Es wurde Nacht, und in der Ferne erleuchteten Blitze schwarze Wolken, die aussahen wie die Knöchel einer riesigen Faust.

Am selben Tag

Leo lag in der Finsternis auf dem Rücken und lauschte dem kräftigen Regen, der auf das Deck trommelte. Das Schiff hatte begonnen zu schwanken, zu schlingern und zu rollen und von einer Seite zur anderen zu schaukeln. Er malte es sich im Kopf aus und überlegte, ob es einen solchen Sturm überstehen würde.

Das Schiff war gedrungen wie ein riesiger Stahldaumen, breit, langsam und stabil. Außer dem Schornstein war das Einzige, was sich vom Deck erhob, der Turm, auf dem sich die Quartiere der Wärter und der Mannschaft befanden. Das Alter des Schiffes flößte Leo Zuversicht ein. Es musste schon viele Stürme überstanden haben.

Seine Koje schwankte, als ein Brecher gegen die Seite schlug und über das Deck rollte – ein klatschendes Geräusch, dessen Bild man sofort vor Augen hatte: wie das Deck für einen Moment eins mit dem Meer wurde. Leo setzte sich auf. Das Schiff torkelte heftig, und er musste sich mit beiden Händen an den Kojenrahmen klammern. Einige Gefangene fingen an zu schreien, als sie aus ihren Lagern geschleudert wurden – Schreie, die in der Dunkelheit widerhallten. Mittlerweile war es von Nachteil, so hoch oben zu liegen. Der Holzrahmen war instabil und nicht mit der Bordwand verschraubt. Die Stockbetten würden vielleicht umstürzen und die darin Liegenden auf den Boden kippen. Leo wollte schon hinunterklettern, als eine Hand nach seinem Gesicht griff.

Bei dem Wind und den Wellen und der Unruhe der Gefangenen hatte er niemanden sich nähern hören. Der Atem des Mannes stank nach Fäulnis. Seine Stimme war schroff.

»Wer bist du?« Der Mann hörte sich gebieterisch an, höchstwahrscheinlich war er der Anführer einer Bande. Leo war sich sicher, dass er nicht allein war. Seine Männer mussten ganz in der Nähe sein, in den anderen Kojen, neben ihm, unter ihm. Kämpfen war aussichtslos. Er würde ja nicht einmal sehen, gegen wen er kämpfte.

»Ich heiße …«

Der Mann unterbrach ihn. »Dein Name interessiert mich nicht. Ich will wissen, wer du bist. Warum bist du hier bei uns? Du bist keiner von uns *wory*. Keiner wie ich. Vielleicht bist du ja ein Politischer. Aber dann sehe ich dich Rumpfbeugen machen, ich sehe, wie du dich in Form hältst, und deshalb weiß ich, dass du kein Politischer bist. Die verkriechen sich in einer Ecke und heulen wie kleine Kinder, dass sie ihre Familie nie mehr wiedersehen werden. Das macht mich nervös, wenn ich nicht weiß, was sich hinter einem verbirgt. Ist mir egal, wenn es Mord oder Vergewaltigung oder Diebstahl ist. Ist mir sogar egal, wenn es Kirchengesänge und Gebete und Tugendhaftigkeit sind. Ich will es nur gern wissen. Also, ich frage dich noch mal: Wer bist du?«

Dem Mann schien es vollkommen gleichgültig zu sein, dass das Schiff mittlerweile wie ein Spielzeug hin und her geworfen wurde. Das gesamte Stockbett ruckelte vor und zurück, das Einzige, was es noch stabilisierte, war das Gewicht der Menschen, die darin lagen. Gefangene sprangen auf den Boden und kraxelten übereinander.

Leo versuchte es mit vernünftigen Argumenten. »Wie wäre es, wenn wir darüber reden, sobald sich der Sturm gelegt hat?«

»Warum? Hast du was anderes vor?«

»Ich muss von diesem Stockbett runter!«

»Spürst du das?«

Eine Messerspitze drückte sich in Leos Bauch.

Von einem Moment auf den anderen hob sich das Schiff, so plötzlich und heftig, dass man hätte glauben können, die Hände eines Meeresgottes unter ihnen schöben es aus dem Wasser und schleuderten es gen Himmel. Genauso urplötzlich stoppte die Aufwärtsbewegung, der Schub fiel in sich zusammen, die Wasserhand verwandelte sich in Gischt, und die *Stary Bolschewik* fiel senkrecht nach unten.

Der Bug klatschte aufs Wasser. Mit der Kraft einer Detonation wummerte der Aufprall durch das Schiff. Wie auf Kommando zerbarsten krachend sämtliche Stockbetten und brachen zusammen. Einen Moment lang hing Leo schwerelos in der Dunkelheit, dann fiel er, ohne zu wissen, was unter ihm lag. Er drehte sich in der Luft, damit er auf dem Bauch landen würde, und streckte die Hände gen Boden. Im nächsten Moment hörte er ein Krachen, das Geräusch brechender Knochen. Unsicher, ob er verletzt war, ob er sich etwas gebrochen hatte, blieb Leo still liegen, benommen und nach Luft schnappend. Er spürte keinen Schmerz. Als er den Boden um sich herum abtastete, stellte er fest, dass er auf einem anderen Gefangenen aufgekommen war, längs auf dem Brustkorb des Mannes. Das Krachen hatten dessen brechende Rippen verursacht. Leo suchte nach dem Puls, fand aber nur einen Holzsplitter, der aus dem Hals des Mannes hervorstach.

Während Leo sich noch aufrappelte, rollte das Schiff erst zur einen und dann zur anderen Seite. Jemand griff nach seinen Fußgelenken. Besorgt, dass es der Bandenchef war, trat er die Hände weg, bis ihm klar wurde, dass da eher jemand verzweifelt Hilfe suchte. Leo blieb keine Zeit, dieses Unrecht wiedergutzumachen, denn in diesem Moment hob sich das Schiff schon wieder, noch steiler als vorher, es schoss geradezu gen Himmel. Die zerschmetterten Stockbetten, die jetzt keinen Halt mehr hatten, rutschten auf ihn zu und schoben sich übereinander. Spitze, tödliche Splitter drückten gegen seine Arme und Beine. Gefangene, die sich auf dem schrägen Boden nicht länger halten konnten, purzelten abwärts und prallten auf Leo, eine Lawine aus Holz und Körpern.

Das Chaos von Menschen und Balken drückte Leo nieder. In blinder Sinnlosigkeit versuchte er, irgendetwas zu finden, was ihm Halt gab, woran er sich klammern konnte. Das Schiff stand jetzt in einem Fünfundvierzig-Grad-Winkel. Etwas Metallisches traf ihn seitlich im Gesicht. Er stürzte und rollte abwärts, bis er an der hinteren Wand aufschlug, dem heißen Bretterverschlag, der die Gefangenen von der tösenden Dampfmaschine trennte. In vier Lagen übereinander hingen die aus ihren Kojen gefallenen Gefangenen an der Wand und bereiteten sich darauf vor, dass die Aufwärtsbewegung des Schiffes sich unweigerlich in einen Fall umkehren würde. Aus Angst, nach vorne geschleudert zu werden, ins Ungewisse, grabschten sie nach allem, was noch fest war und woran sie sich krallen konnten. Leo versuchte sich an der Bordwand festzuklammern. Sie war glatt und kalt, nirgends fand er Halt. Das Schiff hielt in seiner Aufwärtsfahrt inne, es ritt auf dem Wellenkamm.

Gleich würde Leo hilflos nach vorne geschleudert werden, und alle anderen würden auf ihm landen und ihn erdrücken. Ohne etwas sehen zu können, versuchte er sich an die Aufteilung des Laderaums zu erinnern. Die Leiter zur Deckluke hinauf war seine einzige Chance. Würde er sie in der Dunkelheit finden können? Das Schiff kippte nach vorn und schoss in freiem Fall nach unten. Leo warf sich in die Richtung, wo er die Leiter vermutete. Er knallte auf etwas Hartes – Eisensprossen. In dem Moment, als der Bug des Schiffes auf das Wasser klatschte, schaffte er es, sie mit einem Arm zu umklammern.

Ein zweiter explosionsartiger Aufschlag folgte, diesmal von unvorstellbarer Kraft. Leo war überzeugt, dass das gesamte Schiff auseinandergebrochen war wie eine Nussschale unter einem Hammer. Er machte sich schon gefasst auf die Wasserwand, doch stattdessen hörte er Holz knacken, ein Geräusch wie berstende Baumstämme. Er hörte Schreie. An Leos Arm, den er um die Sprosse gehakt hatte, riss es so heftig, dass er überzeugt war, sich die Schulter ausgekugelt zu haben. Doch immer noch drang kein Wasser ein. Der Rumpf war heil geblieben.

Leo blickte um sich und bemerkte Rauch. Er konnte ihn nicht nur riechen, er konnte ihn auch sehen. Wo kam das Licht her? Der Lärm der Maschine schien noch zugenommen zu haben. Die Plankenwand, die die Gefangenen von der Dampfmaschine getrennt hatte, war zerborsten, der Maschinenraum lag frei. In seiner Mitte befand sich ein rot glühendes Rad, umgeben von einem Trümmerfeld aus Stockbetten und einem Knäuel von Leichen.

Leo musste seine an die andauernde Finsternis gewöhnten Augen zusammenkneifen. Der Laderaum war nicht mehr abgesperrt. Die Gefangenen – die gefährlichsten Männer, die der Strafvollzug kannte – hatten jetzt Zugang zu den Mannschaftsquartieren und dem Kapitänsdeck, denn beide ließen sich über den Maschinenraum erreichen. Der ganz von Kohlenstaub bedeckte Maschinist hob die Hände und ergab sich. Ein Gefangener sprang auf ihn zu und schleuderte ihn gegen die glühende Dampfmaschine. Der Maschinist schrie auf, ein Gestank verbrannten Fleisches erfüllte die Luft. Er versuchte sich von der Maschine wegzudrücken, aber der Gefangene presste ihn dagegen und grinste hämisch, während der Maschinist sich mit aufgerissenen Augen an seinem eigenen Speichel verschluckte und bei lebendigem Leibe verkohlte. Begeistert brüllte der Gefangene: »Übernehmt das Schiff!«

Leo erkannte die Stimme wieder. Das war der Mann, der auf seiner Koje gewesen war, der Bandenchef mit dem Messer – der Mann, der ihn umbringen wollte.

Am selben Tag

Im Zickzackkurs kämpfte sich Timur durch die engen Gänge der *Stary Bolschewik* vor, wurde hin- und hergeschleudert und schlug gegen Wände, während er verzweifelt versuchte, die beiden Türen zu sichern, die zum Maschinenraum hinabführten. Er war gerade auf der Brücke gewesen, als das Schiff von einem Wellenkamm hinabgestürzt war wie von einer Klippe. Dreißig Meter war der Bug gefallen, bevor er in einem Wellental aufgeschlagen war. Über die Navigationsinstrumente hinweg war Timur erst nach vorne und dann auf den Boden geschleudert worden. Der Aufprall ließ die Stahlplatten des Schiffes singen wie eine Stimmgabel. Timur rappelte sich hoch und starrte aus dem Fenster, aber das Einzige, was er sehen konnte, war eine schäumende Wasserfront, die auf ihn zuraste, ein grünes, schwarzes und weißes Ungetüm. Timur war sich sicher, dass das Schiff sinken würde, und warf sich wieder zu Boden, doch da hob sich der Bug schon wieder und ragte in den Himmel empor.

Der Kapitän hatte im Maschinenraum angerufen, um sich die Schäden durchgeben zu lassen. Keine Antwort, sooft er es auch versuchte. Sie hatten noch Strom, also arbeitete die Maschine. Demnach konnte der Rumpf nicht leckgeschlagen sein, denn bei einem stärkeren Wassereinbruch wäre das Schiff nicht so leicht nach oben gesprungen. Wenn die Außenhülle aber intakt war, dann gab es für den Zusammenbruch der Kommunikation nur eine Erklärung: Vermutlich war die Holzwand zwischen dem Lagerraum und dem Maschinenraum zerborsten wie ein dürrer Zweig. Das hieß, dass die Gefangenen jetzt nicht mehr eingesperrt waren. Sie konnten in den Maschinenraum und von dort aus über Treppen bis zum Turm vordringen. Wenn es den Gefangenen gelang, bis zu den höher gelegenen Decks vorzudringen, würden sie alle umbringen und einen neuen Kurs in Richtung internationaler Gewässer ansteuern. Dort würden sie im Austausch für antikommunistische Propaganda Asyl beantragen. Fünfhundert Gefangene gegen eine Mannschaft von dreißig Leuten, von denen nur zwanzig Wärter waren.

Die Kontrolle über die unter Deck liegenden Ebenen hatten sie schon verloren. Sie konnten den Maschinenraum nicht zurückerobern oder auch nur die Mannschaft, die dort gerade Schicht hatte, retten. Aber es war immer noch möglich, diese Zone abzuriegeln und die Gefangenen im Bauch des Schiffes eingesperrt zu halten. Vom Maschinenraum führten zwei Zugänge nach oben. Timur näherte sich dem ersten, während eine Gruppe von Wärtern zum zweiten geschickt worden war. Wenn eine der Türen offen blieb und den Gefangenen in die Hände fiel, war das Schiff verloren.

Timur rannte nach links und dann nach rechts und stolperte die letzte Treppe hinunter. Jetzt befand er sich am Sockel des Turms. Direkt vor ihm, am Ende des Gangs, lag die erste der beiden Zugangstüren. Unverschlossen schwang sie hin und her und schepperte gegen die Stahlwände. Plötzlich drehte sich das Schiff und neigte sich steil nach oben, sodass Timur auf Händen und Knien nach vorne geschleudert wurde. Die schwere Eisentür schwang auf, und er sah eine Horde von Gefangenen, die aus dem Maschinenraum heraufgestürmt kam, bestimmt dreißig oder vierzig Männer. Beide Seiten entdeckten einander gleichzeitig. Die Tür war jetzt genau zwischen ihnen, und über die Trennlinie zwischen Freiheit und Gefangenschaft hinweg starrten sie sich an.

Die Gefangenen stürzten vor. Timur reagierte, sprang vom Boden auf und warf sich genau in dem Moment gegen die Tür, als von der anderen Seite unzählige Hände dagegendrückten. Ausgeschlossen, dass er sie lange würde aufhalten können. Seine Füße rutschten schon weg, gleich waren die anderen durch. Er griff nach seiner Waffe.

In diesem Moment warf der Sturm das Schiff zur Seite und riss die Gefangenen von der Tür weg, während er gleichzeitig Timur dagegen warf. Die Tür knallte zu. Timur legte den Riegel vor und klemmte ihn fest. Hätte der Sturm das Schiff zur anderen Seite geneigt, wäre Timur zu Boden geschleudert worden. Die Gefangenen wären wie eine wild gewordene Herde über ihn hergefallen und hätten ihn überwältigt. Jetzt trommelten sie fluchend vor Wut, dass ihnen die Freiheit im letzten Moment entrissen worden war, mit den Fäusten gegen die Tür. Aber ihre Stimmen waren kaum zu hören und die Schläge vergeblich. Die dicke Stahltür war verschlossen.

In seine Erleichterung hinein hörte Timur plötzlich Maschinengewehrfeuer. Die Gefangenen mussten durch die zweite Tür gedrungen sein. Er rannte los, stolperte an verlassenen Mannschaftsquartieren vorbei, bog um eine Ecke und sah zwei Wachleute, die sich hingekauert hatten und feuerten. Als er bei ihnen war, zog er seine Waffe und zielte in dieselbe Richtung. Zwischen ihnen und der zweiten Zugangstür lagen Menschen auf dem Boden, es waren getroffene Sträflinge. Einige lebten noch und winkten um Hilfe. Die entscheidende Tür hinunter zu den Ebenen unter Deck, der einzige noch verbliebene Ausgang für die Gefangenen, war mit einem Holzbalken aufgehebelt worden, der jetzt aus ihr hervorragte. Selbst wenn Timur sich also gegen die Tür stemmte, er würde sie nicht zubekommen. Die anderen Beamten waren panisch und schossen wild drauflos. Querschläger prallten von den Stahlwänden ab und schwirrten mit tödlicher Zufälligkeit durch den Gang. Timur gab den Wärtern Zeichen, ihre Waffen zu senken.

Der Bewegung des Meeres folgend, schwappten auf dem Boden Wasserlachen von einer Seite zur anderen. Die Gefangenen drängten nun nicht mehr vor, sondern verschanzten sich hinter der Tür. Vermutlich hatten die Halsabschneider gerade einige Mühe, die etwa zwanzig Freiwilligen zu finden, die bereit waren, ihr Leben bei dem Vorstoß zu opfern, der den Gang unter ihre Kontrolle bringen würde. So viele würden mindestens sterben, bevor die Wärter überwältigt waren.

Timur nahm sich eines der Maschinengewehre und zielte auf den vorstehenden Holzstumpf. Während er feuerte und das Holz zersplittern ließ, rückte er weiter vor. Das beständige Trommelfeuer zerfetzte den Balken allmählich, und mit einer letzten Salve brach er entzwei. Jetzt ließ sich die Tür wieder schließen. Timur sprang vor, aber bevor er den Griff erreichte, wurden drei weitere Holzbalken durch die Luke gestoßen. Er bekam die Tür nicht zu. Da ihm die Munition ausgegangen war, zog Timur sich zurück.

Inzwischen waren vier weitere Wachmänner angekommen und hatten sich am Ende des Gangs postiert. Jetzt waren sie zu siebt – ein jämmerliches Häuflein, das fünfhundert Gegner in Schach halten sollte. Seit ihren anfänglichen Verlusten hatten die Gefangenen keinen zweiten Vorstoß riskiert. Wenn nicht ein Teil von ihnen bereit war, sein Leben zu opfern, würden sie nicht weiterkommen. Ohne Zweifel sannen sie schon über eine andere Angriffstaktik nach.

Einer der Beamten flüsterte: »Wir schieben einfach unsere Gewehre durch den Türspalt. Die haben doch keine Waffen. Dann lassen sie die Balken los, und wir machen die Tür zu.«

Drei Wärter nickten und preschten vor.

Sie hatten kaum ein paar Schritte gemacht, als die Tür aufflog. Panisch eröffneten die Beamten das Feuer, doch es war zwecklos. Die ersten Gefangenen benutzten die verletzten Mannschaftsangehörigen als Schutzschilde. Es war ein grausiger Anblick. Sie setzten die schreienden Männer, deren verbrannte Haut in Fetzen von ihren Gesichtern hing, als menschliche Schutzschilde ein.

Der Beamte, der dem Ansturm am nächsten war, versuchte sich zurückzuziehen und feuerte dabei seine Waffe kopflos in den Körper seines Kollegen ab. Der Gefangene schleuderte ihm die Leiche entgegen und warf ihn damit zu Boden. Jetzt zielten die Wärter auf die Beine der Gefangenen, aber es waren einfach zu viele. Der Strom der Häftlinge drang weiter vor. In wenigen Minuten würden sie den Gang unter ihrer Kontrolle haben und von dort aus über das gesamte Schiff ausschwärmen. Timur würden sie lynchen. Er war wie gelähmt und schaffte es nicht einmal, seine Pistole abzufeuern. Was konnten sechs Schuss schon gegen fünfhundert Mann ausrichten. Genauso gut hätte er aufs Meer ballern können.

Dann kam ihm plötzlich eine Idee. Er wandte sich um und rannte zur Außentür, die zum Deck hinausführte. Er warf sie weit auf. Vor ihm tobte das aufgewühlte Meer, eine tosende Wassermasse. Alle Wärter trugen einen Sicherungsgurt. Timur klinkte den Karabiner in den Draht ein, der dafür um den Turm herumlief – so wurde man nicht über Bord gespült.

Rasch blickte er sich nach der Schießerei um und stellte fest, dass nur noch zwei Beamte übrig waren. Zahlreiche Sträflinge waren tot, aber hinter den Leichen drängte eine schier unerschöpfliche Zahl anderer hervor. Timur brüllte gegen das Meer an, forderte es heraus, stachelte es an. »Na los!«

Das Schiff tauchte ab und zog Timur in ein tiefes Wellental. Dann hob es sich langsam wieder. Gekrönt von weißer Gischt, rollte ein Berg von Wasser auf ihn zu und ließ den Himmel verschwinden. Er schlug seitwärts gegen das Schiff und durchflutete die Gänge. Timur wurde zurückgerissen und vom Meer überspült. Überall war nur noch Wasser, und seine Gewalt presste ihm die Luft aus der Lunge. Die Kälte betäubte ihn. Hilflos, unfähig, sich zu bewegen, wurde er in den Gang gespült.

Sein Karabiner rettete ihn und hielt ihn fest. Die Welle war über das Schiff geschlagen, und nun vollführte das Schiff die Gegenbewegung, es neigte sich zur anderen Seite. Das Wasser lief genauso schnell wieder ab, wie es hineingeschossen war. Japsend fiel Timur zu Boden und sah nach, was die Flut angerichtet hatte. Die Phalanx der Gefangenen war zurückgeschleudert worden, manche auf den Boden, die meisten aber die Leiter hinunter. Bevor sie sich wieder erholen konnten, machte er seinen Haken los. Mit klatschnassen Kleidern und randvollen Stiefeln platschte er über die zerschossenen Leiber von Wärtern und Gefangen, den Opfern des Scharmützels. Er schlug die Tür zu und verriegelte sie. Das Unterdeck war verschlossen.

Timur hatte keine Zeit zu verlieren. Die dem Meer zugewandte Tür stand noch offen. Noch eine solche Wasserwand würde möglicherweise das Innere überfluten und das gesamte Schiff zum Kentern bringen. Timur hangelte sich zurück zur

Außentür, da packte ihn eine Hand. Einer der Gefangenen lebte noch und warf Timur um. Dann krabbelte der Gefangene auf ihn und zielte mit einer Maschinenpistole auf seinen Kopf. Er konnte ihn gar nicht verfehlen. Der Häftling zog den Abzug, hatte aber nicht mit einer Ladehemmung gerechnet.

Timur sah seine Chance, und er explodierte förmlich. Mit einem Faustschlag zerschmetterte er dem Gefangenen die Nase, drehte ihn auf den Bauch und drückte sein Gesicht in eine Wasserlache. Wieder neigte sich das Schiff, diesmal allerdings zu Timurs Nachteil, das Wasser lief ab. Das rettete den Sträfling, der jetzt wieder atmen konnte. Leichen rutschten den Gang entlang und hinaus aufs Deck. Auch Timur und der Gefangene, die miteinander rangen, schlitterten in diese Richtung. Nur noch wenige Meter, dann würden sie ins tosende Meer stürzen.

Als sie durch die Türluke rutschten, griff Timur nach oben und klammerte sich an den Sicherungsdraht. Gleichzeitig trat er nach dem verletzten Gefangenen und schleuderte ihn aufs Deck hinaus. Eine zweite Welle brandete heran. Timur zog sich hinein und schloss die Tür. Durch das kleine Glasfenster starrte er direkt in die Augen des Sträflings. Dann schlug die Welle auf, Timur spürte die Erschütterung in den Händen. Als das Wasser sich zurückgezogen hatte, war der Gefangene verschwunden.

Am selben Tag

Vom Fuß der Treppe aus beobachtete Leo, wie der frischgebackene Anführer des Aufstands an der Stahltür zerrte und sie aufzuziehen versuchte. Sie waren eingeschlossen, der Weg zur Brücke versperrt. Bei seinem Ausbruchsversuch hatte er viele seiner *wory* verloren. Es verstand sich von selbst, dass er den Angriff von hinten aus geleitet hatte, wo keine Kugeln pfiffen.

Der Wassereinbruch hatte ihn die Treppe hinabgespült. Leo blickte zu Boden. Er stand knöcheltief im Wasser, es rollte von einer Seite zur anderen und destabilisierte das Schiff. Abpumpen konnte man es nicht, jedenfalls nicht inmitten des Kampfes. Dass die Gegner etwa kooperierten, daran war nicht zu denken. Wenn noch mehr Wasser eindrang, würde das Schiff kentern und sie selbst hier in der Finsternis untergehen, eingeschlossen in einem stählernen Gefängnis, das mit eiskaltem Meerwasser volllief. Doch ihren neuen, selbsternannten Anführer interessierte die prekäre Lage des Schiffes nicht. Er hatte eine Gefangenenrevolution angezettelt und schien entschlossen, diese entweder erfolgreich zu Ende zu bringen oder zu sterben.

Die Dampfmaschine fing an zu stottern. Leo drehte sich um und sah nach, was los war. Die Maschine musste unbedingt am Laufen gehalten werden. Er wandte sich an die verbliebenen Gefangenen und forderte sie zur Mithilfe auf. »Wir müssen die Kohlen trocken halten und das Feuer beschicken.«

Der Anführer kam zurück in den Maschinenraum und schnauzte: »Wenn sie uns nicht freilassen, schlagen wir die Maschine kaputt.«

Leo schüttelte nur den Kopf. »Sobald wir an Leistung verlieren, kann das Schiff nicht mehr navigieren und wird sinken. Wir müssen die Maschine am Laufen halten. Unser Leben hängt davon ab.«

»Deren Leben auch. Wenn wir ihnen den Saft abdrehen, dann müssen sie mit uns reden. Dann müssen sie verhandeln.«

»Die werden nie und nimmer die Türen aufmachen. Wenn wir die Maschine zerstören, geben sie das Schiff auf. Die haben genügend Rettungsboote – wir aber nicht. Sie würden uns eher ertrinken lassen.«

»Woher willst du das wissen?«

»Es wäre nicht das erste Mal. An Bord der *Dschurma* sind die Gefangenen mal ins Vorratslager eingebrochen, haben sich

Nahrungsmittel gestohlen und den Rest in Brand gesteckt, die ganzen Reissäcke und Holzregale. Sie dachten, die Wärter würden sofort heruntergestürzt kommen. Irrtum. Die ließen es einfach brennen. Alle Gefangenen sind erstickt.«

Leo nahm sich eine Schaufel. Der Anführer schüttelte den Kopf. »Leg sie wieder hin.«

Ohne auf ihn zu achten, schaufelte Leo Kohle in den Ofen. Das vernachlässigte Feuer war schon merklich abgekühlt. Keiner der Männer half ihm, alle warteten ab, wie der Konflikt ausgehen würde. Leo versuchte seinen Gegner einzuschätzen. Er war sich nicht sicher, ob er ihn würde bezwingen können. Es war schon lange her, seit er zum letzten Mal gegen jemanden gekämpft hatte. Leo umklammerte die Schaufel fester und machte sich bereit.

Zu seiner Überraschung lächelte der Anführer nur. »Na dann los. Schaufel Kohle wie ein Sklave. Es gibt noch einen anderen Weg hier heraus.«

Er nahm sich selbst eine Schaufel und kletterte durch die kaputte Trennwand in den Gefangenenraum. Leo blieb stehen. Sollte er einfach weiterschaufeln oder dem Mann folgen? Wenige Augenblicke später hörte er, wie Stahl auf Stahl wummerte. Leo sprang durch das Loch in der Trennwand zurück ins Dämmerlicht des Laderaums. Er kniff die Augen zusammen und sah, dass der Anführer ganz oben auf der Leiter stand und mit einer Brechstange immer wieder gegen die Deckluke schlug. Bei einem normalen Mann wäre das ein sinnloses Unterfangen gewesen, aber dieser hier hatte eine solche Kraft, dass die Luke sich auszubeulen begann und unter den Schlägen wölbte. Irgendwann würde der Stahl reißen.

Leo rief: »Wenn du die Luke kaputtschlägst, dringt Wasser ein. Zu kriegst du sie dann nicht mehr. Wenn der Laderaum vollläuft, sinkt das Schiff!«

Oben auf der Treppe schlug der Sträfling mit unverminderter

Kraft weiter auf die Luke ein und rief dabei triumphierend seinen Mitgefangenen zu: »Bevor ich sterbe, will ich frei sein. Ich will als freier Mann sterben.«

Ohne irgendwelche Ermüdungserscheinungen zerbeulte der Mann geduldig weiter die stählerne Luke. Jeden Schlag setzte er dort an, wo auch schon der letzte gelandet war.

Unmöglich zu sagen, wie lange es noch dauern würde, bis die Luke kaputt und nicht mehr zu reparieren war. Leo musste sofort handeln. Allein gegen den Mann zu kämpfen war aussichtslos. Er musste die anderen Gefangenen hinter sich bringen. Er drehte sich zu ihnen um: »Unser Leben hängt davon …«

Doch seine Stimme wurde von den dröhnenden Schlägen und dem Sturm übertönt. Niemand würde ihm helfen.

Wieder hechtete Leo, das Schwanken des Schiffes für sich ausnutzend, auf die unterste Leitersprosse zu und hielt sich daran fest. Der Sträfling hatte seine Beine um die stählernen Leiterrohre geklammert und sich dadurch Halt verschafft. Immer weiter schlug er auf die Luke ein. Als er bemerkte, dass Leo zu ihm hochkletterte, richtete er das schartige Stemmeisen auf ihn. Leos Gegner stand weiter oben. Leos einzige Chance war, ihm die Beine wegzureißen und ihn zu Fall zu bringen. Der Sträfling nahm Verteidigungshaltung ein und holte mit der Stange aus.

Bevor Leo noch seine Position wechseln konnte, schlugen durch die Luke Kugeln in den Rücken des Sträflings. Perplex, den Mund voller Blut, blickte er auf seine Brust hinab. Dann rüttelte ihn der Sturm von der obersten Sprosse nach unten. Leo duckte sich weg, und der Mann schlug platschend auf. Noch mehr Kugeln klatschten durch die Luke und sirrten an Leos Kopf vorbei. Er sprang aus der Schusslinie und landete im Wasser.

Er warf einen Blick hinüber und sah, dass der *wory*-Anführer auf dem Bauch lag – er war tot. Von ihm ging keine Gefahr mehr aus. Die Luke allerdings war von Kugeln durchsiebt. Jedes Mal, wenn eine Welle über das Deck brach, regnete eine kräftige Dusche herein. Wenn sie es nicht schafften, die Löcher zuzustopfen, würde der Wasserspiegel weiter ansteigen und das Schiff schließlich zum Kentern bringen. Leo musste unbedingt auf die Leiter und die Löcher verschließen. Immer noch wurde das Schiff von einer Seite zur anderen geschleudert, und immer mehr Wasser ergoss sich durch die Luke. Der Pegel im Laderaum stieg stetig an, er schwappte bereits gegen die sich immer weiter abkühlende Dampfmaschine. Das Schiff hatte jetzt schon damit zu kämpfen, sich aufzurichten, nur langsam stellte es sich wieder in die Vertikale. Es musste etwas geschehen.

Leo zog dem toten Sträfling die Kleider aus und riss sie in Fetzen. Während Wassergüsse aus der beschädigten Luke ihn wieder und wieder durchnässten, setzte er vorsichtig einen Fuß auf die unterste Sprosse, um nach oben zu klettern. Sein Leben hing jetzt davon ab, dass der unsichtbare Wärter da oben mitdachte.

Am selben Tag

Während sich um ihn herum die Wellen brachen, so als würde er auf einem riesigen Wal reiten, klammerte Genrich sich euphorisch an der Maschinengewehrlafette fest. Nur seinem Mut war es zu verdanken, dass der Ausbruchsversuch der Gefangenen gescheitert war. Er hatte das Schiff gerettet. Vom Feigling zum Helden in nur einer Nacht!

Als er zuvor im Turm mitangehört hatte, wie der Kampf zwischen den Wärtern und den Gefangenen ausbrach, hatte er sich noch in die Mannschaftsquartiere gekauert und versteckt. Er hatte gesehen, wie sein Freund Jakow vorbeirannte, aber nichts unternommen, sondern war in seinem Schlupfwinkel geblieben.

Erst als er sicher war, dass die Gefangenen verloren hatten, dass man sie zurückgeschlagen und das Schiff gesichert hatte, war er wieder hervorgekrochen. Erst jetzt wurde ihm klar, dass ihm ja noch eine ganz andere Gefahr drohte. Die überlebenden Mannschaftsmitglieder würden ihm vorwerfen, ein Deserteur zu sein. Sie würden ihn genauso verachten wie schon die vorherigen. Wieder würde er zu sieben Jahren Ausgrenzung verurteilt sein. Doch mitten in seiner tiefsten Verzweiflung war ihm die Vergebung praktisch in den Schoß gefallen – als er nämlich das dröhnende Schlagen von Stahl auf Stahl hörte. Von der gesamten Mannschaft war er der Einzige, der mitbekam, dass die Gefangenen die Luke aufbrechen wollten. Sie versuchten, das Schiff vom Deck aus zu erobern. Die Luke war nicht dafür gebaut, einem längeren Angriff standzuhalten. Normalerweise hätte kein Gefangener riskiert, sie anzurühren, aus Angst, erschossen zu werden. In dem Sturm jedoch war die Maschinengewehrlafette unbemannt gewesen. Das war seine Gelegenheit, sich zu beweisen. Diese Aussicht verlieh ihm Flügel, vom Turm aus rannte er über das Deck bis zum Maschinengewehr. Er zielte auf die Luke und schoss. Schwindelig vor Begeisterung jauchzte er auf und feuerte eine zweite und dritte Garbe durch die Luke. Er würde hier draußen bleiben, bis der Sturm vorbei war. Alle im Turm sollten seinen außerordentlichen Mut sehen können. Wenn auch nur ein einziger Gefangener auszubrechen versuchte, wenn er sich der Luke auch nur näherte, würde er ihn töten.

* * *

Timur stand auf der Brücke und schäumte vor Wut über Genrichs Blödheit. Er musste verhindern, dass der Mann noch eine Salve in die Luke feuerte. Das Schiff lag jetzt schon zu tief im Wasser, der Kapitän brachte es kaum noch über die Wellen. Wenn noch mehr Wasser eindrang, würden sie sinken. Nichts deutete darauf hin, dass der Sturm bald nachlassen würde. Anders als die anderen wusste Timur, wie viel Wasser schon in das Schiff geflossen war, als er die Außentüren geöffnet hatte. Erst hatte er die *Stary Bolschewik* vor den Sträflingen gerettet, und jetzt musste er sie auch noch vor einem Wärter retten.

Er rannte die Treppe hinunter und holte noch einmal tief Luft, dann drückte er die Tür zum Deck auf. Der Wind und der Regen peitschten ihm entgegen, als seien sie durch seine Anwesenheit persönlich beleidigt. Timur schloss die Tür hinter sich und klinkte sich in den Sicherungsdraht ein. Zwischen dem Sockel des Turms und dem Maschinengewehr lagen vielleicht fünfzehn Meter ungeschützten Decks. Wenn ihn auf dieser Strecke eine Welle erwischte, dann würde er entweder in die Decksmitte gespült werden oder hinaus aufs Meer. Seine Sicherungsleine nutzte ihm da nicht viel, sie würde ihn nur wie einen Fischköder durch das Wasser ziehen und schließlich reißen. Er warf einen hastigen Blick auf die Einschusslöcher in der Luke. Da entdeckte er etwas. Ein Lappen wurde hindurchgedrückt, um eins der Löcher zu verschließen. Genrich begriff nichts. Er legte einen neuen Patronengurt ein und wollte weiterfeuern.

Timur stürzte über das Deck. Genau im selben Moment brandete eine Welle seitwärts an das Schiff und rollte auf ihn zu. Timur warf sich nach vorn, klammerte sich an die Lafette und drückte den Lauf nach oben. Genrich feuerte. Im nächsten Moment schlug die Welle zu. Sekundenlang wurden Timurs Beine hochgerissen. Hätte er sich nicht festgehalten, wäre er aufs Meer hinausgespült worden. Dann floss das Wasser ab, und er bekam wieder Boden unter die Füße. Timur hustete, sein Mund und seine Nase waren voller Wasser. Kaum hatte er sich einigermaßen erholt, packte er Genrich am Genick. Außer sich vor Wut schüttelte er ihn wie eine Stoffpuppe. Dann stieß er ihn weg, riss den Patronengurt aus dem Maschinengewehr und warf ihn ins Meer.

Nachdem er das Maschinengewehr entladen hatte, taumelte Timur zum Turm zurück und sah im Vorbeigehen noch einmal zur Luke hin. Weitere Stofffetzen wurden in die Löcher gestopft.

Als er beinahe schon den Turm erreicht hatte, spürte er eine weitere Welle aufschlagen. Er wirbelte herum und sah, wie das Wasser direkt auf ihn zuraste. Es riss ihn von den Füßen, und er krachte auf das Deck. Einen Moment lang herrschte Stille. Alles, was er sehen konnte, waren Millionen von Bläschen. Dann zog sich das Wasser zurück, und das Getöse des Sturms brandete wieder auf. Timur setzte sich auf und blickte um sich. Die Maschinengewehrlafette war verschwunden, herausgerissen wie ein verfaulter Zahn. Die Trümmer waren zum Bug des Schiffes gespült worden. Genrich hing in den verbogenen Eisenteilen fest.

Timur hatte genügend Leine, um sich an der Reling entlangzuhangeln und den jungen Wärter zu packen. Jämmerlich versuchte Genrich, sich aus dem Eisengestänge zu befreien, aber er hing fest. Wenn die Trümmer über Bord gingen, würden sie Genrich mitnehmen. Timur konnte ihn retten. Doch Timur rührte sich nicht. Er warf einen schnellen Blick aufs Meer. Das Schiff erklomm eine weitere Welle, bald würden sie wieder ins nächste Tal fallen, und die unbändige Kraft, die das festgeschraubte Maschinengewehr vom Deck gerissen hatte, würde auch sie wegspülen.

Timur wandte sich von Genrich ab, griff nach der Leine und zog sich zum Turm zurück. Das Schiff kippte und neigte sich nach vorn. Timur erreichte die Tür, kletterte hinein und verschloss sie fest.

* * *

Genrich wurde von einer Welle emporgehoben und ruderte mit den Armen, um oben zu bleiben. Das Meer war so kalt, dass er unterhalb der Hüfte nichts mehr spürte. Als er über Bord gespült worden war, hatte er einen heftigen Schmerz gespürt, weil der Stahl ihm das Fleisch aufgerissen hatte. Aber jetzt war er taub vor Schock und der Schmerz verschwunden, so als hätten die eiskalten Wellen ihn in der Mitte durchgebissen. Eine Sekunde lang sah er noch das Schiff und die Lichter am Turm. Dann war es verschwunden.

Zehn Kilometer nördlich von Moskau

8. April

Sojas Hand- und Fußgelenke waren mit dünnem Draht gefesselt. Sie hatten ihn so fest gewickelt, dass er ihr in die Haut schnitt, sobald sie sich bewegte. Mit einer Augenbinde und einem Knebel im Mund lag sie auf der Seite. Keine Decke lag unter ihr, nichts, was die Schlaglöcher in der Straße etwas abgefedert hätte. Nach dem Motorenlärm und dem Platz um sie herum zu urteilen befand sie sich auf der Ladefläche eines Lasters. Sie spürte jede Beschleunigung und jede Vibration durch den Blechboden. Bei jedem abrupten Halt rollte sie vor und zurück, eher wie ein Kadaver als wie ein lebender Mensch. Nachdem sie sich erst einmal von ihrer Orientierungslosigkeit erholt hatte, hatte sie damit begonnen, sich die Fahrt einzuprägen. Anfangs waren sie oft abgebogen und durch den Verkehr gekurvt. Da waren sie in einer Stadt gewesen, vermutlich in Moskau, obwohl sie das nicht mit Sicherheit wissen konnte. Im Augenblick fuhren sie bei gleichbleibender Geschwindigkeit geradeaus. Sie mussten die Stadt also verlassen haben. Außer dem röhrenden Motorenlärm hörte man nichts, auch keinen Verkehr. Sie wurde also an irgendeinen entlegenen Ort gebracht. Daraus und aus der Tatsache, dass man sich um ihre Verfassung offensichtlich keine Gedanken gemacht und ihr den Knebel so weit in den Mund geschoben hatte, dass sie beinahe daran erstickte, schloss Soja, dass sie bald sterben müsste.

Wie lange war sie jetzt schon gefangen? Unmöglich zu sagen, sie hatte jedes Zeitgefühl verloren. Nachdem man sie aus der Wohnung entführt hatte, war sie betäubt worden. Zusammengeschnürt im Wagen liegend hatte sie noch mitbekommen, wie Raisa abgestürzt war. Das war das Letzte, woran sie sich erinnern konnte, bevor sie wieder aufgewacht und sich auf dem Boden einer fensterlosen Backsteinkammer wiedergefunden hatte, mit hämmernden Kopfschmerzen und einem staubtrockenen Mund. Obwohl sie bewusstlos gewesen war, als man sie dorthin gebracht hatte, sagte ihr ein deutliches Gefühl, dass sie sich tief unter der Erde befinden musste. Die Luft war stets kalt und feucht. Die Ziegel erwärmten sich nie und ließen keine Rückschlüsse über Tag und Nacht zu. Nach dem Gestank zu urteilen war irgendein Abwassersystem in der Nähe, und oft hörte sie Wasser rauschen. Manchmal waren die Erschütterungen so stark, dass man hätte meinen können, auf der anderen Seite befände sich ein Tunnel mit einem unterirdischen Fluss. Man hatte ihr etwas zu essen und eine Decke gebracht. Ihre Häscher unternahmen keinerlei Anstrengungen, ihre Identität zu verbergen. Außer einer Reihe kurz angebundener Befehle und Fragen hatte bislang keiner mit ihr gesprochen oder über das Lebensnotwendige hinaus irgendein Interesse an ihr gezeigt. Dennoch hatte sie gelegentlich das unbestimmte Gefühl gehabt, dass jemand sie aus der schützenden Dunkelheit des Flurs vor ihrer Zelle heraus beobachtet hatte. Wann immer Soja sich näher herangerollt und versucht hatte, einen Blick auf die Person zu erhaschen, hatte die sich in die Dunkelheit zurückgezogen.

In diesen ersten beiden Wochen hatte sie viel über den Tod nachgedacht und das Thema immer wieder von Neuem gewälzt, so wie man an einem ausgelutschten Bonbon saugt. Wofür lebte sie überhaupt? Sie träumte nicht davon, gerettet zu werden. Der Gedanke an Freiheit trieb ihr keine Freudentränen in die Augen. Freiheit, das war das Leben eines unbeliebten, unglücklichen Schulmädchens gewesen, verhasst und auch hassenswert. In der Gefangenschaft verspürte sie keine größere Einsamkeit als vorher in Leos Wohnung. Und sie kam sich auch nicht eingesperrter vor. Nur die Umgebung war eine andere, das Leben aber war dasselbe geblieben. Sie weinte nicht bei dem Gedanken an ihr Kinderzimmer oder wie die Familie am Tisch gesessen und eine warme Mahlzeit zu sich genommen hatte. Sie weinte noch nicht einmal beim Gedanken an ihre Schwester. Vielleicht würde Elena ohne sie sogar glücklicher sein, vielleicht hielt Soja ihre kleine Schwester nur davon ab, ein normales Leben zu führen und Leo und Raisa in ihr Herz zu schließen.

Warum kann ich nicht weinen?

Sie kniff sich ganz fest, aber es nützte nichts. Soja konnte einfach nicht weinen.

Sie hoffte nur, dass Raisa den Sturz überleben würde. Und sie hoffte, dass Elena in Sicherheit war. Und doch fühlten sich diese Hoffnungen, so ehrlich sie auch waren, irgendwie so an, als hätten sie mit ihr selbst gar nichts zu tun, als seien es nicht eigene Herzensempfindungen, sondern nur das, was andere von ihr erwarteten. Das entscheidende Zahnrädchen, das ihre Gefühle mit ihren Erfahrungen hätte in Verbindung bringen können, fehlte ihr einfach. Sie hätte Angst haben müssen. Aber sie hatte nur das Gefühl, in einer lauwarmen Soße aus Resignation zu treiben. Wenn diese Leute sie umbringen wollten – bitte sehr. Wenn sie sie freiließen – auch gut. Sie war nicht tapfer, ihr war nur alles gleichgültig.

* * *

Der Lastwagen bog von der Straße ab und rumpelte jetzt über einen Feldweg. Nach einiger Zeit wurde er langsamer, fuhr noch um ein paar Kurven und hielt schließlich an. Vorne wurden die Türen geöffnet und wieder zugeschlagen. Schritte knirschten über die Erde, sie kamen nach hinten. Die Plane wurde hochgeworfen. Wie eine Ladung hob man Soja hoch und stellte sie auf die Füße. Sie konnte kaum stehen, weil sie wegen des in die Fußgelenke schneidenden Fesseldrahtes aus dem Gleichgewicht kam. Sie stand auf bloßer Erde und Steinen. Von der Fahrt war ihr ganz schwindelig, vielleicht würde sie sich übergeben müssen. Aber sie wollte nicht, dass ihre Häscher sie für einen Schwächling und einen Angsthasen hielten. Jetzt nahmen sie ihr den Knebel ab, und sie atmete tief durch. Ein Mann fing an zu lachen, langsam, herzhaft und süffisant. Inzwischen wurde ihr der Draht von den Fußgelenken gewickelt und die Augenbinde entfernt.

Soja musste so heftig blinzeln, als starre sie direkt ins Sonnenlicht. Wie ein unterirdischer Dämon, den man außerhalb seiner Höhle erwischt hatte, wandte sie sich vom Himmel ab. Nur langsam gewöhnten sich ihre Augen ans Licht, und sie konnte ihre Umgebung erkennen. Sie stand auf einem Feldweg, vor ihr neben dem Lastwagen wuchsen hier und da kleine weiße Blumen, wie Pfützen vergossener Milch. Als sie aufblickte, sah sie ringsherum Wald. Ihre Augen, die an keinerlei Reize mehr gewöhnt waren, verhielten sich wie ein ausgetrockneter Schwamm, den man ins Wasser wirft – jeden Farbtupfer vor ihr sogen sie auf.

Dann fielen Soja ihre Häscher wieder ein, und sie drehte sich um. Es waren zwei, einer der beiden war ein vierschrötiger Kerl mit massigen Armen, einem Stiernacken und einem enormen, muskelbepackten Oberkörper. Alles an ihm war kräftig und gedrungen, so als sei er in einer zu kleinen Schachtel aufgewachsen. Der andere war das genaue Gegenteil, ein Junge in ihrem Alter, vielleicht dreizehn oder vierzehn Jahre alt. Er war schlank und sehnig, sein Blick durchtrieben. Er musterte sie mit unverhohlener Verachtung, als sei sie seiner nicht würdig, als sei er ein Erwachsener und sie nur ein kleines Mädchen. Sie konnte ihn nicht ausstehen.

Der Vierschrötige wies zu den Bäumen hin. »Lauf ein bisschen herum. Vertritt dir die Beine. Frajera will nicht, dass du schlappmachst.«

Frajera – den Namen hatte sie schon gehört. Wenn die *wory* betrunken und in Feierlaune gewesen waren, hatte sie ein paar Gesprächsfetzen aufgeschnappt. Frajera war die Anführerin. Soja war ihr nur einmal begegnet. Da war die Frau in ihre Zelle gerauscht. Sie hatte sich nicht vorgestellt, aber das war auch nicht nötig gewesen. Die Macht umgab sie wie ein Umhang. Die Schlägertypen, die ihre Kraft nur am Umfang ihres Bizeps maßen, hatten Soja keine Angst eingeflößt, diese Frau aber wohl. Frajera hatte sie mit unterkühlter Präzision gemustert wie ein Handwerksmeister das Innenleben einer zweitklassigen Uhr. Eigentlich wäre das eine gute Gelegenheit für eine Frage gewesen: *Was haben Sie mit mir vor*? Aber Soja hatte keinen Ton herausgebracht und wie betäubt geschwiegen. Frajera war nur eine Minute in ihrer Zelle geblieben, dann war sie wieder gegangen, ohne ein Wort zu sagen.

Jetzt, wo sie gehen durfte, verließ Soja den Feldweg und betrat die Lichtung. Ihre Füße sanken in der feuchten Wiesenerde ein. Vielleicht würden sie sie umbringen, während sie unterwegs zum Wald war. Vielleicht zielten sie schon auf sie. Soja warf einen verstohlenen Blick zurück. Der Mann rauchte. Der Junge behielt sie genau im Auge. Er missdeutete ihren Seitenblick und rief: »Wenn du wegrennst, kriege ich dich.«

Seine Überheblichkeit gefiel ihr überhaupt nicht. Was machte den eigentlich so selbstsicher? Wenn es eines gab, was sie konnte, dann war es rennen.

Nachdem sie zwanzig Schritte in den Wald hineingemacht hatte, legte sie eine Hand auf einen Baumstamm, um endlich wieder etwas anderes zu fühlen als die immer gleichen kalten und feuchten Backsteine. Obwohl sie beobachtet wurde, legte sie schnell ihre Scheu ab, hockte sich hin und griff eine Handvoll

Erde. Tröpfchen schmutzigen Wassers rannen über ihre Hand. Als Kind aus einer Kolchose hatte sie früher ihren Eltern beim Arbeiten geholfen. Manchmal auf den Feldern hatte ihr Vater sich gebückt, eine Handvoll Erde genommen und sie zwischen seinen Fingern zerrieben, die Klumpen zerbrochen und die Erde so zusammengepresst, wie sie es jetzt machte. Sie hatte ihn nie gefragt, warum. Was fand er damit heraus? Oder war es nur eine Angewohnheit? Sie bedauerte, dass sie es nie erfahren hatte. So vieles bedauerte sie, jede vergeudete Sekunde, in der sie nur geschmollt oder herumgealbert hatte, wenn er mit ihr reden wollte, oder wenn sie sich schlecht benommen und ihre Eltern wütend gemacht hatte. Jetzt waren sie weg und würden nie mehr mit ihr sprechen.

Soja machte die Faust auf und klopfte hastig die Erde ab. Sie wollte nicht mehr daran erinnert werden. Wenn sie schon keinen Sinn im Leben sah, im Tod erkannte sie durchaus einen Sinn. Der Tod würde das Ende all ihrer traurigen Erinnerungen sein, das Ende allen Bedauerns. Der Tod würde sich weniger leer anfühlen als das Leben, da war sie sicher. Sie stand auf. Dieser Wald ähnelte dem in Kimow bei ihrer Kolchose zu sehr. Dann noch lieber die Eintönigkeit der kalten, feuchten Backsteine – die erinnerten sie wenigstens an gar nichts. Sie wollte hier weg.

Soja wandte sich wieder dem Lastwagen zu. Im nächsten Moment schrak sie hoch. Der untersetzte Muskelprotz stand direkt hinter ihr. Sie hatte ihn gar nicht näher kommen hören. Er sah grinsend auf sie herab und entblößte dabei seinen zahnlosen Gaumen. Er warf die Zigarette beiseite, und Soja merkte sich, wo sie hinfiel und weiterglomm. Der Mann hatte schon seine Jacke ausgezogen, jetzt rollte er sich die Hemdsärmel hoch.

»Frajera hat befohlen, dass wir dir ein bisschen Bewegung verschaffen. Und du hattest ja noch keine.«

Er streckte den Arm aus und legte ihr die Hand auf die Schulter, dann fuhren seine Finger über ihr Gesicht, so als wollten sie eine Träne wegwischen. Seine Fingernägel waren abgekaut und rissig. Er senkte die Stimme. »Wir sind nicht so zahm wie du, nicht so höflich. Wenn wir etwas wollen, dann nehmen wir es uns.«

Soja bemühte sich verzweifelt, keine Angst zu zeigen. Mit jedem Schritt, den er auf sie zumachte, machte sie einen zurück.

»Uns etwas zu nehmen ist das, was wir am besten können. Was Mädchen am besten können, ist Unterwerfung. Du nennst es vielleicht Vergewaltigung. Ich nenne es ... Bewegung.«

Angst – darauf war der Mann aus. Auf Angst und Unterdrückung. Aber nichts davon würde sie ihm geben: »Wenn du mich anrührst, trete ich dich. Wenn du mich auf den Boden drückst, kratze ich dir die Augen aus. Und wenn du mir die Finger brichst, beiße ich dich ins Gesicht.«

Der Mann lachte laut auf. »Und wie willst du das anstellen, wenn ich dich zuerst bewusstlos schlage, Kleine?«

Jeden Schritt, den Soja machte, folgte er ihr, sein massiger Körper drängte sie immer mehr zurück, bis sie schließlich an einen Baum gedrückt wurde und nicht mehr weiterkonnte. Heimlich tastete sie den Baumstamm ab auf der Suche nach irgendetwas, womit sie sich verteidigen konnte. Sie brach einen kleinen Ast ab und befühlte mit der Fingerkuppe die Spitze. Das musste reichen. Sie warf einen flüchtigen Blick auf den Jungen, der in der Nähe des Lastwagens faulenzte. Der Mann folgte ihrem Blick und drehte sich zu dem Jungen um. »Sie glaubt, du rettest sie.«

Mit aller Kraft schwang Soja den Ast und hieb das schartige Ende in das Gesicht des Mannes. Sie erwartete Blut zu sehen, aber der Ast brach lediglich entzwei und zerkrümelte in ihrer Hand. Der Mann zwinkerte überrascht und starrte auf ihre Hand und die Reste des Astes darin. Als er kapierte, was passiert war, lachte er wieder.

Soja sprang vor. Der Mann stürzte sich auf sie, aber sie duckte sich vor ihm weg. So schnell sie konnte, rannte sie in Richtung des Lasters. Sie spürte, dass der Mann dicht hinter ihr war. Und bestimmt würde der Junge ihr den Weg abschneiden, aber sie konnte ihn nicht sehen. Sie riss die Beifahrertür des Führerhauses auf und warf sich hinein. Ihr Verfolger war nur wenige Meter hinter ihr. Jetzt grinste er nicht mehr. Soja zog am Griff und schlug scheppernd die Tür zu, und im nächsten Moment krachte er auch schon dagegen. Sie drückte den Knopf herunter und hoffte, dass er die Schlüssel nicht hatte. Er hatte sie nicht – sie steckten im Zündschloss. Soja krabbelte hinüber zum Fahrersitz und drehte den Zündschlüssel. Stotternd erwachte der Motor zum Leben.

Ohne ganz genau zu wissen, was sie eigentlich machen musste, nahm sie den Schalthebel in die Hand und drückte ihn knirschend nach vorn. Metallisches Schrammen – sonst schien nichts zu passieren. Der Mann hatte sich das Hemd ausgezogen und um seine Faust gewickelt. Er holte aus und schlug das Seitenfenster ein, Glasscherben regneten ins Führerhaus. Da Soja das Gaspedal nicht erreichen konnte, rutschte sie vom Sitz und drückte den Fuß durch, bis der Motor aufheulte. Gerade begann der Laster loszurollen, als der Mann die Tür aufriss und sich über den Beifahrersitz lehnte. Soja machte sich so klein wie möglich. Er packte sie bei den Haaren und zog sie hoch. Sie schrie auf und zerkratzte ihm die Hände.

Aus irgendeinem unerklärlichen Grund ließ er los.

Soja plumpste zurück auf den Kabinenboden und duckte sich keuchend. Der Motor tuckerte. Der Laster fuhr nicht mehr, aber der Mann war weg. Die Tür stand offen. Vorsichtig richtete Soja sich auf und spähte über den Beifahrersitz hinweg. Sie konnte den Mann fluchen hören. Als sie noch ein Stückchen weiterrückte, sah sie ihn auf dem Boden liegen.

Verwirrt registrierte Soja, dass der Junge neben ihm stand. Er hatte ein Messer in der Hand. Die Klinge war blutverschmiert.

Der Mann hielt sich das Fußgelenk, das heftig blutete. Seine Finger waren rot. Schweigend starrte der Junge sie an. Da der Mann nicht aufstehen konnte, grabschte er nach den Beinen des Jungen, aber der sprang zur Seite und aus der Gefahrenzone. Der Mann versuchte aufzustehen, fiel aber sofort wieder hin und rollte sich auf den Rücken. Die Sehnen seines Knöchels waren durchtrennt, und der linke Fuß hing nutzlos herab. Sein Gesicht war wutverzerrt, und er stieß wüste Drohungen aus, die er jedoch allesamt nicht in die Tat umsetzen konnte, weil er bewegungsunfähig am Boden lag. Ein seltsames Bild – ebenso gefährlich wie erbärmlich.

Der Junge schenkte dem Mann nicht die geringste Beachtung, sondern wandte sich an Soja: »Komm aus dem Laster raus.«

Soja kletterte aus dem Führerhaus und hielt sich dabei in sicherer Entfernung von dem Mann. Der verband sich gerade mit seinem Hemd den Knöchel. Der Junge wischte seine Klinge ab, und im nächsten Moment war das Messer in den Falten seiner Kleider verschwunden.

»Danke«, sagte Soja und behielt dabei den Mann im Auge.

»Wenn Frajera mir befohlen hätte, dich umzubringen, hätte ich es gemacht.«

Soja wartete einen Moment ab, dann fragte sie ihn: »Wie heißt du?«

Der Junge zögerte, offenbar unschlüssig, ob er antworten sollte oder nicht. Schließlich murmelte er: »Malysch.«

»Malysch«, wiederholte sie.

Soja warf zuerst einen prüfenden Blick auf den Verletzten und dann auf den Lastwagen. Sie hatte ihn festgefahren. Der Mann schlug mit den Fäusten auf die Erde und schrie: »Warte nur, bis die anderen hören, was du gemacht hast. Die bringen dich um!«

Soja sah den Jungen besorgt an. »Stimmt das?«

Der Junge dachte nach. »Das muss dich nicht kümmern. Wir gehen zu Fuß zurück. Wenn du versuchst wegzurennen, dann schneide ich dir die Kehle durch. Wenn du meine Hand auch nur loslässt, um dir in der Nase zu bohren …«

Soja, die froh war, dass sie wenigstens den Namen ihres heimlichen Bewunderers kannte, beendete den Satz für ihn: »… dann schneidest du mir die Kehle durch?«

Malysch legte den Kopf schief und musterte sie misstrauisch. Bestimmt fragte er sich gerade, ob sie sich über ihn lustig machte. Um ihn zu beruhigen, streckte sie den Arm aus und nahm seine Hand.

Pazifikküste
Kolyma, Hafen von Magadan, Gefängnisschiff *Stary Bolschewik*

Am selben Tag

Leitern und Treppen waren die einzigen Stellen, die noch über Wasser lagen, und dementsprechend übersät mit Gefangenen. Zusammengedrängt hockten sie wie die Krähen auf einer Hochspannungsleitung. Die weniger Glücklichen kauerten dicht an dicht auf den zusammengebrochenen Etagenbetten, sie hatten die zerborstenen Balken übereinandergeschichtet und daraus eine Art hölzerner Rettungsinsel gebaut, um die das eiskalte Wasser schwappte. Die Leichen der Getöteten hatten sie beiseitegeräumt, jetzt trieben sie auf der Oberfläche. Leo gehörte zu den wenigen Privilegierten hoch über dem Wasser, er hockte auf der Stahlleiter, die hinauf zu der von Kugeln durchsiebten und mit Stofffetzen gestopften Luke führte.

Nachdem er die Löcher in der Luke verschlossen hatte, hatte Leo die Dampfmaschine am Laufen halten müssen. Seine Brust und sein Gesicht waren fast von der Glut geröstet worden, während gleichzeitig seine knietief im Wasser stehenden Beine immer gefühlloser vor Kälte geworden waren. Sein Körper war in zwei Gefühlswelten geteilt. Mittlerweile zitterte er vor Erschöpfung und konnte kaum mehr die Schaufel anheben. Keiner hatte ihm geholfen. Wie Höhlenkreaturen hatten die anderen Gefangenen in der feuchten Dunkelheit gehockt, dumpf und bewegungslos. Wenn einem lebenslange Zwangsarbeit bevorstand, warum dann noch einen zusätzlichen Tag draufpacken? Und spätestens, wenn die Maschine ausging, das Schiff nicht mehr manövrierfähig war und aufs offene Meer hinaustrieb, würden die Wärter sich dem Problem schon widmen. Sollten die doch selbst ihre Kohle schippen. Die Männer würden nicht auch noch dabei mithelfen, dass man sie ins Gefängnis brachte. Leo brachte nicht die Kraft auf, sie von den Gefahren zu überzeugen, wenn sie einfach tatenlos blieben. Ihm war klar, dass die Wärter nach der versuchten Revolte erst mal drauflosschießen würden, wenn sie gezwungen waren, in den Frachtraum hinabzusteigen. Einfach nur, um sicherzugehen.

Leo hatte allein weitergemacht, solange er konnte. Erst als er eine ganze Ladung Kohle weggeschippt hatte und ihm die Schaufel aus den Händen glitt, tauchte schließlich aus dem Halbdunkel ein anderer Mann auf und übernahm seinen Posten. Leo hatte einen unhörbaren Dank gemurmelt und war auf die Leiter gestiegen, die Gefangenen machten ihm Platz. Auf der obersten Sprosse sackte er in sich zusammen. Wenn man es Schlaf nennen konnte, dann schlief er – zitternd und halb verrückt vor Durst und Hunger.

* * *

Leo machte die Augen auf. An Deck waren Leute, er konnte über sich Schritte hören. Das Schiff war stehen geblieben. Als er sich zu bewegen versuchte, merkte er, dass sein ganzer Körper steif war, seine Gliedmaßen waren in Fötushaltung erstarrt. Er bewegte die Finger, dann den Hals, alle Gelenke knackten. Die Luke wurde aufgeworfen. Leo sah nach oben und blinzelte ins helle Licht. Der Himmel war so gleißend hell wie geschmolzenes Metall. Als seine Augen sich langsam an das Licht gewöhnt hatten, erkannte er, dass es eigentlich ein mattes Grau war.

Um ihn herum tauchten Wärter auf und zielten mit Maschinengewehren hinunter. Ein Mann rief in den Lagerraum hinab: »Wenn ihr auch nur das Geringste versucht, versenken wir das Schiff, und ihr seid alle eingesperrt.«

Die Sträflinge konnten sich kaum noch rühren, geschweige denn die Autorität der Wärter ernsthaft gefährden. Kein Wort des Dankes, dass sie die Maschine am Laufen gehalten hatten, keine Anerkennung, dass sie das Schiff gerettet hatten, nur die Mündung eines Maschinengewehrs.

Eine zweiter Mann rief: »An Deck! Sofort!«

Leo erkannte ihn. Es war Timur. Die Stimme seines Freundes erweckte ihn wieder zum Leben. Ganz langsam setzte er sich auf. Wie eine knarrende Marionette, an deren Fäden man zog, rappelte er sich hoch und kletterte von der Leiter an Deck.

Der zerbeulte Dampfer lag mit Schlagseite im Hafen. Die Maschinengewehrlafette war weg, von ihr waren nur ein paar vorstehende, verbogene Stahlteile übrig geblieben. Man konnte sich kaum vorstellen, dass die See, die jetzt ganz ruhig und glatt dalag, so wild gewesen sein sollte, wie sie es vor kaum zwölf Stunden gewesen war. Nur einen winzigen Augenblick lang sah Leo zu Timur hinüber und studierte das Gesicht seines Freundes, der dunkle Ränder unter den Augen hatte. Auch ihm hatte der Sturm zugesetzt. Ihre jeweiligen Erlebnisse würden sie sich später erzählen müssen.

Leo ging vorbei und weiter bis zum Rand des Decks. Er legte die Hände auf die Reling und warf einen ersten Blick auf die Bucht von Magadan, das Tor zur entlegendsten Gegend seines Landes, einer Region, die Leo gleichzeitig sehr vertraut und vollkommen fremd war. Er war selbst noch nie hier gewesen, hatte aber Hunderte Männer und Frauen hergeschickt. Er hatte sie keinem bestimmten Gulag zugewiesen, dafür war er nicht verantwortlich gewesen. Aber mit Sicherheit hatten sich viele an Bord dieses oder eines ähnlichen Schiffes wiedergefunden und waren dann so wie er jetzt hintereinander hergeschlurft, der Vollstreckung ihres Urteils entgegen.

Wenn man bedachte, wie berüchtigt dieser Landstrich war, hätte Leo eigentlich schon von der Landschaft einen offensichtlich bedrohlichen Anblick erwartet. Aber der Hafen, den man vor etwa zwanzig Jahren gebaut hatte, war klein und still und bestand vornehmlich aus Holzhütten. Hier und da mischte sich ein schmuckloser städtischer Betonbau darunter, dessen Außenwände mit Parolen und Propaganda bepinselt waren – unpassende Farbkleckse in einer ansonsten grauen, schwarzen und weißen Kulisse. Jenseits des Hafens lag in einiger Entfernung eine Ansammlung von Gulags, die sich zwischen die Hänge des schneebedeckten Gebirges schmiegten. Die Berge, die an der Küste noch flach waren, erhoben sich weiter landeinwärts immer höher zum Gebirge, bis dessen riesige Gipfel in den Wolken verschwanden. Ebenso ruhig wie bedrohlich lag das Bergmassiv da – eine Landschaft, die keine Schwäche duldete und alles Gebrechliche von ihren von arktischen Winden umtosten Hängen fegte.

Leo stieg hinunter aufs Dock, wo einige kleine Fischerboote vertäut waren, Zeugnisse eines Lebens außerhalb der Gefängnisse. Die Einheimischen, die sich Tschuktschen nannten und sich schon lange von dieser Scholle ernährt hatten, bevor das Land durch die Gulags kolonialisiert worden war, trugen Körbe mit Walrosszähnen und den ersten Kabeljaufängen des Jahres. Für Leo hatten sie nur einen flüchtigen, unfreundlichen Seitenblick übrig, so als seien die Sträflinge dafür verantwortlich, dass man ihr Land in ein Internierungsreich verwandelt hatte. An Deck standen Wachposten und trieben die Neuankömmlinge voran. Über ihren Uniformen trugen sie in mehreren Schichten Filz und dicke Pelze, eine Mischung aus handgefertigter Tschuktschen-Kleidung und der einheitlich geschnittenen, massenangefertigten Standardkluft des Staates.

Hinter den Wachpolizisten hatten sich Gefangene versammelt, die freigelassen werden sollten und auf ihre lange Heimfahrt warteten. Entweder hatten sie ihre Strafe verbüßt, oder sie waren begnadigt worden. Nun waren sie frei, aber nach dem

Ausdruck auf ihren Gesichtern zu urteilen hatten sie das noch gar nicht richtig begriffen. Ihre Schultern hingen herab, und die Augen lagen tief in den Höhlen. Leo suchte nach einem Zeichen des Triumphes, einem gemeinen, wenn auch verständlichen Vergnügen daran, dass sie andere in die Lager ziehen sahen, die sie selbst gerade verließen. Stattdessen sah er fehlende Finger, aufgerissene Haut, Geschwüre und kaputte Muskeln. Vielleicht würden sich einige von ihnen in der Freiheit wieder erholen, aber alle würden nicht überleben. Das also war aus den Männern und Frauen geworden, die er hierherverfrachtet hatte.

* * *

An Deck sah Timur zu, wie die Gefangenen zu einer Lagerhalle geführt wurden. Leo war von den anderen nicht zu unterscheiden. Ihre Maskierung war also nicht aufgeflogen. Trotz des Sturms waren sie beide unverletzt angekommen. Die Fahrt mit dem Schiff war ein notwendiger Teil ihrer Tarnung gewesen. Es gab zwar Flüge nach Magadan, aber dann hätten sie das Strafsystem nicht so unbemerkt infiltrieren können. Sträflinge kamen nicht mit dem Flugzeug. Zum Glück würden bei ihrer Rückkehr solche Schleichmanöver unnötig sein. Auf dem Rollfeld von Magadan wartete eine Frachtmaschine. Wenn alles lief wie geplant, würden er, Leo und Lasar in zwei Tagen nach Moskau zurückkehren. Timur wurde klar, dass das, was er gerade auf dem Schiff erlebt hatte, noch der leichteste Teil ihrer Mission gewesen war.

Er spürte eine Hand auf seiner Schulter. Hinter ihm standen der Kapitän der *Stary Bolschewik* und ein Mann, den Timur noch nie gesehen hatte. Nach der Qualität seiner Uniform zu urteilen, war er ein hochrangiger Beamter. Überraschend für einen Mann in einer solchen Machtposition war er außergewöhnlich dünn, beinahe sträflingsdürr, eine merkwürdige Solidarität mit den Männern, die er beaufsichtigte. Timurs erster Gedanke war, dass der Mann krank sein musste. Als der Beamte zu sprechen begann, nickte der Kapitän bereits unterwürfig, ehe der andere seinen Satz beendet hatte.

»Ich heiße Abel Present und bin hier der Regionaldirektor. Der Beamte Genrich …«

Er wandte sich an den Kapitän. »Wie war noch mal sein voller Name?«

»Genrich Duwakin.«

»Ich höre, er ist tot.«

Als der Name des Mannes fiel, den er an Deck dem Tod überlassen hatte, spürte Timur einen Kloß im Hals.«

»Ja. Er ist auf See verschollen.«

»Genrich gehörte zur Stammbesatzung des Schiffes. Jetzt benötigt der Kapitän Wärter für die Rückfahrt. Es herrscht ein chronischer Mangel. Der Kapitän hat erwähnt, dass Sie sich an Bord während der Meuterei prächtig geschlagen haben. Er hat persönlich darum gebeten, dass Sie Genrichs Posten übernehmen.«

Der Kapitän lächelte, er erwartete, dass Timur dies als Kompliment auffassen würde.

Timur dagegen stieg vor Schreck die Röte ins Gesicht. »Ich verstehe nicht.«

»Sie sollen für die Rückfahrt an Bord der *Stary Bolschewik* bleiben.«

»Aber ich bin doch dem Gulag 57 zugeteilt. Ich soll Stellvertretender Lagerkommandeur werden. Moskau hat mir wichtige Instruktionen erteilt, die ich umsetzen soll.«

»Das verstehe ich voll und ganz. Und Sie werden auch wie geplant im Gulag 57 stationiert werden. Wenn das Wetter mitspielt, dauert es bis Buchta Nachodka sieben Tage und noch einmal sieben Tage zurück. In zwei, spätestens drei Wochen treten Sie Ihren neuen Posten an.

»Genosse, ich muss darauf bestehen, dass ich meine Befehle ausführe und Sie sich jemand anderen suchen.«

Present wurde ungehalten, wie ein Warnsignal traten seine Adern hervor. »Genrich ist tot. Der Kapitän hat darum gebeten, dass Sie ihn ersetzen. Ich werde meine Entscheidung Ihren Vorgesetzten erläutern. Die Angelegenheit ist damit erledigt. Sie bleiben auf dem Schiff.«

Moskau

Am selben Tag

Malysch stand neben seinem Ankläger Lichoi, dem Kerl, dem er die Sehne durchtrennt hatte. Das Fußgelenk des Mannes war dick verbunden, und wegen des starken Blutverlusts war er blass und hatte Fieber. Doch er hatte darauf bestanden, dass die *schodka*, ein Schiedsgericht zwischen streitenden Bandenmitgliedern, stattfand.

»Frajera, was ist mit unserem Gesetz, dass keiner von uns *wory* einem anderen etwas zufügen darf? Indem er mich verletzt hat, hat er dich beschämt. Er hat uns alle beschämt.«

Lichoi stützte sich auf eine Krücke. Er hatte sich nicht hinsetzen wollen, weil das ein Zeichen der Schwäche gewesen wäre. Schaum stand ihm in den Mundwinkeln, kleine Speicheltropfen. Zeichen seiner Empörung, die er nicht weggewischt hatte. »Ich wollte Sex. Ist das etwa ein Verbrechen? Nicht für einen Verbrecher.«

Die anderen *wory* grinsten. Lichoi, der sich ihrer Unterstützung gewiss war, wandte sich wieder Frajera zu. Er senkte respektvoll seinen Kopf und sprach leiser weiter.

»Ich verlange den Tod von Malysch.«

Frajera wandte sich Malysch zu. »Deine Antwort?«

Der Junge warf einen verstohlenen Blick auf die ihn umringenden Gesichter, dann zuckte er die Achseln. »Mir wurde gesagt, ich soll aufpassen, dass ihr nichts passiert. So lautete dein Befehl. Ich habe getan, was mir befohlen wurde.«

Noch nicht einmal die Aussicht seines möglichen Todes machte ihn gesprächiger. Obwohl Malysch überzeugt war, dass

Frajera seinen Tod eigentlich nicht anordnen wollte, blieb ihr nur wenig Spielraum. Er hatte das Gesetz gebrochen, daran gab es nichts zu deuteln. Es war jedem Bandenmitglied verboten, einem anderen ohne Frajeras Erlaubnis etwas anzutun. Sie sollten einander beschützen, so als sei das Leben des einen mit dem des anderen verwoben. In eindeutiger Missachtung dieser Regel hatte er impulsiv gehandelt und mit der Tochter ihres Feindes gemeinsame Sache gemacht.

Malysch sah zu, wie Frajera im Kreis ihrer Anhänger auf und ab ging und offenbar die Stimmungslage innerhalb der Bande abschätzte. Die meisten waren gegen ihn. In Augenblicken wie diesen konnte man sich auf ihre Macht nicht mehr verlassen. Besaß Frajera die Autorität, die Mehrheit zu ignorieren? Oder würde sie sich auf die Seite dieser Mehrheit schlagen müssen, um ihre Autorität zu wahren? Es machte Malyschs Situation nicht besser, dass sein Ankläger innerhalb der Bande angesehen war. Seinen *klikucha* »Lichoi« trug er wegen seiner berühmten Manneskraft. Das banale »Malysch« dagegen bedeutete einfach Bürschchen und bezog sich auf seine geringe kriminelle ebenso wie auf seine mangelnde sexuelle Erfahrung. Er war erst vor Kurzem zur Bande gestoßen. Während die anderen *wory* sich alle aus dem Arbeitslager kannten, war Malysch eher zufällig bei ihnen gelandet. Seit er fünf war, hatte er auf dem Leningrader Baltiysky-Bahnhof als Taschendieb gearbeitet. Schon bald hatte das Straßenkind sich den Ruf des geschicktesten aller Diebe erworben. Eine derjenigen, die er bestohlen hatte, war Frajera gewesen. Anders als die meisten anderen hatte sie den Verlust sofort bemerkt und war ihm nachgesetzt. Ihre Schnelligkeit und Entschlossenheit hatte den Jungen überrascht, er hatte all seine Fertigkeiten und Ortskenntnisse des Bahnhofsgebäudes aufbieten müssen, um ihr zu entkommen. Am Ende war er aus einem Fenster geklettert, das kaum groß genug für eine Katze war. Trotzdem hatte es Frajera noch geschafft, ihm einen seiner

Schuhe vom Fuß zu reißen. Malysch hatte die Sache damit als erledigt betrachtet und wollte am nächsten Tag wieder seiner Tätigkeit nachgehen, allerdings an einem anderen Bahnhof. Doch Frajera hatte dort schon auf ihn gewartet, mit seinem Schuh in der Hand. Anstatt ihn zur Rede zu stellen, hatte sie ihm angeboten, seine Schar von Taschendieben zu verlassen und bei ihr anzufangen. Er war der einzige Taschendieb gewesen, der ihr je entwischt war.

Trotz seiner Fertigkeiten als Dieb war seine Ernennung zum echten Mitglied der *wory* nicht auf ungeteilten Zuspruch gestoßen. Die anderen hielten ihn für einen läppischen Kleinkriminellen, der es nicht wert war, einer von ihnen zu sein. Er hatte noch nie jemanden umgebracht und war nicht im Gulag gewesen. Frajera aber hatte diese Bedenken beiseitegeschoben. Sie fand Gefallen an ihm, obwohl er ernst und in sich gekehrt war und kaum ein Wort über die Lippen brachte. Zögernd fanden sich die anderen damit ab, dass er jetzt einer von ihnen war. Und auch er fand sich zögernd damit ab, dass er jetzt einer von ihnen war. In Wahrheit aber war er Frajeras Ziehkind, und jeder wusste das. Als Gegenleistung für ihren Schutz liebte er Frajera wie ein wütender Kampfhund sein Herrchen. Er strich um ihre Beine und schnappte nach jedem, der ihr zu nahe kam. Trotzdem machte er sich nichts vor. Wenn Frajeras Autorität auf dem Spiel stand, dann zählte das, was sie verband, nicht mehr viel. Frajera neigte überhaupt nicht zu Sentimentalitäten. Und Malysch hatte nicht nur einen Kameraden verwundet, er hatte auch noch ihre Pläne in Gefahr gebracht. Anstatt unauffällig mit dem Laster fahren zu können, hatten sie beinahe acht Stunden lang zu Fuß in die Stadt zurücklaufen müssen. Man hätte sie anhalten und verhaften können. Dem Mädchen hatte er gedroht, ihr die Kehle durchzuschneiden, wenn sie um Hilfe schrie oder seine Hand losließ. Sie hatte gehorcht und auch nicht über Erschöpfung geklagt, sondern war die ganze Strecke mit ihm gelaufen, ohne auch nur einmal um eine Rast zu bitten. Selbst auf belebten Straßen, wo sie ihm hätte Schwierigkeiten machen können, hatte sie seine Hand nicht losgelassen.

Frajera sprach. »Die Tatsachen sind unbestritten. Nach unseren Gesetzen wird jeder, der einen anderen Kameraden verletzt, mit dem Tod bestraft.«

Das Wort Tod war hier nicht in seinem normalen Wortsinn gemeint. Man würde ihn nicht etwa erschießen oder hängen. Tod hieß Ausschluss aus der Bande. Man würde ihn gut sichtbar tätowieren – auf der Stirn oder auf dem Handrücken. Es würde die Darstellung einer offenen Vagina oder eines offenen Anus sein – das Zeichen für jeden *wory*-Bruder, gleich welcher Bande, dass der Träger der Tätowierung jede nur erdenkliche körperliche und sexuelle Marter verdiente und man dabei keine Furcht vor der Rache einer anderen Bande haben musste. Malysch verehrte Frajera. Diese Strafe aber würde er nicht hinnehmen. Er stellte ein Bein aus und ließ seine Hand hinabgleiten. In einer verborgenen Tasche hatte er ein Messer, das die anderen beim Durchsuchen nicht gefunden hatten. Er befreite es aus dem Stoff, seine Finger lagen schon auf dem Springmechanismus, während er seine Flucht berechnete.

Frajera trat vor. Sie hatte eine Entscheidung gefällt.

* * *

Frajera musterte die Gesichter der Männer. Mit gespannter Konzentration fixierten sie sie, so als ob dies allein das gewünschte Urteil hervorbringen würde. Jahre hatte sie dafür gebraucht, sich ihre Loyalität zu verdienen, hatte Gehorsam belohnt und jeden Abweichler bestraft. Und trotzdem hing jetzt so viel von einem so kleinen Vorfall ab. Jede Meuterei brauchte einen Grund, hinter den sich die Leute scharen konnten. Der beliebte, beschränkte Lichoi hatte ihre Leute hinter sich gebracht.

Sie sahen in ihm das Musterbeispiel eine Bandenmitglieds. In seinen Trieben erkannten sie ihre eigenen wieder. Wenn er hier vor Gericht stand, dann standen sie alle vor Gericht. Der Streit, um den es hier ging, war vielleicht banal, aber die Probleme, wegen der sie die *schodka* einberufen hatten, waren alles andere als banal. Ihrer Ansicht nach gab es hier nur ein annehmbares Urteil: Frajera musste Malyschs Tod anordnen.

Frajera hörte zu, wie sie die *wory*-Gesetze zitierten, als seien sie heilig, und staunte über die fehlende Selbsterkenntnis der Männer. Dabei basierte das Gesetz dieser Bande doch gerade nicht nur auf der Einhaltung traditioneller *wory*-Gepflogenheiten, sondern ebenso auf ihrer Übertretung. Schließlich waren sie doch alle Männer und ließen sich trotzdem von einer Frau anführen, was es in der Geschichte der *wory* noch nie gegeben hatte. Im Gegensatz zu jedem anderen *derschat mast* oder Anführer einer Diebesbande war Frajera nicht nur daran interessiert, *außerhalb* des Staates zu operieren. Sie wollte Rache am Staat und an den Leuten, die ihm dienten. Diese Rache hatte sie ihnen in den Worten erklärt, die sie verstehen konnten, nämlich dass der Staat nichts anderes war als eine größere, rivalisierende Bande, mit der sie in einer erbitterten Blutfehde lagen. Trotzdem wusste sie, dass die *wory* letztendlich konservativ waren. Lieber hätten sie einen männlichen Anführer gehabt, einen, dem es nur um Geld und Sex und ums Saufen ging. Sie tolerierten ihren Racheplan ebenso wie ihr Geschlecht, aber beides tolerierten sie nur, weil Frajera brillant war und sie selbst nicht. Frajera finanzierte sie und beschützte sie, sie waren von ihr abhängig. Ohne Frajera würde die Mitte fehlen und die Bande in zerstrittene und bedeutungslose Grüppchen zerfallen.

Zu dieser merkwürdigen Allianz war es im Gulag Minlag gekommen, einem im Norden, südöstlich von Archangelsk gelegenen Lager. Ursprünglich hatte die nach Artikel 58 verurteilte politische Gefangene, die damals noch Anisja geheißen hatte, kein Interesse an den *wory* gehabt. Sie bewegten sich in verschiedenen Kreisen, die sich ebenso wenig mischten wie Wasser und Öl. Im Mittelpunkt von Anisjas Leben hatte einzig und allein ihr neugeborener Sohn Alexej gestanden. Für ihn hatte es sich gelohnt zu leben, ein Kind, das man lieben und beschützen musste. Nachdem sie den Jungen drei Monate lang gestillt und mehr geliebt hatte, als sie je geglaubt hatte, jemanden lieben zu können, hatten sie ihn ihr weggenommen. Eines Nachts war sie aufgewacht und hatte festgestellt, dass er weg war. Zunächst hatte die Schwester behauptet, Alexej sei im Schlaf gestorben. Anisja hatte die Schwester gepackt und durchgeschüttelt und ihr Kind zurückverlangt, bis ein Wärter sie zurückgeprügelt hatte. Die Schwester hatte sie angezischt, dass keine Frau, die nach Artikel 58 verurteilt war, es verdiente, ein Kind aufzuziehen.

Du wirst nie eine Mutter sein!

Von nun an würde der Staat die Elternschaft für Alexej übernehmen.

Anisja war krank geworden, krank vor Kummer. Sie hatte im Bett gelegen, jede Nahrung verweigert und im Schlaf fantasiert, dass sie immer noch schwanger war. Sie hatte gespürt, wie das Kind trat und um Hilfe schrie. Die Schwestern und *feldschery* hatten es kaum erwarten können, dass sie starb. Die Welt um sie herum hatte ihr jeden Grund gegeben zu sterben und auch jede Gelegenheit. Doch etwas in ihr hatte sich gewehrt. Anisja hatte ihre eigene Weigerung zu sterben genau untersucht, wie ein Archäologe, der eine dünne Schicht Wüstensand wegwischt, weil er wissen will, was sich darunter verbirgt. Was sie freigelegt hatte, war nicht das Gesicht ihres Sohnes oder das von Lasar gewesen. Sie hatte Leo gesehen, den Klang seiner Stimme gehört, seine Hand auf ihrer gespürt und mit ihr den ganzen Betrug und

Verrat. Wie einen Zaubertrank hatte sie diese Erinnerungen in einem Zug genossen. Der Hass hatte sie von der Schwelle des Todes zurückgeholt. Am Hass war sie genesen.

Hätte sie den Gedanken, Rache an einem MGB-Offizier zu nehmen, der sich viele Hundert Kilometer weit weg befand, jemandem erzählt, hätte man sie ausgelacht. Aber ihre Ohnmacht zermürbte sie nicht etwa, sondern wurde für Anisja zu einer regelrechten Inspirationsquelle. Dann würde sie eben bei null anfangen und von dort ihre Rache aufbauen. Während die anderen Patientinnen schliefen, betäubt mit Kodein, spuckte sie die Tabletten wieder aus und sammelte sie. Sie stellte sich weiter krank und blieb in der Krankenstation, während sie unbemerkt ihre Kraft zurückgewann und eine Dosis Medizin nach der anderen sammelte. Die Tabletten verbarg sie im Saum ihrer Hose. Als sie eine genügende Menge beisammenhatte, verließ sie zur großen Überraschung der Schwestern die Krankenstation und kehrte ins Lager zurück, ausgerüstet nur mit ihrem Verstand und einer Hose voller Tabletten.

Bis zu ihrer Verhaftung hatte man Anisja immer nur als ein Anhängsel von anderen betrachtet. Erst war sie die Tochter eines Mannes gewesen, dann die Frau eines Mannes. Jetzt, wo sie auf sich allein gestellt war, begann sie sich ein neues Ich zu erschaffen. All ihre Schwächen schob sie dem Charakter von Anisja zu. All ihre Stärken bündelte und verwob sie zu einer neuen Identität – zu der Frau, die sie werden wollte. Sie belauschte die *wory*, machte sich mit ihrem Jargon vertraut und wählte sich einen neuen Namen. Ab jetzt würde sie Frajera heißen, die Außenseiterin. Die *wory* gebrauchten das Wort nur verächtlich, als Beleidigung, aber sie würde es zum Namen ihrer Stärke machen.

Einem der Anführer hatte sie ihr Kodein im Tausch für seine Gunst angeboten und ihn gebeten, seiner Bande beitreten zu dürfen. Der *wory*-Hauptmann hatte sie verlacht und die Bedingung gestellt, dass sie einen allseits bekannten Informanten umbrachte. Ihr gesamtes Kodein hatte er als Garantiezahlung ohne Rückerstattung eingestrichen, denn die Aufgabe, die er ihr gestellt hatte, lag seiner Ansicht nach weit über ihren Fähigkeiten. Schließlich hatte sie noch vor drei Monaten ihren Säugling gestillt. Und selbst wenn sie sich traute und tatsächlich versuchte, den Informanten umzubringen, würde sie bestimmt erwischt und in Isolationshaft gesteckt oder gleich exekutiert werden. Keine Sekunde hatte der *derschat mast* geglaubt, sein Versprechen halten zu müssen. Doch drei Tage später hatte der Informant während des Abendessens angefangen zu husten und war auf den Boden gesackt, den Mund voller Blut. Jemand hatte zerkleinerte Rasierklingen unter seinen Kohl gemischt. Sein Versprechen zurückzunehmen war dem Bandenchef unmöglich gewesen, das verbot das Gesetz der *wory*. So war Frajera die erste Frau in seiner Bande geworden.

Frajera hatte allerdings nicht die Absicht, nur einfaches Mitglied zu bleiben. Um ihre Pläne verwirklichen zu können, musste sie das Sagen haben. So benutzte sie das, was sie von den *wory* lernte, um ihre Unabhängigkeit zu erlangen. Unter anderem hatte sie von ihnen gelernt, dass sie ihren Körper als eine Ware wie jede andere einsetzen konnte, ohne sich in irgendeiner Weise dafür schämen zu müssen. Also hatte sie sich darangemacht, den Kommandanten des Gulags zu verführen. Da der sich jedoch für seine sexuelle Befriedigung sowieso jede Frau in sein Büro bringen lassen konnte, hatte Frajera dafür sorgen müssen, dass er sich in sie verliebte. Ihren Abscheu hatte sie lediglich als weiteres Hindernis betrachtet, das es zu überwinden galt. Innerhalb von fünf Monaten hatte er auf ihre Bitte hin die gesamte Bande in ein anderes Lager verlegen lassen. Jetzt konnte Frajera ihre eigene Bruderschaft aufmachen.

Da kein Verbrecher, der etwas auf sich hielt, je eine Frau als Anführerin akzeptiert hätte, hielt sie sich an die Außenseiter, die Ausgestoßenen – jene *wory* also, die die Abfallhaufen durchwühlten, Fischgräten ablutschten und an verfaultem Gemüse herumkauten. Verstoßen hatte man sie entweder wegen irgendeines Streits oder Verrats oder weil sie irgendwann versagt hatten. Manche waren sogar bis zum *tchuschka* abgesunken, derart in Ungnade gefallen, dass es den anderen *wory* nicht einmal erlaubt war, sie zu berühren. Nach dem Gesetz der Verbrecherbanden war eine solche Schande unumkehrbar. Doch während sich sonst niemand dazu herabgelassen hätte, auch nur den Namen dieser Verachteten in den Mund zu nehmen, hatte Frajera ihnen eine zweite Chance gegeben. Einige waren schon an Leib oder Seele zerbrochen, andere hatten ihr damit gedankt, dass sie sie zu stürzen versuchten, sobald sie wieder bei Kräften waren. Die meisten aber hatten sie als Anführerin anerkannt.

Nach Stalins Tod hatte die Freiheit nicht mehr lange auf sich warten lassen. Frauen und Kinder waren amnestiert worden. Die Mitglieder ihrer Bande hatten ohnehin kürzere Strafzeiten, da sie keine politischen Gefangenen waren. Frajera hatte nicht etwa vor, Leo einfach zu stellen und ihm ein Messer in den Rücken oder eine Kugel in den Kopf zu jagen. Sie wollte, dass er so litt, wie sie gelitten hatte. Dafür brauchte sie Zeit und die nötigen Mittel. Viele Banden betrieben Handel auf dem Schwarzmarkt, doch hier waren die Möglichkeiten begrenzt, weil der Kuchen bereits verteilt war. Und Frajera hatte nicht etwa die Absicht, sich als kleines Rädchen mit bescheidenen Gewinnmargen aus importierten Lebensmitteln abspeisen zu lassen. Nicht, wenn sie sich Zugang zu erheblich wertvolleren Gütern verschaffen konnte.

Als man auf dem Höhepunkt der antireligiösen Bewegung die Kirche verfolgt hatte, waren viele ihrer Kunstgegenstände – Ikonen, Bücher und Silber – versteckt worden, da man sie sonst verbrannt oder eingeschmolzen hätte. Die meisten Priester hatten Widerstand geleistet und alles unternommen, um das Erbe der Kirche zu retten. Sie hatten Kultgegenstände in Feldern vergraben, Silber in Kaminschächten gebunkert und sogar Gemälde in wasserdichtes Leder gewickelt und beispielsweise im Motor eines ausrangierten, vor sich hin rostenden Traktors versteckt. Karten wurden keine angelegt. Nur einige wenige kannten die Verstecke, die nur im Flüsterton weitergegeben wurden, immer mit den Worten:

Falls ich sterben sollte …

Die meisten Hüter dieser Geheimnisse waren verhaftet und erschossen worden, waren in den Gulags verhungert oder hatten sich totgearbeitet. Von denen, die Bescheid wussten, war Frajera eine der Ersten gewesen, die man freigelassen hatte. Einen nach dem anderen hatte sie die Schätze ans Tageslicht geholt. Durch die *wory* kannte sie die Infrastruktur des schwarzen Marktes und die Leute, die man bestechen musste. So verschacherte sie die Kunstgegenstände an westliche Religionsgemeinschaften oder Privatkäufer und Museen. Manche ihrer Geschäftspartner schraken vor der Vorstellung zurück, die Schätze einer anderen Kirche aufzukaufen, aber schließlich erwies sich Frajeras knallharte Verkaufstechnik immer als erfolgreich: Wenn ihre Preisvorstellungen auf Widerstand stießen, dann konnte man eben für die Unversehrtheit der Gegenstände nicht mehr garantieren. So hatte sie einmal ihren Käufern eine Ikone des Heiligen Nikolaus von Moschaisk geschickt. Einst war sie in kräftigen Farben gemalt worden, doch die Temperafarbe war mit der Zeit verblasst, und um den Glanz wiederherzustellen, hatte man sie mit Blattgold und Silber belegt. Frajera hatte sich vorgestellt, wie die Priester geweint hatten, als sie das Paket geöffnet und nur noch Bruchstücke der Ikone vorgefunden hatten, das Gesicht des Heiligen bis auf die Augen heruntergekratzt. Etwas damit zu tun zu haben hatte sie allerdings bestritten, sondern im Interesse funktionierender Geschäftsbeziehungen diesen Akt des Vandalismus stattdessen fanatischen Parteimitgliedern in die Schuhe geschoben. Danach hatte sie einfach nur noch den Preis nennen müssen und sich überdies nicht etwa als Profiteurin, sondern als Retterin dargestellt.

Bezahlt wurde in Gold. So lieferte Frajera ihren *wory* die Reichtümer, die sie ihnen immer versprochen hatte. Die Kunstschätze barg sie einen nach dem anderen – für den Fall, dass jemand sie für überflüssig halten sollte. Weil sie vorsichtig war und niemandem traute, war das Erste, wofür sie Geld ausgab, ein mit Zyanid gefüllter Zahn, den sie ihren Männern stolz vorführte. Wenn einer glaubte, dass man die Verstecke der übrigen Kunstschätze durch Folter aus ihr herauspressen konnte, dann hatte er sich geschnitten. Noch im Tod würde sie ihre Pläne durchkreuzen. Nach der Reaktion ihrer Bande zu urteilen, hatten zwei der Männer offenbar tatsächlich etwas Ähnliches im Sinn gehabt. Noch vor Ablauf der Woche hatte Frajera sie umgebracht.

Danach war nur noch eine Sache zu klären gewesen. Der Lagerkommandant von Minlag war aufgetaucht, um sein Leben mit ihr zu verbringen, wie sie beide es sich doch erträumt hatten, und um seinen Anteil an der Beute zu kassieren.

Hier ist dein Anteil.

Mit diesen Worten hatte sie ihm ein Messer in den Bauch gerammt. Nicht besonders nett, schließlich verdankte sie ihm ihr Leben. Zum Sterben hatte er nicht mal eine Stunde gebraucht, hatte sich auf dem Fußboden gewunden und sich dabei gefragt, wie er sich nur so hatte irren können. Bis die Messerspitze in seinen Bauch drang, war er sich sicher gewesen, dass sie ihn liebte.

* * *

Im Raum herrschte gespannte Stille. Frajera hob die Hand. »Die normalen *wory*-Gesetze gelten für uns nicht. Früher hattet ihr gar nichts, nicht einmal etwas zu beißen. Ich habe euch gerettet, obwohl ich euch nach den *wory*-Gesetzen hätte sterben lassen sollen. Wenn ihr krank wart, habe ich euch Medizin besorgt. Wenn es euch gut ging, habe ich euch Opium und Alkohol gegeben. Meine einzige Bedingung war Gehorsam. Das ist unser einziges Gesetz, und was das betrifft, hat Lichoi mich betrogen.«

Keiner rührte sich. Die Blicke der Männer flackerten von links nach rechts, jeder versuchte zu erahnen, was der neben ihm dachte.

Lichoi hatte sich auf seine Krücke gestützt, sein Gesicht war wutentstellt. »Warum bringen wir die Schlampe nicht einfach um? Ein Mann soll uns befehligen und nicht irgendein Weib, die findet, vögeln wäre ein Verbrechen.«

Frajera trat näher an Lichoi heran. »Würdest du etwa diese neue Bande anführen? Du, Lichoi? Früher hast du mir für eine Brotkruste die Stiefel geleckt. Du lässt dich von deinen Eingebungen leiten, und das macht dich dumm. Du würdest eine Bande ins Verderben führen.«

Lichoi wandte sich an die Männer. »Los, wir machen sie zu unserer Hure. Wir sind doch richtige Männer.«

Frajera hätte einfach einen Satz nach vorn machen, Lichoi die Kehle durchschneiden und die Kampfansage damit beenden können. Aber ihr war klar, dass sie diesen Streit einvernehmlich lösen musste, und deshalb konterte sie. »Er hat mich beleidigt.«

Jetzt mussten die *wory* sich entscheiden.

Einen Moment lang rührte sich keiner. Dann griff eine Hand nach Lichoi, danach eine zweite. Jemand trat ihm die Krücke weg. Sie stießen ihn zu Boden und rissen ihm die Kleider vom Leib. Nackt hielten sie ihn am Boden fest, je ein Mann pro Arm und Bein. Einer ging zum Ofen und holte eine glühend heiße Kohle aus dem Feuer.

Frajera sah auf Lichoi hinab. »Du gehörst nicht mehr zu uns.«

Sie drückten ihm die Kohle an sein eintätowiertes Kruzifix – das Zeichen, das sie alle trugen. Die Haut warf Blasen. Nicht nur war die Tätowierung ausgelöscht, seine Haut würde auch so entstellt sein, dass er sich keine neue machen lassen konnte. Normalerweise hätte man ihn daraufhin ausgestoßen und gehen lassen. Aber Frajera kannte sich zu gut mit Rachegelüsten aus. Sie würde sicherstellen, dass er seine Verletzungen auf keinen Fall überlebte. Sie warf Malysch einen kurzen Blick zu, und in diesem Blick lag ihr Befehl. Er zog sein Messer und ließ die Klinge aufschnappen. Er würde sämtliche Tätowierungen herausschneiden.

* * *

In ihrer Zelle umklammerte Soja die Gitterstäbe, während sie hörte, wie die Schreie durch den Flur hallten. Es waren die Schreie eines Mannes, nicht die eines Jungen. Soja war erleichtert.

Kolyma
Fünfzig Kilometer nördlich vom Hafen von Magadan, sieben Kilometer südlich von Gulag 57

9. April

Sie standen nebeneinander, jeder stierte auf die Schulter seines Nebenmannes und schaukelte mit der Bewegung des Lastwagens. Es gab zwar keinen Wärter, der sie daran gehindert hätte, sich hinzusetzen, aber Bänke gab es ebenso wenig, und der Boden war so kalt, dass sie allesamt beschlossen hatten, lieber stehen zu bleiben. Wie eine Viehherde traten sie auf der Stelle, um sich warm zu halten.

Leo befand sich ganz außen am Ende der Ladefläche. Die Plane hatte sich gelöst und sorgte dadurch auf der Ladefläche für Temperaturen unter null, doch dafür gewährte die auf- und zuflatternde Leinwand wenigstens gelegentliche Ausblicke auf die Landschaft. Der Konvoi folgte der Landstraße von Kolyma hinauf in die Berge, einer künstlich angelegten Fahrbahn, die sich aber so vorsichtig über das Gelände wand, als sei sie sich bewusst, dass sie hier unbefugt in die totale Wildnis eindrang. Insgesamt waren es drei Lastwagen. Man hatte sich nicht einmal die Mühe einer Eskorte gemacht, um sicherzustellen, dass keiner der Gefangenen vom Wagen sprang und flüchtete. Hier konnte man nirgendwohin entfliehen.

Plötzlich wurde die Straße steiler, und das Heck des Lasters neigte sich so beängstigend ins schneebedeckte Tal hinab, dass Leo sich an der Stahlreling festhalten musste. Die anderen Gefangenen rutschten nach unten und wurden gegen ihn gedrückt. Der Lastwagen schaffte die Steigung nicht und blieb hin- und herwippend stecken, gleich würde er zurückrollen. Die Handbremse wurde angezogen, der Motor ging aus. Die Wachen öffneten die hintere Luke, und die Gefangenen purzelten auf die Straße.

»Marschieren!«

Die ersten beiden Lastwagen hatten es über den Kamm geschafft und waren nicht mehr zu sehen. Der letzte ließ nun ohne das Gewicht der Sträflinge den Motor an und fuhr den Hang hinauf. Die Zurückgelassenen quälten sich bergan und keuchten dabei wie alte Männer, hinter sich die Wärter mit den Gewehren im Anschlag. Vor dem Hintergrund der Landschaft wirkte das wichtigtuerische Gehabe der Wachmänner so bedeutungslos und lächerlich wie Insektengekrabbel. Leo beobachtete sie mit den Augen eines Gefangenen und konnte nur darüber staunen, wie wichtig sie sich offensichtlich vorkamen. Wie Viehtreiber. Am liebsten hätte er ihnen, nur um ihre Überraschung zu sehen, zugerufen:

Ich bin einer von euch!

Im nächsten Moment fragte er sich, ob er wirklich einer von denen war? So selbstgefällig, so eingelullt von der eigenen Macht, von der Geltung, die der Staat einem verliehen hatte. Auf jeden Fall war er früher so einer gewesen.

Oben auf dem Kamm wurde es flacher. Leo blieb stehen, atmete durch und inspizierte das vor ihm liegende Gelände, während kalter Wind an ihm zerrte und ihm Tränen in die Augen trieb. Was er sah, war eine Mondlandschaft, eine riesige Hochebene, groß wie eine Stadt, geglättet vom Eis und vom Permafrost und übersät mit Kratern. Die einsame Landstraße schnitt in einer ungefähren Diagonalen hindurch und wand sich dann den bislang höchsten Berg hinauf. Wie ein gewaltiger Kamelhöcker erhob er sich aus dem Plateau. Irgendwo an seinem Fuß lag der Gulag 57.

Während die Sträflinge zurück auf den Laster kletterten, warf Leo einen Blick auf die anderen beiden Fahrzeuge. Er musste sich der Tatsache stellen, dass Timur sich nicht im Konvoi befand. Niemals wäre sein Freund in einen der Lastwagen gestiegen, ohne Kontakt mit ihm aufzunehmen, selbst wenn es nur ein flüchtiger Blick in der Menge gewesen wäre. Seit gestern, als er an Deck der *Stary Bolschewik* an ihm vorbeigelaufen war, hatte Leo ihn nicht mehr gesehen. Danach hatte man Leo ins Durchgangslager von Magadan abgeführt, wo er entlaust und von einem Arzt untersucht worden war. Der hatte ihn als voll tauglich eingestuft und der TFT zugeteilt, der *Tjascholy Fisitscheski Trud* oder Schwerstarbeiterkolonne, für deren Arbeit es keinerlei Beschränkungen gab. Danach hatte Leo in einem der großen Zelte gewartet, die man für die Neuankömmlinge aufgebaut hatte. Mit den Hunderten zusammengezwängter Liegen hatte es ihn an die Behelfslazarette im Großen Vaterländischen Krieg erinnert. Eigentlich war ausgemacht gewesen, dass Timur und er am Abend zusammentreffen sollten. Als Timur nicht erschienen war, hatte Leo sich mit allen möglichen Erklärungen beruhigt. Es hatte eben eine Verzögerung gegeben, morgen früh würden sie sich schon begegnen. Sich nach ihm zu erkundigen war zu riskant, nicht nur, weil ihre Tarnung auffliegen konnte, man hätte Leo für einen Informanten halten können. Weil er keinen Schlaf gefunden hatte, war er früh aufgestanden in der Hoffnung, seinen Freund zu finden. Als sie auf die Lastwagen verfrachtet worden waren, hatte Leo bis zum letzten Moment gewartet. Mittlerweile fielen ihm beruhigende Erklärungen für Timurs Abwesenheit schon schwerer.

Zum ersten Mal nach sieben Jahren würde Leo wieder auf Lasar treffen. Ihre erste Begegnung, der Augenblick, wo sie einander entdeckten, war möglicherweise der gefährlichste Moment der ganzen Mission. Darauf, dass Lasars Hass sich mit der Zeit gelegt hatte, brauchte Leo nicht zu hoffen. Wenn er ihn nicht auf der Stelle umzubringen versuchte, würde Lasar auf jeden Fall verbreiten, dass Leo ein Tschekist war, ein Mann, der für die Einkerkerung von Hunderten unschuldiger Männer und Frauen verantwortlich war. Wie lange würde Leo dann wohl noch zu leben haben, umgeben von Leuten, die man gefoltert und verhört hatte? Genau für eine solche Situation war Timurs Anwesenheit so wichtig. Sie hatten einkalkuliert, dass das Zusammentreffen gewalttätig verlaufen konnte. Mehr noch, es war sogar Teil ihres Plans. Als Wärter würde Timur einschreiten und jede Auseinandersetzung unterbinden können. Vorschriftsgemäß würde man Leo und Lasar voneinander trennen und anschließend in den Isolationstrakt sperren, in benachbarte Einzelzellen. Dort würde Leo dann Gelegenheit haben, Lasar zu erklären, dass er gekommen war, um ihn zu befreien, dass seine Frau lebte und dass er auf keinen Fall jemals auf regulärem Weg würde entlassen werden. Entweder nahm er Leos Hilfe an, oder er würde als Sklave sterben.

Leo fuhr sich mit seinen eiskalten Fingern über den frischgeschorenen Schädel. Verzweifelt entwarf er einen Notplan. Es gab nur eine Lösung: Er würde die Begegnung mit Lasar hinauszögern müssen, bis Timur auftauchte. Sich zu verbergen würde nicht einfach sein. Seit Stalins Tod war der Gulag 57 sowohl in der Zahl seiner Gefangenen als auch in seiner räumlichen Ausdehnung geschrumpft. Zuvor hatte er aus einer Vielzahl von über den Berghang verstreuten *lagpunkty* bestanden, Unterkolonien des Lagers. Einige hatten in so schroffem Gelände und an so unergiebigen Minen gelegen, dass ihr Zweck eigentlich nur der Tod sein konnte. All diese kleineren Baracken von Gulag 57 waren mittlerweile geschlossen, und das einstige Gefängnisimperium beschränkte sich nur mehr auf das Hauptlager am Fuß des Berges, den einzigen Ort, wo die Goldmine überhaupt je einigermaßen ertragreich gewesen war. Und nach dem, was Leo auf den Lagerplänen gesehen hatte, war selbst von diesem

Terrain nur wenig übrig geblieben. Die »Zone«, der überwachte Bereich, war rechteckig angelegt, obwohl dem Gelände ein kurviger Grundriss eher entsprochen hätte. Aber es war ein ehernes Gesetz, dass die Zone nun einmal rechteckig zu sein hatte. Etwas Rundes gab es in einem Gulag nicht, wenn man einmal vom Stacheldraht absah, der sich um sechs Meter hohe Pfosten ringelte, die zwei Meter tief in die Erde eingegraben waren und die äußere Eingrenzung des Lagers darstellten. Im Innern dieses Zauns befanden sich mehrere Schlafbaracken und eine Kantinenbaracke, von denen wiederum der in der Lagermitte liegende Verwaltungstrakt durch ein inneres Stacheldraht-Rechteck abgeschirmt wurde. Sektoren innerhalb von Sektoren, Zonen innerhalb von Zonen. Für die Sicherheit sorgten neben Schutzwällen aus Baumstämmen sechs kleinere Beobachtungstürme sowie zwei mächtige *wachta*-Türme zu beiden Seiten des Haupttors, die beide mit schweren Maschinengewehren auf Lafetten bewaffnet waren. Zudem befanden sich in jeder Ecke der Zone kleinere Türme, von denen aus Wachbeamte das Lager durch Fernrohre beobachteten. Und selbst wenn die Wachen einschliefen oder betrunken in der Ecke lagen, spielte das keine Rolle, denn um in die Freiheit zu gelangen, musste man zunächst über den Berg klettern oder kilometerweit die ungeschützte Hochebene durchqueren.

Bei seiner Ankunft würde man Leo in die innere Gefangenenzone treiben. Da es drei Baracken gab, bestand zumindest die theoretische Chance, dass er noch weitere vierundzwanzig Stunden unentdeckt blieb. Vielleicht gab das Timur ausreichend Zeit hinterherzukommen.

Der Lastwagen wurde langsamer. Vorsichtig, damit ihn nicht etwa ein übereifriger Scharfschütze auf dem *wachta* abschoss, spähte Leo hinaus auf den Berg. Die Hänge waren gefährlich steil. Vor dem kolossalen Bergmassiv sahen die Mine und die paar Gräben und künstlich angelegten Bäche, in denen die Erdklumpen gewaschen und nach Gold durchsiebt wurden, geradezu lächerlich klein aus.

Oben auf den zwei *wachta* bemerkte er Schatten, es waren Posten, die die Neuankömmlinge im Auge behielten. Die Türme waren fünfzehn Meter hoch und wurden über eine Reihe wackeliger Leitern erklommen, die man jederzeit hochziehen konnte. Die Tore zwischen den Türmen wurden von Hand geöffnet. Wachposten drückten die schweren Holztore auf und schoben sie durch den Schnee. Die Lastwagen fuhren auf das Lagergelände. Von der Ladefläche aus sah Leo, wie die Tore hinter ihnen geschlossen wurden.

Am selben Tag

Leo kletterte von der Ladefläche und wurde von den Wärtern ans Ende einer Längsreihe geführt. Nebeneinander standen die Sträflinge zitternd da und warteten auf die Inspektion. Da er keinen Schal und nur eine zu kleine Mütze besaß, hatte Leo sich Lappen in den Jackenkragen gesteckt, um sich gegen die Kälte zu schützen. Obwohl er sich alle Mühe gab, schaffte er es nicht, das Zähneklappern zu unterdrücken. Sein Blick glitt über die Zone. Die einfachen Blockhausbaracken standen auf Stützpfosten über der gefrorenen Erde. Der Horizont bestand aus Stacheldraht und weißem Himmel. Die Gebäude und anderen Anlagen waren so primitiv, als hätte eine hochstehende Zivilisation sich plötzlich zurückentwickelt und Hochhäuser durch Hütten ersetzt. Hier also waren sie gestorben, die Männer und Frauen, die er verhaftet und deren Namen er vergessen hatte. Hier hatten sie gestanden und diesen Anblick vor Augen gehabt. Trotzdem ging es Leo nicht wie ihnen. Die anderen hatten keine Fluchtpläne gehabt. Sie hatten überhaupt keine Pläne mehr gehabt.

Sie warteten schweigend, doch von Schores Sinjawski, dem Kommandanten des Gulags 57, war nichts zu sehen. Der Mann war weit über die Gulags hinaus bekannt, Überlebende hatten seine Geschichte nach draußen mitgenommen und überall im Land verbreitet. Der fünfundfünfzigjährige Sinjawski war ein Veteran der *glawnoje uprawlenije lagerei*, kurz Gulags genannt; sein ganzes Erwachsenenleben hatte er in deren tödlichen Dienst gestellt. Er hatte von Sträflingen durchgeführte Bauprojekte überwacht, unter anderem den Fergana-Kanal und die nicht fertiggestellte Eisenbahn an der Mündung des Ob. Hunderte von Kilometern vor ihrem geplanten Ziel, dem Jenissei, brachen die Gleise ab und verrotteten mittlerweile wie eine prähistorische stählerne Schlangenhaut. Viele Tausend Menschenleben und mehrere Milliarden Rubel hatte dieses Projekt verschlungen, doch Sinjawskis Karriere hatte sein Scheitern nicht geschadet. Während andere Lagerkommandanten dem Verlangen der Gefangenen nach Ruhepausen, Nahrung und Schlaf nachgegeben hatten, hatte er immer sein Plansoll erfüllt. Er hatte seine Gefangenen gezwungen, im kältesten Winter und im heißesten Sommer zu arbeiten. Er hatte nicht am Bau einer Eisenbahn, sondern an seinem Ruf gearbeitet. Er hatte seinen Namen in die Knochen anderer Menschen gemeißelt. Da spielte es keine Rolle, wenn man die Schwellen nicht genügend vorbehandelt hatte, sodass sie in der Julisonne rissen und sich im eisigen Januar verzogen. Es spielte keine Rolle, wenn Arbeiter zusammenbrachen. Auf dem Papier hatte er sein Soll erfüllt. Auf dem Papier war er ein Mann, dem man vertrauen konnte.

Es war offensichtlich, dass die Gulags für Sinjawski mehr als nur eine Arbeit waren. Er strebte nicht nach Privilegien. Geld interessierte ihn nicht. Und hätte man ihm einen bequemen Verwaltungsposten in moderatem Klima angeboten, wo er ein Lager nicht weit von einer Stadt beaufsichtigen konnte, dann hätte er abgelehnt. Er war fünfundfünfzig Jahre alt und wollte dennoch über das feindseligste Territorium herrschen, das je kolonisiert worden war. Er hatte sich freiwillig nach Kolyma gemeldet. Er hatte die Wüstenei gesehen und beschlossen, dass dies der richtige Ort für ihn war.

Leo hörte Holz knarren und wandte den Kopf. Oben auf der Treppe kam Sinjawski gerade aus der Kommandantenbaracke. Er war so dick in Rentierfelle eingepackt, dass sie seinen Umfang verdoppelten. Sein Mantel war ebenso kleidsam wie praktisch, und er lag ihm derart selbstverständlich um die Schultern, als hätte er die Tiere selbst im heldenhaften Kampf getötet. Bei jedem anderen Mann hätte ein solch theatralischer Auftritt lächerlich gewirkt. Aber an diesen Ort und zu diesem Mann schien er zu passen. Es war sein Kaisermantel. Er war der Herrscher dieses Reiches.

Anders als andere Häftlinge, deren Überlebensinstinkte höher entwickelt waren, weil sie schon mehrere Monate in Zügen und Durchgangslagern verbracht hatten, starrte Leo den Kommandanten offen und mit ungezügelter Faszination an. Erst als ihm einfiel, dass er ja gar kein Milizbeamter mehr war, wandte er das Gesicht ab und senkte den Blick zu Boden. Als Gefangener konnte man erschossen werden, wenn man dem Wachpersonal in die Augen sah. Theoretisch hatten sich die Vorschriften zwar geändert, aber wer konnte schon wissen, ob diese Änderungen auch wirklich umgesetzt wurden?

»Du da!«, rief Sinjawski.

Leo hielt den Blick starr auf den Boden gerichtet. Er hörte die Treppe knarren, als der Kommandant von der erhöhten Veranda hinabstieg. Als er unten angekommen war, knirschten seine Schritte im eisigen Schnee. Dann tauchten zwei wunderschön gefertigte Fellstiefel in Leos Blickfeld auf. Immer noch hielt er die Augen gesenkt wie ein gescholtener Hund. Eine Hand umklammerte sein Kinn und zwang ihn aufzuschauen. Das Gesicht des Kommandanten war durchzogen von tiefen dunklen Linien, eine

Haut wie Räucherfleisch. In seinen Pupillen blitzte es jodfarben. Leo war ein kapitaler Fehler unterlaufen: Er war aufgefallen. Eine weitverbreitete Methode, den Häftlingen zu zeigen, was sie erwartete, war, gleich nach der Ankunft an einem von ihnen ein Exempel zu statuieren.

»Warum siehst du weg?«

Es war mucksmäuschenstill. Leo spürte förmlich die Erleichterung der anderen Gefangen, wie Wärme verströmten sie sie. Ihn hatte es erwischt, nicht sie. Sinjawskis Stimme war auffallend leise. »Antworte.«

»Ich wollte Sie nicht beleidigen«, sagte Leo.

Sinjawski ließ Leos Kinn los, trat einen Schritt zurück und griff in seine Tasche.

Leo hatte als Nächstes die Mündung einer Pistole erwartet und brauchte ein paar Sekunden, um zu begreifen, was er sah. Sinjawskis Arm war zwar tatsächlich ausgestreckt, aber die Handfläche wies nach oben und hielt ihm drei kleine, purpurrote Blümchen hin, keine größer als ein Hemdknopf. Leo fragte sich, ob er gerade den irren Augenblick erlebte, wo die Kugel in sein Hirn drang, ein Wirrwarr von Bildern und Erinnerungen. Aber nach einigen Augenblicken flatterten die zarten Blütenblätter immer noch im Wind. Das hier war real.

»Nimm eine.«

War es ein Gift? Sollte er sich im Angesicht der anderen vor Schmerzen winden? Leo rührte sich nicht und hielt die Arme streng an die Hosennaht gelegt.

»Nimm eine.«

Was sollte er machen? Also streckte Leo gehorsam die Hand aus. Wie die Beine eines Betrunkenen torkelten sein Daumen und sein Zeigefinger unsicher auf Sinjawskis Handflächen herum, beinahe hätte er die Blüten heruntergestoßen. Schließlich erwischte er eine. Sie war getrocknet, die Blättchen brüchig.

»Riech dran.«

Wieder rührte Leo sich nicht, er verstand nicht, was der andere von ihm wollte.

Der wiederholte seine Anweisung. »Du sollst dran riechen.«

Leo hob die Blüte an seine Nase und beschnüffelte sie, roch aber gar nichts.

Sinjawski lächelte. »Riecht gut, oder?«

Leo dachte nach. War das eine Falle? »Ja.«

»Gefällt es dir?«

»Gefällt mir sehr.«

Der Mann klopfte Leo auf die Schulter. »Du wirst ein Gärtner sein. Die Landschaft hier sieht zwar unfruchtbar aus, aber sie steckt voller Möglichkeiten. Es gibt nur zwanzig Wochen im Jahr, wo die Erdoberfläche geschmolzen ist. In dieser Zeit erlaube ich allen Gefangenen, das Land zu kultivieren. Du kannst anbauen, was immer du willst. Die meisten ziehen Gemüse. Aber die Blumen, die hier wachsen, sind sehr schön, auf ihre einfache Art. Einfache Blumen sind oft die schönsten, findest du nicht auch?«

»Doch.«

»Glaubst du, dass du Blumen ziehen wirst? Ich will dir nichts vorschreiben. Du kannst auch was anderes machen.«

»Blumen ... sind ... schön.«

»In der Tat. Sie sind schön. Und einfache Blumen sind die schönsten.«

Der Kommandant lehnte sich nahe zu Leo heran und flüsterte: »Ich reserviere dir ein schönes Stückchen Land. Bleibt unser Geheimnis.«

Herzlich drückte er Leos Arm.

Sinjawski ging zurück und richtete seine Worte jetzt an die aufgereihten Gefangenen. Dabei zeigte er ihnen die auf seiner ausgestreckten Hand liegenden purpurnen Blüten. »Nehmt eine.«

Die Häftlinge zögerten.

Er wiederholte seinen Befehl. »Nehmt eine!«

Verärgert über ihr Zaudern schleuderte er die Blüten in die Luft, sodass die rotblauen Blättchen ihnen um die kahl geschorenen Köpfe flogen. Dann holte er noch eine Handvoll aus seiner Tasche und warf sie ihnen ebenfalls entgegen, immer wieder. Einige Männer sahen auf, Blütenblättchen in den Wimpern. Andere blickten weiter zu Boden, ohne Zweifel überzeugt, dass das hier ein ganz besonders ausgekochter Trick war, auf den nur sie nicht hereingefallen waren.

Leo hielt immer noch die Blume in der gekrümmten Handfläche. Er begriff es nicht, konnte sich keinen Reim auf die Sache machen. Hatte er die falsche Akte gelesen? Dieser Mann da mit den Taschen voller Blumen konnte doch nicht der sein, der Häftlingen noch befohlen hatte weiterzuarbeiten, während die Leichen der Kameraden neben ihnen schon verfaulten. Nicht derselbe, der den Bau des Fergana-Kanals und der Ob-Eisenbahn überwacht hatte.

Als er alle seine Blüten verpulvert hatte und die letzten Blättchen in den Schnee trudelten, setzte Sinjawski seine Einführungsrede fort. »Diese Blumen stammen aus der schlimmsten, unbarmherzigsten Erde der Welt. Aus dem Hässlichen erwächst das Schöne. Daran glauben wir hier. Ihr seid nicht hier, weil ihr leiden sollt. Ihr seid hier, um zu arbeiten, genau wie ich. Wir sind gar nicht so verschieden, ihr und ich. Na schön, wir verrichten unterschiedliche Arbeiten. Und vielleicht ist eure Arbeit härter. Aber trotzdem werden wir zusammenarbeiten, für unser Land. Wir werden an *uns* arbeiten. Wir werden zu besseren Menschen werden, genau hier, an diesem Ort, wo niemand irgendetwas Gutes zu finden glaubt. Wir werden es allen beweisen. Ihr und ich.«

Seine Worte schienen aus tiefstem Herzen zu kommen und einem ehrlichen Gefühl zu entspringen. Ob Sinjawski nun die eigene Schuld oder Reue quälte oder die Angst, von den neuen Machthabern vor Gericht gestellt zu werden, auf jeden Fall war ziemlich klar, dass der Kommandant den Verstand verloren hatte.

Sinjawski gab den Wärtern ein Zeichen. Einer rannte daraufhin zur Offiziersbaracke und kam nur Augenblicke später mit mehreren Häftlingen wieder heraus, von denen jeder eine Flasche und ein Tablett mit kleinen Blechnäpfen trug. Sie gossen eine dickflüssige dunkle Flüssigkeit in die Becher und boten sie allen Gefangenen an.

Sinjawski erklärte. »Dieses Getränk, *chwoja* genannt, ist eine Mischung aus dem Extrakt der *chwoja*-Nadel und Rosenwasser. Beide enthalten viele Vitamine. Sie halten euch bei guter Gesundheit. Wenn ihr gesund seid, seid ihr produktiv. Hier werdet ihr ein produktiveres Leben führen als früher, außerhalb des Lagers. Meine Aufgabe ist es, euch dabei zu helfen, dass ihr zu produktiveren Bürgern heranreift. Und indem ich das tue, werde auch ich zu einem produktiveren Bürger. Euer Wohl ist auch mein Wohl. Wenn ihr Fortschritte macht, tue ich das auch.«

Leo hatte sich nicht gerührt, er stand noch genauso da wie zuvor. Seine Hand war immer noch ausgestreckt. Eine Brise erfasste die Blüte und wehte sie zu Boden. Er bückte sich und hob sie auf. Als er sich wieder aufrichtete, sah er, dass der Häftling mit dem Pinienextrakt bei ihm angekommen war. Leo nahm sich die kleine Blechtasse, und dabei berührten seine Finger für einen Moment die des anderen Gefangenen. Für den Bruchteil einer Sekunde waren sie sich noch fremd, doch dann blitzte die Erinnerung auf.

Am selben Tag

Lasars Augen wirkten riesengroß, wie kalte, schwarze Monde, hinter denen eine rote Sonne brannte. Er war schmal, sein Körper zusammengeschmolzen zu einem Konzentrat seiner früheren Existenz. Seine Haut war straff bis auf die linke Gesichtshälfte, wo sein Kinn und seine Wange eingefallen waren, als bestünden sie aus Wachs und seien zu nah ans Feuer geraten. Leo vermutete kurz, dass er einen Schlaganfall erlitten hatte, doch dann fiel ihm der Abend der Verhaftung von Lasar wieder ein. Unwillkürlich ballte er die Faust – dieselbe Faust, mit der er immer und immer wieder auf ihn eingeprügelt hatte, bis die Wangenknochen nachgegeben hatten. Eigentlich hätte die Verletzung in sieben Jahren heilen sollen, so wie jede. Aber in der Lubjanka hatte man Lasar vermutlich nicht medizinisch versorgt. Vielleicht hatten die Verhörspezialisten sich der Verletzung sogar bedient und die gebrochenen Knochen gequetscht, wenn ihnen eine Antwort nicht gepasst hatte. Im Lager hatte man ihn dann zwar vermutlich notdürftig zusammengeflickt, aber sicher nicht mit plastischer Chirurgie – allein die Vorstellung war abwegig. Leos ebenso unbesonnener wie sinnloser Gewaltakt – ein Verbrechen, das er vergessen hatte, sobald die Knöchel ihm nicht mehr wehtaten – hatte lebendige Gestalt angenommen.

Lasar ließ sich angesichts ihres Wiedersehens nichts anmerken, er hielt nur kurz inne, und es schien Leo, als schlügen ihre Augen aufeinander wie Feuersteine. Lasars Gesicht aber blieb unergründlich, die linke Hälfte war zu einer ständigen Grimasse verzogen. Ohne ein Wort ging er weiter die Reihe der Häftlinge entlang und goss für die Neuankömmlinge Pinienextrakt in kleine Becher. Er warf nicht einmal einen flüchtigen Blick zurück, so als sei alles in Ordnung und sie beide wieder Fremde.

Leo blieb reglos stehen und umklammerte seine Blechtasse,

bis sich seine Finger um sie verkrampften. Die gallertartige Oberfläche des Sirups aus Kiefernnadeln und Rosenwasser vibrierte mit dem Zittern seiner Hand. Er hatte jede Fähigkeit verloren, klar oder strategisch zu denken.

Der Kommandant rief ihm gut gelaunt zu: »Du da! Freund! Der Blumenliebhaber! Trink! Das macht dich stark.«

Leo hob die Tasse und nippte an der dicken schwarzen Brühe. Sie schmeckte entsetzlich bitter und legte sich wie Teer über seine Schleimhäute. Am liebsten hätte er sie ausgespuckt. Doch dann schloss er die Augen und schluckte widerwillig.

Als er die Augen wieder aufmachte, sah er, wie Lasar gerade seinen Auftrag beendete und ohne Hast wieder zu den Baracken zurücktrottete. Selbst als er an ihm vorbeikam, warf er ihm keinen Blick zu, zeigte nicht das geringste Zeichen von Erregung. Kommandant Sinjawski sprach noch eine Weile weiter, aber Leo hörte nicht mehr zu. Die getrocknete, purpurne Blüte in seiner geballten Faust hatte er zu Staub zermahlen. Der Häftling neben ihm zischte ihm zu: »Pass auf. Es geht weiter.«

Erst jetzt registrierte Leo, dass der Kommandant aufgehört hatte zu reden. Die Einführung war vorbei, und die Häftlinge wurden aus der Verwaltungszone in die Sträflingszone abgeführt. Leo befand sich fast am Ende der Kolonne. Sein Herz raste. Der Abend war hereingebrochen, der Horizont erloschen. In den Wachtürmen flackerten Lichter auf. Aber keine mächtigen Scheinwerfer suchten den Boden ab. Außer einem matten Schein aus den Fenstern der Hütten war die Zone stockfinster.

Sie kamen durch die zweite Stacheldrahtabsperrung. Die Wärter blieben an der Grenze zwischen den beiden Zonen zurück, die Gewehre entsichert und im Anschlag. Kein Beamter betrat bei Nacht diese Zone, es war zu gefährlich. Leicht hätte ein Sträfling ihm den Schädel einschlagen und wieder verschwinden können. Den Wärtern war es lediglich darum zu tun, die Absperrung zu überwachen und die Sträflinge eingesperrt zu halten. Die da drinnen waren sich selbst überlassen.

Leo war der Letzte, der die Baracke betrat – Lasars Baracke. Er würde allein mit ihm fertig werden müssen, ohne Timur. Er würde vernünftig mit ihm reden, ihm alles erklären. Schließlich war der Mann ein Priester, er würde sich seine Beichte schon anhören. Leo hatte viel zu berichten. Er hatte sich geändert. Seit drei Jahren bemühte er sich nun schon um Wiedergutmachung. Wie ein Mann auf dem Weg zu seiner Hinrichtung stieg er mit schweren Beinen die Treppe hoch. Er drückte die Tür auf, holte tief Luft, atmete den Gestank der überfüllten Baracke ein und blickte in eine Kulisse aus hasserfüllten Gesichtern.

Am selben Tag

Leo war bewusstlos gewesen. Als er wieder zu sich kam, fand er sich auf dem Fußboden wieder, jemand zerrte an seinen Fußgelenken, und eine Horde Gefangener trat auf ihn ein. Als er mit den Fingern seinen Schädel betastete, fühlte er klebriges Blut. Er konnte sich nicht konzentrieren, konnte nicht kämpfen, hilflos lag er im Epizentrum dieser Wut. Lange würde er das nicht überleben. Ein Spuckebatzen traf ihn ins Auge, ein Stiefel seitlich am Kopf. Er knallte mit dem Kinn auf den Boden, seine Kiefer schlugen aufeinander. Doch urplötzlich verebbte das Spucken und Treten und Schreien, einmütig zog sich die Meute zurück und ließ ihn keuchend da liegen wie einen, der in einen Wirbelsturm geraten war. Eben noch rasender Hass und jetzt plötzlich Stille. Jemand musste ihnen Einhalt geboten haben.

Leo blieb liegen, wo er war, weil er fürchtete, dass diese kostbaren Momente der Ruhe vorbei sein würden, sobald er aufzublicken wagte.

»Aufstehen!«, rief eine Stimme. Es war nicht Lasars, sondern die eines jüngeren Mannes. Leo rollte sich aus seiner Fötusstellung und warf einen verstohlenen Blick auf die Männer, die da vor ihm aufragten. Es waren zwei, Lasar und neben ihm ein vielleicht dreißig Jahre alter Mann mit roten Haaren und rotem Bart.

Leo wischte sich die Spucke vom Gesicht und das Blut von den Lippen und der Nase. Dann setzte er sich mühsam auf. An die zweihundert Gefangenen beobachteten ihn. Einige hockten auf ihren Kojen, andere standen in der Nähe, so als sei dies eine Theateraufführung mit schlechteren und besseren Plätzen. Die Neuankömmlinge hatten sich in eine Ecke zurückgezogen, erleichtert, dass die Aufmerksamkeit nicht ihnen galt.

Leo rappelte sich hoch, vorgebeugt wie ein Krüppel stand er da. Lasar trat auf ihn zu, ging um ihn herum und musterte ihn dabei. Dann stellte er sich direkt vor Leo hin, Auge in Auge. Sein Blick flackerte vor aufgestauter Energie, die straffe Haut zitterte. Langsam öffnete er den Mund und schloss dabei die Augen, offensichtlich litt er unsägliche Schmerzen. Das Wort, das er sprach, war eigentlich nur ein Flüstern, ein Lufthauch, der ein kaum hörbares Geräusch mit sich trug: »Max...im.«

Alles, was Leo hatte sagen wollen, die Geschichte, dass er sich geändert hatte, das Gerede über seine Erleuchtung, das Luftschloss seiner Transformation schmolz dahin wie Schnee auf heißen Kohlen. Er hatte sich immer damit getröstet, dass er ein besserer Mensch war als die meisten Agenten, mit denen er zusammengearbeitet hatte. Männer, die sich ein vollständiges neues Gebiss aus dem Gold anfertigen ließen, das aus den Mündern der verhörten Verdächtigen stammte. Er war beileibe nicht der Schlimmste gewesen. Er war höchstens in der Mitte, vielleicht auch noch weiter unten, verborgen im Schatten der Unmenschen, die über ihm gemordet hatten. Er hatte Unrecht begangen, aber doch kein so gravierendes. Wenn er ein Schuft war, dann höchstens ein durchschnittlicher. Als er jetzt diesen Namen hörte, den Decknamen, den er sich selbst ausgesucht hatte, fing er an zu weinen. Er versuchte aufzuhören, aber es gelang ihm nicht, die Tränen strömten weiter über seine Wangen. Lasar streckte die Hand aus, berührte eine seiner Tränen und sammelte sie mit seiner Fingerkuppe auf. Er begutachtete sie eine Weile, dann setzte er sie wieder genau dort ab, wo er sie hergenommen hatte. Fest presste er seinen Finger gegen Leos Wange und zerrieb die Träne verächtlich, so als wolle er sagen:

Behalt deine Tränen.
Die zählen nicht.

Lasar nahm Leos Hand, deren Innenseite noch verschorft war von der Jagd durch die Kanalisation, und legte sie auf seine linke Gesichtshälfte. Die Wange fühlte sich uneben an, so als hätte Lasar den Mund voller Kieselsteine. Als er den Mund jetzt wieder öffnete, zuckte er vor Schmerz zusammen und schloss die Augen. Als Erstes schlug Leo der Fäulnisgestank in die Nase, der Geruch nach verrotteten, kranken Zähnen. Dann erst sah er es: Viele Zähne fehlten ganz. Der Gaumen war deformiert, er sah schwarze Reihen mit fleckigen, blutigen Stümpfen. Anders als seine eigene war Lasars Veränderung eine Transformation, die den Namen auch tatsächlich verdiente. Aus dem brillanten Rhetoriker, der dreißig Jahre lang Reden und Predigten gehalten hatte, war im Gulag ein übel riechender Stummer geworden.

Lasar schloss den Mund und machte einen Schritt zurück. Der Rothaarige trat neben ihn und hielt ihm die Wange wie zum Kuss hin. Lasar lehnte sich so nah zu ihm heran, dass seine Lippen beinahe das Ohr des Mannes berührten. Beim Sprechen schienen sie sich kaum zu bewegen. Als er geendet hatte, ließ er den Rothaarigen für sich sprechen.

»Ich habe dich behandelt wie einen Sohn. Ich habe dir mein Heim geöffnet. Ich habe dir vertraut. Dich geliebt.« Der Rothaarige übersetzte nicht in der dritten Person, sondern sprach so, als sei er Lasar selbst. Leo antwortete.

»Lasar, es gibt nichts, womit ich mich verteidigen könnte. Dennoch bitte ich Sie, mich anzuhören. Ihre Frau lebt. Sie hat mich geschickt, um Sie zu befreien.«

Leo und Timur hatten darüber spekuliert, ob man Lasar wohl schon einen verschlüsselten Brief mit Frajeras Plänen hatte zukommen lassen. Doch seine Überraschung war echt. Er wusste nichts über seine Frau. Er hatte keine Ahnung, wie sehr sie sich verändert hatte. Wütend gab er dem Rothaarigen ein Zeichen, der daraufhin vortrat und Leo so fest trat, dass dieser in die Knie ging. Dabei zischte er: »Du lügst!«

Leo wandte sich erneut an Lasar. »Ihre Frau lebt. Sie ist der Grund, warum ich hier bin. Das ist die Wahrheit.«

Der Rothaarige warf einen Blick über die Schulter und wartete auf Anweisungen. Lasar schüttelte den Kopf. Der Mann nahm das als Signal und übersetzte.

»Was weißt du denn von der Wahrheit? Du bist ein Tschekist. Dir darf man kein Wort glauben.«

»Anisja wurde vor drei Jahren aus dem Gulag entlassen, Lasar. Sie hat sich vollkommen verändert und gehört jetzt zu den *wory*.«

Mehrere der *wory*, die das Schauspiel verfolgten, lachten angesichts der Vorstellung, dass die Frau eines regimekritischen Priesters bei ihnen angeheuert haben sollte.

Leo ließ sich nicht beirren. »Sie gehört nicht nur zu den *wory*, sondern ist sogar eine Anführerin. Den Namen Anisja hat sie abgelegt, ihr *klikucha* ist Frajera.«

Das ungläubige Gezeter wurde immer lauter. Brüllend drängten einige Männer nach vorn, die allein schon den Gedanken, eine Frau könne sie anführen, als Affront empfanden.

Leo rief lauter, um den Lärm zu übertönen. »Sie hat ihre eigene Bande, die sich auf Rache eingeschworen hat. Sie ist nicht mehr die Frau, an die Sie sich erinnern, Lasar. Sie hat meine Tochter entführt. Wenn ich es nicht schaffe, Sie hier rauszuholen, wird Frajera sie umbringen. Sie haben nicht die geringste Chance, jemals freigelassen zu werden. Wenn Sie meine Hilfe nicht annehmen, werden Sie hier sterben.«

Die Menge war empört über solche Worte und stand kurz vor einem erneuten Gewaltausbruch. Sträflinge sprangen auf und kreisten ihn ein, um über ihn herzufallen. Doch Lasar hob eine Hand und beorderte sie zurück. Offensichtlich genoss er bei den Männern einiges Ansehen, denn sie gehorchten ohne Murren und kehrten auf ihre Kojen zurück. Lasar winkte den Rothaarigen zu sich und flüsterte ihm etwas ins Ohr. Der Mann nickte zustimmend.

Als Lasar geendet hatte, wandte sich der Rothaarige in selbstherrlichem Ton an Leo. »Du bist ein verzweifelter Mann. Du würdest alles sagen. Du bist ein Lügner. Du warst immer schon ein Lügner. Einmal hast du mich hereingelegt. Ein zweites Mal gelingt dir das nicht.«

Mit Skepsis hatten sie gerechnet. Wenn Timur jetzt da gewesen wäre, hätte er als Beweis, dass sie lebte, Frajeras Brief vorzeigen können. Sie hatte ihn geschrieben, um genau diese Zweifel auszuräumen. Aber Timur war nicht da. Ohne den Brief war Leo hilflos. Verzweifelt sagte er: »Lasar, Sie haben einen Sohn.«

In der Baracke wurde es still. Lasar fing an zu zittern, so als stecke etwas in ihm, das herauswollte. Er öffnete den Mund zu einer verzerrten Grimasse, und trotz seines Zorns war das Wort, das er stammelte, kaum zu hören. »Nein!«

Seine Stimme war ebenso entstellt wie seine Wange, nur mehr ein Krächzen. Der Schmerz, den ihn nur dieses eine Wort gekostet hatte, hatte ihn erschöpft. Man brachte ihm einen Stuhl, auf den er sich setzte und sich den Schweiß aus dem blassen Gesicht wischte. Weil er nicht weiterreden konnte, gab er dem Rothaarigen ein Zeichen, der nun zum ersten Mal im eigenen Namen sprach. »Lasar ist unser Priester. Wir sind seine Gemeinde. Ich bin seine Stimme. Hier kann er von Gott reden, ohne befürchten zu müssen, dass er etwas Falsches sagt. Der Staat kann ihn nicht ins Gefängnis stecken, wenn er schon drin ist. In der Gefangenschaft hat er die Freiheit gefunden, die man ihm draußen nicht gewähren wollte. Mein Name ist Georgi Wawilow. Lasar ist mein Mentor, wie er einst auch deiner zu sein versuchte. Ich allerdings würde eher sterben, als ihn zu verraten. Ich verachte dich.«

»Dich kann ich auch hier rausholen, Georgi.«

Der Rothaarige schüttelte den Kopf. »Du weidest dich an den Schwächen der Menschen. Ich will nirgendwo anders sein als an der Seite meines Meisters. Lasar hält es für göttliche Gerechtigkeit, dass du zu ihm geschickt wurdest. Dein Urteil soll gesprochen werden, und zwar von den Menschen, die du einst selbst hast verurteilen lassen.«

Lasar wandte sich an einen alten Mann, der ganz hinten an der Wand der Baracke stand und sich bisher aus dem Geschehen herausgehalten hatte. Er bedeutete ihm vorzutreten. Der Mann gehorchte und kam mit langsamen, unsicheren Schritten nach vorn. Dann wandte er sich an Leo. »Vor drei Jahren habe ich den Mann wiedergetroffen, der mich verhört hatte. Genau wie dich hatte man ihn ins Gefängnis gesteckt, wohin er selbst so viele geschickt hatte. Wir überlegten uns eine Strafe für ihn. Wir machten eine Liste aller Foltermethoden, die wir alle zusammengenommen hatten erdulden müssen und für die es keines besonderen Aufwands bedurfte. Dabei kamen wir auf über hundert. Jede Nacht haben wir den Agenten einer dieser Methoden unterzogen, die ganze Liste durch, eine Folter nach der anderen. Wenn er sie alle überlebte, würden wir ihn am Leben lassen. Wir wollten ihn nicht umbringen. Wir wollten nur, dass er jede Folter am eigenen Leib spürte. Deshalb haben wir ihn auch daran gehindert, sich zu erhängen. Wir haben ihm zu essen gegeben. Wir haben ihn bei Kräften gehalten, damit er weiter leiden konnte. Er kam nur bis Nummer dreißig, dann ist er absichtlich an den Rand der Zone gelaufen und von den Wachen wegen Fluchtversuchs erschossen worden. Die Folter, die er mir hat angedeihen lassen, war die erste auf der Liste. Es wird auch deine erste Folter sein.«

Der Alte rollte seine Hosenbeine hoch und zeigte seine Knie vor. Sie waren blaurot und schwarz und vollkommen deformiert.

Kolyma
Dreißig Kilometer nördlich von Magadan, siebzehn Kilometer südlich vom Gulag 57

10. April

Die Wolkendecke hatte sich auf tausend Meter abgesenkt und behinderte die Sicht. Silbrige Tröpfchen hingen in der Luft, halb Nebel, halb Eis und halb Zauberei. Nur meterweise tauchte die eintönige Landstraße daraus hervor wie ein grauer, holpriger Teppich, der sich vor ihnen entrollte. Der Lastwagen kam nur langsam voran. Entnervt von dieser zusätzlichen Verzögerung sah Timur auf die Uhr, er hatte vergessen, dass sie ja gar nicht mehr funktionierte. Im Sturm war sie kaputtgegangen und umschloss nun nutzlos sein Handgelenk, das Glas zersprungen und das Uhrwerk vom Salzwasser lahmgelegt. Er fragte sich, ob sie wohl sehr beschädigt war. Sein Vater hatte behauptet, sie sei ein Familienerbstück. Timur vermutete, dass das gelogen war, denn sein Vater war ein stolzer Mann gewesen und hatte wahrscheinlich nur darüber hinwegtäuschen wollen, dass er seinem Sohn zum achtzehnten Geburtstag lediglich eine zerbeulte Uhr aus zweiter Hand schenken konnte. Aber gerade wegen und nicht trotz dieser Lüge war die Uhr zu Timurs größtem Schatz geworden. Wenn sein ältester Sohn achtzehn wurde, wollte Timur sie ihm schenken, allerdings hatte er sich noch nicht entschieden, ob er ihm die sentimentale Bedeutung der Lüge erklären oder einfach nur den Herkunftsmythos der Uhr weitertragen sollte.

Trotz der Verzögerung war Timur sehr erleichtert, dass er es immerhin hatte verhindern können, über das Ochotskische Meer zurück nach Buchta Nachodka geschickt zu werden. Gestern Abend waren sie an Bord der *Stary Bolschewik* gewesen, die zum Auslaufen bereit war. Der Frachtraum war repariert und das Wasser abgepumpt worden, dann hatte man die gerade entlassenen Gefangenen eingeladen, auf deren Gesichtern immer noch die Ratlosigkeit über ihre Freiheit gestanden hatte. Ohne einen Ausweg aus seiner misslichen Lage zu sehen, hatte Timur wie gelähmt an Deck gestanden und beobachtet, wie die Hafenmannschaft die Leinen losgemacht hatte. In wenigen Minuten würde das Schiff in See stechen, und er hätte keine Chance, vor Ablauf von Wochen den Gulag 57 zu erreichen.

Völlig verzweifelt war er zur Kapitänsbrücke gelaufen in der Hoffnung, dass ihm angesichts der dringenden Umstände schon eine plausible Geschichte einfallen würde. Als der Kapitän sich zu ihm umgedreht hatte, war es aus ihm herausgeplatzt: »Da ist etwas, was ich Ihnen sagen muss.«

Aber was? Timur war kein guter Lügner, und jetzt erinnerte er sich an die alte Weisheit, immer so nah wie möglich an der Wahrheit zu bleiben. »Ich bin eigentlich gar kein Wärter. Ich arbeite für den MVD. Man hat mich geschickt, um zu überprüfen, ob die nach Chruschtschows Rede beschlossenen Änderungen im System auch tatsächlich umgesetzt werden. Davon, wie dieses Schiff geführt wird, habe ich nun ja schon genug mitbekommen.«

Bei der Erwähnung der Rede erblasste der Kapitän. »Habe ich etwas falsch gemacht?«

»Ich fürchte, der Inhalt meines Berichts ist geheim.«

»Aber die Dinge, die auf dem Hinweg passiert sind, waren doch nicht meine Schuld. Erwähnen Sie das bitte, falls Sie einen Bericht darüber schreiben, wieso ich die Kontrolle über das Schiff verloren habe.«

Timur staunte nicht schlecht, welche Macht ihm seine Ausrede plötzlich verliehen hatte.

Der Kapitän war ganz dicht herangekommen und sprach mit flehentlicher Stimme weiter. »Niemand hätte doch voraussehen können, dass die Trennwand kaputtgehen würde. Bitte lassen Sie mir meine Arbeit. Ich finde doch keine andere mehr. Wer würde denn noch mit mir arbeiten wollen, wenn er erfährt, womit ich meinen Lebensunterhalt verdient habe? Als Kapitän eines Gefängnisschiffes? Alle würden mich verabscheuen. Das hier ist der einzig richtige Ort für mich. Hier gehöre ich hin. Bitte! Ich weiß nicht, wo ich sonst hinsoll.« Die Verzweiflung das Kapitäns wurde geradezu peinlich.

»Der einzige Grund, warum ich Ihnen das erzählt habe, ist, dass ich die Rückreise nicht antreten kann. Ich muss mit dem Regionaldirektor Abel Present sprechen. Sie werden auf dem Schiff ohne mich klarkommen müssen. Erzählen Sie der Mannschaft irgendeine Ausrede, warum ich nicht da bin.«

Der Kapitän grinste verschwörerisch und verneigte sich.

Als er von Bord ging und den Hafen betrat, beglückwünschte Timur sich dafür, dass er rein zufällig auf eine derart durchschlagende Ausrede gekommen war. Zuversichtlich betrat er den Verwaltungstrakt des Durchgangslagers und erklomm die Treppe zum Büro des Regionaldirektors Abel Present, des Mannes, der ihn auf die *Stary Bolschewik* versetzt hatte.

Als Timur anklopfte und eintrat, verzog Present gereizt das Gesicht. »Stimmt etwas nicht?«

»Ich habe genug von dem Schiff gesehen, um meinen Bericht zu schreiben.«

Wie bei einer Katze, die die Gefahr spürte, verwandelte sich Presents Körperhaltung. »Was für einen Bericht?«

»Ich bin vom MVD geschickt worden, um Informationen darüber zu sammeln, wie nach Chruschtschows Rede die Reformen vorankommen. Meine Absicht war es, anonym zu bleiben, um objektiver beurteilen zu können, wie die Lager geführt werden. Nachdem Sie mich allerdings gegen meinen Befehl auf die *Stary Bolschewik* versetzt haben, bin ich nun gezwungen, mich zu erkennen zu geben. Es versteht sich wohl von selbst, dass ich keine

Papiere bei mir trage. Das hielten wir nicht für notwendig. Wir konnten ja nicht damit rechnen, dass jemand meinen Auftrag infrage stellen würde. Wenn Sie allerdings einen Beweis brauchen: Ich kenne sämtliche beruflichen Details aus Ihrer Akte.«

Timur und Leo hatten gewissenhaft die Unterlagen aller hiesigen Schlüsselfiguren studiert. »Sie haben fünf Jahre lang im kasachischen Karlag gearbeitet, und davor ...«

Present unterbrach ihn höflich, indem er einen Finger hob. Seine Stimme klang gepresst, als hätten sich unsichtbare Hände um seinen blassen Hals gelegt. »Ich verstehe schon.«

Er stand auf, legte die Hände auf den Rücken und dachte nach. »Sie sind also hier, um einen Bericht zu schreiben?«

»Das ist zutreffend.«

»Ich hatte schon mit so etwas gerechnet.«

Timur nickte. Dass seine erfundene Geschichte so glaubwürdig klang, gefiel ihm sehr. »Moskau verlangt regelmäßige Evaluationen.«

»Evaluationen ... was für ein gefährliches Wort.«

Mit einer solch nachdenklichen und melancholischen Reaktion hatte Timur nicht gerechnet. Er versuchte, die unausgesprochene Drohung abzuschwächen. »Es geht hier nur darum, Fakten zu sammeln, um sonst nichts.«

Present antwortete: »Ich leiste für den Staat schwere Arbeit. Ich wohne an einem Ort, wo sonst niemand leben will. Ich habe es mit den gefährlichsten Sträflingen der Welt zu tun. Ich habe Dinge erledigt, die sonst keiner machen wollte. Man hat mir beigebracht, eine Führungsperson zu sein. Dann hieß es, diese Lektionen seien falsch gewesen. Erst ist es Gesetz, bestimmte Dinge zu tun, und im nächsten Moment ist es ein Verbrechen. Erst sagt das Gesetz, dass ich streng sein soll. Dann sagt das Gesetz, dass ich nachgiebig sein soll.«

Er hatte Timurs Lüge voll und ganz geschluckt. Schon bei der bloßen Erwähnung der Geheimen Rede duckten sie sich alle.

Aber anders als der Kapitän flehte Present ihn nicht etwa an oder bettelte um einen günstigen Bericht. Er hing stattdessen der Erinnerung an vergangene Zeiten nach – Zeiten, in denen sein Platz im Leben und sein Auftrag noch klar gewesen waren. Timur nutzte seine überlegene Position. »Ich brauche sofort ein Fahrzeug zum Gulag 57.«

»Selbstverständlich«, antwortete Present.

»Ich muss unverzüglich los.«

»Bei Nacht kann man nicht in die Berge fahren.«

»Auch wenn es gefährlich ist, ich würde doch lieber sofort aufbrechen.«

»Verstehe. Ich habe Sie aufgehalten, dafür entschuldige ich mich. Aber es ist einfach unmöglich. Morgen in aller Herrgottsfrühe, mehr kann ich nicht anbieten. Gegen die Dunkelheit bin ich machtlos.

* * *

»Wie lange noch, bis wir da sind?«, frage Timur den Fahrer.

»Zwei, drei Stunden. Der Nebel ist ziemlich schlimm, also eher drei, würde ich sagen.« Dann lachte er und fügte hinzu: »Hab noch nie von einem gehört, der es so eilig hatte, in einen Gulag zu kommen.«

Timur ignorierte diesen Witz und konzentrierte seine rastlose Energie darauf, noch einmal den Plan durchzugehen. Wenn er funktionieren sollte, musste er ziemlich viel Glück haben. Darauf, ob Lasar mitspielte, hatten sie keinen Einfluss. Wenigstens hatte Timur einen Brief von Frajera bei sich, den sie immer und immer wieder daraufhin überprüft hatten, ob er vielleicht irgendeine Warnung oder geheime Anweisungen enthielt. Sie hatten nichts gefunden. Frajera wusste allerdings nicht, dass Leo als zusätzliche Sicherheitsvorkehrung darauf bestand, dass sie das Foto eines siebenjährigen Jungen mitnahmen. Das abgebildete Kind war zwar nicht Lasars Sohn, aber wie sollte er das wissen? Vielleicht war der vermeintliche Anblick seines Kindes ja überzeugender als eine bloße Vorstellung von ihm. Für den Fall, dass das fehlschlug, hatte Timur immer noch eine Flasche Chloroform dabei.

Der Laster bremste und hielt an. Vor ihnen lag eine einfache Holzbrücke, die sich über eine tiefe Erdfalte wölbte, einen Riss in der Landschaft.

Der Fahrer wedelte ahnungsvoll mit der Hand. »Im Frühsommer, wenn der Schnee auf den Bergen schmilzt, dann ist das da unten ein reißender Fluss.«

Mühsam beugte sich Timur auf seinem Sitz vor und spähte hinaus auf die wackelige Brücke, deren jenseitiges Ende im Nebel verschwand.

Der Fahrer runzelte die Stirn. »Die Brücke da ist von Sträflingen gebaut worden. Verlassen kann man sich auf die nicht.«

In ihrer Begleitung befand sich noch ein weiterer Wärter, der allerdings bis jetzt geschlafen hatte. Nach dem Gestank seiner Kleider zu urteilen hatte er sich letzte Nacht betrunken, so wie vermutlich jede Nacht. Der Fahrer rüttelte ihn wach.

»Aufwachen, du nutzloser, fauler … aufwachen!«

Der Wärter machte die Augen auf und sah blinzelnd auf die Brücke. Er rieb sich die Augen, kletterte aus dem Führerhaus und sprang zu Boden. Dort rülpste er laut und begann achtlos, den Laster einzuweisen.

Timur schüttelte den Kopf. »Warten Sie.«

Er stieg ebenfalls aus und streckte die Beine. Dann schloss er die Tür und ging zur Brücke. Der Fahrer hatte mit seiner Besorgnis nicht übertrieben. Der Steg war kaum breiter als der Laster, vielleicht dreißig Zentimeter Platz blieben auf jeder Seite. Das reichte nicht, um die Reifen am Abrutschen zu hindern, wenn man nicht ganz gerade auf die Brücke fuhr. Timur blickte nach unten und sah in etwa zehn Metern Tiefe den Fluss entlangrauschen. Von beiden Uferseiten her ragten tropfende, weiche Eiszungen nach innen. Sie hatten begonnen zu schmelzen und nährten das schmale, reißende Wasser. In ein paar Wochen, wenn der Schnee schmolz, würde das hier ein Sturzbach sein.

Vorsichtig kroch der Laster voran. Froh, dass er sich vor der Verantwortung drücken konnte, zündete der verkaterte Wärter sich eine Zigarette an. Timur wies den Fahrer an, nach rechts zu lenken, denn der Laster kam vom Kurs ab. Es herrschte zwar schlechte Sicht, aber den Fahrer konnte er sehen, also musste der Fahrer auch ihn sehen können.

»Nach rechts!«, schrie Timur.

Obwohl der Lastwagen die Richtung nicht korrigiert hatte, beschleunigte er jetzt. Gleichzeitig gingen die Scheinwerfer an, und ein schwefelgelbes Licht blendete Timur. Das Fahrzeug kam direkt auf ihn zu.

Timur warf sich zur Seite, aber es war schon zu spät. Mitten in der Luft erwischte ihn die eiserne Stoßstange und zerquetschte ihn, dann warf sie ihn in die Schlucht. Kurz hing sein Körper noch in der Luft und drehte sich zum schimmernden Himmel, dann fiel er hinab und drehte sich direkt über einer der Eiszungen nach unten. Mit dem Gesicht voraus schlug Timur auf. Das Eis und seine Knochen brachen gleichzeitig.

Wie ein Panzerknacker lag er da, ein Ohr am Eis. Er konnte sich nicht rühren, weder seine Beine noch seine Finger. Auch den Kopf nicht. Schmerz spürte er nicht.

Von oben rief jemand: »Du Verräter! Wolltest wohl deine eigenen Leute ausspionieren! Aber wir halten zusammen. Wir gegen die!«

Timur konnte den Kopf nicht wenden, um hinaufzublicken. Aber er erkannte, dass es die Stimme des Fahrers war.

»Es wird keine Berichte geben, keine Beschuldigungen und damit auch keine Schuld. Nicht hier in Kolyma. Von mir aus in Moskau, aber hier nicht! Wir haben getan, was zu tun war. Wir haben getan, was man uns befohlen hat. Scheiß der Hund auf Chruschtschows Rede! Scheiß der Hund auf deinen Bericht. Wollen mal sehen, wie du ihn von da unten schreiben willst.«

Der verkaterte Wärter kicherte. Der Fahrer befahl ihm: »Kletter da runter!«

»Warum?«

»Sonst entdeckt irgendwer seine Leiche.«

»Wer denn? Ist doch niemand da.«

»Keine Ahnung. Einer von seiner Sorte, falls sie noch einen schicken.«

»Deswegen muss ich doch nicht da runter. Das Eis schmilzt bald.«

»Erst in drei Wochen, und wer weiß, wer bis dahin noch hier vorbeifährt. Jetzt kletter endlich da runter, und stoß ihn in den Fluss. Mach endlich mal was gründlich.«

»Ich kann nicht schwimmen.«

»Er liegt auf dem Eis.«

»Und wenn es bricht?«

»Dann kriegst du nasse Füße. Runter da! Und bau keinen Mist.«

Timur starrte auf den Fluss, sein Atem ging unregelmäßig und rasselnd. Er hörte, wie sein widerwilliger Scharfrichter jammernd wie ein Schulmädchen das steile Ufer hinunterkraxelte. Wie unbeholfen der Tod doch daherkam.

Solange er sich erinnern konnte, war seine größte Angst immer gewesen, dass eines seiner Familienmitglieder einmal in einem Gulag sterben könnte. Um sich selbst hatte er sich nie Sorgen gemacht. Er war sich immer sicher gewesen, dass er damit schon zurechtkommen und irgendwie, egal wie, wieder nach Hause zurückfinden würde. Es fiel ihm schwer zu akzeptieren, dass dies die letzten Minuten seines Lebens waren. Timur dachte an seine Frau. Und an seine Söhne.

* * *

Der Wärter war wütend, dass man ihn so herumkommandierte, und zwang sich, die Abbruchwände hinabzuklettern. Er rutschte dabei ständig aus. Womöglich würde er sich noch den Knöchel verstauchen, und außerdem hatte er einen höllischen Kater-Kopfschmerz. Endlich war er am Ufer angekommen. Vorsichtig trat er mit seinen schweren Stiefeln auf das Eis und probierte aus, ob es ihn trug. Dann kroch er, um sich leichter zu machen, wie ein Käfer auf allen vieren zum Körper dieses Typen aus Moskau. Er stieß den Verräter mit seinem Gewehrlauf an. Der rührte sich nicht.

»Er ist tot«, rief er.

»Durchsuch seine Taschen!«

Der Wärter schob seine Hand in die Taschen des Mannes und fand einen Brief, etwas Geld und ein Messer – nichts Besonderes.

»Da ist nichts.«

»Was ist mit seiner Uhr?«

Der Wärter zog sie dem anderen vom Handgelenk.

»Die ist kaputt.«

»Schmeiß ihn ins Wasser.«

Der Wärter setzte sich auf das Eis und drückte den Körper mit den Stiefeln in Richtung Fluss. Obwohl der Mann schwer war, glitt er ohne größere Probleme über das glatte Eis. Als er am Rand lag, sah der Wärter, dass seine Augen offen waren. Sie blinzelten. Dieser Moskauer Verräter war also noch am Leben.

»Er lebt noch!«

»Aber nicht mehr lange. Schieb ihn rein. Mir wird kalt.«

Der Wärter sah den Mann noch einmal blinzeln, dann stieß er ihn über den Rand des Eises in den Fluss. Es klatschte. Der

Körper schaukelte auf und ab, dann wurde er flussabwärts weggetragen, bis er nicht mehr zu sehen war. Hinein in die Wildnis, wo ihn kein Mensch mehr finden würde.

Der Wärter blieb auf dem Eis sitzen und untersuchte die Uhr. Sie war billig und außerdem kaputt, also wertlos. Trotzdem brachte er es nicht über sich, sie ins Wasser zu werfen. Auch wenn das Glas zersprungen war, eigentlich war es doch eine Schande, sie wegzuschmeißen.

Moskau

Am selben Tag

»Wann kommt Soja nach Hause?«, fragte Elena.

»Bald«, antwortete Raisa.

»Wenn ich vom Einkaufen wieder da bin?«

»Nein, so bald noch nicht.«

»Wie bald denn?«

»Wenn Leo wieder nach Hause kommt, bringt er Soja mit. Wann genau das ist, kann ich auch nicht sagen, aber bald.«

»Versprichst du es?«

»Leo tut alles, was er kann. Wir müssen noch ein bisschen Geduld haben. Kannst du das für mich schaffen?«

»Wenn du mir versprichst, dass es Soja gut geht.«

Unmöglich hätte Raisa dieses Versprechen nicht geben können. »Das verspreche ich dir.«

Jeden Tag fragte Elena dasselbe. Und jedes Mal so, als hätte sie diese Fragen noch nie gestellt. Eigentlich ging es ihr nicht um neue Informationen, sondern um den Ton, in dem die Antwort gegeben wurde. Jede Veränderung fiel ihr auf, und jeder kleinste Hinweis auf Ungeduld, Verärgerung oder gar Zweifel ließ sie in die verzweifelte Erstarrung zurückfallen, die sie unmittelbar nach Sojas Gefangennahme befallen hatte. Sie hatte ihr Zimmer nicht mehr verlassen wollen und so lange geweint, bis sie vor Erschöpfung nicht einmal mehr weinen konnte. Leo hatte den ärztlichen Rat zurückgewiesen, ihr Beruhigungsmittel zu verabreichen, und stattdessen jeden Abend an ihrem Bett gesessen, Stunde um Stunde. Erst nach Raisas Rückkehr aus dem Krankenhaus besserte sich Elenas Zustand allmählich. Am auffälligsten hatte zu ihrer Genesung beigetragen, dass Leo Moskau verlassen hatte. Nicht etwa, weil sie ihn weghaben wollte, aber es war der erste konkrete Hinweis, dass etwas unternommen wurde, um Soja zurückzuholen. Elena fiel die Vorstellung leicht, dass Leo bei seiner Rückkehr selbstverständlich Soja dabeihaben würde. Sie musste gar nicht wissen, wo genau ihre Schwester war oder was sie da machte. Hauptsache, sie kam nach Hause, und zwar bald.

Leos Eltern warteten schon an der Wohnungstür. Raisa, die von ihren Verletzungen immer noch geschwächt war, war auf ihre Hilfe angewiesen. Die beiden waren in den abgeschirmten Ministeriumskomplex umgezogen, kochten und machten sauber und sorgten so für eine Atmosphäre häuslicher Normalität. Kurz vor dem Aufbruch blieb Elena noch einmal stehen.

»Kannst du nicht mitkommen? Wir gehen auch ganz langsam.«

Raisa musste lächeln.

»Ich fühle mich noch nicht kräftig genug. Gib mir noch ein oder zwei Tage, dann gehen wir zusammen raus.«

»Zusammen mit Soja? Können wir dann in den Zoo gehen? Das hat Soja Spaß gemacht. Sie hat zwar so getan, als ob nicht, aber eigentlich hat es ihr Spaß gemacht, das weiß ich genau. Es war aber ihr Geheimnis. Leo soll auch mit. Und Anna und Stepan.«

»Wir gehen alle zusammen.«

Glücklich lächelnd schloss Elena die Tür. Es war das erste Lächeln, das Raisa seit Langem an ihr gesehen hatte.

Als sie allein war, legte Raisa sich in Sojas Bett. Sie war in das Zimmer der Mädchen gezogen, weil Elena nur einschlafen konnte, wenn sie dabei war. Die Sicherheitsvorkehrungen waren nicht nur in ihrem staatlichen Wohnkomplex verstärkt worden, sondern über die ganze Stadt. Aktive und ehemalige Agenten hatten an den Türen zusätzliche Schlösser und vor den Fenstern Gitter angebracht. Der Staat hatte zwar versucht, keine Informationen nach draußen dringen zu lassen, aber die Gerüchteküche kochte, dafür waren es einfach zu viele Morde gewesen. Jeder, der einmal einen Freund oder Kollegen denunziert hatte, sah sich neuerdings ganz besonders vor. Genau wie von Frajera angekündigt, hatten die Profiteure der Angst jetzt selber Angst.

* * *

Raisa schlug die Augen auf. Sie wusste nicht, wie lange sie geschlafen hatte. Obwohl sie mit dem Gesicht zur Wand lag und nicht sehen konnte, was hinter ihr vorging, spürte sie doch genau, dass da noch jemand im Zimmer war. Als sie sich auf den Rücken drehte und ihren Kopf hob, gewahrte sie im Türrahmen die Silhouette eines Beamten – allerdings seltsam androgyn. Es kam ihr fast vor wie in einem Traum. Sie war weder ängstlich noch überrascht. Zum ersten Mal trafen sie aufeinander, und doch war da diese seltsame, unmittelbare Vertrautheit zwischen ihnen, so als würden sie sich schon lange kennen.

Frajera nahm die Mütze ab und entblößte ihren kurz geschnittenen Haarschopf. Sie trat ins Zimmer.

»Du kannst gern schreien, wenn du willst«, sagte sie, »oder wir reden.«

Raisa setzte sich auf. »Ich werde nicht schreien.«

»Habe ich auch nicht erwartet.«

Diesen herablassenden Ton kannte Raisa zur Genüge. So redete normalerweise ein Mann mit seiner Frau, aber aus dem Munde einer Frau, die nur fünf Jahre älter war als sie selbst, hörte es sich ungewöhnlich an.

Frajera bemerkte Raisas Verärgerung. »Sei nicht beleidigt. Ich musste doch sichergehen. Es war gar nicht so einfach, hier reinzukommen, um dich zu treffen, ich habe es oft versucht. Es wäre jammerschade, wenn mein Besuch so schnell wieder vorbei wäre.«

Frajera setzte sich auf das gegenüberliegende Bett, Elenas Bett, lehnte sich an die Wand und überkreuzte die Beine. Dann knöpfte sie sich die Uniformjacke auf.

»Geht es Soja gut?«, fragte Raisa.

»Es geht ihr gut.«

»Sie ist nicht verletzt?«

»Nein.«

Raisa hatte keinen Grund, der Frau zu glauben. Aber sie tat es.

Frajera nahm Elenas Kopfkissen und drückte es langsam zusammen. »Das ist ein nettes Zimmer, voller netter Sachen, die ein nettes Elternpaar seinen netten Töchtern geschenkt hat. Wie viele nette Sachen braucht man als Ausgleich für einen ermordeten Vater und eine ermordete Mutter? Wie weich müssen die Bettlaken sein, damit ein Kind so ein Verbrechen vergisst?«

»Wir haben nie versucht, uns ihre Liebe zu erkaufen.«

»Das ist schwer zu glauben, wenn man sich hier so umsieht.«

Nur mit Mühe konnte Raisa ihre Wut im Zaum halten. »Wären wir eine bessere Familie, wenn wir ihnen nichts gekauft hätten?«

»Aber ihr seid doch gar keine Familie. Zugegeben, wenn jemand die Wahrheit nicht kennt, könnte er euch für eine Familie halten. Ich frage mich, ob es das war, was Leo im Sinn hatte. Die Illusion der Normalität. Es würde zwar nicht echt sein, das wusste er schon, aber trotzdem konnte er sich an dem erfreuen, was andere Leute in ihm sahen. Leo glaubt gern an Lügen. Die Mädchen sind eigentlich nur Staffage, nett zurechtgemacht in hübschen Kleidern, damit er Papa spielen kann.«

»Die Mädchen waren in einem Waisenhaus. Wir haben ihnen die Wahl gelassen.«

»Die Wahl zwischen Krankheit, Armut und Mangelernährung oder einem Leben mit dem Mann, der ihre Eltern ermordet hat. Was für eine Wahl …«

Raisa zögerte, sie konnte nicht widersprechen. »Weder er noch ich haben uns Illusionen darüber gemacht, dass die Adoption einfach werden würde.«

»Du hast mir nicht widersprochen, als ich sagte: der Mann, der ihre Eltern ermordet hat. Eigentlich hatte ich erwartet, dass du sagst: Leo hat sie nicht erschossen. Er hat versucht, sie zu retten. Er war ein guter Mensch unter lauter schlechten. Aber das glaubst du selbst nicht, stimmt's?«

»Er war MGB-Offizier. Er hat schreckliche Dinge getan.«

»Und trotzdem liebst du ihn?«

»Ich habe ihn nicht immer geliebt.«

»Aber jetzt schon?«

»Er hat sich geändert.«

Frajera lehnte sich vor. »Warum kannst du mir nicht antworten. Liebst du ihn? Ja oder nein?«

»Ja.«

Frajera lehnte sich wieder zurück und schien nachzudenken.

»Er ist nicht mehr der Mann, der Sie verhaftet hat«, fügte Raisa hinzu. »Er ist nicht mehr derselbe.«

»Da hast du recht. Es gibt einen Unterschied. Früher wurde er von niemandem geliebt. Heute wird er geliebt. Von dir.«

Frajera knöpfte ihren Hemdkragen auf und entblößte den oberen Teil ihrer Tätowierungen, die sich über ihren Körper erstreckten wie die Symbole einer alten Hexenkunst. »Wie viel weißt du über ihn, Raisa? Wie viel weißt du über seine Vergangenheit?«

»Er hat mir alles erzählt.«

»Es fällt mir schwer, das zu glauben.«

»Er hat die Kirche Ihres Mannes infiltriert. Er hat Sie verraten, er hat Ihre Gemeinde verraten und auch Lasar.«

»Und schon allein für all diese Taten verdient er den Tod.

Aber hast du auch gewusst, dass er mir, bevor er seinen Verrat offenbarte, einen Heiratsantrag gemacht hat? Wie ein Liebender im Mondschein?«

Raisa senkte nickend den Kopf. »Er hat Sie gebeten, Lasar zu verlassen. Ich bin sicher, er dachte damals, Sie würden seine Frau werden. Er hat sich getäuscht. Er hat sich in vielen Dingen getäuscht, auch in der Liebe. Besonders in der Liebe.«

Frajera schien enttäuscht zu sein, dass sie Raisa nichts Neues verraten konnte. Mit merklich geringerem Enthusiasmus fuhr sie fort: »Er dachte, er würde mich retten. Aber in Wahrheit wollte er nur sich selbst retten. Hätte ich sein Angebot angenommen, dann hätte er sich eingeredet, dass er im Grunde seines Herzens doch ein anständiger Mensch war. So einfach wollte ich ihn nicht von seinen Verbrechen lossprechen. Damals habe ich ihm etwas geschworen. Ich habe ihm geschworen, dass niemand ihn je lieben würde. Und dessen war ich mir ganz sicher. Denn wie konnte jemand so ein Scheusal lieben? Wer konnte diesen Mann lieben?«

Frajeras starrer Blick verunsicherte Raisa. »Ich will das, was er getan hat, nicht verteidigen.«

»Das musst du aber. Ich habe euch beide zusammen gesehen. Ich habe euch beobachtet, euch bespitzelt, so wie Leo früher mich bespitzelt hat. Du machst ihn glücklich. Und was noch schlimmer ist, er macht *dich* glücklich. Deine Liebe zu ihm ist grenzenlos. Deshalb stelle ich sie auf die Probe. Deshalb bin ich hier. Ich will wissen, wie es möglich ist, dass du mit ihm leben kannst. Mit ihm schläfst. Zuerst dachte ich, du bist vielleicht dumm. Ein Offiziersliebchen, schön und ohne Ansprüche. Ich dachte, die Verbrechen, die Leo begangen hat, seien dir einfach egal.«

Frajera stand auf, kam herüber und setzte sich auf Raisas Bett, als seien sie beste Freundinnen, die sich des Nachts ihre Geheimnisse erzählen. »Ich habe aber festgestellt, dass du dem Staat gegenüber gar keine stumpfsinnige Ergebenheit an den Tag legst. Es gab sogar Gerüchte, du seist eine Dissidentin. Dadurch wurde mir deine Liebe zu Leo ein noch größeres Rätsel, eines, das ich unbedingt lösen musste. Also war ich gezwungen, in deiner Vergangenheit zu wühlen. Soll ich dir erzählen, was ich entdeckt habe?«

»Sie haben meine Tochter. Sie können alles tun, was Sie wollen.«

»Deine Familie ist im Krieg umgekommen. Du selbst hast als Flüchtling überlebt.«

Raisa war wie gelähmt, während Frajera ihre Informationen einsetzte wie ein Messer. »In diesen Jahren bist du vergewaltigt worden.«

Raisa öffnete kurz den Mund, das war Bestätigung genug. Sie versuchte nicht, es abzuleugnen, denn sie spürte, dass da noch mehr kommen würde. »Wie haben Sie es herausgefunden?«

»Weil ich in dem Waisenhaus war, wo du dein Kind abgegeben hast.«

Was Raisa fühlte, war viel gewaltiger als bloße Überraschung. Die intimsten Geheimnisse ihrer Vergangenheit, Geschehnisse, die sie sorgsam weggepackt und begraben hatte, wurden hervorgeholt und ihr unter die Nase gehalten.

Frajera studierte Raisas Reaktion, dann griff sie nach ihrer Hand. »Weiß Leo das etwa nicht?«

Raisa hielt Frajeras hoffendem Blick stand. »Er weiß es.«

Wieder machte Frajera ein enttäuschtes Gesicht. »Das glaube ich dir nicht.«

»Es hat viele Jahre gedauert, bis ich es ihm erzählt habe, aber dann habe ich es doch getan. Er weiß es, Frajera. Er weiß alles. Er weiß, dass ich keine Kinder bekommen kann, und auch, warum. Er weiß, dass ich das einzige Kind, dem ich je das Leben schenken konnte, weggegeben habe. Er kennt meine Schande. Und er kennt auch seine.«

Frajera berührte Raisas Gesicht. »Hast du Leo deshalb geheiratet? Weil du spürtest, wie sehr er sich nach Liebe sehnte? Mit Freuden wäre er der Vater deines Kindes geworden. Du hast in ihm eine Chance gesehen. Du wolltest dein Kind aus dem Waisenhaus holen.«

»Nein. Ich wusste schon, dass mein Kind gestorben war, bevor ich Leo traf. Sobald ich wieder genügend bei Kräften war, eine Bleibe gefunden hatte und wieder eine Mutter sein konnte, bin ich ins Waisenhaus gegangen. Sie sagten mir, das Kind sei an Typhus gestorben.«

»Und warum hast du Leo dann geheiratet? Was war der Grund, dass du Ja gesagt hast?«

»Da ich schon meinen Sohn weggegeben hatte, um selbst zu überleben, war es im Vergleich dazu gar kein so großer Kompromiss mehr, einen Mann zu heiraten, den ich eher fürchtete als liebte.«

Frajera beugte sich vor und küsste Raisa. Dann lehnte sie sich zurück und sagte: »Ich kann deine Liebe für ihn schmecken. Und deinen Hass auf mich.«

»Sie haben mir mein Kind weggenommen.«

Frajera stand auf, ging zur Tür und knöpfte dabei ihr Hemd zu.

»Es ist nicht dein Kind. Solange du Leo liebst, lässt du mir keine Wahl. Deine Liebe ist der Grund dafür, dass er mit sich leben kann. Er hat unsagbare Verbrechen begangen, und trotzdem, trotz allem, wird er noch geliebt. Er hat gemordet und wird geliebt. Und zwar von einer Frau, die alle Männer bewundern, die sogar ich bewundere. Deine Liebe spricht ihn los. Sie ist seine Erlösung.«

Frajera machte ihre Jacke zu, setzte ihre Mütze auf und verbarg sich wieder hinter ihrer Verkleidung. »Ich habe mit Soja gesprochen, bevor ich zu dir gekommen bin. Ich wollte wissen, wie das Leben in dieser Scheinfamilie so ist. Sie ist intelligent, kaputt und vollkommen durcheinander. Sie gefällt mir sehr. Sie hat mir erzählt, dass sie dir ein Angebot gemacht hat. Wenn du Leo verlässt, wird sie wieder glücklich.«

Raisa war verwirrt. Soja war doch eine Geisel. Und dennoch hatte sie sich Frajera anvertraut, hatte mit ihr über Raisa gesprochen, hatte ihre Feindin mit genau den Familiengeheimnissen versorgt, die diese brauchte.

Frajera fuhr fort: »Es überrascht mich, dass du so grausam sein konntest, ihre Bitte ausgerechnet mit einer Liebeserklärung für Leo abzuschlagen. Das Mädchen ist so gestört, dass sie, während Leo schläft, ein Messer aus eurer Küche holt und damit über seinem Bett steht und sich vorstellt, ihm die Kehle durchzuschneiden.«

Raisa ließ alle Deckung fallen. Nach mehreren Anläufen hatte ihre Feindin endlich einen Schwachpunkt gefunden – eine Lüge, ein Geheimnis.

Frajera lächelte. »Wie es scheint, gibt es doch etwas, was Leo dir nicht erzählt hat. Es ist wahr. Soja hat des Öfteren mit einem Messer in der Hand neben seinem Bett gestanden. Leo hat sie erwischt. Er wusste, wie psychisch angeschlagen sie war. Und das hat er dir etwa nicht gesagt?«

Von einem Moment auf den anderen verstand Raisa die seltsamen Vorgänge von damals. Als sie Leo grübelnd am Küchentisch vorgefunden hatte, da hatte er sich gar nicht um Nikolai Gedanken gemacht, sondern um Soja. Sie hatte ihn gefragt, was los sei, aber er hatte ihr nichts gesagt. Er hatte sie angelogen.

Jetzt hatte Frajera Oberwasser. »Merk dir diese Geschichte, und denk gut darüber nach, was ich dir jetzt sage. Ich werde Sojas Angebot wiederholen. Ich werde Soja wohlbehalten in deine Obhut zurückgeben. Im Gegenzug dürfen du und die Mädchen Leo nie mehr wiedersehen. Entweder kannst du die Mädchen lieben oder Leo, so wie es eigentlich ja auch schon die ganzen letzten drei Jahre war. Und jetzt, Raisa, musst du dich entscheiden.«

Kolyma
Gulag 57

Am selben Tag

Leo konnte kaum stehen, geschweige denn hacken. Er arbeitete in einem primitiven Grabensystem drei Meter unter der Bodenkrume, und seine Spitzhacke schlug vergebens auf den Permafrost ein. Hier und da gab es große, schwelende Feuer, wie Scheiterhaufen für gefallene Helden, die langsam abbrannten und den gefrorenen Boden auftauen sollten. Aber in Leos Nähe war keines, der Anführer seiner Arbeitsbrigade hatte ihn bewusst in die entlegenste und kälteste Ecke der Goldminen eingeteilt, wo die noch am wenigsten ausgehobenen Gräben lagen. Selbst wenn er im Vollbesitz seiner Kräfte gewesen wäre, hätte er unmöglich seine Norm erfüllen können, das Minimum an Gestein, das er losschlagen musste, damit er die übliche Essensration bekam.

Vor Erschöpfung zitterten seine Beine, sie konnten sein Gewicht nicht mehr tragen. Seine Knie waren geschwollen und blutunterlaufen, über den Kniescheiben hatten sich wässrige Blasen gebildet. In der vergangenen Nacht hatte man Leo auf die Knie gezwungen, ihm die Hände auf den Rücken gebunden und dann die Hand- und Fußgelenke aneinandergefesselt, sodass sein ganzes Gewicht auf den Kniescheiben ruhte. Damit er nicht umfiel, hatte man ihn an der Leiter eines Stockbettes festgebunden. Stunde um Stunde hatte er da gekauert, ohne auch nur einmal das Gewicht verlagern zu können. Die Haut hatte sich angespannt, die Knochen rieben auf dem Holzboden und scheuerten seine Haut wund. Sobald er sich bewegte, schrie er auf. Also knebelte man ihn, damit die anderen Gefangenen schlafen konnten. Leo hockte derweil weiter auf Knien und biss auf einen dreckigen Lumpen, mit dem die Häftlinge absichtlich zuvor noch ihre offenen Geschwüre abgewischt hatten. Von überall hörte man Schnarchen, nur einer war noch wach – Lasar. Er passte die ganze Nacht auf Leo auf, nahm ihm mit väterlicher Fürsorge den Knebel ab, wenn er sich übergeben musste, und band ihn danach wieder fest, wie ein Vater, der einen kranken Sohn pflegte – einen Sohn, dem man eine Lektion erteilen musste.

Im Morgengrauen kam Leo prustend wieder zu Bewusstsein, als man ihm eiskaltes Wasser über den Kopf goss. Als man ihm die Fesseln und den Knebel abnahm, sackte er in sich zusammen. Er spürte seine Füße nicht mehr, so als hätte man ihm die Beine unterhalb der Knie amputiert. Erst nach mehreren quälenden Minuten konnte er sich humpelnd hochhieven – es kam ihm vor, als sei er um hundert Jahre gealtert. Das Frühstück ließen ihm seine Mitgefangenen, er durfte sich an den Tisch setzen und mit zitternden Händen seine Ration zu sich nehmen. Sie wollten, dass er am Leben blieb. Sie wollten, dass er litt. Wie einer, der in der Wüste von einer Oase fantasiert, konzentrierte sich Leo nur noch auf das flirrende Bild von Timur. Da es unmöglich war, in der Nacht von Magadan herzufahren, konnte sein Freund und Retter eigentlich nur innerhalb einer gewissen Zeitspanne am frühen Abend eintreffen.

Als Leo mit vor Erschöpfung zitternden Armen seine Hacke hob, knickten ihm die Beine weg. Er fiel nach vorne, direkt auf seine geschwollenen Knie. Die wässrigen Beulen platzten auf wie reife Jünglingspickel. Leo riss den Mund auf, ein lautloser Schrei. Um die Knie zu entlasten, ließ er sich unten im Graben zur Seite fallen, dabei schossen ihm Tränen in die Augen. Die Erschöpfung hatte jeden Selbsterhaltungstrieb erstickt. Einen Moment lang wäre er zufrieden gewesen, wenn er einfach nur die Augen hätte schließen und einschlafen können. Bei diesen Temperaturen wäre er nicht mehr aufgewacht.

Dann dachte er an Soja, an Raisa und Elena – seine Familie. Er setzte sich auf und presste die Hände auf den Boden. Langsam drückte er sich hoch. Kaum war er wieder auf den Beinen, packte ihn jemand und zischte ihm ins Ohr: »Keine Ruhepausen, Tschekist!«

Keine Ruhepausen und keine Gnade. Das war Lasars Urteil, und es wurde mit aller Konsequenz umgesetzt. Die Stimme, die in sein Ohr geflüstert hatte, gehörte keinem Wachmann, sondern einem Häftling, dem Anführer der Brigade. Er wurde von heftigem persönlichem Hass angetrieben und gestattete Leo keine Minute, in der er nicht von Schmerz oder Hunger oder Erschöpfung geplagt wurde oder von allem zusammen. Verhaftet hatte Leo weder diesen Mann noch jemanden aus seiner Familie, er kannte nicht einmal seinen Namen. Aber das spielte keine Rolle. Er war für jeden Gefangenen zu einer Art Maskottchen geworden, zu einem Botschafter des Unrechts. *Tschekist* war sein neuer Name, seine neue Identität. Und von dieser Warte aus hatte durchaus jeder seinen ganz persönlichen Grund, ihn zu hassen.

Eine Glocke wurde geschlagen. Die Werkzeuge wurde fallen gelassen. Leo hatte seinen ersten Tag in der Mine überstanden, eine beinahe harmlose Tortur verglichen mit dem, was ihn heute Nacht erwarten würde – seine zweite, noch nicht näher beschriebene Folter. Leo zog sich die Rampe hoch und aus dem Graben, dann folgte er den anderen zurück. Das Einzige, was ihn noch auf den Beinen hielt, war die Aussicht, dass Timur ankommen würde.

Als er sich dem Lager näherte, war das fahle, von einer tief liegenden Wolkendecke abgeschwächte Tageslicht beinahe vollständig verschwunden. In der einbrechenden Dunkelheit sah er auf dem Hochplateau die Scheinwerfer eines Lastwagens näher kommen. Zwei Fäuste gelblichen Lichts, die aus der Ferne aussahen wie Glühwürmchen. Wenn seine Knie nicht gewesen wären, hätte Leo sich womöglich vor einem gnädigen Gott in den Staub geworfen und vor Erleichterung geweint. Doch die Wachen, die ihn nur noch beschimpften, wenn ihr reformierter, geläuterter Kommandant außer Hörweite war, stießen und knufften ihn vorwärts und trieben ihn zurück in die Zone. Immer wieder warf Leo einen Blick über die Schulter zu dem näher kommenden Laster. Mit zitternden Lippen und außerstande, seine Gefühle unter Kontrolle zu halten, kehrte er in die Baracke zurück. Egal, welche Folter sie sich für ihn überlegt hatten, er würde gerettet werden. Er stellte sich ans Fenster und drückte wie ein Bettlerkind vor einem Süßigkeitenladen Augen und Nase an die Scheibe. So sah er zu, wie der Lastwagen ins Lager einfuhr. Erst stieg ein Wärter aus dem Führerhaus, dann der Fahrer. Wartend krallte Leo seine Fingernägel in den Fensterrahmen. Bestimmt war Timur dabei, vielleicht saß er nur hinten. Minuten verstrichen, aber niemand stieg mehr aus. Leo starrte weiter hinaus, und allmählich siegte die Verzweiflung über die Vernunft, bis er sich schließlich eingestehen musste, dass er den Laster anstieren konnte, solange er wollte. Niemand war an Bord.

Timur war nicht gekommen.

Leo konnte nichts essen, sein Hunger hatte einer so großen Enttäuschung Platz gemacht, dass sie sogar seinen Bauch füllte. Lange nachdem die anderen Häftlinge die Essensbaracke verlassen hatten, saß er immer noch am Tisch, bis die Wachen ihm wütend befahlen zu verschwinden. Von denen bestraft zu werden, war immer noch besser als von seinen Mitgefangenen. Lieber die Nacht in einer eiskalten Isolationszelle verbringen, dachte er, als eine erneute Folter über sich ergehen zu lassen. Die Wachleute wurden immerhin von dem bekehrten Kommandanten Schores befehligt. Hatte der nicht etwas von Gerechtigkeit erzählt und von Möglichkeiten? Als die Wärter Leo nun zur Tür stießen, holte er in einem bewussten Akt der Aggression aus und schlug zu. Der Schlag war langsam und schwach, und sie hielten seine Faust fest. Dann knallte ihm einer den Gewehrkolben ins Gesicht.

An den Armen wurde er in den Schnee gezerrt, an den Beinen schleiften sie ihn durch den Schnee. In die Isolationszelle warf man ihn jedoch nicht, sondern beförderte ihn in die Baracke. In der Mitte des Raumes ließen sie ihn liegen. Er hörte, wie die Wärter gingen. Das Erste, was seine Augen wahrnahmen, waren die Holzbalken. Seine Nase und Lippen waren blutig. Lasar blickte auf ihn herab.

Sie zogen ihn nackt aus, legten ihm nasse Handtücher um Brust und Arme und verknoteten sie am Rücken, sodass er sich nicht mehr rühren konnte. Leo war verdutzt. Das tat ja gar nicht weh. Obwohl er offiziell nie als Verhörspezialist gearbeitet hatte, waren ihm doch all deren Techniken aus erster Hand vertraut. Manchmal war er gezwungen gewesen zuzusehen. Diese Methode war ihm allerdings neu. Er wurde auf den Rücken gedreht und liegen gelassen. Dann setzten die Häftlinge einfach ihre Abendbeschäftigung fort. Sein Bauch war von den Handtüchern kalt und nass, aber Leo war zu erschöpft, um sich darum zu kümmern. Er nutzte die Gelegenheit und schloss die Augen.

Einerseits erwachte er vom Lärm der zu Bett gehenden Gefangenen, vor allem aber wegen der Schmerzen in seiner Brust. Langsam fing er an, diese Folter zu begreifen. Je trockener die Handtücher wurden, desto mehr zogen sie sich zusammen, schnürten ihm die Luft ab und pressten ihm die Rippen zusammen. Das Subtile an dieser Bestrafung lag in der Gewissheit, dass die Schmerzen immer schlimmer werden würden. Während die anderen Männer schlafen gingen, nahm Lasar wieder den Platz auf einem Stuhl neben Leo ein.

Der Rothaarige, der Lasars Stimme war, kam herbei. »Brauchst du mich?«

Lasar schüttelte den Kopf und schickte ihn zu Bett. Wie ein eingeschnappter Liebhaber funkelte der Mann Leo an, dann zog er sich wie befohlen zurück.

Als alle Gefangen schliefen, war der Schmerz schon so heftig, dass Leo um Gnade gefleht hätte, wenn er nicht wieder geknebelt gewesen wäre. Als er sah, wie Leos Gesicht sich langsam verzerrte, so als würden ihm Schrauben in den Kopf gedreht, kniete Lasar sich neben ihn hin wie zum Gebet und beugte sich so nahe an Leos Ohr, dass seine gespitzten Lippen beim Sprechen Leos Ohrläppchen berührten. Seine Stimme war so leise wie herbstliches Blättergeraschel. »Es ist schwer ... einen anderen leiden zu sehen ... egal, was er getan hat. Es verändert einen ... egal, welches Recht man auf Rache hat.«

Lasar hielt inne, weil er sich von der Anstrengung dieser Worte erst erholen musste. Seine Schmerzen hatten sich nie gebessert. Er lebte mit ihnen wie mit einem Gefährten und wusste, nie würden sie geringer werden, keinen Moment würde er ohne sie sein. »Ich habe die anderen gefragt ... ob es irgendeinen Tschekisten gab ... der ihnen geholfen hat ... Irgendeinen guten Menschen unter ihnen. Alle ... sagten ... Nein.

Er unterbrach sich erneut und wischte sich den Schweiß von den Brauen, dann legte er die Lippen wieder an Leos Ohr. »Maxim, der Staat hat ... dich ausgesucht, um mich zu verraten ... weil du ein Herz hast ... einen ohne Herz hätte ich sofort erkannt ... Das ist deine Tragödie ... Ich kann dich nicht verschonen ... Es gibt so wenig Gerechtigkeit ... Man muss nehmen, was man kriegt.«

Aus Schmerz wurde Delirium, so intensiv, dass es beinahe in Euphorie umschlug. Leo nahm die Baracke nicht mehr wahr, die Bretterwände verschwammen und ließen ihn auf einer vereisten, weißen Hochebene zurück. Es war nicht die da draußen, sondern eine weißere, weichere, weder Furcht einflößend, noch kalt. Dann fiel Wasser aus dem Himmel, ein eiskalter Regen direkt über ihm. Leo blinzelte und schüttelte den Kopf. Er lag auf dem Barackenboden. Sie hatten ihn mit Wasser übergossen. Der Knebel war weg, die Handtücher aufgeknotet. Trotzdem konnte Leo nur ganz vorsichtig Luft holen. Seine Lungen hatten sich schon an die Beengung gewöhnt. Er setzte sich auf und atmete stoßweise. Es war Morgen. Er hatte wieder eine Nacht überlebt.

Die Gefangenen, die auf dem Weg zum Frühstück an ihm vorbeitrotteten, schnaubten ihn verächtlich an. Leos Hecheln wurde langsamer, seine Atmung normalisierte sich allmählich wieder. Er blieb allein in der Baracke zurück und überlegte, ob er sich schon jemals in seinem Leben so verlassen gefühlt hatte. Um aufstehen zu können, musste er sich an einem Bettrahmen abstützen. Ein wütender Wärter schrie ihn an, weil er trödelte. Mit gesenktem Haupt schlurfte Leo los, er konnte die Füße nicht heben, sondern schob nur einen vor den anderen wie ein ungeübter Eisläufer.

Als er in die Verwaltungszone kam, blieb Leo stehen. Einen zweiten Arbeitstag würde er nicht mehr überstehen, und erst recht keine dritte Nacht. In seinem Kopf schwirrten die Bilder von all den Foltermethoden umher, die er miterlebt hatte. Was würde als Nächstes kommen? Die Illusion, dass Timur kommen würde, reichte nicht, um ihn noch aufrecht zu halten. Ihr Plan war schiefgegangen. Ein Wärter in der Nähe rief: »Los, weiter!«

Leo musste sich etwas einfallen lassen. Er war auf sich allein gestellt. Er richtete den Blick auf das Büro des Lagerkommandanten und schrie: »Kommandant!«

Das war ein Regelverstoß. Die Wachen kamen auf ihn zugerannt. Von der Essensbaracke sah Lasar zu. Leo musste so schnell wie möglich die Aufmerksamkeit des Kommandanten auf sich ziehen. »Kommandant! Ich kenne die Rede von Chruschtschow!«

Bevor er weiterschreien konnte, hatten ihn die Wachen erreicht, und einer schlug ihm auf den Rücken. Ein zweiter Schlag traf ihn in den Bauch. Er krümmte sich zusammen und duckte sich, während sie weiter auf ihn einprügelten. »Aufhören!«

Die Wachen erstarrten. Leo rappelte sich auf und warf einen hastigen Blick auf die Verwaltungsbaracke. Oben auf der Treppe stand Kommandant Sinjawski. »Bringt ihn zu mir.«

Am selben Tag

Die Wärter zerrten Leo die Treppe hoch und ins Büro. Der Kommandant hatte sich in eine Ecke zurückgezogen, wo ein klobiger, dickbäuchiger Ofen stand. Der mit Holzbalken verschalte Raum war mit Karten der Region und gerahmten Fotos ausstaffiert, die den Kommandanten mit Sträflingen bei der Arbeit zeigten. Der lächelnde Sinjawski mit teilnahmslos blickenden Gefangenen, so als sei er in der Gesellschaft von Freunden. Um die Fotorahmen herum sah man Schatten, die verrieten, dass man erst vor Kurzem und offenbar in aller Eile andere Fotos, die sich von diesen hier in Form und Größe unterschieden, abgenommen und durch neue ersetzt hatte.

In abgerissenen Kleidern und mit zerschundenem Körper stand Leo gebeugt da und zitterte wie ein *besprisornik*, ein zerlumptes Straßenkind.

Sinjawski schickte die Wachen weg. »Ich will allein mit dem Gefangenen sprechen.«

Die Wärter warfen einander einen Blick zu. Einer bemerkte: »Dieser Mann hat uns letzte Nacht angegriffen. Wir sollten lieber bei Ihnen bleiben.«

Sinjawski schüttelte den Kopf. »Unsinn.«

»Genosse, er ist zu gefährlich.«

Angesichts des Rangunterschiedes war der drohende Unterton der Wachleute eigentlich ungehörig. Offensichtlich wurde hier die Autorität des Kommandanten infrage gestellt.

Sinjawski wandte sich an Leo: »Du wirst mich doch nicht angreifen, oder?«

Leo schüttelte den Kopf. »Nein, Genosse.«

»Nein, Genosse! Er ist sogar höflich. Und jetzt raus mit euch. Ich bestehe darauf.«

Zögernd zogen sich die Wachen zurück, machten aber keine Anstalten, ihre Verachtung für seine Milde zu verbergen.

Als sie weg waren, ging Sinjawski zur Tür und sah nach, ob die Wachen nicht draußen warteten. Er hörte auf das Knirschen ihrer Schritte, während sie die Treppe hinabstiegen. Als er sicher war, dass sie allein waren, schloss er die Tür ab und wandte sich zu Leo um.

»Setzen Sie sich bitte.«

Leo setzte sich in einen vor dem Schreibtisch stehenden Stuhl. Hier drinnen war es warm, es roch nach Holzscheiten. Leo wollte einfach nur schlafen.

Der Kommandant lächelte ihn an. »Ihnen ist bestimmt kalt.«

Ohne die Antwort abzuwarten, ging Sinjawski hinüber zum Ofen, auf dem eine kleine gusseiserne Pfanne stand. Er nahm sie am Stil und goss etwas von einer bernsteinfarbenen Flüssigkeit in eine kleine Blechtasse, die genauso aussah wie die mit dem Pinienextrakt. Er umfasste die Tasse und reichte sie Leo.

»Vorsichtig.«

Leo warf einen prüfenden Blick auf den dampfenden Inhalt. Dann führte er die Tasse an seine Lippen. Das Getränk schmeckte nach flüssigem Honig und Wildblumen. Noch bevor er es herunterschlucken konnte, hatte sein Gaumen den warmen Zucker und den Alkohol aufgesogen wie ein vollkommen ausgetrocknetes Flussbett den ersten Regen. Blut schoss ihm in den Kopf, seine Wangen glühten. Für einen Moment begann sich das Zimmer zu drehen, doch schon bald verwandelte sich das Gefühl wie ein Schlaflied in eine mild berauschende Sanftheit, als habe Leo einen Glücksnektar getrunken.

Sinjawski setzte sich ihm gegenüber hin, schloss eine Schublade auf und holte eine Pappschachtel heraus. Er legte sie zwischen ihnen beiden auf den Schreibtisch. Auf den Deckel war etwas aufgestempelt.

NICHT FÜR PRESSEZWECKE

Der Kommandant tippte auf den Deckel. »Sie wissen, was da drin ist?«

Leo nickte. »Ja.«

»Sie sind ein Spion, stimmt's?«

Leo verfluchte sich, dass er das Getränk zu sich genommen hatte. Halb verhungerte Verdächtige betrunken zu machen, um ihnen die Zunge zu lösen, war eine übliche Masche. Er brauchte seinen Verstand. Auf das Wohlwollen dieses Mannes zu vertrauen war das Dümmste, was er machen konnte. Als er hereingekommen war, hatte er eigentlich seine wahre Identität preisgeben und dies mit seiner genauen Kenntnis der Karriere des Kommandanten und der Nennung seiner Vorgesetzten belegen wollen. Die Anschuldigung hatte ihn kalt erwischt.

In sein Schweigen hinein redete der Kommandant weiter. »Bitte versuchen Sie nicht zu lügen. Ich kenne die Wahrheit. Sie sind hier, um über den Fortgang der Reformen nach Hause zu berichten. Genau wie Ihr Freund.«

Leos Herz machte einen Satz. »Mein Freund?«

»Ich selbst unterstütze die Veränderungen zwar voll und ganz, viele hier in der Gegend aber nicht.

»Sie wissen etwas über meinen Freund?«

»Die suchen nach Ihnen. Die zwei Beamten, die gestern

Abend angekommen sind. Sie sind überzeugt, dass mehr als nur ein Mann gekommen ist, um sie auszuspionieren.«

»Was ist aus ihm geworden?«

»Aus Ihrem Freund? Sie haben ihn umgebracht.«

Leos Griff um die Blechtasse erschlaffte, fast hätte er sie fallen lassen. Er sackte zusammen, seine Wirbelsäule war wie Gummi. Er ließ den Kopf sinken und starrte zu Boden.

Der Kommandant fuhr fort. »Uns werden sie auch töten, fürchte ich. Ihr Geschrei von der Geheimen Rede hat Ihre wahre Identität verraten. Sie werden nicht zulassen, dass Sie wieder gehen. Wie Sie selbst erlebt haben, war es schon schwierig genug, überhaupt einen Augenblick mit Ihnen allein zu sein.«

Leo schüttelte ungläubig den Kopf. Timur und er hatten schon die haarsträubendsten Situationen überlebt. Er konnte einfach nicht tot sein. Da musste ein Irrtum vorliegen. Ruckartig setzte er sich auf. »Er ist nicht tot. Sie meinen einen anderen.«

»Der Mann, von dem ich rede, ist an Bord der *Stary Bolschewik* angekommen. Er sollte hier den Posten als stellvertretender Kommandant antreten. Das war natürlich nur Tarnung. Eigentlich wurde er geschickt, um einen Bericht zu schreiben. Er hat es selbst zugegeben. Er behauptete, uns beurteilen zu sollen. Deshalb haben sie ihn umgebracht. Die lassen sich nicht beurteilen. Niemals.«

Offensichtlich hatte Timur diese Geschichte erfunden, um zum Lager zu gelangen. Um ihm, Leo, beizuspringen. Er hätte Timur nie um Hilfe bitten dürfen. Aber er war so damit beschäftigt gewesen, Soja zu retten, dass er an das Risiko, das Timur einging, kaum einen Gedanken verschwendet hatte. Leo war so überzeugt von ihrem Plan und ihren Fähigkeiten gewesen, dass er die Gefahr nicht gesehen hatte. Jetzt hatte er eine glückliche Familie zerstört, nur um eine unglückliche wieder zusammenzubringen, hatte etwas Wunderbares kaputtgemacht, nur um Sojas Liebe zu erringen. Sein Freund Timur, sein einziger Freund, dieser anständige und loyale Mann, den seine Frau geliebt und seine Söhne vergöttert hatten, und den Leo so sehr in sein Herz geschlossen hatte, war tot. Als ihm das endgültig klar wurde, fing Leo an zu weinen.

Als er schließlich wieder aufsah, stellte er fest, dass auch Schores Sinjawski weinte. Ungläubig starrte er den alten Mann mit seinen roten Augen und den tränenüberströmten Lederwangen an. Wie konnte ein Mensch, der unschuldige Menschenleben für eine nutzlose Eisenbahnstrecke geopfert hatte, beim Tod eines einzelnen Menschen weinen, den er noch nicht einmal gekannt hatte und für dessen Tod er auch nicht verantwortlich war? Vielleicht weinte er jetzt um alle Toten, die er früher nie beweint hatte, um jedes Opfer, das im Schnee, in der glühenden Sonne oder im Schlamm sein Leben ausgehaucht hatte, während er zufrieden eine Zigarette rauchte, weil er das Soll erfüllt hatte. Dann fiel ihm wieder Lasars Verachtung dafür ein, und er wischte sich die Augen. Lasar hatte recht. Tränen waren wertlos. Leo schuldete Timur mehr. Wenn Leo nicht überlebte, würden Timurs Frau und seine Söhne noch nicht einmal erfahren, wie er gestorben war. Und Leo würde ihnen nie sagen können, wie leid es ihm tat.

Die Wachen wollten unbedingt verhindern, dass er nach Moskau zurückkam. Sie verteidigten ihr Lehen. Leo war ein Spion und auf beiden Seiten verhasst – bei den Gefangenen ebenso wie bei den Wachen. Und er war allein, wenn man vom Kommandanten absah, dessen Sinne jedoch von seiner Schuld getrübt zu sein schienen. Der Mann war als Verbündeter bestenfalls ein unsicherer Kandidat und hatte das Lager nicht mehr unter Kontrolle. Wie Wölfe strichen die Wachen um die Verwaltungsbaracke und warteten, dass Leo herauskam.

Verzweifelt nach einem Ausweg suchend, blickte Leo sich im Raum um. Auf dem Schreibtisch fiel ihm eine Mikrofonanlage ins Auge, die mit Lautsprechern überall in der Zone verbunden war. »Können Sie damit das ganze Lager erreichen?«

»Ja.«

Leo stand auf, nahm die Blechtasse und goss sie randvoll mit dem warmen, bernsteinfarbenen Alkohol. Er reichte sie dem Kommandanten. »Trinken Sie mit mir.«

»Aber …«

»Trinken wir im Gedächtnis an meinen Freund.«

Der Kommandant trank in einem Zug aus. Leo füllte die Tasse erneut. »Trinken wir auf alle, die hier gestorben sind.«

Der Kommandant nickte und kippte die Tasse hinunter. Leo goss nach.

»Und auf all die unschuldigen Toten im ganzen Land.«

Der Kommandant kippte sich den letzten Schnaps hinter die Binde und wischte sich die Lippen ab.

Leo deutete auf das Mikrofon. »Schalten Sie es ein.«

Am selben Tag

In der Essensbaracke dachte Lasar darüber nach, warum Leo wohl beschlossen hatte, sich der Gnade des Kommandanten zu unterwerfen. Nachdem Schores Sinjawski seit Neuestem sein Mitleid entdeckt hatte, würde er Leo eventuell sogar beschützen. Die anderen Häftlinge schäumten vor Wut, dass man sie nun vielleicht der Gelegenheit berauben würde, Gerechtigkeit walten zu lassen. Sie hatten bereits eine dritte, vierte, fünfte Folter geplant, alle warteten begierig auf den Abend, wo Leo das erdulden würde, was sie erduldet hatten, wo sie in seinem Gesicht den Schmerz sehen würden, den sie selbst erlitten hatten, wo er um Gnade winseln und sie ihm antworten würden, wovon sie schon so lange träumten:

Nein!

Was Leo ihm über seine Frau Anisja erzählt hatte, nagte an Lasar. Aber wie ihm die *wory* in seiner Baracke versichert hatten, war es ausgeschlossen, dass eine Frau, die früher Kirchenlieder gesungen, geputzt und gekocht hatte, zur Anführerin einer eigenen Bande hätte werden können. Leo war ein Lügner. Diesmal würde Lasar sich nicht an der Nase herumführen lassen.

Aus den Lautsprechern kam plötzlich Rauschen. Es war zwar nur ein Hintergrundgeräusch, aber die tägliche Routine im Lager war sonst so starr, dass Lasar angesichts dieses außergewöhnlichen Vorfalls unwillkürlich zusammenzuckte. Er stand auf, durchquerte die Reihen der frühstückenden Häftlinge und öffnete die Tür.

Die Lautsprecher waren auf hohen Holzpfählen befestigt, jeweils einer vor jeder Häftlingsbaracke und ein weiterer in der Verwaltungszone vor der Küchen- und Essensbaracke. Sie wurden nur selten benutzt. Eine Handvoll neugieriger Gefangener versammelte sich hinter Lasar, unter ihnen auch Georgi, der Lasars Stimme war und kaum von seiner Seite wich. Ihre Augen fixierten den schlappen, windschiefen Lautsprecher. Ein Kabel wand sich um den Pfahl bis hinunter auf die gefrorene Erde, von dort führte es zum Büro des Kommandanten. Wieder ertönte Rauschen, aus dem heraus sich gedämpft die blecherne Stimme des Kommandanten meldete. Er wirkte unsicher.

»Sonderbericht …« Der Kommandant unterbrach, dann setzte er mit lauterer Stimme erneut an. »Sonderbericht des 20. Parteitags der Kommunistischen Partei der Sowjetunion. Geschlossene Sitzung. 25. Februar 1956. Von Nikita Sergejewitsch Chruschtschow, Erster Sekretär.

Lasar lief die Treppe hinunter und weiter bis zum Lautsprecher. Die Wachen hatten ihre Tätigkeiten unterbrochen. Nach einer Schrecksekunde fingen sie an, miteinander zu tuscheln, offenbar waren sie über das Vorhaben des Kommandanten nicht informiert. Ein Grüppchen trennte sich von den anderen und marschierte auf die Verwaltungsbaracke zu. Derweil las der Kommandant weiter vor, und je mehr er las, desto unruhiger wurden die Wachen.

»Stalin ist zu seinen Lebzeiten nicht nur mit brutaler Gewalt gegen jede Opposition vorgegangen, sondern auch gegen alles, was den Vorstellungen seines launischen und despotischen Wesens zuwiderlief.«

Hastig erklommen die Wachen die Treppe, hämmerten gegen die Tür und riefen besorgt nach dem Kommandanten, um herauszubekommen, ob er unter Zwang handele. »Hat man Sie als Geisel genommen?«

Die Tür blieb verschlossen. Lasar kam es nicht so vor, als handele er unter Zwang.

Die Stimme wurde immer theatralischer, so als wolle sie sich diese bemerkenswerten Worte selbst zu eigen machen.

»Von Stalin stammt der Begriff des Staatsfeindes. Dieser Begriff ließ es zu, dass – gegen jegliche revolutionäre Rechtsauffassung – grausamste Repressionen gegen jeden angewandt wurden, der nicht mit Stalin konform ging.«

Lasar blickte mit vor Entgeisterung offen stehendem Mund in Richtung Lautsprecher, als zeige sich am Himmel gerade ein göttliches Wunder.

Sämtliche Insassen des Lagers ließen ihr Frühstück stehen oder nahmen ihren Napf mit, während sie sich um den einsamen Lautsprecher versammelten. Wie hypnotisiert von den knisternden Worten starrte die dicht gedrängte Menge nach oben. Das war ja Kritik am Staat! Kritik an Stalin! Das hatte Lasar noch nie erlebt, jedenfalls nicht in so einem Rahmen. Hier raunten sich ja nicht etwa zwei Liebende oder zwei Sträflinge auf benachbarten Kojen etwas zu. Es waren die Worte ihres Staatsoberhaupts, die öffentlich auf dem Parteitag verlesen worden, sogar aufgeschrieben und gedruckt und bis in die entlegensten Ecken des Landes verbreitet worden waren.

»Wie kann es geschehen, dass ein Mensch Verbrechen gesteht, die er gar nicht begangen hat? Nur auf eine Weise: durch die Anwendung von Folter, die ihn seines Bewusstseins und seiner Urteilskraft ebenso beraubt wie seiner menschlichen Würde.«

Der Mann neben Lasar legte ihm einen Arm auf die Schulter, der nächste tat es ihm nach, und bald standen sämtliche Gefangenen Arm in Arm nebeneinander.

Lasar versuchte, nicht auf die Wachen zu achten und sich nur auf die Rede zu konzentrieren, aber ihre Nervosität lenkte ihn ab. Sie konnten sich nicht entscheiden, ob sie den Kommandanten vom Vorlesen oder die Gefangenen vom Zuhören abhalten sollten. Schließlich beschlossen sie, dass es einfacher war, nur gegen einen Mann statt gegen tausend vorzugehen. Sie schlugen mit den Fäusten gegen die Tür und befahlen dem Kommandanten, sofort mit dem Lesen aufzuhören. Die Tür war jedoch aus dicken Baumstämmen gezimmert, um Schutz gegen die arktischen Bedingungen zu bieten. Die kleinen Fenster waren mit Läden verschlossen. Nicht einfach, da hereinzukommen. Verzweifelt feuerte einer der Wachmänner sein Maschinengewehr ab, doch die Garbe riss nur Splitter aus dem Holz und blieb ansonsten wirkungslos. Die Tür ging davon zwar nicht auf, aber trotzdem bekam der Mann, was er gewollt hatte. Die Lesung brach ab.

Lasar empfand die Stille wie einen jähen Verlust, und damit war er nicht allein. Wütend, dass die Rede unterbrochen worden war, begannen die Männer zu seiner Rechten und Linken zu stampfen. Sofort machten andere mit und wenig später alle. Tausend Füße stampften rhythmisch auf dem gefrorenen Boden auf.

»Weiter! Weiter! Weiter!«

Die gleichgeschaltete Energie des Protests wirkte ansteckend, und schon bald stampfte auch Lasar mit.

* * *

Leo und der Kommandant horchten auf den Tumult vor der Tür. Aus Angst, dass die Wachen sie erschießen würden, konnten sie die Fensterläden nicht aufmachen und deshalb nicht sehen, was los war. Aber die Vibrationen der stampfenden Füße übertrugen sich durch die Bodendielen, und der Sprechchor war sogar durch die dicken Wände zu hören. »Weiter! Weiter! Weiter!«

Lächelnd legte Sinjawski eine Hand an die Brust, er schien diese Reaktion als Bestätigung für seinen geläuterten Charakter zu empfinden.

Die Stimmung im Lager war brisant. Genauso hatte Leo es gewollt. Er deutete auf die Seiten der Rede, die er in aller Eile zusammengestrichen hatte, um sie zu einer Serie schockierender Geständnisse zu kondensieren. Jetzt reichte er dem Kommandanten die nächste Seite.

Sinjawski schüttelte den Kopf. »Nein.«

Leo war wie vor den Kopf gestoßen. »Warum wollen Sie denn jetzt aufhören?«

»Ich will in meinen eigenen Worten sprechen. Ich bin irgendwie … inspiriert worden.«

»Was wollen Sie sagen?«

Sinjawski hielt sich das Mikrofon vor den Mund und wandte sich an den Gulag 57. »Mein Name ist Schores Sinjawski. Ihr kennt mich als Kommandanten dieses Gulags, in dem ich seit vielen Jahren Dienst tue. Diejenigen, die erst vor Kurzem angekommen sind, werden mich für einen guten Menschen halten, für anständig, gerecht und großzügig.«

Das bezweifelte Leo. Dennoch versuchte er den Anschein zu erwecken, als sei er von diesen Bekundungen ebenso gefesselt wie überzeugt. Der Kommandant ging seine Rede mit heiligem Ernst an.

»Diejenigen, die schon länger da sind, werden allerdings nicht so freundlich über mich denken. Gerade habt ihr gehört, wie Chruschtschow Fehler des Staates und die Grausamkeiten unter

Stalin eingeräumt hat. Ich möchte dem Beispiel unseres Führers folgen und meine eigenen Fehler bekennen.«

Als Leo das Wort »folgen« hörte, fragte er sich, ob Schuldgefühle den Kommandanten antrieben oder eher sein lebenslanger blinder Gehorsam. Ging es hier wirklich um Reue oder nur ums Nachäffen? Wenn der Staat sich wieder auf Angst und Schrecken besann, würde Sinjawski dann ebenso plötzlich zu seiner früheren Brutalität zurückkehren, wie er jetzt seine weiche Seite entdeckt hatte?

»Ich habe Dinge getan, auf die ich nicht stolz bin. Es ist an der Zeit, dass ich euch dafür um Vergebung bitte.«

Leo wurde klar, dass die Wirksamkeit dieses Geständnisses vielleicht sogar noch größer war als das, was Chruschtschow eingeräumt hatte. Diesen Mann kannten die Gefangenen. Und sie kannten auch die Sträflinge, die er umgebracht hatte. Die Sprechchöre und das Gestampfe hörten auf. Die Männer warteten auf das Geständnis.

* * *

Lasar fiel auf, dass selbst die Wachleute nicht weiter versuchten, die Tür einzuschlagen, sondern auf die nächsten Worte des Kommandanten horchten. Nach einer Pause erklang im ganzen Lager Sinjawskis blecherne Stimme.

»Auf meinem ersten Posten in Archangelsk wurde ich beauftragt, Gefangene in einem Waldgebiet zu überwachen. Sie sollten Holz schlagen und die Stämme für den Abtransport fertig machen. Ich war neu. Und ich war nervös. Mein Befehl lautete, jeden Monat eine bestimmte Menge Holz zu liefern, alles andere spielte keine Rolle. Genau wie ihr alle hatte auch ich ein »Plansoll« zu erfüllen. Nach der ersten Woche bemerkte ich, dass einer der Gefangenen betrogen hatte, um seine Norm zu erfüllen. Hätte ich ihn nicht erwischt, wären wir unter dem Soll geblieben und der Sabotage bezichtigt worden. Ihr seht also ... es ging ums nackte Überleben. Ich hatte keine Wahl. Also habe ich ein Exempel an ihm statuiert. Er wurde ausgezogen und an einen Baum gebunden. Es war Sommer. Am Abend war sein Körper schon schwarz vor Mücken. Am Morgen war er bewusstlos. Am dritten Tag war er tot. Ich befahl, dass man seine Leiche als Warnung im Wald lassen sollte. Zwanzig Jahre lang habe ich nicht mehr an diesen Mann gedacht. Aber seit einiger Zeit denke ich täglich an ihn. An seinen Namen kann ich mich nicht mehr erinnern, ich weiß noch nicht einmal, ob ich ihn je gewusst habe. Allerdings erinnere ich mich, dass er damals in meinem Alter war. Ich war einundzwanzig.«

Lasar registrierte, dass der Kommandant seine Version der Wahrheit mit mildernden Umständen abschwächte.

Ich hatte keine Wahl.

Wegen solcher Worte waren Tausende umgekommen, und nicht etwa durch Kugeln, sondern durch eine perverse Logik und wohldurchdachtes Kalkül.

Als Lasar sich wieder auf die Rede konzentrierte, sprach der Kommandant schon nicht mehr über seine berufliche Station in den Wäldern von Archangelsk. Gerade referierte er über seine Beförderung zu den Salzminen von Solikams.

»In den Salzminen befahl ich den Männern zur Steigerung der Effizienz, unter Tage zu schlafen. Dadurch, dass ich die Männer nicht mehr nach jeder Schicht hoch- und wieder runterschaffen ließ, sparte ich Tausende wertvoller Arbeitsstunden zum Wohle unseres Staates.«

Die Gefangenen schüttelten bei der Vorstellung an diese unterirdische Hölle nur noch den Kopf.

»Mein Auftrag war, nach neuen Möglichkeiten zu suchen, wie man das Wohl unseres Staates mehren könnte. Was hätte ich da tun sollen? Wenn ich nicht auf diese Idee gekommen wäre, hätte mein untergebener Offizier sie vielleicht vorgeschlagen, und dann hätte man mich bestraft. Brauchten diese Männer das Tageslicht dringender als der Staat Salz? Und wenn ja, wer hätte die Autorität besessen, diese Meinung zu vertreten? Wer hätte es gewagt, sich für sie einzusetzen?«

Einer der Wärter – ein Mann, den Lasar noch nie zuvor gesehen hatte – stapfte auf sie zu und fuchtelte dabei mit seinem Messer. Sie wollten also die Drähte durchschneiden und so den Kommandanten abwürgen.

Der Wachmann grinste, diese Lösung war nach seinem Geschmack. »Aus dem Weg!«

Der ihm am nächsten stehende Sträfling stellte sich auf den Draht und versperrte dem Wachmann den Weg. Ein zweiter trat hinzu, dann ein dritter und vierter, sie ließen ihn nicht an die Leitung heran. Der Wachmann verzog das Gesicht zu einem drohenden Grinsen, so als wolle er sagen, dass er sich das merken werde, und marschierte zu einer anderen Stelle, wo der Draht freilag. Sofort reagierten die Gefangenen, schoben sich nach vorne und schlossen die Reihen, um den Draht zu schützen. Immer wieder gruppierte die Schar der Häftlinge sich um, bis sie schließlich eine dichte Phalanx bildeten, die von dem Holzpfahl mit dem Lautsprecher bis zum Sockel der Verwaltungsbaracke reichte. Wenn der Wachmann jetzt noch an die Leitung kommen wollte, musste er schon unter die Baracke kriechen, doch das verbot ihm sein Stolz.

»Aus dem Weg!«

Die Häftlinge wichen nicht zurück. Der Wärter wandte sich zu den beiden *wachta* um, den befestigten Türmen, von denen man das Lager im Blick hatte. Er gab den Schützen Zeichen und deutete auf die Gefangenen, dann machte er sich schnell davon.

Schüsse peitschten. Sämtliche Gefangenen warfen sich auf die Knie. Lasar blickte sich um, er rechnete damit, Tote und

Verletzte zu sehen, doch alle schienen unversehrt zu sein. Offenbar hatte man über ihre Köpfe gezielt. Die Salven waren in die Barackenwand eingeschlagen, Warnschüsse.

Langsam standen alle wieder auf. Auf der anderen Seite erhob sich Geschrei.

»Wir brauchen Hilfe!«

»Holt die *feldschery*!«

Lasar konnte nicht sehen, was da vorging. Immer noch wurde nach den Sanitätern geschrien, aber niemand kam. Bald verebbten die Rufe, niemand rief mehr um Hilfe. Dann wanderte von einem Häftling zum nächsten die Nachricht durch die Menge: Ein Gefangener war tot.

Als der Wachposten merkte, wie die Stimmung umschlug, steckte er das Messer weg und zog die Waffe. Er feuerte auf den Lautsprecher, verfehlte ihn aber mehrere Male, bis er endlich traf. Die Blechhülle des Lautsprechers sprühte Funken, dann gab er knisternd den Geist auf. Die anderen vier Lautsprecher in der Zone funktionierten noch, aber sie standen in einiger Entfernung. Die Stimme des Kommandanten war jetzt nur noch ein Hintergrundgeräusch und kaum zu verstehen.

Mit gezückter Pistole befahl der Wärter: »Zurück in eure Baracke, dann stirbt auch keiner mehr!«

Er hatte die Wirkung seiner Drohung falsch eingeschätzt.

Einer der Gefangenen hob die Leitung hoch und stürzte vor. Er wickelte sie dem Wachmann um den Hals und erdrosselte ihn damit. Während die Häftlinge einen Kreis um die Kämpfenden bildeten, kamen die anderen Wärter herbeigerannt, um einzuschreiten. Ein Sträfling griff sich die Pistole und feuerte. Verwundet ging ein Wärter zu Boden. Die anderen zogen daraufhin ihre Waffen und schossen wild in die Menge.

Die Gefangenen stoben auseinander. Sofort hatten sie die Lage erkannt. Egal, was für Reden in Moskau geschwungen wurden – wenn die Wachen hier wieder die Oberhand gewannen, standen ihnen grausame Sanktionen bevor. In diesem Moment eröffneten beide Wachtürme das Feuer.

* * *

Der Kommandant sprach derweil immer weiter, gestand eine blutige Tat nach der anderen und schien das Gewehrfeuer gar nicht zu hören. Sein Verstand hatte ausgesetzt. Unter Stalin hatte man sein Naturell gewaltsam verbogen, und nun wurde er in genau die entgegengesetzte Richtung zurückgebogen. Dem hatte er nichts mehr entgegenzusetzen, er wusste nicht mehr, wer er war, war weder gut noch schlecht, sondern einfach nur schwach.

Leo ließ den Kommandanten weitersprechen und öffnete einen Fensterladen. Vorsichtig spähte er hinaus. Aufrührerische Sträflinge rannten hin und her, im Schnee lagen Leichen. Leo überlegte, wie stark die beiden Seiten waren. Er schätzte, dass auf etwa vierzig Gefangene ein Wärter kam. Das war nicht wenig und erklärte auch teilweise, warum der Unterhalt der Lager so teuer war. Die Zwangsarbeit brachte nicht genügend ein, um die Kosten für die Verpflegung und Unterbringung der Sträflinge sowie den Transport und ihre Knechtung zu decken. Ein besonderer Kostenfaktor waren die Wärter, die für ihre Arbeit in dieser Einöde Zuschläge erhielten. Deshalb töteten sie auch jetzt so bereitwillig und klammerten sich rücksichtslos an ihre Machtstellung. Denn sie hatten kein Leben, in das sie hätten zurückkehren können, keine Familien oder Nachbarn, die etwas mit ihnen zu tun haben wollten. Keine Fabrikbelegschaft hätte sie bei sich aufgenommen. Ihr Wohlergehen hing ganz und gar von den Gefangenen ab. Beide Seiten würden also mit dem gleichen Mut der Verzweiflung kämpfen.

Aus den Wachtürmen blitzte Mündungsfeuer auf. Die Fensterscheibe zerbarst. Leo duckte sich weg, während um ihn herum Glasscherben niederprasselten und Kugeln in die Dielen einschlugen. Hinter den dicken Baumstämmen war Leo in Sicherheit, also richtete er sich vorsichtig auf und versuchte den Fensterladen zu schließen. Doch in einem Hagel von Splittern barst dessen Holz. Jetzt war der Raum ungeschützt. Die Sprechanlage auf dem Schreibtisch wurde von den Kugeln hin und her geschleudert, schließlich flog sie in hohem Bogen zu Boden. Sinjawski schrak zurück und kauerte sich hin.

Gegen den Radau brüllte Leo ihm zu: »Haben Sie ein Gewehr?«

Sinjawski schaute gehetzt zur Seite. Leo folgte seinem Blick und entdeckte in einer Ecke eine Holztruhe. Er stand auf und rannte darauf zu, musste aber feststellen, dass der Kommandant sich ihm in den Weg stellte und mit abwehrenden Händen rief: »Nein!«

Leo stieß den Mann zur Seite, griff nach der stählernen Schreibtischlampe und schlug mit dem schweren Fuß auf das Vorhängeschloss ein. Beim zweiten Schlag gab es nach, und er zog es heraus. Wieder sprang der Kommandant vor und warf sich über die Kiste. »Ich flehe Sie an ...«

Leo riss ihn weg und öffnete den Deckel.

In der Kiste schien sich nur Krimskrams zu befinden. Leo entdeckte gerahmte Fotografien, die einen stolzen Kommandanten neben einem Kanal zeigten, im Hintergrund ausgemergelte Häftlinge. Leo vermutete, dass dies die Fotos waren, die ursprünglich an der Wand des Büros gehangen hatten. Er warf sie beiseite, dann grub er sich durch Akten, Urkunden, Auszeichnungen und Glückwunschbriefe zur Erfüllung der Norm – die Überbleibsel seiner großen Karriere. Ganz unten lag ein Jagdgewehr, mit zahlreichen Kerben im Kolben. Dreiundzwanzig Abschüsse. Leo ahnte, dass das keine Wölfe oder Bären gewesen waren. Er lud die Flinte mit dicken, fingerlangen Patronen und rannte zurück ans Fenster.

Die beiden Haupttürme, die auf hohen Holzstelzen errichteten *wachta*, waren strategisch von entscheidender Bedeutung. Die Wachen hatten schon die Leitern eingezogen, um zu verhindern, dass man zu ihnen hochklettern konnte. Verschanzt hinter dicken Baumstämmen, beherbergte jeder Turm auf Lafetten montierte Maschinengewehre, die pro Minute Hunderte von Kugeln abfeuern konnten – eine geballte Kraft, die alles am Boden übertraf. Leo musste das Feuer von den Gefangenen weg auf sich ziehen. Er zielte auf den Wachturm unmittelbar vor ihm. Die Chance, dass er genau in die Lücke zwischen den Baumstämmen traf, war minimal. Leo drückte zweimal ab, der mächtige Rückstoß des Gewehrs schleuderte ihn fast zurück. Sofort schossen die Wachen nicht mehr auf die Gefangenen, sondern konzentrierten ihr Feuer auf ihn. Ein Kugelhagel schlug in die Wand ein.

Leo duckte sich und warf einen flüchtigen Blick auf Sinjawski. Der hockte, während sein Büro in Trümmer geschossen wurde, in einer Ecke und las die restlichen Seiten der Geheimen Rede, als sei alles bestens. Jetzt sah er zu Leo auf und las ihm eine Passage vor.

»Ich hoffe, dass mein Entsetzensschrei Ihre Ohren erreicht. Stellen Sie sich nicht taub, nehmen Sie mich unter Ihren Schutz. Helfen Sie mir, den Alptraum der Verhöre zu beseitigen und zu zeigen, dass das alles ein schrecklicher Fehler war.«

Sinjawski stand auf: »Das war alles ein schrecklicher Fehler. Das hätte nie passieren dürfen.«

»Gehen Sie in Deckung!«, brüllte Leo.

Eine Kugel traf den Kommandanten in die Schulter. Da Leo nicht wollte, dass er starb, schlug er ihn nieder. Als er selbst auf seine verletzten Knie niederfiel, raubte ihm der Schmerz fast das Bewusstsein.

»Diese Rede hat mir das Leben gerettet«, murmelte Sinjawski.

Es roch nach Qualm. Um das Gewicht von den Knien zu nehmen, rollte Leo sich auf den Rücken, dann kämpfte er sich hoch und stolperte geduckt zum Fenster. Das Trommelfeuer hatte aufgehört. Durch das zerborstene Fenster spähte Leo vorsichtig hinaus auf die Zone und sah, woher der Qualm kam. Direkt unter dem Sockel des Wachturms brannte ein Feuer, hohe Flammen schlugen die Stelzen hinauf. Fässerweise hatte man Brennstoff daruntergerollt und angezündet. Die Insassen des Hochsitzes wurden geröstet wie Fleischstücke am Ende eines Bratspießes, für die Männer dort oben gab es kein Entkommen. Weil sie nicht die Leiter hinabklettern konnten, versuchten die Wachen, sich durch die Lücken zwischen den Baumstämmen zu quetschen, aber sie war zu eng. Ein Mann blieb stecken und kam weder vor noch zurück, während das Feuer sich weiter hinauffraß. Seine Schreie waren entsetzlich.

Die Soldaten auf dem zweiten Turm begannen sich gegen ein ähnliches Schicksal zu wappnen und schossen auf die Sträflinge, die das Brennmaterial herantrugen. Doch es waren einfach zu viele, und sie kamen aus allen Richtungen. Wenn sie erst einmal unter dem Turm waren, konnten die Wachen nichts mehr ausrichten, nur noch warten. Ein zweites Feuer wurde gelegt. Jetzt, wo beide Türme zerstört waren, hatte sich das Kräfteverhältnis verschoben. Die Gefangenen hatten die Kontrolle über das Lager übernommen.

Eine Axt schlug in die Tür des Kommandantenbüros. Ein zweiter Schlag folgte. Doch noch bevor man von draußen eindringen konnte, legte Leo das Gewehr auf den Boden und schloss die Tür auf. Dann trat er zurück und hob zum Zeichen, dass er sich ergab, die Hände. Eine kleine Gruppe von Sträflingen stürmte den Raum und fuchtelte mit Messern, Pistolen und Eisenstangen herum.

Die Anführer musterten ihre Gefangenen. »Bringt sie raus.«

Die Häftlinge griffen Leo bei den Armen und stießen ihn die Treppe hinunter, dann trieben sie ihn zu den ebenfalls gefangen genommenen Wachmännern. Blutig geschlagen hockten diese im Schnee und starrten auf die beiden brennenden *wachta*. Die Rauchsäulen, die von ihnen aufstiegen, bedeckten den halben Himmel und kündeten der ganzen Gegend von der Revolte.

Am selben Tag

Die Stirn in konzentrierte Furchen gelegt, studierte Malysch die handgeschriebene Liste. Man hatte ihm gesagt, darauf stünden die Namen der Männer und Frauen, die Frajera umbringen wollte. Da er aber nicht lesen konnte, nahm sein Auge nur eine Ansammlung unverständlicher Zeichen wahr. Bis vor Kurzem hatte es ihm nie etwas ausgemacht, dass er nicht lesen und schreiben konnte und nur die Buchstaben seines *klikucha* erkannte, auch wenn er damit kaum gebildeter war als ein Hund, der hörte, wenn man seinen Namen rief. Genau aus diesem Grund hatte Malysch bei seinem Eintritt in die Bande auch klugerweise darauf bestanden, dass keine seiner Tätowierungen irgendwelche Wörter enthielt, aus Angst, die anderen *wory* könnten seine Unwissenheit ausnützen und ihm irgendeine Beleidigung einstanzen. Zwar war es unter Todesstrafe verboten, jemandem etwas Falsches, eine offensichtliche Lüge einzutätowieren, aber dieses Gesetz hätte sie vielleicht trotzdem nicht davon abgehalten, sich auf seine Kosten einen Spaß zu erlauben und ihn statt *Kleiner* einfach *kleiner Scheißer* zu nennen.

Er war nicht auf den Kopf gefallen, und um das zu beweisen, brauchte er kein Zeugnis oder Diplom. Er musste gar nicht lesen und schreiben können. Was sollte ihm das schon bringen? Lehrer konnten ja auch kein Schloss knacken oder Messer werfen. Warum zum Teufel sollte ein Dieb lesen können? Das glaubte er immer noch, aber trotzdem war etwas anders geworden. Tief in seinem Innern schämte er sich neuerdings immer mehr, und angefangen hatte es genau in dem Moment, wo Soja seine Hand genommen hatte.

Sie konnte nicht wissen, dass er Analphabet war. Wenn sie vom Allerschlimmsten ausging, hielt sie ihn vielleicht für einen vom *tschifir* abhängigen Strolch. Das juckte ihn nicht. Anstatt sich ein Urteil über ihn zu erlauben, sollte sie sich lieber Gedanken darüber machen, ob er ihr nicht doch die Kehle durchschneiden würde. Malysch wurde wütend. Er holte tief Luft und konzentrierte sich wieder auf die Namen vor sich – diese ehemaligen Tschekisten. Anhand dessen, was er von Frajera gehört hatte, wusste er, dass auf der Liste die Namen und Adressen standen, außerdem eine Beschreibung der Verbrechen, die jeder Einzelne begangen hatte, und ob er Ermittler, Verhörspezialist oder Informant gewesen war. Als er mit einem dreckigen Fingernagel über die Zeilen fuhr, konnte er erkennen, in welcher Spalte die Namen standen: Es war die mit den wenigsten Wörtern. Die mit den Zahlen, das waren die Adressen. Und daraus ergab sich, dass in der letzten Spalte, der mit den meisten Wörtern, ihre Verbrechen beschrieben wurden. Aber es half nichts, sich etwas vorzumachen. Das hatte ja noch nichts mit Lesen zu tun, nicht mal annähernd. Malysch schleuderte die Liste zu Boden und marschierte in dem Abwassertunnel auf und ab. Alles nur ihre Schuld. Das Mädchen war der Grund, dass er sich jetzt so fühlte. Wäre er ihr doch nie begegnet!

Unschlüssig, was er jetzt machen sollte, lief er den Tunnel hinauf bis in das stinkende Lager der Bande. Frajera behauptete allerdings, dass sie in den Ruinen einer ehemaligen Bibliothek wohnten, der verschollenen Bibliothek von Iwan dem Schrecklichen, in der sich einst eine unschätzbare Sammlung byzantinischer und hebräischer Schriftrollen befunden hatte. Als Analphabet in einer Bibliothek – das Absurde daran war ihm bislang noch nie aufgefallen, nicht bis zu dem Zeitpunkt, als Soja aufgetaucht war. Aber ob nun Bibliothek oder nicht, für Malysch war ihr Basislager trotzdem nicht viel mehr als ein Haufen dreckiger, feuchter Steinkammern. Er drückte sich um die anderen herum, die wie üblich tranken, und schlich sich leise zu Sojas Zelle.

Dort holte er sich einen Schemel, stellte sich darauf und linste durch die Gitter. Soja lag zusammengerollt auf einer Matratze in der Ecke und schlief. Für sie unerreichbar hing eine Laterne von der Decke, die Tag und Nacht brannte, sodass Soja unter ständiger Beobachtung stand.

Sofort verrauchte Malyschs Zorn. Seine Augen wanderten über ihren Körper und verfolgten ihren Schlaf, das sanfte Heben und Senken ihrer Brust. Malysch gehörte zwar zu den *wory*, war aber trotzdem noch Jungfrau. Er hatte zwar schon gemordet, aber noch nie mit einer Frau geschlafen, was für die anderen eine Quelle großen Vergnügens war. Sie hänselten ihn, dass sich sein Schwanz, wenn er ihn nicht bald einmal benutzte, entzünden und abfallen würde, und dann wäre er nur noch ein Mädchen.

Nach seiner Aufnahme in die Bande hatten sie ihn zu einer Prostituierten geschleppt, ihn in ihr Zimmer gestoßen und die Tür hinter ihm verschlossen, damit er endlich erwachsen wurde. Gelangweilt und mit Gänsehaut auf den Armen hatte die nackte Frau auf dem Bett gesessen und eine Zigarette geraucht. Angesichts des langen Aschestummels hatte Malysch nur daran denken können, ob die Asche ihr wohl auf die Brust fallen würde. Schließlich hatte sie sie auf den Boden geschnippt und ihn mit einem Nicken in Richtung seiner Lenden gefragt, worauf er denn noch warte. Er hatte an seinem Gürtel herumgefingert, ihn erst abgelegt, dann wieder angelegt und ihr schließlich gesagt, er wolle nicht. Das Geld könne sie behalten, wenn sie nur den anderen nichts sagte. Achselzuckend hatte sie ihn angewiesen, sich hinzusetzen und fünf Minuten zu warten, danach konnte er gehen. Dass er länger durchhielt, würden die anderen sowieso nicht glauben. Also hatte Malysch sich aufs Bett gesetzt und war nach fünf Minuten gegangen. Als er schon im Flur gewesen war, mit einer gut zurechtgelegten Lüge, hatte die Frau den anderen zugerufen, sie hätten recht gehabt: Er habe gekniffen. Die *wory* hatten gekichert wie Hexen, und sogar Frajera schien von ihm enttäuscht zu sein.

Als er jemanden hinter sich hörte, wirbelte Malysch herum und zog sein Messer, doch dieser Jemand packte seine Hand und entwand es ihm.

Frajera klappte die Klinge zu und gab ihm das Messer zurück. Dann beugte sie sich über seine Schulter und linste in die Zelle. »Wunderschön, nicht wahr?«

Malysch gab keine Antwort.

Von oben herab musterte Frajera ihn. »Es kommt nicht oft vor, dass jemand sich an dich heranschleichen kann, Malysch.«

»Ich habe die Gefangene kontrolliert.«

»Kontrolliert?«

Er wurde rot. Frajera legte ihm den Arm auf die Schulter und fügte hinzu: »Ich will, dass sie dich bei deinem nächsten Auftrag begleitet.«

Fragend sah Malysch zu Frajera hoch. »Die Gefangene?«

»Nenn sie bei ihrem Namen.«

»Soja.«

»Sie hat mehr Grund als so mancher andere, die Tschekisten zu hassen. Sie haben ihre Eltern umgebracht.«

»Sie kann nicht kämpfen. Überhaupt nicht zu gebrauchen. Sie ist doch nur ein Mädchen.«

»Ich war auch mal ein Mädchen.«

»Du bist anders.«

»Sie auch.«

»Vielleicht versucht sie abzuhauen. Oder sie ruft um Hilfe.«

»Warum fragst du sie nicht? Sie hört uns zu.«

Einen Moment lang schwiegen sie. Dann rief Frajera in die Zelle hinein: »Ich weiß, dass du wach bist.«

Soja setzte sich auf und blickte die beiden an. Dann sprach sie. »Ich habe nie etwas anderes behauptet.«

»Ich hätte einen Vorschlag für ein tapferes junges Mädchen. Willst du Malysch bei seinem nächsten Einsatz begleiten?«

Soja starrte den Jungen an. »Um was geht es dabei?«

»Darum, einen Tschekisten zu töten«, antwortete Frajera.

Kolyma
Gulag 57

Am selben Tag

Die beiden *wachta* waren nur noch schwelende Trümmerhaufen. Das Holz war verkohlt, nur gelegentlich züngelten noch Flammen aus der glühenden Asche. Rauchschwaden erhoben sich in den nächtlichen Himmel und trugen die Asche von mindestens acht Wachmännern davon, deren letzte Tat auf Erden es nun war, ein paar Sterne zu verdunkeln, bevor sie über die Hochebene verstreut wurden. Andere Gulag-Wärter, die nicht in der Feuerhölle der *wachta* umgekommen waren, lagen über das ganze Lager verstreut, wo immer sie gestorben waren. Ein Toter hing aus einem Fenster heraus. Die Wut, mit der man ihn umgebracht hatte, ließ darauf schließen, dass er früher in seiner Pflichterfüllung besonders heimtückisch gewesen war. Die Sträflinge hatten ihn verfolgt, bis sie ihn gestellt hatten. Während er noch verzweifelt versucht hatte aus dem Fenster zu klettern, waren sie mit Fäusten und Messern auf ihn losgegangen. Seine Leiche hatten sie liegen lassen, sie hing über dem Fensterbrett wie eine Fahne ihres neuen Reiches.

Die überlebenden Wachleute und die anderen Beschäftigten des Gulags, insgesamt etwa fünfzig Personen, hatte man in die Mitte der Verwaltungszone gepfercht. Die meisten waren verletzt. Ohne Decken oder medizinische Versorgung hockten sie im Schnee. Ihre Schmerzen, ihr Hunger und ihr Elend stießen auf dieselbe Gleichgültigkeit, die die Sträflinge früher am eigenen Leib erfahren hatten.

Leos Rolle war anfangs unklar gewesen, doch schließlich hatte man ihn nicht den Häftlingen, sondern den Wärtern zugerechnet. Also saß auch er jetzt vor Kälte zitternd da und wurde Zeuge, wie alte Machtstrukturen zerfielen und neue sich bildeten.

So weit er sehen konnte, gab es drei nicht gewählte Anführer – Männer, die sich ihre Autorität im Mikrokosmos ihrer jeweiligen Baracken aufgebaut hatten. Jeder von ihnen besaß seine eigene, eindeutig von den anderen abgegrenzte Anhängerschar.

Einer der Anführer war Lasar. Zu seinen Leuten zählten die älteren Gefangenen, die Intellektuellen und Facharbeiter – kurz, die Schachspieler. Der zweite Anführer war ein athletischer und gut aussehender jüngerer Mann, möglicherweise ein ehemaliger Fabrikarbeiter. Der perfekte Sowjet also, und dennoch war er eingesperrt worden. Ihm folgten die Jüngeren und Stärkeren nach – die Männer der Tat. Der dritte war ein etwa vierzigjähriger Ganove mit schmalen Augen, Zahnlücken und einem Haifischgrinsen. Er hatte den Mantel des Kommandanten für sich reklamiert, der ihm allerdings zu lang war und im Schnee schleifte wie ein kaiserliches Gewand. Seine Anhängerschaft bestand aus den anderen *wory* – Dieben und Mördern. Drei Gruppen also, jede mit ihrem eigenen Anführer und jede mit ihren eigenen Vorstellungen. Und die Meinungsunterschiede traten unmittelbar zutage.

Lasar, dem der rothaarige Georgi seine Stimme lieh, mahnte zu Vorsicht und Ordnung. »Wir müssen Beobachtungsposten einrichten. Die Grenzen des Lagers müssen bewaffnet werden.«

Nach Jahren der Übung konnte Georgi gleichzeitig sprechen und Lasar zuhören. »Außerdem müssen wir unsere Lebensmittelvorräte bewachen und rationieren. Wir dürfen nicht Amok laufen. Wir brauchen Ordnung.«

Der Arbeiter, der mit seinem kantigen Gesicht aussah wie einem Propagandafilm entsprungen, widersprach. »Uns steht so viel Essen zu, wie wir wollen, und der ganze Alkohol, den wir auftreiben können. Schließlich haben wir keinen Lohn erhalten und uns dafür, dass wir die Freiheit errungen haben, auch etwas verdient.«

Der Chef der *wory* in seinem Rentiermantel hatte nur einen Wunsch. »Nach diesen ewigen Vorschriften wollen wir einfach machen, was uns passt.«

Es gab noch eine vierte Gruppe von Häftlingen. Eigentlich keine richtige Gruppe, eher ein Haufen Einzelgänger, die keinem Anführer folgten, sondern sich nur an ihrer Freiheit berauschten. Einige rannten wie Wildpferde von einer Baracke zur nächsten, durchwühlten alles und jauchzten auf, wenn sie etwas gefunden hatten. Entweder hatte die ausbrechende Gewalt sie verrückt werden lassen, oder sie waren immer schon verrückt gewesen und konnten es nun endlich ausleben. Andere lagen schlafend in den bequemen Betten des Wachpersonals, für sie bedeutete Freiheit einfach nur, die Augen zumachen zu können, wenn man müde war. Wieder andere lagen im Morphiumrausch da oder hatten sich mit dem Wodka ihrer ehemaligen Peiniger betrunken. Lachend schnitten sie Löcher in die Zäune, bogen den verhassten Stacheldraht zu irgendwelchem Zierrat zurecht und staffierten damit die Wärter aus, von denen sie früher herumkommandiert worden waren. Sie drückten ihnen Stacheldrahtkronen auf den Kopf und verhöhnten sie lärmend als Söhne Gottes. »Kreuzigt die verdammten Schweine!«

Als Lasar sah, welche Anarchie rings um sie herrschte, mahnte er erneut. Er flüsterte Georgi ins Ohr, der die Worte wiederholte. »Wir müssen unbedingt die Vorräte kontrollieren. Ein Hungernder kann sich leicht zu Tode essen. Außerdem muss die Zerstörung des Zauns aufhören. Der Zaun schützt uns vor den Soldaten, die unweigerlich hier eintreffen werden. Vollkommene Freiheit können wir nicht zulassen, sonst überleben wir die Sache nicht.«

Nach dem Schweigen des *wory*-Anführers zu urteilen, war

das meiste ohnehin schon geplündert worden. Die wertvollsten Dinge befanden sich bereits in den Händen seiner Bande.

Der Arbeiter mit dem kantigen Gesicht, dessen Namen Leo nicht kannte, erklärte sich damit einverstanden, dass man einige der von Lasar vorgeschlagenen Schritte einleitete. Gegen praktische Maßnahmen war nichts zu sagen, solange man nur umgehend damit anfing, die gefangen genommenen Wachleute abzuurteilen.

»Meine Männer verlangen Gerechtigkeit! Und zwar sofort! Jahrelang haben sie darauf gewartet! Sie haben eine Menge durchgemacht! Sie können nicht mehr länger warten!«

Er sprach in Parolen, und jeder seiner Sätze endete mit einem Ausrufezeichen. Lasar gefiel es zwar nicht, dass man die praktischen Maßnahmen hinauszögerte, dennoch gab er in der Hoffnung auf Unterstützung nach. Man würde also über die Wachen Gericht halten. Auch über Leo.

* * *

Einer von Lasars Anhängern war in seinem, wie er es nannte, früheren Leben Anwalt gewesen. Nun machte er es sich zur Aufgabe, ein Tribunal einzuberufen, von dem Leo und die anderen gerichtet werden sollten. Genüsslich dachte er sich dafür ein eigenes Rechtssystem aus. Nach Jahren unterwürfigen Katzbuckelns war er jetzt überaus erfreut, endlich wieder in dem autoritativen und gelehrten Ton sprechen zu können, der ihm doch eigentlich am besten lag.

»Wir sind uns hoffentlich einig, dass nur die Wachleute abgeurteilt werden. Das Sanitätspersonal und die ehemaligen Gefangenen, die angefangen haben, für die Verwaltung des Gulags zu arbeiten, sind tabu.«

Der Vorschlag wurde angenommen, und der Anwalt fuhr fort: »Wir halten Gericht auf der Treppe zum Büro des Kommandanten. Jeder Wärter wird einzeln zur untersten Stufe geführt. Wir als freie Männer werden Beispiele für die Brutalität dieser Leute zu Protokoll geben. Wenn ein Vorfall als zutreffend erachtet wird, erklimmt der Wärter eine Stufe. Wenn er bis ganz nach oben gestiegen ist, wird er exekutiert. Sollten ihm aber, auch wenn er schon auf der vorletzten Stufe steht, keine weiteren Verbrechen mehr angelastet werden können, darf er wieder hinabsteigen und sich setzen.«

Leo zählte die Treppenstufen. Alles in allem waren es dreizehn. Da man auf der untersten Stufe anfing, waren es also bis ganz nach oben zwölf Vergehen. Bei zwölf starb man, bei elf oder weniger blieb man am Leben.

Mit tieferer Stimme, die einen gravitätischen Ton vermitteln sollte, rief der Anwalt: »Kommandant Schores Sinjawski.«

Sinjawski wurde auf die unterste Treppenstufe geführt und richtete den Blick auf seine Richter. Seine Schulter war notdürftig verbunden worden, damit die Blutung zum Stillstand kam und er lange genug am Leben blieb, um der Gerechtigkeit ins Auge zu sehen. Sein Arm hing schlaff herunter. Dennoch lächelte er wie ein Kind in einem Schultheater und suchte in den Reihen der versammelten Gefangenen nach einem wohlwollenden Gesicht. Verteidigung und Anklage hatten hier keine eigenen Vertreter, für beide Seiten waren die Häftlinge insgesamt zuständig. Das Urteil wurde kollektiv gefällt.

Beinahe unverzüglich erhob sich ein Stimmengewirr. Durcheinander und unverständlich wurden Beleidigungen und Beispiele für die Verbrechen des Kommandanten herausgeschrien.

Der Anwalt hob den Arm und bat um Ruhe. »Einer nach dem anderen. Ich nehme alle dran, und dann dürfen sie sprechen. Jeder kann sich zu Wort melden.«

Er deutete auf einen der Häftlinge, einen älteren Mann. Der Gefangene rührte sich nicht.

»Du kannst die Hand jetzt herunternehmen«, sagte der Anwalt. »Sprich.«

»Meine Hand ist der Beweis für sein Vergehen.«

Zwei Finger fehlten, sie waren bis auf zwei schwarze Stümpfe am Knöchel abgetrennt.

»Sie sind erfroren. Keine Handschuhe bei Minus fünfzig Grad. Wenn man bei so einer Temperatur ausspuckt, ist die Spucke schon gefroren, noch bevor sie am Boden aufkommt. Trotzdem hat er uns noch rausgeschickt, bei einem Wetter, das nicht mal zum Spucken taugte! Aber er hat uns rausgeschickt! Tag für Tag! Zwei Finger, das macht zwei Stufen.«

Alle johlten zustimmend. Der Anwalt strich sich die graue, baumwollene Sträflingsjacke glatt, als sei sie eine Richterrobe. »Es geht hier nicht darum, wie viele Finger du verloren hast. Du führst unmenschliche Arbeitsbedingungen an. Das Verbrechen wird anerkannt. Aber es ist nur das Beispiel *eines* Verbrechens, daher gibt es auch nur *eine Stufe*.«

Einer aus der Menge rief: »Ich habe einen Zeh verloren. Ist der vielleicht keine Stufe wert?«

Es gab mehr als genügend verstümmelte und schwarze Finger und Zehen, um den Kommandanten gleich ganz nach oben zu schicken. Dem Juristen entglitt die Sache, er schaffte es nicht, die Regeln ausreichend durchzusetzen und die aufgebrachte Menge zu beruhigen.

Schließlich beendete der Kommandant selbst die Debatte, indem er rief: »Ihr habt recht. Jede einzelne Verletzung, die ihr erlitten habt, ist ein Verbrechen.«

Er nahm eine weitere Stufe. Die Zwischenrufe und Streitereien verebbten, alle hörten wieder zu.

»Tatsächlich habe ich mehr Verbrechen begangen, als es Stufen gibt. Selbst wenn sie bis zum Gipfel des Berges reichen würden, müsste ich sie alle hinaufsteigen.«

Gekränkt, dass sein ausgeklügeltes System der Rechtsprechung durch dieses Geständnis über den Haufen geworfen worden war, fragte ihn der Anwalt: »Sie geben also zu, dass Sie den Tod verdienen?«

Der Kommandant fragte ohne Umschweife zurück: »Nur eines möchte ich wissen: Wenn man einen Schritt nach oben machen kann, warum kann man dann nicht auch wieder einen hinunter machen? Wenn man Schlimmes tut, kann man dann nicht auch Gutes tun? Kann ich nicht versuchen, das wiedergutzumachen, was ich verbrochen habe?«

Er zeigte auf den Gefangenen, der seine Zehe verloren hatte. »Dafür, dass dir der Zeh erfroren ist, habe ich eine Stufe genommen. Aber letztes Jahr wolltest du deiner Familie deinen Lohn schicken. Als ich dir sagte, dass das System dich ungerecht behandelt und du deshalb nicht so viel verdient hattest, wie sie brauchten, habe ich da nicht die Differenz aus eigener Tasche ausgeglichen? Habe ich mich nicht persönlich darum gekümmert, dass deine Frau das Geld auch rechtzeitig erhielt?«

Der Sträfling blickte sich um und schwieg.

»Stimmt das?«, fragte der Anwalt.

Zögernd nickte der Sträfling. »Es stimmt.«

Der Kommandant ging wieder eine Stufe nach unten. »Kann ich nicht für diese Tat wieder einen Schritt nach unten machen? Ich erkenne ja an, dass ich noch nicht genügend Gutes getan habe, um meine bösen Taten auszugleichen. Warum lasst ihr mich also nicht am Leben? Gestattet mir, dass ich den Rest meines Lebens damit verbringe, Buße zu tun. Wäre das nicht besser, als mich sterben zu lassen?«

»Und was ist mit den Menschen, die Sie umgebracht haben?«

»Was ist mit denen, die ich gerettet habe? Seit Stalins Tod ist die Sterblichkeitsrate in diesem Lager die niedrigste in ganz Kolyma. Es ist das Ergebnis der von mir angeordneten Erleichterungen. Ich habe eure Ruhepausen verlängert und die Arbeitstage gekürzt. Ich habe die medizinische Versorgung verbessert. Jetzt stirbt man nicht mehr, wenn man krank ist. Man wird wieder gesund. Ihr wisst, dass das stimmt. Ihr konntet die Wachen doch nur besiegen, weil ihr besser ernährt, ausgeruhter und stärker wart als je zuvor. Ich bin der Grund dafür, dass dieser Aufstand überhaupt gelingen konnte.

Der Anwalt war völlig verdattert, dass sein ganzes System aus den Fugen war. Jetzt begab er sich zum Kommandanten. »Davon, dass man wieder eine Stufe hinuntergehen kann, war keine Rede.«

Dann wandte er sich der Führungstroika zu. »Oder sollen wir etwa das System ändern?«

Der Anführer mit dem kantigen Gesicht wandte sich an seine Kameraden: »Der Kommandant bittet uns um eine zweite Chance. Gewähren wir sie ihm?«

Zunächst erhob sich ein Murren, das anschwoll, bis immer mehr Leute skandierten: »Keine zweite Chance! Keine zweite Chance! Keine zweite Chance!«

Der Kommandant senkte den Kopf. Er hatte ernsthaft geglaubt, genug Gutes getan zu haben, um verschont zu werden. Der Anwalt wandte sich dem Verurteilten wieder zu. Es war ganz offensichtlich, dass sie den Prozess nicht ausreichend geplant hatten. Es war überhaupt niemand zum Henker bestimmt worden. Der Kommandant nahm eine der getrockneten purpurnen Blumen aus seiner Tasche und schloss seine Faust darum. Er stieg bis zur obersten Treppenstufe hinauf und starrte in den nächtlichen Himmel.

Mit vor Anspannung zitternder Stimme verkündete der Anwalt: »Wir haben ein gemeinsames Urteil gefällt. Nun müssen wir es auch gemeinsam vollstrecken.«

Waffen wurden gezückt, und der Anwalt trat aus der Schusslinie. »Nur noch eines …«, rief der Kommandant.

Aus Pistolen und Gewehren peitschten Schüsse auf, sogar ein Maschinengewehr ratterte los. Der Kommandant wurde zurückgeschleudert, als hätte ein riesiger Finger ihn weggeschnippt. Er, der sein Leben lang ein Schurke gewesen war, hatte im Angesicht des Todes tatsächlich eine gewisse Würde zurückgewonnen, und dafür hassten ihn die Gefangenen. Sie wollten kein Wort mehr von ihm hören.

Die Stimmung unter den Leuten schlug um. Die anfängliche Begeisterung wich allgemeiner Beklommenheit. Der Anwalt räusperte sich und fragte: »Was machen wir mit der Leiche?«

Einer schlug vor: »Wir lassen sie da liegen, damit der Nächste sie auch sehen kann.«

Alle stimmten zu. Man würde den Toten also liegen lassen.

»Wer ist der Nächste?«

Leo verkrampfte sich innerlich.

Georgi verkündete: »Leo Stepanowitsch Demidow.«

Der Anwalt ließ seinen Blick über die Wachmannschaft gleiten. »Wer ist das? Wer heißt Leo?«

Leo rührte sich nicht.

Der Anwalt rief: »Stehen Sie auf, sonst verlieren Sie das Recht auf einen ordentlichen Prozess und werden sofort exekutiert!«

Langsam und selbst daran zweifelnd, ob seine Beine ihn tragen würden, erhob Leo sich. Der Anwalt führte ihn zur untersten Stufe, dort wandte Leo sich um und blickte seine Richter an.

»Gehören Sie zum Wachpersonal?«, fragte der Anwalt.

»Nein.«

»Was sind Sie dann?«

»Ich bin bei der Moskauer Miliz. Ich wurde inkognito hergeschickt.«

»Er ist ein Tschekist!«, rief Georgi.

In der Menge, die Geschworene und Richter in einem war, erhob sich empörtes Geschrei. Leo warf einen verstohlenen Blick auf seinen Ankläger. Georgi handelte auf eigene Faust. Lasar war in ein Schreiben vertieft, vielleicht eine Liste von Leos Verbrechen.

»Trifft das zu?«, fragte der Anwalt. »Sind Sie ein Tschekist?«

»Früher war ich einer. Ich gehörte zum MGB.«

»Nennt mir seine Verbrechen!«, rief der Anwalt.

Georgi machte den Anfang. »Er hat Lasar denunziert!«

Die Menge johlte. Leo nahm die erste Stufe.

Georgi fuhr fort: »Er hat Lasar geprügelt und seinen Kiefer zerschmettert!«

Leo wurde eine weitere Stufe hochgeführt.

»Er hat Lasars Frau verhaftet!«

Nun stand Leo schon auf der vierten Stufe.

»Er hat Mitglieder aus Lasars Gemeinde verhaftet!«

Jetzt, wo Leo auf der fünften Stufe stand, fiel Georgi nichts mehr ein. Kein anderer im Lager kannte Leo. Keiner konnte ihn weiterer Verbrechen bezichtigen.

»Wir brauchen weitere Beispiele«, erklärte der Anwalt. »Noch sieben.«

Frustriert rief Georgi: »Er ist ein Tschekist!«

Der Anwalt schüttelte den Kopf. »Das zählt nicht.«

Nach den Regeln ihres eigenen Schuldsystems wusste niemand genug über Leo, um ihn zu verurteilen. Besser gesagt, niemand außer Leo selbst. Die Gefangenen waren frustriert. Sie vermuteten ganz richtig, dass es bei einem Tschekisten doch noch weitaus mehr Beispiele für seine Verbrechen geben musste, die sie nur nicht kannten. Leo spürte, dass die Regeln ihn nicht schützen würden. Hätte er nicht selbst mitangesehen, wie der Kommandant erschossen worden war, wäre er vielleicht die ganze Treppe hinaufgestiegen und hätte seine Verfehlungen bekannt. Aber eloquenter als der Kommandant war er auch nicht. Sein Leben hing jetzt davon ab, dass die Regeln eingehalten wurden. Sie brauchten noch sieben Beispiele. Und die hatten sie nicht.

Georgi gab sich noch nicht geschlagen. »Wie viele Jahre warst du Tschekist?«, rief er.

Unmittelbar nach seinem Dienst in der Armee war Leo zur Geheimpolizei überstellt worden. Er war fünf Jahre lang ein Tschekist gewesen.

»Fünf Jahre.«

An die versammelten Sträflinge gewandt, fragte Georgi: »Kann man sich nicht vorstellen, dass er mindestens zwei Menschen pro Jahr auf dem Gewissen hat? Ist es so schwer, das bei einem Tschekisten anzunehmen?«

Die Menge war ganz derselben Meinung: zwei Stufen für jedes Jahr. In der Hoffnung, dass er diese neue Regel für ungültig erklären würde, wandte Leo sich an den Anwalt. Doch der zuckte nur die Achseln, und damit war aus dem Vorschlag gültiges Recht geworden. Der Mann befahl Leo, die Treppe vollständig hinaufzusteigen, und verurteilte ihn damit zum Tode.

Leo konnte nicht fassen, dass dies das Ende sein sollte. Er rührte sich nicht.

Jemand schrie: »Hoch mit dir, sonst erschießen wir dich da, wo du stehst!«

Wie betäubt stieg Leo gehorsam die restlichen Stufen hinauf und stellte sich über die von Kugeln durchsiebte Leiche des Kommandanten. Alle möglichen Waffen waren auf ihn gerichtet.

Eine Stimme meldete sich zu Wort. Sie gehörte dem Mann, der ihn hasste, es war die Stimme von Georgi. »Wartet!«

Leo sah, wie Lasar in Georgis Ohr flüsterte. Ganz gegen seine Gewohnheit sprach Georgi die Worte diesmal nicht simultan aus. Als Lasar geendet hatte, sah Georgi ihn fragend an. Lasar bedeutete ihm, seine Worte weiterzugeben.

Georgi wandte sich Leo zu und fragte: »Lebt meine Frau wirklich?«

Georgi nahm ein Blatt Papier aus Lasars Händen, ging damit zu Leo und hielt es ihm hin. Leo beugte sich hinab und erkannte

Frajeras Brief. Da er Informationen enthielt, die nur sie wissen konnte, war es der Beweis, dass sie lebte. Timur hatte ihn bei sich gehabt. Offenbar hatten ihm die Wachmänner, bevor sie ihn umgebracht hatten, seine Habseligkeiten abgenommen.

»Der Brief wurde in der Tasche eines Wachmanns gefunden. Du hast also doch nicht gelogen.«

»Nein.«

»Lebt sie noch?«

»Ja.«

Lasar winkte Georgi wieder zu sich und flüsterte ihm ins Ohr. Mit zögerndem Gehorsam verkündete Georgi: »Ich bitte darum, dass man ihn verschont.«

Moskau

Am selben Tag

Wie zwei Straßenkatzen saßen Soja und Malysch nebeneinander auf dem Dach von Wohnblock 424. Soja war die ganze Zeit dicht bei Malysch geblieben, um ihn zu beruhigen, dass sie nicht weglaufen würde. Mehrere anstrengende Kilometer weit waren sie durch die Kanalisation marschiert, hatten Leitern erklommen und sich an mit einer dicken Schleimschicht überzogenen Wänden vorbeigedrückt. Jetzt waren sie beide verschwitzt und genossen es, hier oben auf dem Dach zu sitzen, wo ein kühler Abendhauch wehte. Soja spürte frische Energie in sich. Zum Teil lag das an der körperlichen Betätigung nach den vielen eintönigen Tagen und Nächten, vor allem aber daran, dass sie mit Malysch zusammen war. Sie fühlte sich wieder in die Kindheit zurückversetzt, die man ihr gestohlen hatte, an die Abenteuer und Streiche mit Freunden.

Soja warf einen verstohlenen Blick auf das Foto, das Malysch in Händen hielt. »Wie heißt sie?«

»Marina Njurina.«

Soja nahm sich das Foto. Marina Njurina war eine streng und pedantisch aussehende Frau Mitte dreißig. Sie trug eine Uniform. Soja reichte Malysch das Bild zurück. »Wirst du sie töten?«

Malysch antwortete mit einem spärlichen Nicken, so als hätte ihn jemand um eine Zigarette gebeten. Soja wusste nicht recht, ob sie ihm glauben sollte. Doch sie hatte gesehen, wie er den Gangster angegriffen hatte, der sie hatte vergewaltigen wollen. Mit dem Messer konnte er umgehen. Außerdem wirkte er mit seiner verschlossenen, mundfaulen Art beileibe nicht wie einer, der leere Drohungen machte. »Warum?«

»Sie ist eine Tschekistin.«

»Was hat sie angestellt?«

Malysch sah sie verständnislos an, er verstand die Frage nicht.

Soja wollte es genauer wissen. »Hat sie Leute verhaftet? Hat sie sie verhört?«

»Keine Ahnung.«

»Du willst sie umbringen und weißt noch nicht mal, was sie gemacht hat?«

»Habe ich dir doch gesagt. Sie ist eine Tschekistin.«

Soja beschlichen Zweifel, ob er überhaupt über die Geheimpolizei Bescheid wusste. Behutsam fragte sie ihn: »Du weißt gar nicht so viel über diese Leute, oder? Über die Geheimpolizei, meine ich.«

»Ich weiß, was sie gemacht haben.«

»Und was?«

Malysch dachte einen Moment lang nach, dann antwortete er: »Die haben Leute verhaftet.«

»Solltest du nicht ein bisschen mehr über jemanden wissen, bevor du ihn umbringst?«

»Frajera hat es mir befohlen. Das reicht mir als Grund.«

»Das ist genau das, was die Tschekisten auch über die Dinge sagen würden, die sie getan haben. Dass sie nur Befehle befolgt haben.«

Malysch wurde langsam wütend. »Frajera hat gesagt, du darfst mir helfen. Also darfst du mir helfen. Sie hat nichts davon gesagt, dass du einen Haufen blöder Fragen stellen sollst. Ich kann dich auch wieder zurück in deine Zelle bringen, wenn dir das lieber ist.«

»Werd doch nicht gleich wütend. Ich sage doch bloß, dass *ich* nachgefragt hätte. Warum bringen wir die Frau um?«

Malysch faltete das Foto zusammen und steckte es zurück in seine Tasche. Soja hatte es zu weit getrieben. Vor lauter Aufregung und ohne ihr loses Maul im Zaum zu halten, hatte sie den Bogen überspannt. Also schwieg sie und hoffte nur, dass sie nicht alles vermasselt hatte. Eigentlich hatte sie mit einer gereizten Antwort gerechnet und war deshalb umso erstaunter, als Malysch sich jetzt ganz leise und beinahe schüchtern an sie wandte.

»Was sie getan hat, stand auf einer Liste. Ich wollte aber keinen fragen, ob er sie mir vorliest.«

»Du kannst nicht lesen?«

Er schüttelte den Kopf und beobachtete dabei genau, wie sie reagierte.

Weil sie spürte, wie unsicher er war, versuchte sie, ein möglichst unbeteiligtes Gesicht zu machen. »Bist du nie zur Schule gegangen?«

»Nein.«

»Was war mit deinen Eltern?«

»Die sind gestorben. Ich bin mehr oder weniger auf Bahnhöfen groß geworden. Bis dann Frajera auftauchte.«

Irgendwann fragte Malysch: »Findest du es schlimm, dass ich nicht lesen kann?«

»Du hattest eben nie die Gelegenheit, es zu lernen.«

»Stolz bin ich nicht gerade drauf.«

»Weiß ich.«

»Ich würde auch gerne lesen und schreiben können. Eines Tages werde ich es lernen.«

»Ich wette, das lernst du im Handumdrehen.«

Noch etwa eine Stunde saßen sie so da und sahen zu, wie die Fenster in den umliegenden Häusern nach und nach dunkel wurden, weil die Bewohner ins Bett gingen. Endlich stand Malysch auf und reckte sich, wie ein nachtaktives Tier, das erst wach wurde, wenn alle anderen schliefen. Aus der Tasche seiner ausgebeulten Hose beförderte er eine Rolle festen Drahtes zutage und rollte ihn auf. Am Ende des Drahtes befestigte er eine stumpfe Spiegelscherbe, die er so lange mit dem Draht umwickelte, bis sie hielt. Vorsichtig bog er den Spiegel, bis er sich in einem Fünfundvierzig-Grad-Winkel neigte. Dann lief er zur Dachkante des Gebäudes, legte sich auf den Bauch und ließ den Draht hinab, bis der Spiegel sich vor Marina Njurinas Schlafzimmerfenster befand. Soja legte sich neben ihn und spähte ebenfalls hinunter.

Die Vorhänge waren zwar zugezogen, aber es gab einen kleinen Spalt. In dem dunklen Zimmer konnte Malysch eine Gestalt im Bett erkennen. Er zog den Draht hoch, nahm den Spiegel ab, rollte den Draht auf und verstaute alles wieder in seiner Hosentasche. »Wir gehen von hinten rein.«

Soja nickte.

Malysch zögerte einen Moment, dann murmelte er: »Du kannst auch hierbleiben.«

»Ganz allein?«

»Ich verlasse mich darauf, dass du nicht abhaust.«

»Malysch, ich hasse Tschekisten mindestens so sehr wie Frajera. Ich bleibe bei dir.«

Sie zogen sich die Schuhe aus und stellten sie ordentlich nebeneinander an die Dachkante. Dann kraxelten sie, mit dem Regenrohr als Kletterstange, die Ziegelwand hinunter. Es war ein kurzer Abstieg, kaum ein Meter. Malysch erreichte den Fenstersims so leichtfüßig, als hätte er eine Leiter benutzt. Soja folgte ihm zögernd und versuchte, nicht hinabzuschauen. Sie waren im sechsten Stock, jeder Absturz wäre tödlich gewesen. Malysch ließ ein Messer aufschnappen und hob den Riegel hoch, dann öffnete er das Fenster und hievte sich in die Wohnung. Da er befürchtete, Soja könnte Lärm machen, wandte er sich um und streckte ihr eine Hand hin. Sie wehrte ab und ließ sich vorsichtig auf den Dielenboden gleiten.

Sie waren ins Wohnzimmer eingedrungen, einen großen Raum. »Lebt sie allein?«, flüsterte Soja Malysch ins Ohr.

Er nickte knapp, weil er jetzt keine Fragen gebrauchen konnte, egal welche. Er wollte absolute Stille.

Die Größe der Wohnung war beeindruckend. Soja brauchte nur die Quadratmeter an leer stehender Bodenfläche zusammenzurechnen, um sich ausmalen zu können, wie viele Verbrechen diese Frau auf dem Kerbholz haben musste.

Die Tür zum Schlafzimmer war zu. Malysch streckte den Arm aus und griff nach der Klinke. Bevor er die Tür aufmachte, gab er Soja Zeichen, außer Sichtweite im Wohnzimmer zurückzubleiben.

Lieber wäre sie ihm gefolgt, aber sie merkte, dass Malysch sie nicht weiter mitkommen lassen würde. Also nickte sie und zog sich zurück, während Malysch die Tür öffnete.

* * *

Malysch betrat das dunkle Zimmer. Marina Njurina lag auf der Seite im Bett. Malysch zog sein Messer und schlich sich an. Dann hielt er inne, so als balanciere er am Rand einer Klippe. Die Frau da im Bett war viel älter als die auf dem Bild. Sie hatte graue Haare und ein faltiges Gesicht und war mindestens sechzig Jahre alt. Er zögerte. War er hier vielleicht falsch? Nein, die Adresse stimmte. Vielleicht war das Foto schon vor vielen Jahren aufgenommen worden. Er beugte sich weiter vor und holte zum Vergleich das zusammengefaltete Foto hervor. Das Gesicht der Alten lag im Schatten – hundertprozentig sicher war er sich nicht. Im Schlaf sah ja jeder aus wie ein Unschuldslamm.

Plötzlich machte die Njurina die Augen auf, ihr Arm schnellte unter der Decke hervor. Sie hatte eine Waffe in der Hand, mit der sie Malysch genau zwischen die Augen zielte. Als sie sich aus dem Bett schwang, kam ein geblümtes Nachthemd zum Vorschein.

»Zurück!«

Malysch gehorchte und hob die Arme. In einer Hand hatte er sein Messer, in der anderen das Foto. Er schätzte ab, ob er schnell genug sein würde, sie zu entwaffnen, doch sie erriet seine Gedanken, hob die Pistole und feuerte auf das Messer in seiner Hand, dabei schoss sie ihm eine Fingerkuppe weg. Er schrie auf, das Messer fiel klackernd zu Boden. Malysch umklammerte seinen blutenden Finger.

»Der Schuss wird die Wachen alarmieren«, erklärte die Njurina. »Töten werde ich dich nicht. Stattdessen werde ich sie dich foltern lassen. Vielleicht mache ich ja sogar mit. Ich werde herausfinden, wo deine Spießgesellen stecken, und dann erledigen wir die ebenfalls. Habt ihr wirklich geglaubt, wir würden einfach nur auf der faulen Haut liegen und darauf warten, dass ihr Drecksbande uns einen nach dem anderen um die Ecke bringt?«

Malysch machte einen Schritt zurück. Die Njurina erhob sich.

»Wenn du glaubst, dass du wegrennen kannst und dein Tod mit einer Kugel im Rücken leichter wird, dann lass dich eines Besseren belehren. Ich werde dir den Fuß wegschießen. Vielleicht sollte ich das sogar jetzt sofort machen, nur um sicherzugehen.«

* * *

Sojas Herz raste so sehr, dass sie kaum Luft bekam. Jetzt hieß es schnell handeln. Vor allem musste sie schleunigst aus der Zimmermitte weg und nicht stocksteif dastehen wie eine dumme Göre. Die Alte konnte sie unmöglich gesehen haben. Soja sah sich um, aber der einzige Platz, wo sie sich verstecken konnte, befand sich unter dem Schreibtisch. Rückwärts kam der verwundete Malysch aus dem Schlafzimmer auf sie zu, von seiner

Hand tropfte Blut. Er vermied es, sich zu ihr umzudrehen, damit er sie nicht verriet. Sie war seine einzige Chance. Die Frau war schon fast an der Tür. Soja flitzte unter den Schreibtisch.

Aus ihrem Versteck heraus erhaschte sie zum ersten Mal einen Blick auf die Frau. Sie war viel älter als auf dem Foto. Trotzdem war sie es – dasselbe strenge Gesicht, dieselbe steife Haltung. Sie grinste hämisch, offenbar genoss sie die Macht, die die Waffe ihr verlieh. Sie folgte Malysch auf dem Fuße. Wenn Soja nichts unternahm, würden die Wachen kommen und Malysch verhaften. Sie selbst wäre dann gerettet und würde mit Elena und Raisa wiedervereint sein – und mit Leo. Wenn sie nichts unternahm, wäre ihr Leben genau wie zuvor.

Soja sprang mit einem Schrei in Richtung der Waffe. Marina Njurina, die damit nicht gerechnet hatte, schwenkte die Pistole in ihre Richtung. Soja umklammerte die Hand der Frau und biss ihr, so fest sie konnte, ins Handgelenk. Direkt neben ihrem Ohr ging ein ohrenbetäubender Schuss los. Eine Kugel schlug in die Wand ein, Soja konnte die Erschütterung des Rückstoßes in ihrem Gebiss spüren. Mit der freien Hand schlug die Frau auf sie ein, immer wieder, bis Soja zu Boden ging.

Hilflos schaute Soja hinauf, wie die Alte ihre Waffe auf sie richtete. Doch noch bevor sie abdrücken konnte, machte Malysch einen Satz auf ihren Rücken und drückte ihr die Finger in die Augen. Sie schrie auf, ließ die Waffe fallen und verkrallte sich in seine Hände, worauf er nur umso fester drückte. Dabei warf er Soja einen hastigen Blick zu.

»Die Tür!«

Während die kreischende Frau sich um die eigene Achse drehte, rannte Soja zur Eingangstür und verriegelte sie. Die Wachen kamen die Treppe hinaufgetrampelt. Als Soja sich umblickte, sah sie, dass die Njurina mittlerweile in die Knie gegangen war, Malysch hockte immer noch auf ihrem Rücken. Als er seine Finger wegnahm, hinterließ er zwei blutige Höhlen, wo zuvor ihre Augen gewesen waren. Dann hob er die Waffe auf und winkte Soja, ihm zu folgen. Sie rannten zum Fenster.

Hinter ihnen traten die Wachen gegen die Tür. Malysch feuerte durch das Holz, um sie aufzuhalten. Als die Patronenkammer leer war, ließ er die Waffe fallen und folgte Soja hinaus auf den Fenstersims. Die Antwort der Wachen erfolgte in Form breit gestreuter Maschinengewehrsalven, überall im Wohnzimmer schlugen Kugeln ein. Doch die beiden fingen schon an, die Außenwand hochzuklettern. Soja erreichte das Dach als Erste und zog sich hoch. Sie hörte, wie die Tür zum Wohnzimmer eingeschlagen wurde und die Wachen aufschrien angesichts des blutigen Anblicks, der sich ihnen bot.

Sie beugte sich nach unten und half Malysch hoch. Als sie beide auf dem Dach waren, schnappten sie sich ihre Schuhe und wollten loslaufen. Doch da hielt Malysch sie am Handgelenk fest.

»Warte!«

Als er am Fenster unter ihnen die Wachen hörte, zog er eine Schieferplatte aus dem Dach und wartete. Einer der Männer umklammerte den Dachsims. Als er sich gerade hochzog, schlug Malysch ihm die Platte ins Gesicht. Der Wachmann ließ los und stürzte in die Seitenstraße unter ihnen.

»Lauf!«, rief Malysch.

Sie hetzten über das Dach und sprangen über die Lücke bis zum Nachbargebäude. Als sie hinunterspähten, sahen sie, wie in der Straße unter ihnen die Beamten ausschwärmten.

»Es war eine Falle«, erklärte Malysch. »Sie haben die Wohnung überwacht.«

Sie hatten damit gerechnet, dass die Njurina ein Ziel sein würde.

Da ihre eigentlich vorgesehene Fluchtroute versperrt war, mussten sie nun in das Wohnhaus unter ihnen eindringen und in ein Schlafzimmer klettern.

»Feuer!«, schrie Malysch. In den überfüllten Gebäuden mit ihrem uralten Fachwerk und der fehlerhaften Elektrik war die Angst vor Feuer allgegenwärtig. Malysch nahm Sojas Hand und rannte hinaus auf den Flur. Beide schrien sie: »Feuer!«

Selbst ohne Rauch war der Flur in Sekunden voller Menschen. Rasch breitete sich die Panik von ganz allein über das übrige Gebäude aus. Auf der Treppe ließen Soja und Malysch sich auf die Hände und Knie fallen und krochen zwischen den Beinen der Leute hindurch.

Draußen auf der Straße strömten die Einwohner aus dem Gebäude und vermischten sich mit den KGBlern und der Miliz. Soja umklammerte den Arm eines Mannes und tat so, als sei sie vollkommen verängstigt. Malysch machte es ihr nach, und der mitfühlende Mann führte sie an den Beamten vorbei, die die drei für eine Familie hielten. Sobald sie frei waren, ließen Soja und Malysch die Arme des Mannes los und nahmen Reißaus.

Sie liefen bis zum nächsten Gulli, zogen den Stahldeckel hoch und kletterten hinab ins Abwassersystem. Unten angekommen, riss Soja ein Stück Stoff von ihrem Hemd und bandagierte damit Malyschs blutenden Finger, bis er so dick war wie eine Wurst. Immer noch außer Atem, fingen sie an zu lachen.

Kolyma
Gulag 57

12. April

Das Morgenlicht war so strahlend klar, wie Leo es noch nie gesehen hatte. Ein perfekter blauer Himmel und eine blütenweiße Hochebene. Er stand auf dem Dach der Verwaltungsbaracke und hielt sich die Überreste des Fernglases an die Augen, das er aus dem Feuer gerettet hatte. Nur noch eine der gesprungenen Linsen war zu gebrauchen. Wie ein Pirat am Bug eines Schiffes suchte Leo den Horizont ab und entdeckte am äußersten Rand der Ebene eine Bewegung. Dann erkannte er Lastwagen, Panzer und Zelte – ein Militärlager. Am Tag zuvor war die Regionalverwaltung von den brennenden Wachtürmen, diesen Leuchtfeuern des Widerstands, alarmiert worden und hatte über Nacht für ihre Gegenoffensive ein Feldlager für mindestens fünfhundert Soldaten errichtet. Denen waren die Sträflinge zwar nicht zahlenmäßig, wohl aber an Waffen weit unterlegen, denn alles, was sie gefunden hatten, waren zwei oder drei schwere Maschinengewehre, ein paar Patronengurte und eine Handvoll Gewehre und Handfeuerwaffen gewesen. Geschützen aller Art aber war das Lager schutzlos ausgeliefert, und der Stacheldrahtzaun bot gegen anrollende Panzerfahrzeuge ohnehin keine Abwehr. Leo beendete seine trübe Analyse der Lage und reichte Lasar das Fernglas.

Eine ganze Anzahl von Gefangenen hatte sich auf dem Dach versammelt. Seit der Zerstörung der *wachta* war dies der höchste Aussichtspunkt im ganzen Lager. Neben Lasar und Georgi waren auch noch die anderen beiden Anführer und ihre engsten Anhänger zugegen, alles in allem zehn Mann.

Der *wory*-Chef fragte Leo: »Du gehörst doch auch zu denen. Was machen die jetzt? Kann man mit denen verhandeln?«

»Ja, aber man kann sich auf nichts verlassen, was sie sagen.«

Der junge Häftlingsanführer trat vor. »Und was ist mit der Rede? Wie sind doch nicht mehr unter Stalins Knute. Unser Land hat sich geändert. Jetzt können wir auf unsere Lage aufmerksam machen. Man hat uns ungerecht behandelt. Viele Urteile müssen revidiert werden. Man sollte uns freilassen!«

»Vielleicht zwingt die Rede sie sogar dazu, ernsthaft zu verhandeln. Aber von Moskau sind wir weit weg. Möglicherweise haben die Behörden in Kolyma beschlossen, diesen Aufruhr unter den Teppich zu kehren, weil sie verhindern wollen, dass liberalere Einflüsse aus Moskau hier Fuß fassen.«

»Soll das heißen, die wollen uns umbringen?«

»Der Aufstand bedroht ihre gesamte Existenz.«

Von unten rief ein Gefangener: »Sie funken uns an.«

Die auf dem Dach drängten sich um die Leiter und hatten es eilig, nach unten zu kommen.

Leo stieg als Letzter langsam hinab. Schneller konnte er nicht. Sobald er die Knie beugte, verursachte es ihm heftige Schmerzen, weil die verletzte Haut angespannt wurde. Unten angekommen, war er schweißgebadet und außer Atem. Die anderen standen bereits vor dem Funkgerät.

Ein Funkgerät war das einzige Kommunikationsmittel zwischen den einzelnen Lagern und der Basis in Magadan. Einer der Häftlinge, der sich ein wenig damit auskannte, hatte übernommen. Er trug einen Kopfhörer und wiederholte alles, was er verstand.

»Regionaldirektor Abel Present ... er will mit dem sprechen, der hier das Sagen hat.«

Ohne weitere Diskussion nahm sich der junge Anführer das Mikrofon und fing an zu deklamieren: »Gulag 57 ist in der Hand der Gefangenen! Wir haben uns gegen die Wachmannschaft erhoben. Sie haben uns geschlagen und aus schierem Mutwillen getötet. Damit ist jetzt Schluss …«

Leo unterbrach ihn: »Erwähnen Sie, dass die Wachen am Leben sind.«

Der Mann wedelte Leo beiseite und berauschte sich an der eigenen Wichtigkeit. »Wir stimmen vollkommen mit Chruschtschows Rede überein. In seinem Namen verlangen wir, dass der Fall jedes Häftlings neu aufgerollt wird. Wir verlangen, dass allen, denen Freiheit zusteht, auch Freiheit gewährt wird. Wir verlangen, dass die, die sich wirklich etwas haben zuschulden kommen lassen, menschlich behandelt werden. Wir verlangen dies im Namen unserer revolutionären Ahnen. Durch eure Verbrechen ist unsere glorreiche Sache korrumpiert worden. *Wir* sind die Erben der Revolution! Wir verlangen, dass ihr um Vergebung bittet! Und schickt uns Lebensmittel, und zwar anständige, keinen Gefängnisfraß.«

Leo war fassungslos. Kopfschüttelnd bemerkte er: »Wenn Sie uns unbedingt alle ins Grab bringen wollen, dann verlangen Sie Kaviar und Prostituierte. Wenn Sie am Leben bleiben wollen, sagen Sie denen lieber, dass die Wachen noch leben.«

Verdrossen fügte der Mann hinzu: »Ich sollte erwähnen, dass die Wachen am Leben sind. Wir halten sie unter menschlichen Bedingungen fest und behandeln sie besser, als sie uns behandelt haben. Solange ihr uns nicht angreift, passiert ihnen nichts. Für den Fall, dass wir doch angegriffen werden, haben wir Vorsorge getroffen, dass sie bis auf den letzten Mann sterben.«

Die Stimme aus dem Funkgerät antwortete knisternd, und der Funker wiederholte die Worte. »Er will einen Beweis, dass sie noch leben. Wenn wir ihm den liefern, hört er sich unsere Forderungen an.«

Leo trat nahe an Lasar heran, der hier die einzige Stimme der Vernunft war. »Wir sollten unbedingt die verwundeten Wärter hinüberschicken. Ohne medizinische Versorgung werden sie sterben.«

Der *wory*-Anführer, dem es nicht passte, dass er übergangen wurde, widersprach. »Wir sollten ihnen gar nichts geben. Das wäre ein Zeichen von Schwäche.«

Leo hielt dagegen: »Wenn die Wärter an ihren Verletzungen sterben, sind sie für euch wertlos. Auf diese Weise holt ihr wenigstens noch einen gewissen Nutzen aus ihnen heraus.«

Der Anführer grinste hämisch: »Und ganz bestimmt willst auch du in dem Lastwagen sitzen, der sie rausbringt, stimmt's?«

Er hatte richtig vermutet, denn Leo nickte. »Ja.«

Lasar flüsterte in Georgis Ohr, und dieser wiederholte die Worte mit unverhohlenem Erstaunen. »Und ich möchte ihn begleiten.«

Alle wandten sich zu Lasar um.

Der flüsterte weiter in Georgis Ohr. »Bevor ich sterbe, will ich noch einmal meine Frau und meinen Sohn sehen. Leo hat sie mir weggenommen. Und er ist der Einzige, der uns wieder vereinen kann.«

* * *

Der Laster wurde mit den am schlimmsten verwundeten Wärtern beladen. Insgesamt waren es sechs, von denen keiner die nächsten vierundzwanzig Stunden ohne ärztliche Hilfe überstehen würde. Auf Holzbohlen, die als Krankentragen herhielten, schleppte man sie aus der Baracke, beim letzten fasste Leo mit an. Als der Mann im Wagen lag, waren sie startbereit.

Da erhaschte Leo einen Blick auf die Uhr des letzten Wärters. Sie war billig und vergoldet. Das einzig Bemerkenswerte an ihr war, dass sie Timur gehört hatte. Kein Zweifel: Leo hatte diese Uhr schon tausend Mal gesehen und sich Timurs Geschichte darüber angehört, wie sein Vater sie als Familienerbstück ausgegeben hatte, obwohl sie eigentlich wertlos war. Leo hockte sich hin und fuhr mit der Fingerkuppe über das zersprungene Glas. Dann starrte er den verletzten Mann an. Die Augen des Mannes flackerten nervös. Offenbar begriff er, dass Leo wusste, was es mit der Uhr auf sich hatte.

»Hast du die meinem Freund weggenommen?«, fragte Leo.

Der Beamte schwieg.

»Die hat meinem Freund gehört.«

Leo spürte, wie Wut in ihm aufstieg.

»Es war seine Uhr.«

Der Beamte fing an zu zittern.

Leo tippte auf die Uhr. »Ich muss sie dir wieder abnehmen.«

Er versuchte, das Armband der wertlosen Uhr aufzumachen. Dabei hob er ein Bein an und drückte dem Mann sein Knie gegen die verletzte, blutverkrustete Brust. Er legte sein ganzes Gewicht darauf. »Du musst wissen ... sie ist nämlich ein Familienerbstück ... jetzt gehört sie Timurs Frau ... und seinen Söhnen ... seinen zwei Jungs ... diesen beiden wunderbaren Söhnen ... sie gehört jetzt ihnen, weil du ihren Vater umgebracht hast ... du hast meinen Freund umgebracht.«

Der Beamte begann, aus Mund und Nase zu bluten. Seine Arme strichen schwach über Leos Bein, er versuchte es wegzudrücken. Doch Leos Knie rührte sich nicht, noch verringerte er den Druck auf den verletzten Körper. Vor Schmerzen im Knie schossen ihm Tränen in die Augen. Tränen um Timur waren es nicht. Es war Hass und Rache, und es war so mächtig, dass Leo immer fester zudrückte. Der Stoff seiner Hose war schon vom Blut des Mannes getränkt. Von seinem erschlafften Arm zog er die Uhr ab. Die übrigen fünf Männer auf der Ladefläche starrten Leo angsterfüllt an.

Er marschierte an ihnen vorbei und rief den Häftlingen draußen zu: »Einer von den Beamten ist tot. Wir haben also noch Platz für einen anderen.«

Keiner der Häftlinge wunderte sich darüber. Während sie den Toten abluden, starrte Leo auf die Uhr. Als die Wut endlich abflaute, fühlte Leo sich plötzlich nur noch matt, und nicht etwa aus Bedauern oder Scham, sondern aus schierer Erschöpfung. Denn die Rachlust, dieses mächtige Stimulans, war versiegt. Eine solche tiefe Wut war es wohl, die Frajera ihm selbst gegenüber hegte.

Leo warf einen verstohlenen Blick auf den Wärter, der für den Beamten nachrückte, den er gerade getötet hatte. Der Arm des Mannes war in einen blutigen Verband gewickelt. Hier stimmte etwas nicht. Der Mann wirkte nervös, vielleicht hatte der auch etwas mit Timurs Tod zu tun gehabt. Leo streckte den Arm vor und hielt den Mann an. Er griff nach dem Verband und schob ihn beiseite. Ein langer, sauberer Schnitt verlief vom Ellbogen bis zur Hand, ganz offensichtlich hatte er ihn sich selbst zugefügt. Dasselbe traf auf die Wunden am Kopf zu.

»Bitte …«, flüsterte der Mann.

Wenn er erwischt wurde, würde man ihn erschießen. Wenn die Gefangenen anfingen zu glauben, dass die Wärter ihre Menschenfreundlichkeit ausnutzten, eine Menschenfreundlichkeit, die man ihnen selbst nie entgegengebracht hatte, dann geriet die gesamte Operation in Gefahr. Nachdem er den anderen Wärter umgebracht hatte, zögerte Leo jetzt nur eine Sekunde, dann ließ er den Mann auf die Ladefläche.

Indem er sich Georgis Stimme lieh, richtete Lasar sich an die anderen Häftlinge und erklärte ihnen, warum er sie verlassen wollte. »Ich gehe nicht davon aus, dass ich noch lange lebe. Zum Kämpfen bin ich zu schwach. Ich danke euch dafür, dass ihr mich nach Hause gehen lasst.«

Der junge Anführer antwortete: »Du hast vielen Männern geholfen, Lasar. Auch mir. Diesen Wunsch hast du dir redlich verdient.«

Die anderen Gefangenen stimmten ihm lautstark zu.

Leo sah sich Lasar genau an. »Wir müssen uns als Wärter verkleiden.«

Gemeinsam zogen Leo, Lasar und Georgi drei toten Wärtern ihre Uniformen aus. Hastig zogen sie sich um, weil sie befürchteten, dass die anderen Gefangenen es sich in letzter Sekunde noch anders überlegen könnten. In einer schlecht sitzenden Uniform übernahm Leo das Steuer. Georgi saß in der Mitte und Lasar auf der anderen Seite. Die Gefangenen öffneten das Tor.

Plötzlich schlug der junge Anführer mit der Hand gegen die Fahrertur. Wenn es nötig war, würde Leo einfach Gas geben. Doch der Mann sagte: »Sie haben sich bereiterklärt, die Verwundeten als Zeichen unseres guten Willens anzuerkennen. Viel Glück, Lasar. Ich hoffe, Sie finden Ihre Frau und Ihren Sohn.«

Damit trat er von dem Laster zurück. Leo legte den Gang ein und fuhr zwischen den Überresten der beiden Wachtürme hinaus, durch die Umzäunung und auf die Landstraße, die direkt zum Feldlager auf der anderen Seite der Hochebene führte.

* * *

So schnell er konnte, rannte der Funker auf das Außentor zu. Als er ankam, schauten die Gefangenen schon dem Laster hinterher, der gerade auf die Landstraße fuhr. Außer Atem rief der Funker: »Sind sie schon weg? Aber wir haben es noch gar nicht dem Regionalkommandanten durchgegeben. Er weiß gar nicht, dass wir die Kranken und Verwundeten losschicken. Soll ich zurücklaufen und ihn informieren?«

Der junge Anführer packte den Funker am Arm und hielt ihn fest. »Wir informieren niemanden. Mit Männern, die weglaufen wollen, können wir keine Revolution entfachen. Wir müssen an Lasar ein Exempel statuieren. Die anderen müssen begreifen, dass es zum Kampf keine Alternative gibt. Wenn die Soldaten auf ihre eigenen verwundeten Wachleute das Feuer eröffnen, dann ist es eben so.

Am selben Tag

Langsam fuhr Leo über die schmale Landstraße auf das Feldlager zu. Als sie die halbe Strecke zurückgelegt hatten und es nur noch zwei Kilometer bis zum gegnerischen Lager waren, entdeckte er plötzlich am Horizont ein einzelnes Rauchwölkchen.

Im nächsten Moment war es nicht mehr zu sehen, verschlungen von einer Staubwolke. Nur wenige Meter vor dem Laster riss eine Explosion die Straße auf. Erde, Eis und Splitter prasselten gegen die Windschutzscheibe. Leo schlug das Lenkrad scharf ein und wich dem Krater aus. Das rechte Vorderrad rutschte von der Fahrbahn, und der ganze Laster erbebte. Beinahe wäre er umgestürzt, nur auf zwei Rädern schlitterte er durch die Staubwolke. Mit aller Kraft riss Leo das Lenkrad erneut herum, brachte den Wagen wieder in die Horizontale und lenkte ihn schleudernd zurück auf die Straßenmitte. Dann warf er einen Blick in den Rückspiegel und starrte auf den Krater in der Fahrbahn.

Ein weiteres Rauchwölkchen erschien am Horizont, dann ein zweites und drittes. Die da drüben feuerten einen Mörser nach dem anderen ab. Leo trat das Gaspedal voll durch, um unter der Flugbahn hindurch zu beschleunigen und den Sekundenbruchteil zwischen Abschuss und Einschlag auszunutzen. Der Laster machte einen Satz nach vorn. Der Motor heulte auf, doch sie wurden nur langsam schneller. Erst jetzt wandten sich Lasar und Georgi erstaunt zu Leo um. Bevor sie noch etwas fragen konnten, schlug die erste Granate direkt hinter ihnen ein – so nah, dass das Heck des Lasters emporgehoben wurde. Einen

Augenblick lang befanden sich lediglich die Vorderräder auf der Straße, und Leo starrte plötzlich unmittelbar auf die Fahrbahn, da das Führerhaus steil nach vorn geneigt war. Er rechnete fest damit, dass das Fahrzeug sich überschlagen und auf dem Rücken landen würde, und war ebenso überrascht wie erleichtert, als das Heck dann doch mit einem heftigen Stoß wieder aufsetzte und dabei alle aus den Sitzen schleuderte. Mühsam versuchte Leo, das Lenkrad wieder unter Kontrolle zu bekommen. Die zweite Granate schlug ein Stück neben der Fahrbahn ein, ließ aber scharfe Felsbrocken auf den Laster herabregnen und zertrümmerte das Seitenfenster.

Leo schlug das Lenkrad hart ein und verließ gerade noch rechtzeitig die Straße, als auch schon die dritte Granate einschlug. Sie war perfekt gezielt und detonierte genau dort, wo der Wagen sich eben noch befunden hatte. Die Fahrbahn wurde aufgerissen, und Trümmer flogen durch die Luft.

Während sie holpernd über die unebene, vereiste Tundra rasten, schrie Georgi: »Warum schießen die auf uns?«

»Eure Kameraden haben euch belogen! Sie haben uns nicht angekündigt!«

Durch die Rückspiegel sah Leo die verwundeten, blutenden Wärter, die völlig verstört und in Panik aus der Plane lugten und zu verstehen versuchten, warum sie beschossen wurden. Mit dem Ellbogen zerschlug Leo das zerschossene Seitenfenster, streckte den Kopf heraus und schrie ihnen zu: »Eure Uniformen! Ihr müsst damit winken!«

Zwei der Wärter zogen ihre Jacken aus und schwenkten sie wie Fahnen.

Vier weitere Rauchwölkchen platzten am Horizont.

Auf der Tundra konnte Leo nicht beschleunigen. So blieb ihm nichts, als den Wagen in der Spur zu halten und zu hoffen. Er stellte sich die Flugbahn der Granaten vor, wie sie zunächst aufstiegen und ihnen dann heulend entgegenrasten. Die Zeit schien stehen zu bleiben, eine Sekunde kam ihm vor wie eine Minute. Dann krachten die Explosionen los.

Der Lastwagen holperte weiter. Durch den Rückspiegel sah Leo vier Staubsäulen aufsteigen. Er grinste. »Wir liegen unterhalb ihres Schusswinkels.« Erleichtert schlug er aufs Lenkrad. »Wir sind zu dicht dran, als dass sie uns treffen könnten!«

Doch die Erleichterung währte nicht lange. Vor ihnen, am äußersten Rand des Feldlagers, schwenkten zwei Panzer ihre Geschütztürme in Richtung des Lasters.

Der ihnen nähere feuerte, und ein orangefarbenes Mündungsfeuer blitzte auf. Unweigerlich hielt Leo den Atem an. Aber die Explosion blieb aus. Mit einem Blick durch den Seitenspiegel erkannte er, dass das Geschoss die Plane des Lastwagens durchschlagen hatte und auf der anderen Seite wieder ausgetreten war. Den Fehler würde der Schütze kein zweites Mal machen. Mit der nächsten Granate würde er genau auf das blecherne Führerhaus zielen und auch mit Sicherheit treffen.

Mit aller Kraft trat Leo auf die Bremse, warf die Tür auf und kletterte auf das Dach des Führerhauses. Dort riss er sich seine Jacke vom Leib, wedelte damit in der Luft und schrie: »Ich bin einer von euch!«

Die beiden Panzer krochen gleichzeitig weiter, ihre Ketten knirschten über den Tundraboden. Leo blieb auf dem Dach des Führerhauses stehen und wedelte weiter seine Uniform hin und her. Als sie nur noch hundert Meter entfernt waren, hielt einer der Panzer endlich an. Die Luke wurde hochgeklappt. Der Fahrer spähte hinaus, das Maschinengewehr im Anschlag.

»Wer seid ihr?«, schrie er.

»Einer von den Wärtern! Ich habe da hinten drauf verwundete Kollegen.«

»Warum habt ihr uns nicht über Funk informiert?«

»Die Häftlinge haben uns gesagt, das hätten sie getan. Sie haben behauptet, sie hätten mit euch gesprochen. Sie haben uns reingelegt! Und euch auch! Sie wollten, dass ihr eure eigenen Männer erschießt.«

Der zweite Panzer kreiste den Laster von hinten ein, der Geschützturm war geradewegs auf die Insassen gerichtet. Die verwundeten Wärter zeigten auf ihre Uniformen. Da wurde die Luke des zweiten Panzers geöffnet, und der Fahrer rief: »Alles klar!«

* * *

Am Rande des Feldlagers hielt Leo den Laster an. Die Verletzten wurden abgeladen und in ein Sanitätszelt gebracht. Sobald der Letzte herunter war, würde Leo den Motor wieder anlassen und über die Landstraße direkt zum Hafen von Magadan fahren. Jetzt war die Ladefläche leer. Sie konnten los. Da tippte Georgi Leo auf den Arm. Ein Soldat näherte sich.

»Sind Sie hier der Ranghöchste?«

»Ja.«

»Der Direktor will mit Ihnen sprechen. Kommen Sie mit.«

Leo bedeutete Lasar und Georgi, im Wagen zu bleiben.

Der Befehlsstand befand sich unter einer schneeweißen Tarnplane. Offiziere inspizierten durch Ferngläser die Hochebene. Detailkarten der Region waren ausgebreitet, ebenso Lagepläne des Gulags.

Ein hagerer, kränklich aussehender Mann begrüßte Leo. »Sie haben den Laster gefahren?«

»Jawohl.«

»Ich heiße Abel Present. Sind wir uns schon einmal begegnet?«

Leo konnte sich zwar nicht sicher sein, dass nicht jeder Wachbeamte früher oder später einmal auf Present traf, aber es war unwahrscheinlich, dass er sie sich alle merken konnte. »Nur kurz.«

Sie gaben sich die Hand.

»Entschuldigen Sie, dass wir auf Sie gefeuert haben. Aber ohne jegliche Ankündigung mussten wir Sie als Bedrohung auffassen.«

Leo musste seine Empörung gar nicht spielen. »Die Häftlinge haben gelogen. Sie haben behauptet, dass sie mit Ihnen gesprochen hätten.«

»Wir werden ihnen schon bald eine Lektion erteilen.«

»Wenn es für Sie von Nutzen ist, kann ich Ihnen genau berichten, welche Verteidigungslinien die Sträflinge aufgebaut haben. Ich kann Ihnen die Stellungen zeigen ...«

Die Gefangenen hatten gar keine Verteidigungslinien eingenommen, aber Leo hielt es für klug, sich hilfsbereit zu geben.

Doch der Regionaldirektor schüttelte den Kopf. »Das wird nicht nötig sein.«

Er sah auf die Uhr. »Kommen Sie mit.«

Leo blieb nichts anderes übrig, als dem Mann zu folgen.

Abel Present trat unter der Plane hervor und schaute in den Himmel hinauf. Leo folgte seinem Blick. Nichts war zu sehen. Doch einen Moment später hörte Leo ein summendes Geräusch. Present erklärte: »An Verhandlungen war nie gedacht. Wenn wir auf deren Forderungen eingehen, würden wir ja riskieren, dass Anarchie ausbricht. Dann würden die in den anderen Lagern auch eine Revolte anzetteln. Egal, was die in Moskau sagen, wir können es uns nicht leisten, weich zu werden.«

Das Summen wurde immer lauter, bis schließlich ein Flugzeug über die Ebene röhrte. Es flog so niedrig, dass man, als es direkt über sie hinwegzog und auf den Gulag 57 einschwenkte, die Kennziffern auf seinem Bauch lesen konnte. Es war eine in die Jahre gekommene Tupolew, eine TU-4, einer der von den fliegenden Festungen der Amerikaner abgekupferten Bomber mit vier Propellermotoren, vierzig Metern Spannweite und einem zylindrisch klobigen, silberfarbenen Gehäuse. Als sie sich im

Zielanflug befand, wurde die Bodenluke geöffnet. Sie wollten also das Lager bombardieren.

Bevor Leo noch irgendwelche Einwände gegen diese Entscheidung vorbringen konnte, fiel ein großes, rechteckiges Ding aus der Luke, an dem sich sofort ein Fallschirm öffnete. Während die TU-4 nach oben schwenkte und steil aufstieg, um über den Berg zu kommen, sank die Bombe, perfekt in Stellung gebracht, an ihrem Fallschirm pendelnd aus dem Himmel direkt auf die Lagermitte zu. Im nächsten Moment war sie schon gelandet und nicht mehr zu sehen, weil sich der Fallschirm über die Baracke legte. Doch es folgte keine Explosion, keine Feuersbrunst. Etwas musste schiefgegangen sein, die Bombe war nicht detoniert. Erleichtert warf Leo dem Regionaldirektor einen Blick zu, in der Erwartung, dass der außer sich sein würde.

Doch der Direktor lächelte selbstgefällig. »Die haben doch Lebensmittel verlangt. Also haben wir ihnen eine Kiste mit lauter Sachen geschickt, die sie schon seit Jahren nicht mehr zu Gesicht bekommen haben. Obstkonserven, Fleisch, Süßigkeiten. Die werden fressen wie die Schweine. Allerdings haben wir ein bisschen was hineingemogelt …«

»Die Lebensmittel sind vergiftet? Aber sie werden zuerst die Wachen probieren lassen.«

»Das Essen ist mit einem Giftstoff versetzt. In sechs Stunden werden alle bewusstlos sein, in zehn Stunden tot. Es spielt keine Rolle, ob sie die Wachen erst vorkosten lassen, denn unmittelbare Symptome gibt es nicht. In acht Stunden stürmen wir das Lager, injizieren unseren Kollegen ein Gegengift und lassen die Aufständischen sterben. Vielleicht werden nicht alle Gefangenen zulangen, aber die meisten schon, was die Zahl der Sträflinge erheblich dezimieren sollte. Wir müssen diese Revolte niederschlagen, bevor Moskau mit seinen Spionen anfängt, sich einzumischen.«

Jetzt hatte Leo keine Zweifel mehr. Dies war der Mann, der

Timurs Tod angeordnet hatte. Mühsam seine Wut unterdrückend, entgegnete er: »Ein ausgezeichneter Plan, Genosse!«

Present nickte und grinste über seine eigene mörderische Genialität. Er fand ebenfalls, dass es ein ausgezeichneter Plan war.

Leo wurde entlassen und kehrte durch den Befehlsstand zum Lastwagen zurück. Als er angekommen war und ins Führerhaus kletterte, brannte wieder dieselbe Wut in ihm wie vorhin schon, als er Timurs Uhr entdeckt hatte. Durch das zertrümmerte Seitenfenster starrte er in Abel Presents Richtung. Sie mussten schleunigst los, jetzt, wo alle noch mit dem Flugzeug beschäftigt waren, war ihre einzige Chance. Aber Leo konnte nicht. Er konnte Abel Present nicht davonkommen lassen. Er öffnete die Fahrertür.

Georgi umklammerte seinen Arm.

»Wo willst du hin?«

»Ich habe noch was zu erledigen.«

Georgi schüttelte den Kopf »Wir müssen los, solange sie abgelenkt sind.«

»Es wird nicht lange dauern.«

»Was hast du noch zu erledigen?«

»Das geht nur mich etwas an.«

»Das geht uns alle an.«

»Dieser Mann da hat meinen Freund getötet.« Leo riss sich los.

Aber da beugte sich Lasar vor, berührte Leos Arm und machte ihm Zeichen, dass er etwas sagen wollte. Leo lehnte sein Ohr an Lasars Mund.

Lasar flüsterte: »Nicht jeder kriegt … was er verdient.«

Diese matten Worte reichten aus, um Leos heiligen Zorn abzukühlen. Er ließ den Kopf sinken. Lasar hatte recht. Er war nicht hergekommen, um Rache zu üben. Er war wegen Soja hier. Timur war für Soja gestorben. Sie mussten sofort los. Abel Presents mörderische Tat würde ungesühnt bleiben.

Am selben Tag

Der Schatten, den der Berg warf, verhüllte nicht nur den Gulag 57, sondern ragte über die gesamte Hochebene bis hin zum Feldlager. Abel Present sah auf die Uhr. Die Wirkung des Gifts würde sehr bald eintreten und die Sträflinge ohnmächtig machen. Der Zeitfaktor spielte ihnen in die Hände. Nachts würde es niemanden im Gulag wundern, wenn die Gefangenen müde wurden, und noch bevor sie Verdacht schöpfen konnten, würden sich unbemerkt Bodentruppen nähern, die Zäune aufschneiden und die Kontrolle übernehmen. Die Sträflinge würde man bis auf einige wenige töten, die man vorzeigen konnte, um der Anschuldigung eines Massakers zu entgehen. Die Nachricht dieses Erfolgs würde sich in der ganzen Gegend verbreiten. Alle anderen Lager würden die klare Botschaft vernehmen, dass der Aufstand fehlgeschlagen war und die Gulags fortbestanden. Dass sie nicht etwa der Vergangenheit angehörten, sondern der Zukunft, und zwar für alle Zeit.

»Entschuldigen Sie, Genosse Direktor.«

Vor Present stand ein schmuddelig aussehender Wachmann.

»Ich war auf dem Lastwagen, der aus dem Gulag 57 gekommen ist. Ich bin einer der verletzten Beamten, die sie rausgelassen haben.«

Der Arm des Mannes war verbunden. Abel lächelte ihn herablassend an. »Warum sind Sie nicht im Sanitätszelt?«

»Ich habe meine Verletzungen vorgetäuscht, um auf den Laster zu kommen. Mir fehlt nicht viel. Der Arzt sagt, dass ich mich zum Dienst melden kann.«

»Sie müssen sich um Ihre Kollegen keine Sorgen machen. Wir holen sie bald da raus.«

Er wollte sich schon abwenden, doch der Mann blieb stehen.

»Wegen denen bin ich nicht hier. Es geht um die drei Männer, die vorne saßen.«

Am selben Tag

Sie fuhren über die nächtliche Landstraße, die von den Scheinwerfern nur unzureichend ausgeleuchtet wurde. Mühsam kämpfte Leo sich vor, hielt das Lenkrad fest umklammert und spähte angestrengt hinaus in die Dunkelheit. Nur noch schieres Adrenalin hielt seine Erschöpfung in Schach. Die Strecke nach Magadan hatte er nur bewältigt, weil es immer schnurgerade bergab gegangen war, mit Ausnahme einer schmalen, schwierig zu meisternden Holzbrücke. Zum ersten Mal konnten sie jetzt die Lichter von Magadan sehen, das unten im Tal direkt am Meer lag, welches sich als weite, schwarze Fläche dahinter erstreckte. Der Flughafen befand sich nicht weit davon entfernt, unmittelbar nördlich des Hafens.

Plötzlich hörten sie ein pfeifendes Geräusch. Im nächsten Moment hing ein orangefarbenes Leuchtgeschoss vor ihnen im Nachthimmel und verbreitete zischend ein phosphorisierendes Licht. Vom Stadtrand aus wurde eine zweite Leuchtpatrone abgeschossen, dann eine dritte und vierte – orangefarbene Sterne, die die Landstraße beschienen. Leo trat hart auf die Bremse.

»Sie suchen nach uns.«

Er schaltete die Scheinwerfer ab. Dann lehnte er sich aus dem zertrümmerten Fenster und schaute über die Schulter. Er sah, wie sich in einiger Entfernung zahlreiche Scheinwerferpaare den Berg hinabwanden.

»Sie kommen aus beiden Richtungen. Ich muss von der Straße runter.«

Georgi schüttelte den Kopf. »Nein.«

»Wenn wir auf der Straße bleiben, haben sie uns in ein paar Minuten erwischt.«

»Und wie viel länger würde es abseits der Straße dauern? Ihr müsst Zeit gewinnen.«

Dann wandte Georgi sich Lasar zu. »Ich habe mich längst an den Gedanken gewöhnt, dass ich Kolyma nie mehr verlassen werde. Schon vor langer Zeit.«

Lasar schüttelte abwehrend den Kopf.

Aber Georgi, der Mann, der ihm die Stimme lieh, ließ sich nicht umstimmen. »Hör auf mich, Lasar, nur ein einziges Mal. Es sollte eben nicht sein, dass ich mit dir nach Moskau gehe. Also lass mich jetzt machen.«

Lasar flüsterte Georgi etwas ins Ohr, und zum ersten Mal musste dieser die Worte nicht laut wiederholen. Sie waren nur für ihn bestimmt.

Eine zweite Serie Leuchtkugeln wurde abgefeuert. Sie erleuchteten den ganzen Himmel und kamen immer näher. Leo stieg aus dem Lastwagen, Lasar folgte ihm. Georgi setzte sich ans Steuer. Er hielt noch einmal inne und sah durch das zerschmetterte Fenster hinaus auf Lasar, dann fuhr er unsicher los in Richtung Magadan. Lasar hatte einen Teil seiner selbst verloren – seine Stimme.

Zu Fuß stolperten Leo und Lasar in der Finsternis über das zerklüftete und vereiste Gelände. Georgi hatte recht gehabt. Der Boden war so holprig, dass der Lastwagen nicht weit gekommen wäre. Stechender Schmerz schoss durch Leos Beine, er fiel hin. Lasar half ihm auf und stützte ihn. Es war ein seltsames Paar, das sich da Arm in Arm vorwärtskämpfte.

Ein weiteres Sperrfeuer aus Leuchtkugeln wurde in den Himmel geschossen. Ihre Zyklopenaugen suchten die Straße ab. Dann hörte man Gewehrschüsse. Leo und Lasar blieben stehen und drehten sich um. Der Lastwagen war entdeckt worden. Jetzt fuhr er mit voller Geschwindigkeit auf eine Straßensperre zu.

Unter heftigem Beschuss und außer Kontrolle schien er hin und her zu schlingern, hielt sich noch für kurze Zeit auf der Straße, dann rutschte er weg und kippte um. Die Beamten würden nur einen Toten vorfinden und dann die Suche sofort ausweiten.

»Uns bleibt nicht viel Zeit«, mahnte Leo.

Als sie den Rand des Rollfeldes erreichten, blieb Leo kurz stehen und starrte prüfend auf das primitive Flughafengelände. Drei Flugzeuge standen dort. Aber nur eines, eine IL-12, hatte zwei Triebwerke, und war dazu geeignet, die gesamte Sowjetunion zu überqueren.

»Wir laufen rüber zu der Iljuschin, das ist die größte Maschine. Langsam gehen, so als wäre alles in Ordnung. Wir müssen aussehen, als gehörten wir hierhin.«

Die beiden traten aus ihrer Deckung. Es gab nur eine Handvoll Soldaten und wenig Flugpersonal. Keine Patrouillen, nichts, was auf Unruhe hindeutete. Leo klopfte an die Luke des Flugzeugs. Man hatte ihm versprochen, dass sie ohne Vorwarnung jederzeit würden abfliegen können. Da die Möglichkeit bestand, dass ihre Flucht verzögert würde, hatte ihn Panin damit beruhigt, dass immer jemand an Bord sein würde, ganz egal, wann sie ankamen.

Leo klopfte noch einmal. Mit jeder Sekunde, die verstrich, wurde er rastloser und verzweifelter. Endlich ging die Luke auf. Ein junger Mann, der kaum älter als zwanzig Jahre schien, linste heraus. Offensichtlich hatte er gerade ein Nickerchen gemacht. Ein schwacher Alkoholgeruch entwich der Kabine.

»Sind Sie auf Befehl von Frol Panin hier?«, fragte Leo.

Der junge Mann rieb sich die Augen. »So ist es.«

»Wir müssen nach Moskau zurückfliegen.«

»Es sollten aber drei sein.«

»Die Dinge haben sich geändert. Wir müssen sofort los.« Ohne die Antwort abzuwarten, bestieg Leo das Flugzeug und half Lasar hinein, dann schloss er die Luke.

Der junge Mann war verdutzt. »Aber wir können noch nicht losfliegen.«

»Warum nicht?«

»Der Pilot und der Kopilot sind nicht da.«

»Wo sind sie?«

»Sie essen in der Stadt zu Abend. Es dauert nur eine halbe Stunde, sie zu holen.«

Leo schätzte, dass ihnen höchstens noch fünf Minuten blieben. Er nahm sich den Jungen vor. »Wie heißt du?«

»Konstantin.«

»Ist die Maschine flugbereit?«

»Wenn wir einen Piloten hätten.«

»Wie oft bist du schon geflogen?«

»Dieses Flugzeug hier? Noch nie.«

»Aber du bist Pilot.«

»Ich bin noch in der Ausbildung. Kleinere Maschinen bin ich schon geflogen.«

»Aber die hier noch nie?«

»Ich habe den anderen zugesehen, wie sie es machen.«

Das musste reichen.

»Konstantin, jetzt hör mir mal gut zu. Die werden uns umbringen, und dich auch, wenn wir nicht sofort losfliegen. Entweder sterben wir hier, oder du versuchst jetzt, dieses Flugzeug in die Luft zu kriegen. Ich will dir keine Angst machen. Aber etwas anderes bleibt uns nicht übrig.«

Der junge Mann starrte die Pilotenkanzel an. Leo packte ihn.

»Ich glaube an dich. Du schaffst das. Und jetzt mach die Maschine klar.«

Leo setzte sich in den Kopilotensitz, vor dem sich ein verwirrendes Armaturenbrett mit lauter Knöpfen und Anzeigen befand. Mit Flugzeugen kannte er sich kaum aus. Konstantins Hände zitterten. »Ich lasse jetzt die Motoren an.«

Die Propeller erwachten zum Leben und begannen sich zu

drehen. Leo warf einen Blick aus dem Fenster. Sie hatten die Aufmerksamkeit der Soldaten auf sich gezogen. Einige kamen auf sie zu.

»Beeilung.«

Das Flugzeug rollte zum Flugfeld. Krächzend meldete sich das Funkgerät. Bevor die Flugkontrolle sie ansprechen konnte, schaltete Leo es aus. Nicht nötig, dass der junge Pilot sich auch noch deren Drohungen anhörte. Lasar, der hinter ihnen saß, tippte Leo auf die Schulter und deutete aus dem Fenster. Die Soldaten liefen jetzt hinter dem Flugzeug her. Sie hatten ihre Pistolen gezückt.

»Konstantin, wir müssen abheben.«

Als das Flugzeug beschleunigte, begannen die Soldaten zu feuern. Kugeln prallten von den Motoren ab. Gleich würden sie abheben. Sie würden es schaffen. Leo schaute auf. Direkt vor ihnen senkte sich der TU-4-Bomber.

Der junge Flieger schüttelte den Kopf und drosselte die Geschwindigkeit.

»Nicht langsamer werden«, befahl Leo. »Das ist unsere einzige Chance!«

»Das soll eine Chance sein?«

»Wir müssen unbedingt in die Luft.«

»Wir werden mit denen zusammenstoßen. Über den Bomber schaffen wir es nicht hinweg.«

»Flieg direkt auf die Tupolew zu. Die werden abdrehen. Nun mach schon!«

Sie erreichten das Ende der Rollbahn.

Die Iljuschin hob ab und flog direkt auf eine Kollision mit dem Bomber zu. Entweder brach die Tupolew ihren Landeanflug ab, oder die beiden Maschinen würden zusammenstoßen.

»Die machen nicht Platz!«, schrie Konstantin. »Wir müssen landen!«

Leo umklammerte Konstantins Hand und hielt die Maschine

auf Kurs. Wenn sie jetzt eine Bruchlandung machten, würden sie gefasst und erschossen werden. Sie hatten nichts mehr zu verlieren. Anders als die Besatzung des Bombers.

Die Tupolew zog steil nach oben, und im nächsten Moment flog die Iljuschin unter ihr hindurch. Als die beiden Maschinen einander passierten, streifte ihre Heckflosse den Bauch des Bombers. Zum ersten Mal war jetzt der Himmel vor ihnen frei. Konstantin lächelte. Es war das verwirrte Lächeln eines Menschen, der nicht fassen konnte, das er noch am Leben war.

Leo kletterte aus seinem Sitz und setzte sich nach hinten zu Lasar. Magadan war nur noch eine Ansammlung von Lichtern in der weiten Finsternis. In diese Welt hatte Leo Lasar verbannt – in eine Wildnis, die sieben Jahre lang sein Zuhause gewesen war.

Moskau

Am selben Tag

Raisa saß auf Elenas Bett und sah zu, wie sie schlief. Seit Frajeras Besuch waren Elenas Fragen drängender geworden, so als hätte sie gespürt, dass sich etwas verändert hatte. Irgendwelche Versprechungen, dass Soja schon ganz bald nach Hause kommen würde, reichten jetzt nicht mehr. Gegen derlei Zusicherungen war Elena immun geworden, sie hielten nur noch eine Stunde vor, dann ließ ihre Wirkung nach, und die tiefe Verstörtheit kehrte zurück.

Das Telefon klingelte. Raisa eilte hinaus und hob ab. »Hallo?«

»Raisa, hier ist Frol Panin. Wir haben mit Leo gesprochen. Das Flugzeug ist auf dem Weg. In weniger als fünf Stunden wird er in der Stadt sein. Lasar ist bei ihm.«

»Haben Sie schon Kontakt zu Frajera gehabt?«

»Ja. Wir warten auf Instruktionen für den Austausch. Möchten Sie Leo am Flughafen abholen?«

»Natürlich.«

»Ich lasse Ihnen einen Wagen schicken, sobald das Flugzeug anfliegt. Wir haben es fast geschafft, Raisa. Bald haben wir sie.«

Raisa hängte ein. Sie blieb am Telefon und dachte über diese Worte nach. Panin sprach davon, Frajera zu schnappen. Es ging ihm nicht um ihre Tochter. Obwohl Panin so viel Charme hatte, folgte Raisa doch Leos Einschätzung seines Charakters: Er hatte etwas Kaltes an sich.

Elena stand im Flur. Raisa streckte ihr die Hand hin. Elena machte einen Schritt vor. Raisa schob sie in die Küche und setzte sie an den Tisch. Auf dem Herd machte sie Milch heiß und schüttete sie in einen Becher, den sie vor Elena hinstellte.

»Kommt Soja heute Abend nach Hause?«

»Ja.«

Elena griff sich den Becher und nahm zufrieden einen großen Schluck.

Raisa blieb keine Zeit mehr, noch lange über Frajeras Angebot nachzudenken. An Leos Plan glaubte sie nicht mehr. Nachdem sie Frajera nun selbst kennengelernt und ihre Wut erlebt hatte, war es Unsinn, damit zu rechnen, dass sie Soja je wieder freilassen und Leo damit auch noch zum Helden machen würde. Durch diesen Gefangenenaustausch würde er alles erreichen, was Frajera ihm unter allen Umständen verwehren wollte: eine Tochter, Glück und eine wiedervereinte Familie. Frajeras Versprechen war gelogen und dass Leo daran glaubte, naiv. Soja schwebte in Gefahr, und Leo war nicht derjenige, der sie retten konnte.

Raisa öffnete eine Schublade und holte eine lange rote Kerze hervor. Sie stellte sie auf die Fensterbank, sodass man sie von der Straße aus gut sehen konnte. Dann entzündete sie ein Streichholz und machte sie an.

»Was tust du da?«, fragte Elena.

»Ich zünde eine Kerze an, damit Soja leichter nach Hause findet.« Raisa warf einen verstohlenen Blick auf die Straße. Das Signal war gegeben. Sie würde Frajeras Angebot annehmen. Sie würde Leo verlassen.

Am selben Tag

Malysch saß auf einem Mauervorsprung und horchte auf die vorbeirauschenden Abwässer. Vor zwei Monaten war seine Welt noch in Ordnung gewesen. Jetzt war er vollkommen durcheinander. Es gab jemanden, der ihn mochte. Und nicht etwa, weil er mit dem Messer umgehen konnte, nicht, weil er zu gebrauchen war, sondern dieser Mensch mochte ihn, weil … Malysch wusste selbst nicht, warum. Was fand Soja an ihm? Bisher hatte ihn doch auch niemand gemocht? Das war doch nicht logisch. Ohne Grund hatte sie ihm das Leben gerettet. Als sie die Gelegenheit gehabt hatte zu fliehen, hatte sie diese nicht nur verstreichen lassen, sondern sogar noch ihr Leben für ihn riskiert.

Frajera kam und setzte sich neben ihn. Gemeinsam ließen sie die Beine baumeln wie Freunde an einem Flussufer, nur dass hier nicht Fische und Blätter unter ihren Füßen vorbeischwammen, sondern der Dreck der Stadt. »Warum versteckst du dich hier?«

Malysch wollte eigentlich bockig schweigen, aber nicht zu antworten war eine unverzeihliche Beleidigung. Deshalb murmelte er: »Mir geht es nicht gut.«

Zu seiner Überraschung lachte Frajera. »Vor zwei Monaten hättest du dieses Mädchen noch einfach getötet, ohne weiter darüber nachzudenken.«

Sie legte ihm eine Hand auf die Schulter. »Ich muss wissen, ob du wirklich ohne Zögern alles tun würdest, was ich dir befehle.«

»Ich habe dir immer gehorcht.«

»Du hast auch noch nie etwas tun sollen, was du nicht tun wolltest.«

Dagegen konnte Malysch nichts sagen. Es stimmte. Er hatte noch nie eine andere Meinung gehabt, bis heute. Sie hatte ihn mit Soja zusammengespannt, um ihm auf den Zahn zu fühlen. Sie hatte ihm ein Verhältnis zu Soja aufgezwungen, um daran dann sein Verhältnis zu ihr selbst zu messen.

»Malysch, während meiner Zeit im Gulag habe ich einmal von einem tschetschenischen Gefangenen eine Geschichte gehört. Sie stammt aus dem Narten-Mythos und handelt von einem Helden namens Soslan. Bei den Narten ist es Brauch, dass sie nicht nur gegen sie selbst begangene Taten rächen, sondern auch solche gegen ihre Familie oder ihre Vorfahren, ganz gleich, wie lange das Vergehen zurückliegt. Streitigkeiten können sich über Hunderte von Jahren hinziehen. Soslan hatte sein ganzes Leben lang Rache gesucht. Wenn du erst erwachsen bist, Malysch, dann brauchst du einen neuen Namen. Ich hatte immer gehofft, du würdest dann Soslan heißen.«

Ihre Stimme war zwar unverändert, dennoch spürte Malysch die Gefahr.

Frajera stand auf. »Komm mit.«

Malysch folgte Frajera durch verschiedene Tunnel und Räume bis zu Sojas Zelle. Frajera schloss die Tür auf. Soja, die sie hatte kommen hören, stand in einer Ecke. In Malyschs Augen suchte sie nach einer Bestätigung dafür, dass hier etwas faul war. Frajera packte Soja am Handgelenk und zog sie zur Tür. Malysch wusste nicht, ob er gehorchen oder protestieren sollte. Noch bevor er sich entscheiden konnte, schlug Frajera die Tür zu und schloss ihn ein.

Am selben Tag

Nachdem sie von der Pazifikküste über die gesamte Sowjetunion hinweg bis in die Hauptstadt geflogen waren, schlug die Treibstoffanzeige der Iljuschin, auch wenn man dagegenklopfte, nicht mehr aus. Ihnen blieb nur ein Landeversuch. Außerdem hatte sich über ihnen ein Sturm zusammengebraut, das Flugzeug kämpfte sich durch bedrohliche schwarze Wolken. Lasar saß hinten und kaute in der gesunden Hälfte seines Mundes irgendein Gebäck. Leo hatte sich auf dem Kopilotensitz festgeschnallt und war darum bemüht, Konstantins Selbstvertrauen aufrechtzuerhalten. Die Maschine setzte zum Landeanflug an, ihr Ziel war der Militärflughafen Stupino am Rande Moskaus.

»Jetzt müsste ich doch eigentlich schon die Signalfeuer sehen?«, fragte Konstantin mit Panik in der Stimme.

Als sie unten aus der Wolke herausflogen, sahen sie die Feuer nicht etwa weit voraus, sondern direkt unter sich. Sie flogen zu hoch. Konstantin geriet in Panik und neigte die Nase in halsbrecherischem Winkel weiter nach unten. Verzweifelt steuerte er gegen, zog die Maschine gerade noch rechtzeitig wieder hoch und landete mit durchhängendem Heck auf dem Rollfeld. Die Räder setzten krachend auf und brachen nach wenigen Drehungen ab. Die eisernen Stümpfe schrammten über die Fahrbahn und rissen die Maschine auf, als hätte jemand einen Reißverschluss gezogen. Eine Tragflächenspitze berührte den Boden, worauf das ausgeweidete Flugzeug sich auf seinem zerrissenen Bauch um hundertachtzig Grad drehte und schlingernd über das Ende der Rollbahn hinausschoss, wo die Propeller sich in die Erde gruben.

Benommen und mit blutender Stirn schnallte Leo sich los und drückte die Tür der Kanzel auf. Die ganze Kabine war mitten entzweigerissen. Lasar hatte überlebt, er befand sich in der anderen Hälfte der zerstörten Maschine, die noch intakte Außenhaut umgab ihn wie einen Heiligenschein. Der junge Pilot, der immer noch in seinem Sitz saß, fing plötzlich hysterisch an zu kichern und führte sich vor Begeisterung auf wie verrückt. Durch das zerborstene Fenster klatschte ihm der Regen ins Gesicht.

Leo glaubte nicht, dass das Flugzeug in Brand geraten würde. Sie hatten ja keinen Treibstoff mehr, und die rauchenden Triebwerke würde der heftige Regen schon löschen. Da er den Piloten gefahrlos zurücklassen konnte, half er Lasar aus dem zerrissenen Mittelteil der Maschine, kraxelte mit ihm durch das Wrack und kletterte über die Reste der Tragfläche auf die morastige Erde.

Feuerwehrfahrzeuge rasten auf sie zu, gefolgt von Rettungswagen. Medizinische Versorgung allerdings wehrte Leo ab. »Uns fehlt nichts.«

Jetzt war er Lasars Stimme. Gleichzeitig entstiegen Frol Panin und sein Leibwächter, der einen Regenschirm über seinem Vorgesetzten aufspannte, einer luxuriösen Limousine.

Panin streckte Lasar die Hand hin. »Ich heiße Frol Panin. Es tut mir leid, dass ich Ihnen die Freiheit nicht auf angenehmere Weise ermöglichen konnte. Aber die Taten Ihrer Frau haben eine offizielle Freilassung unmöglich gemacht. Kommen Sie, wir müssen uns beeilen. Wir können im Wagen weiterreden.«

Im Fond der *Zil*-Limousine bestaunte Lasar die weichen Lederpolster und das Armaturenbrett aus Walnussholz mit geradezu kindlicher Faszination. In einem kleinen silbernen Behälter lagen Eiswürfel, außerdem gab es eine Schale mit frischem Obst. Lasar nahm sich eine Orange, schloss seine Finger darum und drückte daran herum. Höflich ignorierte Panin dieses Verhalten, die Fassungslosigkeit eines Häftlings angesichts dieses Luxus. Er reichte Leo einen Moskauer Stadtplan. »Das ist alles, was wir von Frajera bekommen haben.«

Leo studierte die Karte. In der Mitte war mit Tinte eine Stelle mit einem Kruzifix markiert. »Was ist da?«

»Wir konnten nichts finden.«

Der Wagen setzte sich in Bewegung.

»Wo ist Raisa?«

»Ich habe eben mit ihr gesprochen. Sie wollte auf den Wagen warten. Als der dann ankam, stellte man fest, dass Ihre Eltern sich um Elena kümmern. Raisa ist verschwunden.«

Alarmiert setzte Leo sich auf. »Sie hat doch Personenschutz.«

»Wir können niemanden beschützen, der nicht beschützt werden will.«

»Sie wissen also nicht, wo sie ist?«

»Tut mir leid, Leo.«

Leo sank zurück. Er hatte nicht den geringsten Zweifel, dass Frajera etwas mit Raisas Verschwinden zu tun hatte.

* * *

Als sie in der Innenstadt ankamen, war es zwei Uhr morgens. Der Kontrast zur Wildnis von Kolyma war so extrem, dass Leo vor Verwirrung regelrecht schlecht wurde, ein Gefühl, das von Schlafmangel und nagender Angst noch verschlimmert wurde. Sie hielten mitten auf der *Moskworezkaja Naberschnaja*, der an der Moskwa entlangführenden Hauptstraße. Dieser Punkt war auf der Karte markiert. Der Fahrer stieg aus, Panins Leibwächter ebenfalls. Die beiden Beamten überprüften die Umgebung, dann kehrten sie zurück.

»Hier ist nichts.«

Leo kletterte aus dem Wagen. Es goss in Strömen, schon nach wenigen Sekunden war er vollkommen durchnässt. Die Straße war leer. Er konnte hören, wie der Regen in einen Abwasserschacht lief. Leo bückte sich. Der Gulli befand sich direkt unter dem Wagen.

»Setzen Sie vor.«

Die Limousine fuhr ein Stück, bis der Deckel zum Vorschein kam. Leo stemmte ihn auf und schob ihn beiseite. Links und rechts von ihm standen die Leibwächter mit gezückten Waffen. Es ging tief hinunter. Auf der Leiter befand sich niemand.

Leo kehrte zum Wagen zurück. »Haben Sie Taschenlampen?«

Panin nickte. »Im Kofferraum.«

Leo öffnete den Kofferraum, prüfte die Lampen und reichte eine Lasar.

Leo übernahm die Führung und stieg als Erster hinein. Er musste an die damals vom Eis abgerissene Haut an seinen Händen denken; aber auch wegen der Schmerzen in seinen Knien lief ihm ein Schauer über den Rücken. In Strömen ergoss sich der Regen über die Einstiegskante und klatschte ihm auf Hände, Nacken und Gesicht. Lasar folgte ihm.

»Viel Glück!«, rief Panin.

Sobald ihre Köpfe unter der Oberfläche verschwunden waren, wurde von oben scheppernd der Deckel über den Kanalschacht geschoben, was den Regen ebenso abhielt wie das Licht von der Straße. In der Stockfinsternis verharrten sie einen Moment und schalteten die Taschenlampen an, dann kletterten sie weiter hinunter.

Als sie den Fuß der Leiter erreicht hatten, spähte Leo angestrengt in den Haupttunnel hinein. In ihm toste eine weiße, strudelnde Brühe. Der heftige Regen hatte für Hochwasser gesorgt, und statt eines gemächlichen Abwasserstroms schossen jetzt wahre Kaskaden durch die Stadt. Leo war sich nicht sicher, ob sie hier überhaupt weiterkamen. Hoffentlich war da unten irgendein Vorsprung. Um es herauszufinden, ließ er sich ab und trat vorsichtig tastend mit dem Stiefel auf. Der schmale Sims war vom Wasser überspült.

Leo formte die Hände zu einem Trichter und schrie Lasar gegen den Lärm zu: »Halten Sie sich ganz dicht an der Wand!«

Mit Leos Hilfe kletterte Lasar nach unten. An die Wand gedrückt, leuchteten sie auf der Suche nach irgendeinem Hinweis ihre Umgebung ab. In einiger Entfernung, etwa hundert Meter weiter den Tunnel hinein, sahen sie ein Licht.

Über den schmalen Mauervorsprung machten sie sich in diese Richtung auf den Weg. Der Wasserspiegel stieg immer weiter, die Brühe schwappte ihnen um die Knie. Jeder Schritt forderte ihnen allerhöchste Konzentration ab. Als sie nur noch ein paar Meter entfernt waren, erkannte Leo eine Laterne, die über den Umrissen einer Tür aufgehängt war. Er schabte den zähen Glibber ab, der die Wand bedeckte, und drückte die Tür auf. Von hinten drang Wasser ein und ergoss sich über eine Wendeltreppe, die noch weiter nach unten führte. Erleichtert, dass sie den gefährlich schmalen Sims hinter sich lassen konnten, schlüpften sie rasch hinein und drückten die Tür hinter sich zu, um das Wasser zu stoppen.

In dem schmalen Treppenhaus war die Luft heiß und feucht. Schweigend stiegen sie hinab, in dem engen Raum hallte selbst ihr Atmen wider. Nach etwa fünfzig Stufen trafen sie auf eine weitere Tür. Leo drückte fest gegen den Stahlrahmen, und die Scharniere quietschten. Hier gab es keinen Abwassergestank, kein Geräusch von fließendem Wasser mehr – alles war still.

Leo drehte sich zu Lasar um. »Bleiben Sie hier.«

Leo betrat einen neuen Tunnel und suchte ihn mit der Taschenlampe ab. Die Wände waren trocken. Sein Fuß stieß gegen ein Gleis – er war in einem Metrotunnel.

Wie ein unterirdischer Sonnenaufgang tauchte ein weiches gelbes Licht auf, eine flackernde Gasflamme. Es kam aus einer altmodischen Laterne, die von einem einzelnen Mann hochgehalten wurde. Er war geradezu grotesk mit Muskeln bepackt. Tätowierungen prangten auf seinen Händen und seinem Hals.

»Stehen bleiben!«

Der Gangster durchsuchte Leo und Lasar. Danach machte er die Tür zu, die hinauf in die Kanalisation führte, und schloss sie ab. Er drehte sich um und deutete in die Richtung, in der es weiterging. Dann machten sie sich auf den Weg, Leo als Erster, danach Lasar und am Ende ihr Begleiter.

»Diese U-Bahnlinie ist auf keinem Plan verzeichnet«, erklärte der Mann unterwegs. »Nachdem sie fertiggestellt war, hat man alle Arbeiter exekutiert, damit ihre Existenz ein Geheimnis blieb. Sie heißt *Speztunnel* und verläuft vom Kreml bis nach Ramenkoje, einer unterirdischen Stadt fünfzig Kilometer weit weg. Wenn der Westen uns einmal angreifen sollte, werden unsere Führer sich hier hinunterbegeben und, während Moskau brennt, auf Seidenkissen sitzen.«

Nachdem sie eine Weile marschiert waren, blieb der Führer stehen. »Hier ist es.«

In der Mauer befand sich wieder eine Stahltür. Leo öffnete sie und leuchtete mit der Taschenlampe in das Betontreppenhaus hinein, das gottlob nach oben führte. Der Gangster schloss hinter ihnen die Tür. Sekunden später war ein zischendes Geräusch zu hören. Er hatte das Schloss mit Säure unbrauchbar gemacht. Niemand konnte ihnen mehr folgen.

Nassgeschwitzt erreichten sie das obere Ende der Treppe, stellten fest, dass die Tür unverschlossen war, und fanden sich in der *Taganskaja*-Metrostation wieder. Leo verließ den Bahnhof, trat hinaus auf den *Taganskaja*-Platz und suchte außer sich nach irgendeinem Hinweis, was er als Nächstes tun sollte. Lasar hob den Arm und deutete in Richtung des Flusses, der etwa zweihundert Meter entfernt lag. Mitten auf der *Bolschoi-Krasnocholomski*-Brücke stand eine Frau.

Leo rannte auf sie zu, Lasar blieb an seiner Seite. Als sie das Flussufer erreichten, wo keine Gebäude mehr standen, blies der Wind doppelt so stark. Die Brücke war ein nackter Betonbogen, unter dem die von den nächtlichen Regenfällen aufgewühlte Moskwa rauschte. Die Frau blieb auf der Brücke stehen und wartete auf sie, Regen tropfte von ihrer Jacke. Als Leo näher kam, erkannte er diese Jacke. Es war seine.

Raisa nahm die Kapuze ab.

Leo rannte weiter, bis er bei ihr war, und nahm ihre Hände. Er war hin- und hergerissen zwischen Sorge und Erleichterung. Raisa riss sich von ihm los. »Warum hast du mir die Sache mit Soja nicht erzählt? Sie richtet ein Messer auf dich, und du sagst mir, es sei alles in Ordnung? Bei so einer Sache lügst du mich an? Was hatten wir uns versprochen? Keine Lügen mehr! Keine Geheimnisse mehr! Wir hatten es einander versprochen, Leo!«

»Raisa, ich habe doch nur die Panik gekriegt. Ich wollte die Sache erst ins Lot bringen und es dir dann erzählen. Als du aus dem Krankenhaus gekommen bist, war ich doch schon auf dem Sprung nach Kolyma. Und du warst noch so schwach.«

»Nicht ich war schwach, Leo, sondern du! Hier geht es nicht darum, wer der Held ist. Es geht darum, was das Beste für Soja und Elena ist. Ich habe Frajera getroffen. Auf keinen Fall wird sie dir Soja wiedergeben. Nie im Leben!«

An der Südseite der Brücke tauchten Scheinwerfer auf, ihre Strahlen verschwammen im Regen. Der Wagen raste auf sie zu, und Leo hob die Hand vor die Augen, um nicht von dem gleißenden Licht geblendet zu werden. Das Fahrzeug bremste, die Türen gingen auf. Der Fahrer gehörte zu den *wory*. Ohne sich um den Regen zu kümmern, stieg Frajera auf der Beifahrerseite aus. Sie warf Leo einen kurzen Blick zu, dann konzentrierte sie sich ausschließlich auf Lasar, ihren Ehemann.

Unsicher trat Lasar vor sie hin. Trotz Leos Warnungen war er eindeutig schockiert über ihre Verwandlung. Jetzt standen sie sich gegenüber. Frajera musterte ihn und betastete seine zerschundene Gesichtshälfte, strich mit dem Finger an seinem Unterkiefer entlang. Er zuckte bei der Berührung zwar zusammen, schrak aber nicht zurück.

»Du hast gelitten«, sagte sie.

Leo beobachtete, wie sich in Lasars Mund die Worte formten: »Wir haben ... einen Sohn?«

»Unser Sohn ist tot. Genau wie deine Frau.«

Dann fiel ein Schuss, etwas blitzte auf. Lasar fiel auf die Knie und hielt sich den Bauch.

Leo sprang vor und fing den umkippenden Lasar auf. Sein Mund war voller Blut. Fassungslos über diesen sinnlosen Mord drehte er sich zu Frajera um. »Warum?«

Sie gab keine Antwort, keine Erklärung, sondern stand nur drohend über ihm. Leo schaute wieder hinab auf Lasars Leichnam, den er in den Armen hielt. Der Mann, den er erst verraten und dann gerettet hatte, der Mann, dem er sein Leben zu verdanken hatte, war tot. Leo beugte sich hinab und legte den Toten auf die Straße.

Frajera riss Leo am Hemd. »Steig vorne in den Wagen ein!«

Mit ihrer Waffe wedelte sie Raisa zu. »Du auch.«

Leo stand auf und setzte sich auf den Fahrersitz. Raisa saß auf dem Beifahrersitz. Auf dem Rücksitz lag Soja, ihre Arm- und Fußgelenke waren gefesselt. Im Mund hatte sie einen Knebel, und aus ihren Augen sprach die nackte Angst. Der Wagen war umgebaut worden, zwischen ihnen befand sich ein Gitter. Beide pressten ihre Hände gegen das Drahtgeflecht. »Soja!«

Auf der anderen Seite drückte Soja ihr Gesicht gegen das Gitter und flehte durch den Knebel um Hilfe. Ihre Finger berührten sich. Leo rüttelte an dem Gitter, aber es ließ sich nicht herausreißen.

Eine der hinteren Türen wurde geöffnet. Frajera beugte sich hinein, schnappte sich Soja und zerrte sie aus dem Wagen. Leo wirbelte herum und versuchte die Fahrertür aufzubekommen, aber sie war abgeschlossen und ließ sich von innen nicht öffnen. Raisa rüttelte auf ihrer Seite ebenfalls ohne Erfolg am Griff. Frajera und ihr Gehilfe schleppten Soja zum Kofferraum. Der Mann holte einen Getreidesack heraus und hielt ihn auf, während Frajera Soja hineinsteckte.

Leo wälzte sich zur Seite und zielte mit den Stiefeln direkt auf das Seitenfenster. Wie ein Maultier trat er immer wieder zu, doch seine Sohlen prallten von dem Fenster zurück und konnten es nicht durchbrechen.

»Leo!«, schrie Raisa.

Leo krabbelte hinüber auf Raisas Seite, die zum Ufer wies. Frajera und ihr Gehilfe trugen gerade den Sack davon. Soja versuchte sich zu befreien, sie wand sich, trat um sich und kämpfte um ihr Leben. Der Gangster schlug sie mitten ins Gesicht und brach damit ihren Widerstand lange genug, dass er sie in den Sack stopfen und diesen zuschnüren konnte. Gemeinsam hoben sie den Sack hoch, er war offenbar mit Gewichten beschwert. Sie legten die bewusstlose Soja auf die Brückenmauer. Leo presste den Kopf gegen die Fensterscheibe und musste mitansehen, wie der Sack von der Brücke gestoßen wurde. Er beobachtete noch kurz, wie er dem Fluss entgegenfiel.

Frajera hockte sich auf die Motorhaube und lehnte sich an die Windschutzscheibe. Ihre Augen glühten, sie leckten Raisas und Leos Schmerz auf wie eine Katze die Sahne. Vollkommen außer sich schlug Leo auf die Windschutzscheibe ein, trommelte immer wieder sinnlos dagegen, blieb jedoch hinter dem Panzerglas gefangen. Frajera sah ihm einen Moment lang zu und ergötzte sich an seiner Hilflosigkeit, dann sprang sie vom Wagen und setzte sich auf den Sozius eines Motorrads. Leo hatte noch nicht einmal bemerkt, dass zwei Maschinen neben ihnen gehalten hatten.

Leo in seiner Falle trat jetzt gegen das Zündschloss, bis die Drähte freilagen. Er schloss die Zündung kurz und trat aufs Gaspedal. Dann ließ er den Motor aufheulen und schien Frajera verfolgen zu wollen.

»Leo!«, rief Raisa. »Soja!«

Doch Leo war gar nicht hinter Frajera her. Kaum hatte der Wagen ausreichend Geschwindigkeit aufgenommen, riss Leo das Steuer nach links in Richtung der Begrenzungsmauer. Das Fahrzeug krachte gegen den Rand der Brücke und riss an der Seite auf. Der Motor rauchte, die Räder drehten auf dem Rinnstein durch. Leo sah sich nach seiner Frau um. Raisa hatte sich den Kopf aufgeschlagen, war aber trotzdem schon aus dem Sitz und kletterte aus der kaputten Seite des Wagens hinaus. Schwankend folgte er ihr bis zu der Stelle, wo Soja hinuntergeworfen worden war.

Raisa sprang als Erste, Leo hinterher. Er sah noch, wie Raisa ins Wasser eintauchte, dann schlugen seine Beine auf der Wasseroberfläche auf. Unter Wasser zog die Strömung sie flussabwärts. Leo wurde tiefer hinabgezogen, widerstand aber dem Impuls, wieder zur Oberfläche zu schwimmen, und stieß sich stattdessen mit der Strömung weiter nach unten, bis dorthin, wohin Soja möglicherweise abgesunken war. Er wusste nicht, wie tief der Fluss war, schwamm aber mit immer kräftigeren Stößen nach unten. Seine Lungen brannten. Jetzt berührten seine Hände den Bodenschlick. Er blickte sich um, konnte aber nichts sehen. Das Wasser war pechschwarz. Er wurde nach oben gezogen und versuchte weiterzusuchen, drehte sich um die eigene Achse, aber es hatte keinen Zweck. Er konnte einfach nichts erkennen. In größter Atemnot zwang er sich wieder an die Oberfläche und holte japsend Luft. Als er sich umblickte, lag die Brücke schon ein gutes Stück hinter ihm.

Leo atmete tief ein und wollte wieder hinabtauchen.

»Soja!«, hörte er Raisa rufen.

Es war ein hoffnungsloser Schrei.

Fünf Monate danach

Moskau

20. Oktober

Filipp brach das Brot und achtete genau darauf, wie der noch warme Teig auseinanderriss, wie er sich kurz dehnte und dann in ungleichmäßige Streifen auflöste. Er klaubte einen Brocken heraus, legte ihn sich auf die Zunge und kaute langsam. Der Laib war perfekt gelungen, und das wiederum bedeutete, dass die ganze Charge perfekt gelungen war. Am liebsten hätte er sich daran sattgefressen und vorher noch dick Butter daraufgestrichen, die weich werden und schmelzen würde. Doch er konnte noch nicht einmal diesen kleinen Krümel hinunterschlucken. Er stellte sich über den Eimer und spuckte den klebrigen Teigball wieder aus. Eine solche Verschwendung empörte ihn selbst, aber ihm blieb keine Wahl. Denn der siebenundvierzigjährige Filipp war zwar Bäcker, noch dazu einer der besten in der ganzen Stadt, konnte aber selbst nur Flüssiges zu sich nehmen. Seit zehn Jahren plagten ihn jetzt schon hartnäckige und nicht zu behandelnde Magengeschwüre. Sein Magen war übersät mit säurehaltigen Kratern. Es waren die verborgenen Narben von Stalins Herrschaft, Zeugnisse all jener Nächte, in denen er wach gelegen und sich gesorgt hatte, ob er etwa mit den Männern und Frauen, die für ihn arbeiteten, zu streng umgegangen war. Er war Perfektionist, und wenn jemand Fehler machte, verlor er die Beherrschung. Vielleicht hatten ja verärgerte Arbeiter eine Anzeige über ihn verfasst und ihm bourgeoise, elitäre Tendenzen angelastet. Selbst jetzt noch fing bei der Erinnerung sein Magen zu brennen an. Er eilte zu seinem Tisch und rührte eine Kreidelösung zusammen. Hastig trank er die weiße, faulig schmeckende Flüssigkeit und ermahnte sich, dass diese Sorgen doch der Vergangenheit angehörten. Mitternächtliche Verhaftungen gab es nicht mehr. Seine Familie war in Sicherheit, und denunziert hatte er auch niemanden. Sein Gewissen war rein. Der Preis dafür war seine Magenschleimhaut gewesen. Und alles in allem war dieser Preis, selbst für einen Bäcker und Leckermaul, nicht einmal zu hoch.

Das Kreidewasser beruhigte seinen Magen, und er schalt sich, dass er noch immer an die Vergangenheit dachte. Dabei lag eine goldene Zukunft vor ihm. Der Staat fing an, Begabungen zu fördern. Die Bäckerei expandierte und würde demnächst das gesamte Gebäude in Beschlag nehmen. Bisher hatte er nur zwei Etagen zur Verfügung gehabt, die oberste hatte man einer Knopffabrik zugewiesen, eine Deckadresse für irgendeine geheime Regierungsbehörde. Dass man die ausgerechnet über einer Bäckerei angesiedelt hatte, hatte er nie kapiert. Die Räume waren voller Mehlstaub und überhitzt von den Öfen. Nichts wollte er lieber, als dass die da oben verschwanden, und nicht nur, weil er Platz brauchte. Der Anblick der Leute, die dort arbeiteten, hatte ihm nie gefallen. Ihre Uniformen und ihre Reserviertheit waren ihm immer auf den Magen geschlagen.

Er trat hinaus ins Treppenhaus und spähte hinauf ins oberste Stockwerk. Die ehemaligen Bewohner hatten zwei Tage gebraucht, um ihre Aktenschränke und Büromöbel auszuräumen. Als Filipp auf dem Treppenabsatz ankam, blieb er vor der Tür stehen und registrierte die Batterie schwerer Schlösser. Er drückte auf die Klinke. Die Tür ließ sich öffnen. Filipp schob sie weiter auf und musterte den düsteren Ort. Die Zimmer waren leer. Ermutigt betrat er sein neues Reich. Als er nach dem Lichtschalter tastete, sah er einen an der gegenüberliegenden Wand zusammengesunkenen Mann.

Leo setzte sich auf und blinzelte die Glühbirne an der Decke an. Erst langsam nahm er den Bäcker wahr, einen spindeldürren Mann. Leos Kehle war trocken. Hustend stand er auf, strich sich die Kleider glatt und warf einen Blick auf die ausgeweideten Büros des Morddezernats. Die geheimen Akten, Belege all der Fälle, die Timur und er gelöst hatten, waren weggeschafft worden. Sie sollten verbrannt werden, jede Spur der Arbeit, die er in den letzten drei Jahren geleistet hatte, vernichtet. Der Bäcker, dessen Namen er nicht kannte, stand täppisch da – auf seiner Miene stand die Verlegenheit eines mitleidigen Menschen angesichts des Unglücks eines Mitbürgers.

»Drei Jahre sind wir uns nun auf der Treppe begegnet«, sagte Leo, »und ich habe Sie nie nach Ihrem Namen gefragt. Ich wollte Sie nicht …«

»Beunruhigen?«

»Hätte es Sie denn beunruhigt?«

»Ehrlich gestanden, ja.«

»Ich heiße Leo.«

Der Bäcker streckte ihm die Hand hin. Leo schüttelte sie.

»Ich heiße Filipp. Drei Jahre, und ich habe Ihnen noch nie einen Laib Brot angeboten.«

Leo verließ zum letzten Mal das Morddezernat, warf noch einen Blick zurück und schloss dann die Tür. Ein unangenehmes Schwindelgefühl befiel ihn. Er folgte Filipp die Treppe hinunter und erhielt einen Laib Brot, er war noch warm und hatte eine goldene Kruste. Er brach ein Stück ab und biss hinein. Gewissenhaft studierte Filipp seine Reaktion. Als Leo klar wurde, dass seine Meinung gefragt war, schluckte er den Bissen herunter und sagte: »Das ist das beste Brot, das ich je gegessen habe.«

Und das stimmte sogar.

Filipp lächelte. »Was haben Sie hier oben gemacht? Wozu die ganze Geheimniskrämerei?«

Bevor Leo antworten konnte, zog der andere die Frage zurück.

»Vergessen Sie es. Ich sollte mich um meinen eigenen Kram kümmern.«

Doch Leo achtete nicht darauf. »Ich war Leiter einer Spezialeinheit der Miliz, einem Morddezernat.«

Filipp schwieg. Er verstand das nicht. Deshalb fügte Leo hinzu: »Wir haben Mordfälle untersucht.«

»Gab es da viel zu tun?«

Leo nickte knapp. »Mehr, als Sie vielleicht glauben.«

Neben dem Brot, das er bereits angeknabbert hatte, bekam Leo noch eins für zu Hause geschenkt. Dann wandte er sich zum Gehen.

Filipp, der zum Abschied noch etwas Freundliches sagen wollte, rief ihm hinterher: »Im Sommer wird es hier ziemlich heiß. Sie sind doch bestimmt froh, dass Sie in ein neues Büro umziehen.«

Leo blickte zu Boden und studierte die Muster der Fußabdrücke im Mehl. »Das Dezernat zieht nicht um. Es wird dichtgemacht.«

»Und was wird aus Ihnen?«

Leo sah wieder auf. »Ich soll zum KGB.«

Am selben Tag

Das Serbski-Institut war kein sehr großes Gebäude und sah mit den runden Balkonen vor den Fenstern der obersten Etage eher wie ein nettes Wohngebäude aus als wie ein Krankenhaus. Wie jedes Mal blieb Raisa fünfzig Meter davor stehen und fragte sich, ob sie auch das Richtige tat. Sie schaute hinunter auf Elena, die neben ihr stand und ihre Hand hielt. Ihre Haut war unnatürlich blass, so als welke sie dahin. Sie hatte Gewicht verloren und war so oft krank, dass Kranksein schon zu ihrem natürlichen

Zustand geworden war. Raisa bemerkte, dass Elenas Schal sich gelockert hatte, kauerte sich vor sie hin und zupfte umständlich an ihr herum.

»Wir können auch nach Hause gehen. Wir können jederzeit wieder nach Hause gehen.«

Elena sagte nichts. Ihr Gesicht blieb ausdruckslos, als sei sie kein lebendiges Mädchen mehr, sondern nur noch eine Nachbildung aus Seidenpapier und grünen Knopfaugen, die keine eigene Kraft besaß. Sie folgte einfach gehorsam, wohin man sie auch führte. Oder war es eigentlich umgekehrt? War in Wahrheit nicht vielleicht Raisa selbst die Nachbildung, die mit ihrem ganzen Gewese und Getue um Elena nur imitierte, was eine echte Mutter tun würde?

Raisa küsste Elena auf die Wange und spürte angesichts der fehlenden Reaktion, wie sich ihr der Magen zusammenkrampfte. Elenas Teilnahmslosigkeit ging ihr sehr zu Herzen. Begonnen hatte dieser Zustand, als sie sich vor sie hingekniet und ihr mit Tränen in den Augen ins Ohr geflüstert hatte:

Soja ist tot.

Raisa hatte damit gerechnet, dass Elena ihren Kummer herausschreien würde, aber Elena hatte überhaupt nicht reagiert. Und jetzt, fünf Monate später, reagierte sie immer noch nicht. Raisa stand auf, sah nach dem Verkehr und überquerte die Straße, dann ging sie auf den Haupteingang zu. Liebe allein würde sie nicht retten. Liebe allein reichte einfach nicht.

Im Inneren des Gebäudes gab es nur nackte Steinböden und kahle Wände. Schwestern in gestärkter Tracht schoben eiserne Betten mit Lederriemen durch die Korridore. Alle Türen waren verriegelt, die Fenster vergittert. Zweifellos war das Institut mit seinem Ruf als die führende psychiatrische Klinik in der Stadt eher berüchtigt als berühmt. Es war ein Behandlungszentrum für Abweichler, in dem sich politische Gegner wiederfanden, die man durch Insulin ins Koma versetzte und an denen man die neuesten Fieber- und Schocktherapien ausprobierte – die letzte Institution, an die man sich normalerweise gewandt hätte, um einem siebenjährigen Kind helfen zu lassen.

In ihren Gesprächen hatte Leo immer wieder betont, er sei gegen eine ärztliche Behandlung. Viele von denen, die er wegen politischer Vergehen verhaftet hatte, waren in ein Krankenhaus wie dieses, eine *psichuschka*, geschickt worden. Leo gab zwar widerwillig zu, dass auch in einem grausamen System durchaus fähige Ärzte arbeiteten, aber er glaubte nicht, dass der mögliche Vorteil ihrer Erfahrung das Risiko wert war, diese Männer und Frauen aufzusuchen. Sich selbst für gestört zu erklären hieß, sich als Außenseiter der Gesellschaft zu deklarieren – keine Position, die Eltern sich für ihr Kind wünschten. Aber seine Haltung schien ihr weniger grundsätzlicher Vorsicht als einer störrischen Verbissenheit zu entspringen, einer blinden Entschlossenheit, dass niemand anderer als er selbst diese Familie wieder ins Lot bringen sollte, selbst wenn sie ihm gerade zwischen den Fingern zerbröselte. Raisa war keine Ärztin, aber sie verstand sehr wohl, dass Elenas Krankheit nicht weniger bedrohlich war als körperliche Beschwerden. Sie starb. Es war idiotisch zu glauben, dass das Problem sich von allein erledigen würde.

Die Frau am Empfangsschalter schaute hoch, sie erkannte die beiden von früheren Besuchen wieder.

»Ich möchte zu Doktor Stawski.«

Hinter Leos Rücken hatte sie endlich durch Gespräche mit Freunden und Kollegen einen Termin bei Doktor Stawski bekommen. Stawski war zwar auch Experte in der Behandlung von Dissidenten – mit allem, was dies mit sich brachte –, doch er glaubte auch an einen Wert der Psychiatrie über ihre politische Verwendung hinaus und missbilligte die Exzesse bei Zwangstherapien. Er war von dem Wunsch beseelt zu heilen. Und er hatte sich bereiterklärt, Elena zu untersuchen, ohne einen Bericht zu schreiben. Raisa vertraute ihm so sehr, wie ein Schiffbrüchiger sich an eine vorbeitreibende Holzplanke klammern würde. Was blieb ihr sonst auch übrig?

In der oberen Etage wurde sie hereingebeten, und Doktor Stawski schüttelte ihr die Hand. Er hockte sich vor Elena hin. »Elena! Wie geht es dir?«

Elena gab keine Antwort.

»Weißt du noch, wie ich heiße?«

Elena gab keine Antwort.

Stawski stand auf und fragte Raisa flüsternd: »Wie war es diese Woche?«

»Wie immer. Kein Wort.«

Stawski führte Elena zur Waage. »Zieh doch mal die Schuhe aus.«

Elena reagierte nicht. Raisa bückte sich und zog ihr die Schuhe aus, dann schob sie Elena auf die Waage. Stawski schaute auf die Anzeige und notierte Elenas Gewicht. Er tippte mit dem Füller auf seinen Notizblock und fuhr damit an den Zahlen entlang, die er sich in den vergangenen Wochen aufgeschrieben hatte. Dann ging er zurück und lehnte sich an seinen Schreibtisch. Raisa trat einen Schritt vor, um Elena von der Waage zu helfen, aber Stawski bremste sie und bedeutete ihr, sie solle Elena stehen lassen. Sie warteten. Elena blieb reglos mit dem Gesicht zur Wand auf der Waage stehen. Aus zwei Minuten wurden fünf, dann zehn, aber Elena hatte sich immer noch nicht gerührt. Schließlich bedeutete Stawski Raisa, dass sie Elena jetzt von der Waage heben könne.

Raisa spürte, wie ihr die Tränen kamen. Sie band Elena die Schnürsenkel zu und stand auf, um den Arzt etwas zu fragen, aber da sah sie, dass er am Telefon war. Schließlich hängte er ein und legte seinen Notizblock auf den Schreibtisch. Raisa wusste nicht, wie oder warum, aber sie war sich auf einmal sicher, dass sie hintergangen wurde.

Noch bevor sie reagieren konnte, sagte der Arzt: »Sie haben sich an mich gewandt, damit ich Ihnen helfe. Aus meiner Sicht benötigt Elena eine professionelle Überwachung, und zwar rund um die Uhr.«

Zwei Pfleger betraten das Zimmer und schlossen die Tür, als würden sie eine Falle zuschnappen lassen. Raisa legte beschützend die Arme um Elena.

Der Arzt stand auf und kam näher. »Ich habe dafür gesorgt, dass sie in ein Krankenhaus in Kasan gebracht wird. Die Ärzte dort kenne ich sehr gut.«

Raisa schüttelte den Kopf, aus Fassungslosigkeit ebenso wie um diesen Vorschlag zurückzuweisen.

»Das liegt mittlerweile nicht mehr bei Ihnen, Raisa. Die Entscheidung wurde im Interesse dieses kleinen Mädchens getroffen. Sie sind nicht die Mutter. Der Staat hat Sie als Betreuerin eingesetzt. Nun entzieht Ihnen der Staat die Betreuung wieder.«

»Doktor ...« Voller Verachtung spuckte sie das Wort aus, dann fuhr sie fort: »Sie werden sie mir nicht wegnehmen!«

Stawski trat noch näher heran, jetzt flüsterte er wieder. »Ich werde Elena jetzt sagen, dass sie mit diesen Pflegern nach Kasan fahren wird. Ich werde ihr sagen, dass sie Sie nicht mehr wiedersieht. Ich bin mir ziemlich sicher, dass sie sich nicht wehren wird. Sie wird mit zwei Fremden aus diesem Raum marschieren und sich noch nicht einmal umdrehen. Und wenn sie das tut, werden Sie mir dann glauben, dass Sie ihr nicht helfen können?«

»Ich weigere mich, diese Probe anzuerkennen.«

Stawski ignorierte sie, hockte sich stattdessen wieder hin und sprach Elena laut und deutlich an. »Elena, wir bringen dich jetzt in ein ganz besonderes Krankenhaus. Da werden sie versuchen, dich wieder gesund zu machen. Es kann aber sein, dass du Raisa nie mehr wiedersiehst. Aber ich bin mir sicher, dass man sich gut um dich kümmern wird. Diese Männer werden dir helfen. Wenn du nicht mit ihnen gehen willst, wenn du dableiben willst, hier bei Raisa, dann musst du uns das nur sagen. Du musst nur Nein sagen, Elena. Verstehst du mich? Du musst nur Nein sagen.«

Elena gab keine Antwort.

Am selben Tag

Timurs Witwe Inessa öffnete die Tür. Leo betrat die Wohnung. In den ersten Monaten nach seiner Rückkehr aus Kolyma hatte er immer noch erwartet, dass Timur plötzlich aus der Küche kommen und erklären würde, er sei gar nicht umgebracht worden, sondern habe überlebt und es bis nach Hause geschafft. Es war schlichtweg unmöglich, sich dieses Zuhause ohne Timur vorzustellen. Hier, im Kreise seiner Familie, war er immer am glücklichsten gewesen.

Doch die Zuweisung von Wohnraum war ein erbarmungsloser Prozess. Nach den Berechnungen des Systems bedeutete Timurs Tod klipp und klar, dass die Familie weniger Platz benötigte. Außerdem war ihre moderne Wohnung eine berufliche Vergünstigung gewesen. Inessa selbst arbeitete in einer Textilfabrik, und ihre Kolleginnen und Kollegen mussten mit erheblich bescheideneren Behausungen vorliebnehmen. Unter Zuhilfenahme seines *blat*, seiner Beziehungen, hatte Leo alles getan, um zu erreichen, dass die Familie bleiben konnte, wo sie war. Sogar um Frol Panins Intervention hatte er gebeten. Vielleicht hatte Panin sich irgendwie verantwortlich für Timurs Tod gefühlt, denn er hatte zugestimmt. Doch zu Leos Überraschung hatte Inessa sogar mit dem Gedanken gespielt auszuziehen. Hier verströmte doch jedes Zimmer nur die Erinnerungen an Timur, die sie erstickten und so traurig machten, dass sie kaum noch ihren Alltag bewältigen konnte. Erst als Leo ihr den Plattenbau gezeigt hatte, in den man sie umsiedeln wollte, eine Einzimmerwohnung mit dünnen Wänden und einer Gemeinschaftstoilette, hatte sie nachgegeben, aber nur wegen ihrer beiden Söhne. Wäre sie allein gewesen, wäre sie noch am selben Tag ausgezogen.

Leo umarmte Inessa und reichte ihr, als sie sich wieder getrennt hatten, den Brotlaib.

»Wo kommt der denn her?«

»Aus der Bäckerei unter unserem Büro.«

»Timur hat nie Brot mit nach Hause gebracht.«

»Die Leute, die dort arbeiten, hatten zu viel Angst, um mit uns zu sprechen.«

»Jetzt aber nicht mehr?«

»Nein.«

Wie ein Schatten legte sich Traurigkeit auf Inessas Gesicht. Das Morddezernat war auch Timurs ganzer Stolz gewesen. Jetzt existierte es nicht mehr.

Ihre beiden Söhne, der zehnjährige Jefim und der achtjährige Wadim, kamen aus ihrem Zimmer gelaufen, um Leo zu begrüßen. Obwohl Timur für Leo gearbeitet hatte, als er umgekommen war, trugen seine Söhne Leo nichts nach. Im Gegenteil, seine Besuche freuten sie immer. Sie wussten, dass Leo Timur sehr gemocht und ihr Vater Leo ebenso sehr gemocht hatte. Trotzdem stand ihre Zuneigung für Leo auf tönernen Füßen, und eines Tages würde sie zerbrechen. Noch wussten sie nicht in allen Einzelheiten, was passiert war. Noch ahnten sie nicht, dass ihr Vater bei dem Versuch gestorben war, die bösen Taten aus Leos Vergangenheit wiedergutzumachen.

Inessa strich Jefim über die Haare, während der aufgeregt über seine Schulleistungen und die Sportmannschaft berichtete, der er angehörte. Als Ältester würde er einmal Timurs Uhr bekommen, wenn er achtzehn wurde. Leo hatte das zerbrochene Glas und das Uhrwerk ersetzen lassen – das kaputte Werk hatte er behalten; er konnte es einfach nicht wegwerfen. Manchmal holte er es heraus und legte es sich auf die Handfläche. Inessa hatte sich noch nicht entschieden, welche Geschichte sie Jefim über die Ursprünge der Uhr erzählen sollte, ob sie wirklich lügen und das Stück als wertvolles Familienerbstück ausgeben sollte. Darüber konnte man sich auch später noch Gedanken machen.

»Willst du mit uns essen?«, fragte Inessa ihn.

Leo fühlte sich hier zwar wohl, aber er schüttelte den Kopf. »Ich muss nach Hause.«

* * *

Als er dort ankam, stellte er fest, dass Raisa und Elena nicht da waren. Die diensthabenden Sicherheitsbeamten berichteten, die beiden seien am Morgen zur Schule aufgebrochen, etwas Ungewöhnliches sei ihnen nicht aufgefallen. Von irgendwelchen Plänen wusste Leo nichts, und er konnte sich keinen Reim darauf machen, warum Raisa noch so spät am Abend mit Elena unterwegs war. Kleider hatten sie keine gepackt, es fehlten auch keine Taschen. Leo rief seine Eltern an, aber die konnten ihm ebenfalls nichts sagen.

Angst, dass Frajera etwas damit zu tun haben könnte, hatte Leo nicht. Der Mord an Soja war ihr letzter Racheakt gegen jemanden von der Staatssicherheit gewesen. Seit fünf Monaten war sie von der Bildfläche verschwunden, und Leo bezweifelte, dass sie noch einmal auftauchen würde. Wozu auch? Sie hatte Leo ins Mark getroffen, genau wie sie es sich vorgenommen hatte.

Als er draußen jemanden kommen hörte, eilte er in den Flur und riss die Tür auf. Schwankend kam Raisa herein und hielt sich dabei am Türrahmen fest, als sei sie betrunken. Leo stützte sie. Schnell warf er einen Blick hinaus in den Hausflur. Er war leer.

»Wo ist Elena?«

»Sie ist … weg.«

Raisa verdrehte die Augen, und im nächsten Moment sackte ihr der Kopf weg. Leo trug sie ins Bad, stellte sie unter die Dusche und ließ kaltes Wasser laufen. »Warum bist du betrunken?«

Raisa keuchte, der Schock der kalten Dusche hatte sie wach gerüttelt. »Bin nicht betrunken … betäubt worden.«

Leo drehte die Dusche ab und strich Raisa die Haare aus den Augen, dann setzte er sie auf den Rand der Badewanne. Raisa verdrehte nun nicht mehr die blutunterlaufenen Augen, sondern starrte auf die Pfützen, die sich um ihre Schuhe sammelten. Sie lallte auch nicht mehr. »Ich wusste, du würdest dagegen sein.«

»Hast du sie etwa zu einem Arzt gebracht?«

»Leo, wenn jemand, den man liebt, krank ist, dann sucht man nach jemandem, der einem hilft. Er sagte, es sei alles ganz inoffiziell, nichts Schriftliches.«

»Wo?«

»Serbski.«

Der Name traf Leo wie ein Keulenschlag. Serbski! Viele Männer und Frauen, die er verhaftet hatte, waren dorthin zur Behandlung geschickt worden.

Raisa fing an zu weinen. »Leo … er hat sie weggeschafft.«

Zuerst verstand Leo nicht, doch im nächsten Moment verwandelte sich seine dumpfe Benommenheit in Weißglut. »Wie heißt der Arzt?«

Raisa schüttelte den Kopf. »Du kannst sie nicht retten, Leo.«

»Wie heißt er?«

»Du kannst sie nicht retten!«

Leo hob die Hand, holte aus und wollte Raisa schon ins Gesicht schlagen. Im letzten Moment lenkte er seinen Zorn um, riss den Spiegel von der Wand und zerschlug ihn auf dem Waschbecken. Die Splitter schnitten ihm ins Fleisch, er blutete, rote Rinnsale rannen über seine Handgelenke und Arme. Dann sackte Leo inmitten der blutigen Spiegelscherben zu Boden.

Raisa nahm ein Handtuch und drückte es ihm gegen die verletzte Hand. »Glaubst du vielleicht, ich hätte mich nicht gewehrt? Glaubst du, ich hätte nicht versucht, sie davon abzuhalten? Sie haben mich betäubt. Als ich wieder zu mir kam, war Elena weg.«

Leo konnte nur noch an seine Niederlage denken. Jetzt war sie vollkommen. All seine Hoffnungen auf eine Familie zerstört. Er hatte es nicht geschafft, Soja zu retten, und ebenso wenig hatte er es geschafft, Elena davon zu überzeugen, dass das Leben lebenswert war. Drei Jahre Ehrlichkeit und Vertrauen zwischen ihm und Raisa waren wie weggeblasen. Er hatte sie belogen. Das Unglück, das daraus erwachsen war, würde diese Lüge auf ewig bestehen lassen. Er war nicht zornig auf Raisa, dass sie Frajeras Angebot angenommen und zugestimmt hatte, ihn zu verlassen. Raisa behauptete, das sei einzig und allein Taktik gewesen, ein verzweifelter Versuch, Soja zu retten. Sie hatte das Wohlergehen ihrer Familie in die eigenen Hände genommen. Der einzige Fehler, den sie gemacht hatte, war, damit zu lange gewartet zu haben.

Die Gaukelei der letzten drei Jahre war vorbei. Er war weder ein Vater noch ein Ehemann und ganz gewiss kein Held. Er würde zum KGB gehen. Raisa würde ihn verlassen. Was denn sonst? Zwischen ihnen beiden würde es ohnehin nichts mehr geben als das Gefühl dessen, was sie verloren hatten. Jeden Tag würde er wissen, dass Frajera recht gehabt hatte, was ihn betraf. Er war ein Mann des Staates. Er hatte sich zwar geändert, doch wesentlich mehr zählte, dass er sich wieder zurückverwandelt hatte.

»Eine Zeit lang habe ich wirklich geglaubt, dass wir eine Chance hätten«, sagte er.

»Ich auch.«

Am selben Tag

Leo wusste nicht, wie viel Zeit verstrichen war. Reglos hatten Raisa und er nebeneinander auf dem Fußboden gehockt, an die Dusche gelehnt, in die es hinter ihnen aus dem Hahn tropfte. Irgendwann hörte er, wie die Tür geöffnet wurde, aber immer noch schaffte er es nicht aufzustehen. Stepan und Anna erschienen in der Badezimmertür. Zweifellos hatten sie sich wegen Leos Anruf früher am Tag Sorgen gemacht und waren deshalb hergekommen.

Mit einem Blick erfassten sie den Raum, das Blut und den zerbrochenen Spiegel. »Was ist passiert?«

Raisa drückte Leos Hand.

»Sie haben uns Elena weggenommen«, sagte er.

Weder Stepan noch Anna sagten etwas. Stepan half Raisa hoch, wickelte ein Handtuch um sie und führte sie in die Küche. Anna brachte Leo ins Schlafzimmer und untersuchte den Schnitt. Sie verband die Wunde und kümmerte sich genauso um ihn wie früher, wenn er sich als kleiner Junge wehgetan hatte. Als sie fertig war, setzte sie sich neben Leo.

Er küsste ihre Wange, stand auf und ging in die Küche. Dort reichte er Raisa die Hand. »Ich brauche deine Hilfe.«

* * *

Leos einflussreichster Verbündeter war Frol Panin, doch der befand sich außerhalb der Stadt und war somit nicht verfügbar. Mit Generalmajor Gratschew war Leo zwar nicht befreundet, aber drei Jahre zuvor hatte dieser Leos Vorschlag unterstützt, ein autonomes Morddezernat aufzubauen. In den ersten beiden Jahren war der Major auch Leos direkter Vorgesetzter gewesen, dann hatte er sich zurückgezogen und Panin Platz gemacht.

Seitdem hatten sie sich nur noch unregelmäßig gesehen. Doch Gratschew war ein Befürworter des Wandels und vertrat die Auffassung, dass man nur regieren konnte, wenn man auch Abbitte leistete. Man musste, freilich mit Augenmaß, das vom Staat begangene Unrecht zugeben und versuchen, es wiedergutzumachen.

In Raisas Begleitung klopfte Leo jetzt an Gratschews Wohnungstür und warf dabei instinktiv einen prüfenden Blick den Flur hinunter. Es war schon spät, aber bis zum Morgen konnten sie nicht warten, aus Angst, dass die erdrückende Mutlosigkeit sie wieder überfallen würde, sobald sie in ihren Bemühungen nachließen. Die Tür wurde geöffnet. Für Leo, der den Generalmajor noch nie anders als in Uniform gesehen hatte, war es ein Schock, ihn jetzt in ungepflegten Klamotten vor sich zu sehen, die Brille voller Fingerabdrücke. Früher hatte er sich stets förmlich und reserviert gegeben, doch jetzt umarmte er Leo so überschwänglich, als habe er einen verlorenen Bruder wiedergefunden. Vor Raisa vollführte er eine freundliche Verbeugung. »Aber kommen Sie doch bitte herein!«

Drinnen standen lauter Kartons auf dem Boden, offenbar wurde gepackt.

»Ziehen Sie um?«, fragte Leo.

Gratschew schüttelte den Kopf. »Nein, ich werde sozusagen umgezogen. Raus aus der Stadt und weit weg. Ich könnte Ihnen noch nicht einmal sagen, wohin, ganz ehrlich nicht. Sie haben es mir zwar gesagt, aber von dem Ort hatte ich noch nie etwas gehört. Liegt irgendwo im Norden, glaube ich, weit im Norden, wo es kalt und dunkel ist, damit die Botschaft auch ja ankommt.«

Die Sätze sprudelten nur so aus ihm heraus. Leo versuchte, ihn zum Kern des Themas zurückzubringen. »Was für eine Botschaft?«

»Dass ich keine Gunst mehr genieße, dass man mich nicht

mehr für den Richtigen hält, egal für welche Aufgabe, außer für einen kleinen Posten in einer kleinen Stadt. Sie kennen diese Strafe doch beide, nicht wahr? Sie haben sie am eigenen Leib erfahren.«

»Wo ist Ihre Frau?«, fragte Raisa.

»Die hat mich verlassen.«

Und um irgendwelchen Beileidsbekundungen vorzubeugen, fügte er hinzu: »Im gegenseitigen Einvernehmen. Wir haben einen Sohn. Er ist ehrgeizig. Meine Umsiedelung würde all seine Chancen zunichtemachen. Da muss man praktisch denken.«

Gratschew steckte die Hände in die Hosentaschen. »Wenn Sie zu mir gekommen sind, damit ich Ihnen helfe, muss ich Ihnen leider sagen, dass meine Situation sich erheblich verschlechtert hat.«

Raisa warf Leo einen kurzen Blick zu. In diesem Blick stand die Frage, ob es sich überhaupt lohnte, diesem Mann ihre Not zu schildern.

Gratschew entging das nicht. »Reden Sie trotzdem mit mir. Nicht, weil ich Ihnen helfen kann, sondern einfach nur, um mit einem gleichgesinnten Freund zu sprechen.«

Die ertappte Raisa wurde rot. »Es tut mir leid.«

»Halb so schlimm.«

Eilig klärte Raisa ihn auf. »Unsere Adoptivtochter Elena wurde uns weggenommen und in eine psychiatrische Klinik in Kasan eingewiesen. Sie hat sich nie vom Mord an ihrer Schwester erholt. Ich hatte mich darum gekümmert, dass sie ganz inoffiziell einem Arzt vorgestellt wird.«

Kopfschüttelnd unterbrach Gratschew: »Es gibt nichts, was inoffiziell ist.«

Raisa wurde ganz steif. »Der Arzt versprach, keine Krankenakte anzulegen. Ich habe ihm geglaubt. Als seine Behandlung bei ihr aber nicht anschlug ...«

»Hat er sie einweisen lassen, um sich selbst zu schützen.«

Raisa nickte.

Gratschew dachte nach, dann ergänzte er, als sei ihm das gerade erst eingefallen: »Ich fürchte, keiner von uns wird sich je wieder von dem Mord an Soja erholen.«

Die Bemerkung überraschte Leo. Was sollte das heißen? »Keiner von uns? Ich verstehe nicht.«

»Verzeihen Sie. Es war nicht recht, dass ich die weitreichenden Konsequenzen mit der Trauer vergleiche, die Sie selbst empfinden müssen.«

»Was für weitreichende Konsequenzen?«

»Darüber müssen wir heute wirklich nicht sprechen. Sie sind doch gekommen, um Elena zu helfen ...«

Leo unterbrach ihn.

»Nein. Sagen Sie mir: welche weitreichenden Konsequenzen?«

Der Generalmajor hockte sich auf einen Karton. Er sah erst Raisa an, dann Leo. »Sojas Tod hat alles verändert.«

Leo starrte ihn verständnislos an.

Gratschew fuhr fort. »Ein junges Mädchen wird ermordet, um dadurch einen ehemaligen Staatssicherheitsoffizier zu bestrafen. Fünfzehn weitere frühere Beamte werden verfolgt und umgebracht, mehrere gefoltert. Diese Vorgänge haben selbst die Regierung entsetzt. Dabei hatten sie diese *wory*-Frau doch aus dem Gulag entlassen. Wie hieß sie noch gleich?«

Wie aus einem Mund antworteten Leo und Raisa: »Frajera.«

»Und wer wurde sonst nicht noch alles freigelassen! Hunderttausende Sträflinge kommen wieder nach Hause. Wie sollen wir regieren, wenn nur ein Bruchteil von denen sich wie diese Frau aufführt? Wird ihre Rache eine Kettenreaktion in Gang setzen, die Recht und Ordnung zusammenbrechen lässt? Dann hätten wir wieder Bürgerkrieg. Unser Land würde mitten entzweigerissen. Dies ist die neue Angst. Deshalb hat man Schritte unternommen, damit das nicht geschieht.«

»Was für Schritte?«

»In unsere Gesellschaft hat sich eine gewisse Laxheit eingeschlichen. Wussten Sie, dass es neuerdings Autoren gibt, die satirische Prosa schreiben? Dudinzew zum Beispiel hat einen Roman verfasst, *Nicht vom Brot allein*, in dem er sich ganz offen über den Staat und die Staatsbeamten lustig macht, schwarz auf weiß. Was kommt als Nächstes? Wir erlauben den Menschen, Kritik zu üben. Wir erlauben den Menschen, sich gegen unsere Herrschaft aufzulehnen. Wir erlauben ihnen, Rache zu üben. Und plötzlich ist die Autorität, die früher so stark war, ganz zerbrechlich.«

»Hat es sonst im Land ähnliche Racheakte gegeben?«

»Als ich von den weitreichenden Konsequenzen sprach, meinte ich damit nicht nur die Vorfälle in unserem eigenen Land. In sämtlichen Territorien unter unserem Einfluss herrscht Aufruhr. Schauen Sie sich nur an, was in Polen passiert ist. Die Aufstände dort wurden durch Chruschtschows Rede nur noch befeuert. In ganz Osteuropa wabert eine antisowjetische Stimmung: in Ungarn, in der Tschechoslowakei, in Jugoslawien …«

Leo war entsetzt. »Die Rede ist nach außen getragen worden?«

»Sogar die Amerikaner haben sie. Sie haben sie in ihren Zeitungen abgedruckt. Sie ist zu einer Waffe gegen uns geworden. Die Leute erkennen, dass wir uns selbst entsetzlich geschadet haben. Wie sollen wir die Weltrevolution vorantreiben, wenn wir derart mörderische Akte gegen unser eigenes Volk zugeben? Wer wollte sich dann noch unserer Sache anschließen? Wer wollte dann noch unser Genosse sein?«

Er unterbrach sich und wischte sich den Schweiß von der Stirn. Leo und Raisa hockten mittlerweile vor ihm wie Kinder, die von einer Geschichte gefesselt sind.

Gratschew fuhr fort. »Nach Sojas Tod wurden alle, die für Reformen plädiert hatten, mich eingeschlossen, zum Schweigen gebracht. Selbst Chruschtschow war gezwungen, viel von der Kritik, die er in seiner Rede geäußert hatte, zurückzunehmen.«

»Das habe ich nicht gewusst.«

»Sie haben damals ja auch getrauert, Leo. Um Ihre Tochter. Um Ihren Freund. Die Welt um Sie herum haben Sie gar nicht mehr wahrgenommen. Während Sie Ihre Toten beweinten, wurde eine bereinigte Version der Rede verfasst.«

»Was genau heißt ›bereinigt‹?«

»Die Eingeständnisse von Exekutionen durch Standgerichte und von Folter wurden gestrichen. Der neue Text wurde einen Monat nach dem Mord an Soja veröffentlicht. Ich will nicht sagen, dass dafür einzig und allein Frajeras Rachefeldzug verantwortlich war, aber ihre Mordtaten trugen doch wesentlich dazu bei. Sie lieferten den Traditionalisten ein überaus anschauliches Beispiel. Chruschtschow hatte keine Wahl. Nach einem Beschluss des Zentralkomitees wurde seine Rede umgeschrieben. Stalin war jetzt kein Mörder mehr, sondern hatte nur noch Fehler gemacht. Dem System selbst war nichts vorzuwerfen. All die geringfügigen Fehler gingen allein zu Stalins Lasten. Es war eine Geheime Rede ohne Geheimnisse.«

Leo dachte über das nach, was er gerade gehört hatte. Dann fragte er: »Und weil mein Dezernat nicht in der Lage war, diese Morde zu unterbinden, hat man es geschlossen.«

»Nein. Das war nur ein Vorwand. Sie waren immer gegen das Morddezernat und nehmen es mir übel, dass ich an seiner Einrichtung beteiligt war. Ihr Dezernat war Teil dieser heimlich um sich greifenden Kultur der Nachgiebigkeit. Wir haben zu schnell gehandelt, Leo. Freiheiten erringt man nur langsam, Stück für Stück. Man muss sie sich erkämpfen. Die Kräfte, die für den Wandel eintraten, also auch ich, sind zu schnell und zu weit vorgeprescht. Wir waren arrogant und haben uns übernommen. Wir haben diejenigen unterschätzt, die die Macht in ihrer alten Form beschützen und bewahren wollten.«

»Man hat mir befohlen, wieder für den KGB zu arbeiten.«

»Das wäre ein mächtiger Fingerzeig. Der abtrünnige MGB-Agent fügt sich wieder in die traditionellen Strukturen ein. Sie werden benutzt. Und Sie müssen sich auch benutzen lassen. Ich wäre an Ihrer Stelle sehr vorsichtig, Leo. Glauben Sie ja nicht, dass diese Leute sich besser benehmen werden als Stalin. Sein Geist lebt weiter, nicht in einer einzelnen Person, sondern verteilt auf viele Menschen. Er ist schwerer auszumachen, aber verlassen Sie sich darauf: Er ist überall.

* * *

Vor der Wohnung nahm Leo Raisas Hand. »Ich muss blind gewesen sein.«

Blischnja Datscha
Kunzewo, zwanzig Kilometer westlich von Moskau

21. Oktober

Es war Frol Panins zweiter Besuch in der Blischnja Datscha, einem von Stalins früheren Wohnsitzen, der mittlerweile von den Familien der Elite zur Erholung genutzt werden durfte. Man hatte beschlossen, diese Residenz nicht zu schließen oder in ein Museum umzuwandeln. Die Datscha sollte stattdessen von spielenden Kindern und Küchenpersonal bevölkert sein, während die herrschende Elite sich in den knarzenden Ledersesseln räkelte und mit klirrenden Eiswürfeln gekühlte Getränke schlürfte. Nach Stalins Tod hatte man entdeckt, dass die Getränkeanrichte lauter Flaschen enthielt, die mit vermeintlichem Alkohol gefüllt waren, tatsächlich aber statt Scotch dünnen Tee und statt Wodka Wasser enthielten. So blieb Stalin immer nüchtern, während seine Minister die Kontrolle über ihre Zunge verloren. Mittlerweile hatte man die Brühe weggegossen, sie wurde nicht mehr gebraucht. Die Zeiten hatten sich geändert.

Nachdem Frol von dem Fünf-Gänge-Menü nur sparsam gegessen, an drei verschiedenen Sorten blutigen Fleisches herumgepickt und drei Sorten Wein ignoriert hatte, waren seine gesellschaftlichen Pflichten für den heutigen Abend beendet. Er stieg die Treppe hinauf und lauschte auf den heftigen Regen. Beim Betreten seiner Suite zog er sich das Hemd aus der Hose. Seine kleinen Söhne waren im Zimmer nebenan, ein Hausmädchen hatte sie ins Bett gebracht. Seine Frau zog sich gerade aus. Wie es von den Ehefrauen erwartet wurde, hatte sie sich schon vor dem Ende des Diners entschuldigt, damit die Männer noch über gewichtige Themen reden konnten – eine Qual, da die meisten betrunken waren und ihnen nichts einfiel.

Erleichtert betrat Panin das Wohnzimmer und schloss die Tür. Der Abend war vorbei. Er verabscheute es hierherzukommen, besonders mit den Kindern. Für ihn war die Datscha nur ein Ort, an dem Menschen ihr Leben gelassen hatten. Ganz gleich, wie viele Kinder auf dem Gelände spielten und wie laut sie alle lachten – die Geister ließen sich nicht vertreiben.

Frol schaltete das Wohnzimmerlicht aus und begab sich ins Schlafzimmer, dabei rief er nach seiner Frau.

»Nina?«

Nina saß auf der Bettkante. Neben ihr hockte Leo. Er war vom Regen vollkommen durchnässt und seine Hosen voller Schlammspritzer. Seine eine Hand war verbunden, und auch dieser Verband war klatschnass. Schmutziges Wasser tropfte aus seinen Kleidern und hinterließ einen kreisrunden Fleck auf dem Bettlaken. In Leos Gesicht las Frol eine äußere Ruhe, hinter der sich eine enorme innere Sprengkraft verbarg, eine unvorstellbare Wut unter einer dünnen Glasscheibe.

Frol versuchte rasch die Situation einzuschätzen: »Vielleicht wäre es besser, wenn statt meiner Frau ich mich zu Ihnen setze.«

Ohne auf eine Antwort zu warten, winkte er Nina zu sich heran. Langsam stand sie auf. Leo hielt sie nicht zurück.

»Was geht hier vor?«, flüsterte sie Frol zu.

So laut, dass Leo es auf jeden Fall hören konnte, antwortete Frol: »Du musst wissen, dass Leo einen entsetzlichen Schock erlitten hat. Er ist gramgebeugt und kann keinen klaren Gedanken fassen. Dass er in eine Datscha eingebrochen ist, könnte ihn leicht den Kopf kosten. Ich werde mein Bestes tun, damit das nicht geschieht.«

Er unterbrach sich und wandte sich dann direkt an Leo. »Darf meine Frau nach den Kindern sehen?«

Leos Augen sprühten Funken. »Ihren Kindern geschieht nichts. Wie können Sie mich so etwas nur fragen?«

»Sie haben recht, Leo. Ich entschuldige mich.«

»Ihre Frau bleibt hier.«

»Wie Sie wünschen.«

Nina setzte sich auf einen Stuhl in der Ecke. Frol fuhr fort. »Ich nehme an, hier geht es um Elena. Sie hätten in mein Büro kommen und einen Termin machen können. Ich hätte mich um ihre Freilassung gekümmert. Mit ihrer Einweisung in dieses Krankenhaus hatte ich nichts zu tun. Ich war entsetzt, als ich davon hörte. Ganz überflüssigerweise hat der Arzt sich an seine Vorschriften gehalten. Er glaubte, er würde damit das Richtige tun.«

Frol schwieg einen Augenblick. »Sollen wir uns nicht etwas zu trinken bestellen?«

Leo kehrte seine Taschen nach außen: »Ich stelle keinerlei Bedrohung für Sie dar. Ich habe keine Waffe bei mir. Wenn Sie die Wachen rufen, werden die mich verhaften.«

Nina sprang auf und wollte um Hilfe schreien.

Frol bedeutete ihr, still zu sein. »Und was wollen Sie dann, Leo?«, fragte er.

»Hat Frajera für Sie gearbeitet?«

»Nein.« Frol setzte sich neben ihn. »Wir haben zusammengearbeitet.«

* * *

Leo hatte damit gerechnet, dass Frol Panin die Sache abstreiten würde. Andererseits hatte er ja gar keinen Grund zu lügen. So machtlos, wie Leo war, konnte er doch mit der Wahrheit ebenso wenig anfangen wie mit einer Ableugnung. Panin stand auf, zog seine Anzugjacke aus und knöpfte sich die obersten Hemdknöpfe auf.

»Frajera ist zu mir gekommen. Ich wusste nicht, wer sie war. Über die *wory* in Moskau hatte ich keinerlei Informationen, sie waren nie von Belang gewesen. Frajera war in meine Wohnung eingebrochen und wartete auf mich. Sie wusste alles über Sie. Und nicht nur das, sie wusste auch von dem Kampf zwischen den Traditionalisten und den Reformern in der Partei. Sie schlug vor, dass wir zusammenarbeiten sollten, da wir doch gemeinsame Interessen hätten. Ihr sollte man die Freiheit gewähren, an denen, die für ihre Verhaftung mitverantwortlich gewesen waren, Rache zu üben. Wir würden dafür diese Mordserie für unsere Zwecke ausschlachten und öffentliche Angst schüren können.«

»Um Lasar ging es ihr also gar nicht?«

Panin schüttelte den Kopf. »Sie betrachtete ihn als eine Gestalt aus ihrem früheren Leben. Er war nur der Vorwand. Frajera wollte Sie dadurch bestrafen, dass Sie in einen Gulag mussten. Sie wollte, dass Sie die Welt, in die Sie so viele Menschen geschickt hatten, mit eigenen Augen sahen. Wir wiederum wollten Sie aus dem Weg haben. Das Morddezernat war die einzige unabhängige Ermittlungseinheit. Frajera verlangte freie Hand. Nachdem Sie und Timur erst einmal weg waren, konnte sie töten, wen immer sie wollte.«

»Der KGB hat nie nach ihr gefahndet?«

»Wir haben sichergestellt, dass er ihr nie zu nahe kam.«

»Und die Beamten, die Sie in meiner Abwesenheit ins Morddezernat versetzt haben?«

»Waren unsere Leute, die machten, was wir ihnen sagten. Leo, Sie haben beinahe den Tod des Patriarchen verhindert. Dieser Mord war ein entscheidender Teil unseres Plans. Sein Tod hat den gesamten Machtapparat aufgeschreckt. Wären Sie in der Stadt geblieben, dann wäre Frajera gezwungen gewesen, Sie zu töten. Sie hatte ihre Gründe, das nicht zu wollen. Sie zog es vor, Sie wegzuschicken und Ihre Strafe zu etwas viel Schrecklicherem auszudehnen.«

»Und Sie haben dem zugestimmt.«

Panin schien überrascht, dass Leo noch einmal betonte, was doch ohnehin auf der Hand lag. »Ja, ich habe zugestimmt. Ich habe Generalmajor Gratschew versetzen lassen und mich selbst als Ihren engsten Berater eingesetzt, damit Sie auch die richtigen Entscheidungen trafen – die Entscheidungen, die wir von Ihnen wollten. Und dann habe ich die notwendigen Papiere beschafft, mit denen Sie in den Gulag 57 gelangen konnten.«

»Sie und Frajera haben das also alles von langer Hand geplant?«

»Wir haben nur auf den richtigen Moment gewartet. Als ich dann Chruschtschows Rede hörte, wusste ich, dass es an der Zeit war, wir mussten handeln. Die Reformen gingen zu weit.«

Leo stand auf und trat auf Nina zu. Besorgt stand auch Panin auf, er war nervös.

Leo legte ihr die Hand auf die Schulter. »Haben wir nicht auf diese Weise früher unsere Verdächtigen verhört? Mit einem nahen Angehörigen dabei, und jeder wusste, warum. Wenn der Verdächtige nicht die richtige Antwort gab, würde man den Angehörigen bestrafen.«

»Aber ich beantworte ja Ihre Fragen, Leo.«

»Sie haben den Mord an Männern und Frauen angeordnet, die dem Staat gedient haben?«

»Viele von ihnen waren selber Mörder. Diese Leute hätten in meiner Lage dasselbe getan.«

»In was für einer Lage?«

»Leo, diese unüberlegten Reformen stellen für unseren Staat eine riesengroße Gefahr dar. Sie sind bedrohlicher als Stalins Verbrechen und sogar noch bedrohlicher als der Westen. Frajeras Morde waren nur ein Blick in die Zukunft. Die Millionen von Menschen, die wir als herrschende Partei ungerecht behandelt haben, hätten revoltiert, genauso wie die Gefangenen an Bord der *Stary Bolschewik* und die im Gulag. Solche Szenen hätten sich in jeder Stadt und jeder Provinz abgespielt. Ihnen ist offenbar entgangen, dass wir uns in einem unterschwelligen Kampf um das Überleben unserer Nation befinden. Die Frage ist nicht, ob Stalin nun zu weit gegangen ist oder nicht. Natürlich ist er das. Aber die Vergangenheit können wir nicht mehr zurückdrehen. Und unsere Autorität gründet auf der Vergangenheit. Wir müssen also so vorgehen wie immer: mit eiserner Hand. Wir können nicht einfach Fehler zugeben und darauf hoffen, dass die Bürger uns trotzdem noch lieben. Es ist nicht damit zu rechnen, dass sie uns überhaupt je lieben werden. Also müssen sie uns fürchten.«

Leo nahm seine Hand von Ninas Schulter.

»Sie haben bekommen, was Sie wollten. Die Geheime Rede ist zurückgezogen worden. Sie brauchen Frajera nicht mehr. Überlassen Sie sie mir. Gewähren Sie mir dieselbe Rache, die Sie auch ihr gewährt haben. Dass Sie Frajera damit verraten, braucht Ihnen keine Gewissensbisse zu machen. Alle anderen haben Sie ja auch verraten.«

»Leo, mir ist klar, dass Sie keinerlei Grund haben, mir zu trauen. Aber ich gebe Ihnen trotzdem einen Rat: Vergessen Sie Frajera. Vergessen Sie sie vollkommen. Lassen Sie mich dafür sorgen, dass Elena aus dem Krankenhaus entlassen wird. Danach können Raisa und Sie aus der Stadt ziehen, weit weg von all den Erinnerungen. Ich besorge Ihnen eine andere Arbeit. Was immer Sie machen wollen.«

Leo blickte Panin direkt in die Augen. »Arbeitet sie immer noch für Sie?«

»Ja.«

»Und woran?«

»Diese Rede hat uns im eigenen Land und auf internationaler Ebene geschwächt. Als Antwort darauf müssen wir ein klares Zeichen der Stärke setzen. Deshalb sind wir dabei, im Ausland einen Aufstand zu inszenieren, irgendwo im Sowjetblock. Kleine, unbedeutende Krawalle, die wir dann aber gnadenlos niederschlagen werden. Der KGB hat eine Reihe ausländischer Zellen etabliert, die, über ganz Osteuropa verstreut, Unruhe entfachen sollen. Eine dieser Zellen befehligt Frajera.«

»Wo?«

»Hören Sie auf meinen Rat, Leo. Diesen Kampf können Sie nicht gewinnen.«

»Wo ist sie?«

»Sie können sie nicht schlagen.«

»Womit könnte sie mir schon noch wehtun?«

»Sie sollten wissen, Leo, dass Ihre Tochter Soja lebt.«

Osteuropa, Sowjetzone
Ungarn, Budapest

22. Oktober

So schnell sie konnte, marschierte Soja zum Opernhaus, dem Übergabeort für ihre illegale Fracht. Ihre Taschen quollen schier über von Munition, insgesamt hundert Patronen waren es im Ganzen. Die Spitzen waren kreuzförmig eingekerbt, damit die Kugel sich beim Eintritt in den Körper vierteilte. Trotz der Kälte war Soja vor Aufregung ganz heiß. Mit ihrem knielangen Mantel und dem schwarzen, schräg in die Stirn gezogenen Barett sah sie älter aus als vierzehn, eher wie eine ungarische Studentin als wie eine russische Waise. Nervös und schwitzend riss sie sich das Barett vom Kopf und stopfte es über die Patronen in die Manteltasche, um das verräterische Geklimper zu dämpfen.

Als sie die große Ausfallstraße *Sztálin út* erreichte, die nicht weit vom Opernhaus lag, blieb Soja stehen und überprüfte, ob ihr auch niemand gefolgt war. Ohne dass sie damit gerechnet hätte, fasste jemand sie plötzlich um die Schultern. Sie wirbelte herum und fand sich umringt von einer Gruppe junger Männer, die sie zunächst für ungarische Geheimpolizisten hielt. Doch dann küsste sie einer auf die Wange und drückte ihr ein Blatt in die Hand, irgendein Pamphlet. Die Männer redeten wild auf sie ein. Soja war erst seit vier Monaten in der Stadt und hatte bislang nur ein paar Brocken Ungarisch aufgeschnappt. Nach ihrer Kleidung zu urteilen, waren es Studenten oder Künstler, keine Beamten. Soja atmete auf. Trotzdem musste sie vorsichtig sein. Wer wusste schon, wie diese Leute reagieren würden, wenn sie erst mitbekamen, dass sie Russin war? Sie lächelte scheu und hoffte, dass man sie für schüchtern hielt und gehen ließ. Aber die

Männer zeigten ohnehin kaum Interesse an ihr, sondern entrollten ein Plakat und klebten es an ein Schaufenster. Soja machte sich aus dem Staub und eilte ihrem Ziel entgegen.

Sie erreichte das Opernhaus, erklomm die steinerne Treppe und verbarg sich hinter den Säulen, damit man sie von der Straße aus nicht sehen konnte. Dann sah sie auf ihre Uhr, ein Geschenk von Frajera. Sie war zu früh dran, also zog sie sich in den Schatten zurück und wartete darauf, dass ihr Kontaktmann eintraf. Es war der erste Auftrag, den sie allein ausführte, normalerweise arbeitete sie mit Malysch zusammen. Sie beide waren ein Gespann – eine Partnerschaft, die fünf Monate zuvor in Moskau geschmiedet worden war.

Als man Soja in jener Nacht aus ihrer Zelle geholt hatte, war sie sicher gewesen, dass Frajera sie umbringen würde, um Leo zu bestrafen. Sie blickte also erneut dem Tod ins Auge und stellte fest, dass es ihr diesmal überhaupt nicht mehr gleichgültig war.

»Malysch!«, rief sie.

Frajera ließ sie herunter. »Warum hast du nach ihm gerufen?«

»Weil ich … ihn gern habe.«

Frajera grinste. Dann verwandelte sich das Grinsen in ein zunächst leises, dann immer lauteres Lachen, in das der Kerl neben ihr einstimmte – ein verächtliches Duett. Soja wurde rot, ihr Gesicht brannte vor Scham. Gedemütigt ging sie mit erhobenen Fäusten auf Frajera los, doch bevor sie zuschlagen konnte, umklammerte Frajera ihre Handgelenke.

»Ich gebe dir eine Chance. Nur eine. Wenn du versagst, bringe ich dich um. Wenn du es schaffst, wirst du eine von uns. Dann kannst du mit Malysch zusammenbleiben.«

In jener Nacht hatte man sie auf die *Bolschoi-Krasnocholomski*-Brücke gefahren, und alles war so gekommen, wie Frajera es vorhergesagt hatte. Leo und Raisa warteten auf der Brücke. Nass geregnet stiegen sie vorne in den Wagen. Soja, die durch ein Gitter von ihnen getrennt war, hatte in Raisas qualvoll verzerrtes Gesicht geblickt. In diesem Moment kamen ihr noch einmal Zweifel, aber es war schon zu spät, um jetzt noch einen Rückzieher zu machen. Sie presste die Hände gegen das Gitter und sagte dabei ihrem unglücklichen Dasein Lebewohl – eine Entscheidung, die es mit sich brachte, dass sie auch ihre kleine Schwester zurücklassen musste. Als man sie aus dem Wagen zerrte, hatte sie so getan, als wehre sie sich. Außer Sichtweite kletterte sie freiwillig in den Sack, in dem schon Malysch hockte und auf sie wartete.

Der Sack wurde an den Rand der Brücke geschleppt. Soja tat weiter so, als wehre sie sich, bis sie vollkommen unerwartet zusammengeschlagen wurde. Der Sack wurde zugeschnürt. In der Dunkelheit umklammerte Malysch sie und hielt sie fest, während man sie hinunterstieß. Für kurze Zeit schwebten sie eng umschlungen in der Finsternis – dann klatschten sie ins Wasser.

Sofort zogen Eisengewichte sie nach unten. Sie steckten in einem Sack aus wasserdichtem Wachstuch, der ihnen eine Minute Luft zum Atmen lassen würde. Dumpf trafen die Eisengewichte auf den Grund auf, und Soja und Malysch kippten in ihrem Sack zur Seite. Ohne etwas sehen zu können, klappte Malysch sein Messer auf und stach durch die Plane. Kaum hatte er den Sack durchtrennt, drang auch schon eiskaltes Wasser ein und füllte ihn binnen Sekunden. Die beiden schwammen zum Ufer und bekamen noch mit, was sich als Letztes auf der Brücke abspielte. Leo und Raisa sprangen hinab und glaubten irrigerweise, sie könnten Soja retten.

Indem sie sich an der Kaimauer entlangzogen, kämpften Soja und Malysch sich flussaufwärts vor. An einem hölzernen Steg trafen sie schließlich wieder mit Frajera zusammen. Aus der Entfernung hörte Soja die verzweifelten Schreie von Raisa und Leo, die sich der Trauer um ein Kind hingaben, das sie für verloren hielten.

* * *

Am Fuß der Treppe zur Oper lungerte ein Mann herum. Soja trat aus ihrem Versteck. Der Mann blickte prüfend die *Sztálin út* hinauf und hinab, bevor er sich ihr zuwandte. Soja leerte ihre Taschen und füllte seinen Beutel mit der manipulierten Munition. Der Mann holte eine Pistole hervor und steckte eine Patrone in die Kammer. Sie passte. Während Soja weiter Patronen aus ihrer Tasche in seine Tasche steckte, lud er die anderen Kammern. Als er fertig war, steckte er seine Waffe ein und nickte einmal zum Dank, dann eilte er die Treppe hinunter. Soja zählte bis zwanzig, dann machte sie sich auf den Heimweg.

Es war seltsam, sich diese Stadt als ein Zuhause vorzustellen. Noch vor fünf Monaten hatte Soja über Ungarn lediglich gewusst, dass es ein loyaler Verbündeter der Sowjetunion war, Teil einer internationalen Bruderschaft und ein Vorreiter der Weltrevolution. Frajera hatte diese Schulpropaganda zurechtgerückt und ihr erklärt, dass Ungarn nie die Wahl gehabt hatte. Nachdem man es vom Faschismus befreit hatte, war es okkupiert und unter sowjetische Herrschaft gestellt worden. Ungarn war ein souveräner Staat ohne jede Souveränität. Der langjährige Führer Mátyás Rákosi, der von Stalin ernannt worden war, hatte seinem Meister in allem nachgeeifert und viele seiner Bürger foltern oder exekutieren lassen. Nach dem Vorbild des sowjetischen Geheimdienstes hatte er den AVH ins Leben gerufen, die ungarische Geheimpolizei. Die Sprache und das Land mochten anders sein, aber der Terror war derselbe. Nach Stalins Tod hatte das Ringen um Reformen begonnen, geschürt vom Traum der Unabhängigkeit. Soja war zwar eine Ausländerin, eine Außenseiterin, doch seit dem Tod ihrer Eltern hatte sie sich nirgendwo mehr zu Hause gefühlt als hier in diesem Land, das wie sie selbst gegen seinen Willen adoptiert worden war.

Erleichtert, dass der Abend fast vorbei war und sie die Munition nicht mehr herumtrug, bog Soja in die *Nagymezo út* ein. Direkt vor ihr hatte sich eine kleine Menschentraube versammelt.

In ihrer Mitte befanden sich dieselben Männer, denen sie schon zuvor begegnet war. Die einen hatten sich auf die Schultern der anderen gesetzt und eine Straßenlampe von oben bis unten in einen Totempfahl für ihre Plakate verwandelt. Eine Frau in der Menge sah Soja näher kommen. Sie war um die dreißig, untersetzt und stämmig. Und sie war betrunken, ihre Wangen glühten. Wie einen riesigen Schal hatte sie sich eine ungarische Fahne umgelegt. Soja warf einen flüchtigen Blick auf die Laterne und zog das gleiche Plakat, das dort hing, zerknittert aus ihrer Tasche, als ob sie sagen wollte: Ich weiß schon Bescheid.

Doch die Frau gab sich mit dieser Geste nicht zufrieden, sondern zog Soja in die Menschentraube hinein und sprach gut gelaunt auf sie ein. Soja verstand kein Wort. Die Frau fing an zu singen und zu tanzen. Die anderen stimmten ein, alle kannten den Text, alle außer Soja. Sie konnte nur lachen und ein freundliches Gesicht machen und hoffen, dass sie sie am Ende gehen lassen würden. Darauf bedacht, sich zu verdrücken, bevor die anderen merkten, dass sie gar nichts sagte, versuchte sie sich den Zuneigungsbekundungen der fremden Frau zu entwinden. Aber die strahlte plötzlich gar nicht mehr. Ein Lieferwagen war von der Hauptstraße abgebogen und raste auf sie zu. Schleudernd kam er zum Stehen, und zwei AVH-Beamte sprangen heraus.

Die Menge umstellte die Straßenlaterne, als sei sie eine Gefechtslinie, die es zu verteidigen galt. Einer der Beamten griff nach der Fahne, die mittlerweile um Soja drapiert war, riss sie weg und hielt sie verächtlich hoch. Erst jetzt bemerkte Soja, dass man das kommunistische Symbol von Hammer und Sichel herausgeschnitten hatte und in der Mitte des Stoffes ein Loch klaffte. Sie verstand nichts von dem, was der Beamte von sich gab, für sie hörte er sich einfach an wie ein bellender Hund. Wütend über ihr Schweigen durchsuchte er ihre Taschen. Als er nichts fand außer dem Barett, warf er es ihr wieder zu. Eine einzelne Patrone, die sich darin verheddert hatte, klackerte auf die Straße.

Der Polizist hob sie auf und starrte Soja dann direkt an. Bevor er noch etwas sagen konnte, griff die Betrunkene zu, riss Soja das Barett wieder aus der Hand und setzte es sich stolz auf. Es war ihr zu klein und ließ sie lächerlich aussehen. Der Beamte konzentrierte sich auf die Frau. Soja musste kein Ungarisch können, um zu verstehen, dass er sie fragte, ob das Barett ihr gehöre. Der Polizist hielt ihr die Patrone vors Gesicht. Vermutlich fragte er, ob auch die ihr gehöre. Als Antwort spuckte sie ihm ins Gesicht. Während der Mann sich den Speichel vom Gesicht wischte, warf die Frau Soja einen flüchtigen Blick zu, der ihr sagte: *Hau ab!*

Soja rannte quer über die Straße. Mitten im Lauf wandte sie den Kopf und schaute über die Schulter. Sie sah, wie der AVH-Beamte ausholte und der Frau ins Gesicht schlug. Als ob sie selbst getroffen worden wäre, knickten Soja die Beine weg, und sie flog hin. Ihre Hände schürften über den Boden. Sie rollte sich auf den Rücken und sah über ihre Schuhspitzen hinweg, wie die Frau zu Boden ging. Ein Mann sprang vor und packte den Beamten, ein zweiter mischte sich in das Handgemenge ein. Soja rappelte sich hoch und rannte weiter, diesmal schaffte sie es bis zur anderen Straßenseite. Selbst als sie außer Sichtweite war, blieb sie nicht stehen. Sie musste Hilfe holen. Frajera würde wissen, was zu tun war.

Frajera und ihre *wory* hausten in mehreren Wohnungen in einem kleinen Hinterhofgebäude, das zurückgesetzt an der *Rákóczi út* lag. Man erreichte es nur durch eine schmale Gasse und konnte es deshalb auch von der Straße aus nicht sehen oder gar beobachten. Als sie dort ankam, verfiel Soja in einen Trott. Niemand folgte ihr. Gerade war sie in der unbeleuchteten Gasse angelangt und erleichtert, von der Straße weg zu sein, da legte sich eine Hand auf ihre Schulter. Es war Malysch. Sie fielen sich in die Arme.

»Geht es dir gut?«, fragte er.

Sie schüttelte den Kopf.

Sie betraten den Hof. Die Wohnungen waren über sechs Etagen verteilt. Frajera hatte gleich mehrere in Beschlag genommen, die in verschiedenen Stockwerken lagen und alle eine andere Bestimmung hatten. In einer stand eine kleine Druckerpresse, mit der man Zettel und Plakate herstellen konnte. In einer zweiten befand sich das Waffen- und Munitionsarsenal. Eine dritte diente als Versammlungsort, wo die Leute essen, schlafen und reden konnten. Soja betrat die Gemeinschaftswohnung und war erstaunt über die Anzahl der Leute. Es waren viel mehr als sonst. Auf der einen Seite saßen lauter ungarische Männer und Frauen, alle um die zwanzig, die leidenschaftlich miteinander diskutierten. Auf der anderen Seite waren die *wory*. Die meisten waren nicht mit nach Budapest gekommen, sondern hatten die Vertrautheit der Moskauer Unterwelt vorgezogen. Sie verstanden nicht, was Frajera mit Panin ausgehandelt hatte, und konnten sich kein Leben außerhalb von Russland vorstellen. Nur ein paar ihrer glühendsten Anhänger waren Frajera gefolgt, zum Teil aus Loyalität, zum Teil aber auch, weil sie wussten, dass keine andere Moskauer Verbrecherbande sie aufnehmen würde. Von vorher fünfzehn waren nur noch vier übrig.

Frajera saß in der Mitte des Raumes, zwischen den Gruppen. Sie hörte auch zu, wenn Ungarisch gesprochen wurde, achtete dann auf die Körpersprache und die Gesten. Sie sah Soja sofort und bemerkte auch ihre Verzweiflung. »Was ist passiert?«

Soja berichtete. Frajeras Augen begannen zu funkeln. Sie drehte sich um und wandte sich an ihren Übersetzer, einen ungarischen Studenten namens Zsolt Polgar.

»Sucht so viele ungarische Fahnen zusammen wie möglich. Dann schneidet Hammer und Sichel heraus, sodass in der Mitte nur noch ein Loch ist. Dies ist das Symbol, auf das wir gewartet haben.«

Die Frau, die ihr Leben riskiert hatte, um Soja zu retten, interessierte Frajera gar nicht. Aufgebracht verließ Soja die Wohnung. Sie lehnte sich ans Balkongeländer. Malysch kam ihr nach. Er zündete sich eine Zigarette an, eine Angewohnheit, die er den anderen *wory* abgeschaut hatte. Sie nahm ihm die Zigarette aus dem Mund und trat sie mit dem Fuß aus. »Davon stinkst du.«

Im nächsten Moment bereute sie ihre Worte. Wenn er rauchte, konnte man es zwar tatsächlich riechen, er roch dann wie die anderen *wory*. Aber sie hatte ihn doch nicht kränken wollen. Verletzt rutschte Malysch vom Geländer und zog sich beleidigt in die Wohnung zurück. Sie musste sich endlich daran gewöhnen, dass er nicht ihre kleine Schwester war, die man einfach herumkommandieren konnte.

Die Erinnerung an Elena würgte sie wie eine Hand. Unzählige Male hatte sie über ihre Entscheidung nachgegrübelt. Zwar hätte man sie, wenn sie sich Frajera nicht angeschlossen hätte, umgebracht. Doch trotzdem hatte sie nur noch weggewollt, abhauen. Und wenn sie die freie Wahl gehabt hätte, wenn Frajera ihr angeboten hätte, entweder zurück nach Hause zu gehen oder mit ihr zu kommen, auch dann hätte sie ihre kleine Schwester zurückgelassen.

»Bist du wütend?«

Soja fuhr hoch und sah, dass es Frajera war. Obwohl sie nun schon fünf Monate zusammenlebten, blieb Frajera doch immer noch Furcht einflößend und unnahbar, eher ein rastloses Energiebündel als ein Mensch. Soja riss sich zusammen.

»Die Frau mit der Fahne hat mich gerettet. Es ist gut möglich, dass sie dafür stirbt.«

»Soja, gegen eines solltest du dich wappnen: Es werden noch viele Unschuldige sterben.«

Am selben Tag

Frajera stieg die Treppe hinunter und verließ den Hof. Sie überprüfte, dass niemand sie gesehen hatte. Die Straßen waren leer. Keine Spur von den AVH-Beamten, die Soja erwähnt hatte. Frajera machte sich auf den Weg. Immer wieder blieb sie absichtlich ganz abrupt stehen und drehte sich um, um ganz sicherzugehen, dass sie auch nicht verfolgt wurde. Sie vertraute niemandem, nicht einmal ihren Anhängern. Die Arbeiter, Studenten und Repräsentanten der verschiedenen im Untergrund operierenden antisowjetischen Wiederstandsbewegungen waren naive Umstandskrämer und nur mit ihrem theoretischen Geschwafel beschäftigt. Es wäre dem AVH ein Leichtes, sie zu infiltrieren. Diese Leute waren dermaßen mit sich selbst beschäftigt, dass sie keinerlei Warnsignale wahrnahmen und damit alle in Gefahr brachten. Frajera war zwar in Frol Panins Auftrag hier, der AVH aber hatte von ihrer Operation keine Ahnung. Wenn man sie fasste, würde man sie erschießen. Die Moskauer Verschwörer hatten niemanden sonst in ihre Pläne eingeweiht, eine Revolte anzuzetteln. Wenn ihre regimekritischen Unterstützer herausfanden, dass sie gleichzeitig auch mit der sowjetischen Regierung gemeinsame Sache machte, würden die sie umbringen.

Frajera bückte sich und hob ein Flugblatt auf, das im Rinnstein herumflatterte. Es war eine Abschrift der revidierten sechzehn Punkte – sechzehn Forderungen nach Reformen. Man hatte sie gestern Nachmittag während einer überfüllten Zusammenkunft in der Technischen Universität formuliert. Da Frajera nicht als Studentin durchgegangen wäre, hatte sie draußen herumgelungert. Als sie gehört hatte, dass es in dem Treffen darum ging, ob die Studenten aus Protest gegen die sowjetischen Herrschenden aus dem *DISZ* austreten sollten, dem kommunistischen Studentenbund, hatte sie sich lauthals über ihren fehlenden Mumm beklagt und ihre studentischen Bekannten dazu animiert, waghalsigere Aktionen in die Diskussion zu werfen.

Seit vier Monaten arbeitete sie nun schon an dieser Sache, machte Druck, bot materielle Unterstützung an und schürte nach Kräften die Ressentiments gegen die Besatzer. Der Hass war ja schon da und auch tief verwurzelt, doch Frajera unternahm alles, damit er sich auch in handfesten Aktionen entlud. Da sie das nicht allein bewerkstelligen konnte, musste sie diese Amateurdissidenten anleiten. Gestern hatte sie endlich Erfolg gehabt. Mit einer Entschlossenheit und Klarheit, die sogar Frajera überrascht hatte, hatten die Studenten die Ergebnisse ihrer Debatte in sechzehn Punkten zusammengefasst:

In Übereinstimmung mit dem Friedensvertrag fordern wir den unverzüglichen Rückzug aller sowjetischen Truppen.

Auf den hingekritzelten Notizen, die man ihr aus dem Saal herausreichte, hatte diese Forderung an vierter Stelle rangiert. Frajera war zurück in ihre Wohnung geeilt und hatte die Notizen abgeschrieben, allerdings mit einer Änderung: Die Forderung nach dem Rückzug der sowjetischen Truppen stand jetzt an erster Stelle. Nur Stunden später verteilten ihre *wory* auf der Straße Abzüge der geänderten Liste, ergänzt durch die provokantesten Passagen der Geheimen Rede.

Abgesehen von den *wory*, dem Rest ihrer Bande, war ihr engster Mitstreiter ihr Übersetzer Zsolt Polgar, ein Maschinenbaustudent, den sie in einer revolutionären Untergrundkneipe kennengelernt hatte. In dieser Kneipe im Keller einer Fabrik, die so verqualmt war, dass man die Decke nicht mehr sehen konnte, hatte sie lauter engagierte Leute getroffen. Zsolt war der Sohn eines wohlhabenden ungarischen Diplomaten, dem Macht und Geld offengestanden hätten, wenn er sich nur mit der sowjetischen Besatzung abgefunden und seinen Platz in diesem System eingenommen hätte. Er sprach fließend Russisch und war schnell zu Frajeras wertvollstem Mittelsmann geworden. Frajera hielt ihn bei Laune, schlief mit ihm und beeindruckte ihn mit Geschichten über ihre Rücksichtslosigkeit. Da sie seine Fähigkeiten schätzte, schmeichelte sie ihm, indem sie ihn als revolutionären Freigeist lobte. In Wahrheit sah sie in ihm kaum mehr als einen rebellischen Jüngling, der sich gegen seinen Vater auflehnte, diesen Kriecher, der die Taten der Sowjets beschönigte.

Ungeachtet seiner persönlichen Motive war Zsolt aber tapfer, idealistisch und leicht zu beeinflussen. Um den sechzehn Forderungen Nachdruck zu verleihen, hatte er eine Demonstration vorgeschlagen, ein genialer Einfall. Wie sich zeigte, war man auch andernorts in der Stadt auf diese Idee gekommen, und Frajera fragte sich, ob das wohl das Werk einer von Panins weiteren Zellen war.

Wie auch immer, auf jeden Fall würden sich morgen an entgegengesetzten Treffpunkten zeitgleich zwei Protestmärsche in Bewegung setzen, die am Pálffy-Platz zusammentreffen sollten. Auch vorher hatte es in der Hauptstadt schon öffentliche Proteste gegeben, doch viel war nie daraus geworden. Frajera war überzeugt, dass man die Leute dazu bringen musste, Seite an Seite zu marschieren und sich gegenseitig aufzustacheln. Erst dann konnte sich die unterschwellige Wut von einer verbitterten Duckmäuserei in einen Ausbruch entfesselter Gewalt verwandeln wie eine Raupe in einen Schmetterling.

Als sie am Astoria-Hotel ankam, das nur wenige Straßenzüge von ihrer Kommandozentrale entfernt lag, beobachtete Frajera zunächst einen Moment lang prüfend die Kreuzung, dann warf sie einen flüchtigen Blick hinauf zur obersten Fensterreihe des Hotels. Im letzten Fenster brannte anheimelnd eine rote Kerze – ihr bevorzugtes Signal. Diesmal bedeutete es, dass sie nach oben kommen sollte. Frajera lief zum Hintereingang des Hotels, durchquerte den leeren Küchentrakt, stieg dann hinauf bis zur obersten Etage und ging durch den Flur bis zum letzten Zimmer. Sie klopfte. Ein Wachposten öffnete die Tür, er hatte seine Waffe gezückt. Hinter ihm befand sich ein zweiter. Frajera betrat die Suite, wurde gefilzt und dann zur nächsten Tür geleitet. An einem Tisch, den Blick aus dem Fenster gerichtet wie ein grübelnder Poet, saß Frol Panin.

Dass sie sich einmal ausgerechnet mit Panin oder einem von seiner Sorte zusammentun würde, hatte Frajera nie vorgehabt. Aber als sie in Moskau angekommen war, war ihr klar geworden, dass sie sich entweder damit zufriedengeben musste, Leo einfach ein Messer in den Rücken zu stoßen, oder Hilfe brauchte. Auch Budapest war ursprünglich nicht vorgesehen gewesen, es hatte sich einfach ergeben. Mit der Vortäuschung von Sojas Tod hatte sie ihr ursprüngliches Ziel, Leos Traum vom Glück zu zerstören, eigentlich erreicht. Sie hatte Leo gequält, so wie er früher selbst andere gequält hatte, der Verlust eines Sohnes war bezahlt worden mit dem Verlust einer Tochter. Leo war am Boden zerstört, vor ihm lag nichts mehr als Trauer. Selbst das Feuer eines heiligen Zorns, das sie selbst in ihrer Verzweiflung gewärmt hatte, würde ihm verwehrt bleiben. Ihre Rache war vollkommen.

Und was jetzt?

Schnell war ihr klar geworden, dass sie sich nicht einfach wieder aus Panins Umklammerung würde lösen und verschwinden können. Sobald sie ihm nicht mehr nützlich war, würde er ihren Tod befehlen. Zwar konnte sie fliehen, doch dann wartete nur noch ein Leben in Reichtum und das Altwerden auf sie, und daran hatte sie kein Interesse. Als Frajera dann von Panins Auslandsoperationen erfahren hatte, seinen Bemühungen, im Sowjetblock Unruhe zu stiften, hatte sie ihm ihre Unterstützung und die ihrer Männer angeboten. Anfangs war er skeptisch gewesen, bis sie ihm klarmachte, dass sie selbst vermutlich eine erheblich überzeugendere Agitatorin gegen das sowjetische Russland war als die loyalen KGB-Agenten, die er einsetzte.

Jetzt reichte Panin ihr die Hand, eine höfliche, förmliche Geste, die ihr absurd vorkam. Dennoch schlug sie ein. Er lächelte sie an.

»Ich bin extra hergeflogen, um mir ein Bild über die Fortschritte zu machen. Unsere Truppen stehen an der Grenze bereit, und das nun schon seit einiger Zeit. Aber sie bekommen nichts zu tun.«

»Sie kriegen Ihren Aufstand schon noch.«

»Ich brauche ihn aber jetzt. In einem Jahr nützt er mir nichts mehr.«

»Wir stehen kurz davor.«

»Meine anderen Zellen haben erheblich mehr Erfolg zu verbuchen als Sie. In Polen zum Beispiel ...«

»Die Unruhen, die Sie in Posen ausgelöst haben, wurden niedergeschlagen, ohne dass Chruschtschows Ansehen nennenswert gelitten hätte. Wenn sie die Wirkung gehabt hätten, die Sie sich erhofft hatten, dann würden Sie sich jetzt nicht mehr mit Budapest beschäftigen.«

Panin nickte. Er bewunderte Frajeras Gabe, eine Situation blitzschnell zu analysieren. Natürlich hatte sie recht. Chruschtschows Pläne, die konventionellen Streitkräfte abzurüsten, waren nicht torpediert worden. Diese Abrüstung war ein zentraler Punkt seiner Reformen. Nach Chruschtschows Auffassung benötigte die Sowjetunion die alte Stärke an Panzern und Truppen nicht mehr. Schließlich besaßen sie ja jetzt nukleare Abschreckungswaffen und arbeiteten außerdem an der Entwicklung eines Raketensystems, für das man nur noch eine Handvoll Ingenieure und Wissenschaftler brauchte, aber nicht Millionen von Soldaten.

Panin hielt das für die schlimmste Form politischer Waghalsigkeit. Abgesehen davon, dass die Raketen noch gar nicht ausgereift waren, unterlag Chruschtschow bezüglich der Bedeutung des Militärs einer ebenso fundamentalen Fehleinschätzung wie bei den Auswirkungen seiner Geheimen Rede. Die konventionellen Truppen waren nicht nur zum Schutz vor ausländischen Aggressoren da, sondern auch, um die Sowjetunion zusammenzuhalten. Der Kitt des Sowjetblocks war nicht etwa eine gemeinsame Ideologie, sondern Panzer, Soldaten und Flugzeuge. Die Kürzungen, die Chruschtschow im Sinn hatte, und die rücksichtslosen Sabotageakte, die seine Rede ausgelöst hatte, brachten die Nation in größte Gefahr. Nach Panins Überzeugung und der seiner Mitstreiter durfte man die konventionellen Streitkräfte nicht nur nicht verkleinern, sondern musste sie im Gegenteil sogar ausbauen und aufrüsten. Die Ausgaben mussten erhöht, nicht gesenkt werden. Ein Zwischenfall in Budapest oder irgendeiner anderen osteuropäischen Stadt würde beweisen, dass das gesamte Gefüge der Revolution vor allem von den konventionellen Streitkräften abhing, nicht nur vom atomaren Arsenal. Wenn man die Leute zu Hause und im Ausland daran erinnern wollte, wer hier das Sagen hatte, waren sieben Millionen Männer unter Waffen durchaus eine Hilfe.

»Und was für Neuigkeiten haben Sie für mich?«, fragte Panin.

Frajera reichte ihm das Flugblatt mit den sechzehn Forderungen. »Morgen findet eine Demonstration statt.«

Panin warf einen kurzen Blick auf das Blatt. »Was steht da?«

»Die erste Forderung ist, dass die sowjetischen Truppen das Land verlassen sollen. Es ist ein Ruf nach Freiheit.«

»Und kommt auch ausreichend heraus, dass das Ganze von Chruschtschows Rede inspiriert wurde?«

»Natürlich. Aber Demonstrationen allein reichen nicht.«

»Was brauchen Sie sonst noch?«

»Eine Garantie, dass Sie auch auf die Menge schießen werden.«

Panin legte das Flugblatt auf den Schreibtisch. »Ich werde sehen, was sich machen lässt.«

»Das muss klappen! Trotz allem, was die Leute hier durchgemacht haben, trotz all der Verhaftungen und Exekutionen werden sie sich nur zu Gewalt hinreißen lassen, wenn sie provoziert werden. Die sind nicht wie …«

»Wie wir?«

Frajera wandte sich zum Gehen, blieb an der Tür aber noch einmal stehen und drehte sich zu Panin um. »Gab es sonst noch etwas?«

Panin schüttelte den Kopf. »Nein, das war alles.«

Sowjetunion
Grenze zu Ungarn, die Stadt Beregowo

23. Oktober

Der Zug war randvoll mit Soldaten. Derbe Gesprächsfetzen flogen hin und her. Die Truppen wurden in Vorbereitung des geplanten Aufstands mobilisiert, wovon sie allerdings nichts ahnten. Es gab keinerlei Anzeichen von Angst oder Beklommenheit. Ihre ausgelassene Stimmung stand in völligem Gegensatz zu der von Leo und Raisa, die fast die einzigen Zivilisten an Bord waren.

Als Leo die Nachricht erfahren hatte, dass Soja lebte, hatten in seinem Innern Erleichterung und Schmerz miteinander gerungen. Ungläubig hatte er Panin zugehört, als der ihm noch einmal die Ereignisse auf der Brücke vergegenwärtigt hatte, wozu auch gehörte, dass Soja sie bewusst getäuscht hatte und freiwillig mit einer Frau kollaborierte, die nichts anderes wollte, als Leo zu quälen. Soja lebte also. Es war ein Wunder, aber auch ein grausames – wohl die schlimmste gute Nachricht, die Leo je erhalten hatte.

Später berichtete Leo Raisa, was vorgefallen war, und erlebte bei ihr dieselbe Verwandlung von anfänglicher Erleichterung hin zur Qual. Da kniete er sich vor sie hin und bat sie immer wieder um Vergebung dafür, dass er ihr das angetan hatte, dass sie dafür bestraft wurde, dass sie ihn liebte. Raisa ließ sich nicht zu einer Antwort hinreißen. Stattdessen ging sie die Geschehnisse noch einmal im Geiste durch und überlegte, was sie über Sojas geistige Verfassung verrieten. Nur eine einzige Frage trieb sie um: Wie würden sie ihre Tochter nach Hause holen?

Raisa fiel es nicht schwer sich vorzustellen, dass Panin sie betrogen hatte. Ebenso leuchtete ihr ein, wieso Frajera mit ihm zusammengearbeitet hatte, um in Moskau ihren Rachefeldzug durchzuführen. Panins politisches Manöver allerdings, im Sowjetblock Aufstände zu lancieren und damit Tausende Menschenleben zu opfern, nur um die Machtstellung der Falken im Kreml wieder zu festigen, war an Zynismus kaum zu überbieten. Was ausgerechnet Frajera daran gutheißen konnte, verstand Raisa überhaupt nicht. Frajera machte gemeinsame Sache mit den Stalinisten, genau den Leuten also, die sich um ihre Einkerkerung ebenso wenig scherten wie um den Verlust ihres Kindes oder überhaupt den Verlust irgendeines Kindes. Dass Soja übergelaufen war, verwunderte Raisa hingegen weniger – wenn man es überhaupt so nennen konnte, denn eigentlich lief Soja ja nur von einer kaputten Familie zur nächsten. Raisa konnte sich gut vorstellen, dass jemand wie Frajera auf eine unglückliche Halbwüchsige eine geradezu berauschende Anziehungskraft ausüben musste.

Leo versuchte nicht einmal, Raisa auszureden, dass sie ihn nach Budapest begleitete. Er brauchte sie ja. Raisas Chance, zu Soja durchzudringen, war erheblich größer als seine. Raisa wollte von ihm wissen, ob sie auch bereit seien, Gewalt anzuwenden, falls Soja sich weigerte, mit nach Hause zu kommen. Leo fand die Vorstellung grauenvoll, die eigene Tochter entführen zu müssen, doch er nickte.

Da weder Leo noch Raisa Ungarisch konnten, hatte Frol Panin dafür gesorgt, dass sie von dem fünfundvierzigjährigen Karoly Teglas begleitet wurden. Der hatte nicht nur früher als Geheimagent in Budapest gearbeitet, er war auch gebürtiger Ungar. Nach dem Krieg war er vom KGB rekrutiert worden und hatte unter dem verhassten Führer Rákosi gedient. In letzter Zeit hatte er sich vorübergehend in Moskau aufgehalten und die Machthaber über die in Ungarn drohende Krise beraten. Karoly hatte sich bereiterklärt, Leo und Raisa als Ortskundiger und Übersetzer zu begleiten.

Jetzt kehrte Karoly von der Toilette zurück und wischte sich die Hände an den Hosenbeinen ab. Dann setzte er sich Leo und Raisa gegenüber hin. Alles an ihm war rund. Sein Bauch war stattlich, die Backen dick, sogar eine runde Brille trug er. Auf den ersten Blick wirkte er durch diese Ansammlung von Wölbungen überhaupt nicht wie ein Agent und erst recht nicht gefährlich.

Der Zug wurde langsamer. Sie näherten sich der Stadt Beregowo, auf sowjetischer Seite der äußerst befestigten Grenze.

Raisa lehnte sich vor und fragte Karoly: »Warum hat Panin uns nach Budapest fahren lassen, wenn Frajera doch eigentlich für ihn arbeitet?«

Karoly zuckte die Achseln. »Das müssen Sie Panin schon selbst fragen. Ich kann Ihnen nichts sagen. Sie können ja umkehren, wenn Sie möchten. Ich habe nicht zu entscheiden, wohin Sie gehen.«

Karoly schaute aus dem Fenster. »Die Soldaten werden vor der Grenze aussteigen«, bemerkte er dann. »Von jetzt an benehmen wir uns wie Einheimische. Da, wo wir hinwollen, sind Russen nicht erwünscht.«

Er wandte sich an Raisa. »Da drüben machen sie keinen Unterschied zwischen Ihnen und Ihrem Mann. Denen ist es egal, ob Sie nur die Lehrerin sind und Ihr Mann der Polizist. Man wird Sie trotzdem hassen.«

Raisa wollte sich seinen herablassenden Ton nicht gefallen lassen. »Mit Hass kenne ich mich aus.«

* * *

An der Grenze übergab Karoly die Papiere. Als er sich umblickte, sah er Leo und Raisa in ein Gespräch vertieft weiter hinten im Waggon sitzen. Sie achteten peinlich darauf, ihm nicht einmal einen verstohlenen Blick zuzuwerfen, woraus er schloss, dass sie darüber beratschlagten, wie weit sie ihm vertrauen konnten. Wenn sie schlau waren, würden sie ihm überhaupt nicht vertrauen. Seine Anweisungen waren einfach. Er sollte Leos und Raisas Ankunft in der Hauptstadt so lange hinauszögern, bis der Aufstand begonnen hatte. Sobald Frajera ihren Zweck erfüllt hatte, durfte Leo, ein Mann, der für seine Hartnäckigkeit und Willensstärke bekannt war und sich außerdem auf das Handwerk des Tötens verstand, seine Rache haben.

Osteuropa, Sowjetzone
Ungarn, Budapest

Am selben Tag

Aufgeregt umklammerte Soja Malyschs Hand. Sie wollte ihn nicht verlieren unter diesen Tausenden von Leuten, die aus allen Straßen auf den Parlamentsplatz strömten. Nachdem sie so viele Jahre in den Gedanken ans Sterben verliebt gewesen war, der vermeintlich einzigen Lösung für ihre Einsamkeit, wäre sie jetzt am liebsten auf und ab gehüpft und hätte »Ich lebe!« geschrien, so als habe die Welt eine Entschuldigung verdient.

Der Protestmarsch hatte alle Erwartungen übertroffen. Jetzt waren es nicht mehr nur die Studenten und Dissidenten, es schien beinahe so, als würde sich die gesamte Stadt auf dem Platz versammeln, herausgelockt aus ihren Wohnungen, Büros oder Fabriken und unfähig, sich dieser einzigartigen Anziehungskraft zu entziehen, die mit jedem Neuankömmling größer wurde. Soja verstand die Bedeutung dieses Ortes durchaus. Eigentlich sollte ein Parlament ja das Zentrum der Macht sein, der Ort, wo das Schicksal der ganzen Nation entschieden wurde. Das Gebäude da vorn war aber in Wirklichkeit vollkommen unbedeutend, nichts als eine verschnörkelte, majestätische Fassade vor dem sowjetischen Machtanspruch. Dass es so schön war, machte die Erniedrigung irgendwie sogar noch schlimmer.

Die Sonne war schon untergegangen, aber die späte Stunde tat der allgemeinen Erregung nicht den geringsten Abbruch. Immer mehr Menschen trafen ein, ohne sich um die alten Tugenden von Besonnenheit und Vorsicht zu kümmern. Obwohl der Platz längst voll war, hörte der Zustrom nicht auf, und die Neuankömmlinge drängten die Menge noch dichter zusammen.

Dennoch hatte die Atmosphäre überhaupt nichts Klaustrophobisches an sich, alles lief vollkommen friedlich ab. Fremde sprachen miteinander, lachten oder umarmten sich. Soja hatte noch nie einen solchen Massenauflauf erlebt. In Moskau hatte man sie zwar genötigt, an den Feierlichkeiten zum 1. Mai teilzunehmen, aber das hier war etwas ganz anderes. Dabei kam es gar nicht auf die Anzahl der Menschen an, es war dieses Durcheinander, das Fehlen jeglicher Autorität. An den Seiten standen keine Polizisten. Keine Panzer rollten in Formation vorbei. Es gab keine Soldaten, die zackig an den Reihen sorgfältig ausgewählter, Fähnchen schwenkender Kinder vorbeimarschierten. Es war ein furchtloser Protest, ein Akt des Ungehorsams. Jeder konnte machen, was er wollte, jeder konnte singen, in die Hände klatschen und Parolen skandieren.

Russkik haza! Russkik haza! Russkik haza!

Hunderte von Füßen stampften im Rhythmus dieser vier Schläge, und Soja machte mit, ballte die Hände zu Fäusten und reckte sie in die Luft, mitgerissen von einer Empörung, die angesichts ihrer eigenen Staatsangehörigkeit eigentlich vollkommen absurd war.

Russen, haut ab!

Dass sie selbst Russin war, juckte sie nicht. Hier war ihr Zuhause, bei diesen Leuten, die genauso gelitten hatten wie sie selbst und sich wie sie selbst damit auskannten, was Unterdrückung war.

Da sie nicht so groß war wie die anderen Frauen um sie herum, stellte sie sich auf die Zehenspitzen. Plötzlich packte sie jemand mit beiden Händen an den Hüften. Frajera hob sie hoch und setzte sie sich auf die Schultern, damit sie einen Ausblick über den gesamten Platz hatte. Die Menge war noch viel gewaltiger, als sie vermutet hatte, sie erstreckte sich bis hin zum Parlamentsgebäude und dem dahinterliegenden Fluss. Überall standen die Menschen, auf den Straßen, Grasflächen, Tram-Gleisen, viele waren sogar auf Säulen und Statuen geklettert.

Plötzlich wurden die Lichter im Parlament ausgeschaltet und der Platz in Finsternis getaucht. In der Menge entstand Unruhe. In den Seitenstraßen gab es doch noch Licht! Das musste ein bewusst gegen sie gerichteter Akt sein, mit der Dunkelheit sollten sie vertrieben und ihre Entschlossenheit gebrochen werden. Da plötzlich ein Hurrageschrei. Soja sah eine brennende Fackel aus einer zusammengerollten Zeitung. Rasch tauchten weitere kleine Feuer auf, alle aus improvisierten Fackeln. Dann würden sie sich eben ihr eigenes Licht machen! Frajera reichte Soja eine Zeitung hoch, ein Exemplar von *Freies Volk*. Ein Mann zündete sie am Ende an und drehte sie dann langsam, bis die Flamme größer geworden war. Dann hielt Soja sie sich über den Kopf, die Tinte färbte die Flammen blaugrün. Sie wedelte die Zeitung hin und her, und tausend brennende Fackeln winkten zurück.

Als Frajera Soja wieder herunterließ, beugte die sich begeistert zu ihr vor und küsste sie auf die Wange. Frajera erstarrte. Soja stand zwar, trotzdem umklammerte Frajera ihre Taille und ließ sie nicht wieder los. Soja hielt die Luft an und wartete. Vielleicht hatte sie gerade einen schrecklichen Fehler begangen. In der Dunkelheit konnte sie Frajeras Reaktion zunächst nicht erkennen, bis jemand in der Nähe eine Zeitung anzündete. Im flackernden Licht tauchte Frajeras Gesicht auf. Sie sah aus, als habe sie ein Gespenst gesehen.

* * *

Frajera spürte den Kuss auf ihrer Wange, als würde er brennen. Sie stieß Soja weg und fasste an die Stelle, wo sie geküsst worden war. Dass sie sich Soja auf die Schultern gesetzt hatte, war ein Fehler gewesen. Unwillkürlich hatte sie damit zugelassen, dass Anisja wieder zum Vorschein kam, ihr früheres Ich, die Ehefrau und Mutter. Die Sanftheit und Zuneigung, die sie sich ausgetrieben hatte, hatten sich heimlich wieder angeschlichen. Frajera zog ihr Messer, hob es an ihre Wange und rasierte sich die Reste des Kusses von der Wange. Schon besser. Sie wischte die Klinge ab und steckte das Messer wieder weg.

Als sie sich wieder gefangen hatte, starrte Frajera wütend auf die Dächer der umliegenden Häuser. Wieso hatte Panin keine Scharfschützen geschickt? Zsolt Polgar folgte ihrem Blick.

»Was siehst du da oben?«, fragte er.

»Wo bleibt der AVH?«

»Machst du dir etwa Sorgen, dass uns was passieren könnte?«

Frajera zeigte ihm nicht, wie lächerlich naiv sie ihn fand. Stattdessen sagte sie: »Da will man kämpfen und weiß nicht, gegen wen.«

»Die Studenten versuchen gerade, die sechzehn Punkte im Radio zu verlesen. Aber wie man hört, weigert die Sendeleitung sich. Bestimmt bewacht der AVH das Gebäude, damit es auch ja unter sowjetischer Kontrolle bleibt.«

Frajera packte ihn bei den Schultern. »Das ist es! Da werden wir kämpfen!«

Frajera drängte sich durch die Menge, bis sie die friedliche Versammlung hinter sich gelassen hatte, deren Passivität ihr schier den Atem raubte.

In einiger Entfernung vom Parlamentsplatz allerdings herrschte schon eine andere Stimmung. Vom *Múzeum Körút* bis zum *Nemzeti Múzeum* rannten Leute wie aufgescheucht hin und her, einige verängstigt, andere wütend, manche hatten Steinplatten oder herausgerissene Pflastersteine in der Hand. Sie alle wollten zum Radiosender, der an der *Brody Sandor út* lag, einer schmalen

Gasse neben dem Museum. Mochte das Ganze auch als friedlicher Protest begonnen haben, hier hatte er sich bereits in einen gewaltbereiten Mob verwandelt: Die Fenster des Sendehauses waren eingeschlagen, die Straße übersät mit Glasscherben, die unter den Sohlen knirschten wie zugefrorene Pfützen. Mitten auf der Straße lag ein umgestürzter Kleinbus. Die Räder drehten sich noch, die Motorhaube war eingedellt. Die Türen des Radiosenders waren verschlossen und verriegelt.

Zsolt erkundigte sich bei den herumstehenden Männern und Frauen und kehrte dann zu Frajera zurück. Er wechselte vom Ungarischen ins Russische und raunte ihr zu: »Die Studenten haben verlangt, dass man die sechzehn Punkte verliest. Die Frau, die den Sender leitet …«

Frajera unterbrach ihn. »Was für eine Frau?«

»Sie heißt Benke und ist eine loyale Kommunistin, aber anscheinend auch nicht besonders schlau. Jedenfalls hat sie einen Kompromiss vorgeschlagen. In den Sender hat sie die Leute zwar nicht gelassen, aber sie hat ihnen einen Übertragungswagen zur Verfügung gestellt. Der ist auch tatsächlich gekommen, und die Studenten haben ihre Punkte verlesen.«

Frajera hatte schon verstanden: »Aber es war ein Trick.«

»Der Wagen hat gar nichts übertragen. Stattdessen haben sie im Radio den öffentlichen Aufruhr angeprangert und den Leuten befohlen, nach Hause zu gehen. Daraufhin haben die Studenten mit dem Übertragungswagen versucht, die Türen zu rammen, und ihn dann umgekippt. Jetzt wollen sie den Sender unbedingt stürmen. Sie sagen, er gehört dem Volk und nicht den Sowjets.«

Frajera blickte sich um und versuchte abzuschätzen, wie stark der Mob war. »Und wo ist der AVH?«

»Drinnen.«

Frajera spähte hinauf. An den Fenstern im obersten Stock tauchten Gestalten auf – Polizisten. Dann hörte man ein Zischen, und im nächsten Moment breitete sich in der engen Gasse eine Rauchwolke aus. Wie ein befreiter Flaschengeist schlängelte sich aus den Stahlkanistern Tränengas, wuchs an und erhob sich. Frajera zog ihre Leute zurück und achtete dabei besonders auf Soja und Malysch. Sie kletterten über das Geländer und rannten in Richtung Museum, während das Gas sie verfolgte und sich über den Rasen verteilte wie morgendlicher Nebel. Erst als sie oben auf der Museumstreppe angekommen waren, drehten sie sich um. Weiße Schwaden waberten um ihre Beine, doch da unten konnten sie ihnen nichts anhaben. Das meiste Tränengas war in die Gasse getrieben worden, von wo es nun auf die Hauptstraße hinauswehte. Aus dem chemischen Nebel kamen Männer und Frauen herausgewankt und gingen würgend in die Knie.

Kaum hatte sich das Gas verflüchtigt, trat Frajera näher heran und nahm die leere Gasse in Augenschein. Es herrschte eine unheimliche Stille. Der Mob war versprengt, der Kampf im Keim erstickt worden. Unwillig schüttelte Frajera den Kopf. Wenn der heutige Abend ohne nennenswerten Zwischenfall zu Ende ging, würde die Regierung die Initiative übernehmen und die Lage wieder unter Kontrolle bekommen.

Frajera lief zurück zum Sender. »Mir nach!«

Das Tränengas hatte sich zwar noch nicht vollständig verzogen, doch Frajera wollte nicht länger abwarten. Sie kletterte über das Geländer und trat mitten auf die Straße. Gasschleier waberten um sie herum. Obwohl sie sich Mund und Nase mit der Hand zuhielt, musste sie sofort husten. Dennoch stolperte sie, ungeachtet der Tränen, die ihr aus den Augen schossen, weiter auf den Eingang des Senders zu.

Soja packte Malyschs Arm. »Wir müssen ihr nach.«

Malysch riss sein Hemd entzwei und machte aus den Fetzen für Soja und sich selbst Masken. Dann kletterten sie über das Geländer, traten auf die Straße und stellten sich neben Frajera. Das Gas stieg auf und schlängelte sich durch die zerbrochenen

Fenster in den Sender hinein. Nicht nur fiel auf der Straße das Atmen nun leichter, auch wurden oben die Gestalten von den Fenstern vertrieben. Allmählich kehrte der Mob zurück und versammelte sich um Soja, Malysch und Frajera. Die *wory* kamen mit Brecheisen, machten sich damit an den Türen zu schaffen, um sie aufzubrechen.

Soja schaute hinauf. An den Fenstern standen wieder die AVH-Agenten, plötzlich waren sie mit Gewehren bewaffnet. Soja packte Malysch am Ärmel und riss ihn mit nach vorn. Kaum hatten sie sich ganz dicht an die Mauer gepresst, als auch schon eine Salve von Schüssen aufpeitschte. Alle in der Straße duckten sich und schauten sich geduckt um, wer getroffen war. Doch niemand war verletzt. Die Schüsse waren über ihre Köpfe hinweg abgefeuert worden und in die Häuserwand gegenüber eingeschlagen. Der Beschuss hatte sie nur vorläufig in Schach halten sollen, denn schon im nächsten Moment flogen die Türen des Senders auf.

Entschlossen wie eine römische Phalanx und mit entsicherten Gewehren stürmten die AVH Beamten heraus, um den Sender zu schützen. In zwei Reihen stellten sich die Polizisten Rücken an Rücken auf, eine marschierte die Gasse hinauf, die andere hinab. Sie trennten die Menge in zwei Gruppen. Mit aufgepflanzten Bajonetten rückten sie vor. Durch bedrohlich nahe Bajonettstöße wurden Malysch und Soja in Richtung Museum zurückgetrieben. Soja erhaschte einen Blick auf das Mädchen neben ihr. Sie war etwa achtzehn Jahre alt und schien nicht die geringste Angst zu haben. Siegesgewiss grinste sie Soja an und hakte sich bei ihr unter. Hier hieß es zusammenzustehen! Gemeinsam schrien sie die Polizisten an und belegten sie mit Flüchen. Angefeuert von der Tollkühnheit des Mädchens bückte Soja sich, hob einen etwa handtellergroßen Stein auf, warf ihn und traf einen der Polizisten ins Gesicht. Begeistert lachte sie auf, doch da richtete er sein Gewehr auf sie.

Soja sah etwas aufblitzen, dann gaben ihre Beine nach, und sie schlug hin. Atemlos und unsicher, ob sie getroffen war, rollte sie sich zur Seite und starrte geradewegs in die Augen des Mädchens, das sich bei ihr untergehakt hatte. Die Kugel hatte sie in den Hals getroffen.

Die Polizisten marschierten weiter vor. Soja war wie erstarrt, sie konnte sich nicht abwenden. Sie musste aufstehen, sonst würden die Polizisten sie niedertrampeln. Töten! Aber sie konnte doch das Mädchen nicht einfach so hier liegen lassen. Plötzlich bückte sich Frajera neben ihr vor und nahm das tote Mädchen auf die Arme. Malysch half Soja hoch, und beide rannten sie los. Hinter ihnen stoppten die Polizisten ihren Vormarsch und gingen in Stellung.

Frajera legte das Mädchen auf den Boden. Vor blankem Zorn heulte sie, so als sei sie seine Mutter und würde dieses Kind lieben. Soja blieb etwas abseits stehen, während andere Männer und Frauen, die Frajeras Weinen herbeigelockt hatte, neben dem jungen Opfer niederknieten. War Frajeras Trauer etwa nur ein Schauspiel? Noch bevor Soja weiter darüber nachdenken konnte, zog Frajera eine Waffe und feuerte in die Reihen der Polizisten. Dies war das Zeichen, auf das ihre *wory* gewartet hatten. Auf beiden Seiten der Gasse zogen sie ihre Waffen und eröffneten das Feuer. Die Polizeiformation löste sich auf, die Männer zogen sich zum Sender zurück und waren sich plötzlich gar nicht mehr sicher, dass sie schon alles unter Kontrolle hatten. Als seien sie auf Safari, waren sie davon ausgegangen, nur sie hätten Gewehre. Jetzt, wo sie selbst angegriffen wurden, zogen sie sich eilig in die Deckung des Senders zurück.

Soja blieb an der Seite des toten Mädchens und starrte in dessen leblose Augen. Frajera zog sie weg und hielt ihr eine Waffe hin. »Jetzt wird gekämpft.«

»Ich bin schuld an ihrem Tod«, jammerte Soja.

Frajera schlug ihr ins Gesicht. »Ich will hier keine Schuldgefühle, sondern Wut. Die da haben sie erschossen. Und was willst du jetzt machen? Heulen wie ein kleines Kind? Dein ganzes Leben lang hast du immer nur geheult. Es wird Zeit, dass du mal was unternimmst.«

Soja riss die Waffe an sich und stürmte damit auf den Sender zu. Sie zielte auf die Gestalten in den Fenstern und drückte ab. Sechs Mal.

24. Oktober

Der Morgen graute schon, und Soja hatte kein Auge zugemacht. Die Müdigkeit hatte ihre Sinne nicht etwa getrübt, sondern sie sogar noch geschärft. Genau beobachteten ihre Augen, was um sie herum vorging. Im Rinnstein neben ihr lagen aus unerfindlichem Grund Hunderte zerbrochener oder angeschlagener Kaffeetassen, kniehoch aufgehäuft wie ein Grabmal. Vor ihr schmauchten die Reste eines Feuers, das aus nichts anderem als aus verkohlten Büchern bestand, in Buchläden geplünderte Texte von Marx und Lenin. Hauchdünne Ascheflöckchen stiegen in den Himmel, so als fiele der Schnee nach oben. Pflastersteine waren aus dem Boden gehebelt und zu Wurfgeschossen umfunktioniert worden, sodass die Straße jetzt aussah, als fehlten ihr Zähne. Es war, als hätte die Stadt selbst hier gekämpft. Und Soja hatte an ihrer Seite gekämpft. Ihre Kleider stanken nach Rauch, ihre Fingernägel waren schwarz, und auf der Zunge hatte sie einen metallischen Geschmack. Die Ohren klingelten ihr. Und unter ihrem Hemd, flach an den Bauch gedrückt, war ihre Waffe.

Der Radiosender war kurz vor Sonnenaufgang gefallen. Endlich hatten sie es geschafft, die schweren Holztüren aufzubrechen. Der Widerstand drinnen war in dem Maße schwächer geworden, wie die Angreifer draußen aufgerüstet hatten, unter anderem mit den Waffen der Militärakademie, die von den Kadetten abgefeuert wurden. Frajera hatte Soja und Malysch aufgetrieben und ihnen verboten, an der Erstürmung des Gebäudes teilzunehmen. Sie wollte nicht, dass die beiden in eine Schlacht Mann gegen Mann gerieten und in raucherfüllten Räumen gegen verzweifelte AVH-Beamte kämpften, die hinter den Türen lauerten. Stattdessen hatte sie ihnen einen andern Auftrag erteilt.

Sucht mir Stalin.

* * *

Malysch und Soja erreichten das Ende der *Gorkii fasor*, einer Straße, die zum *városliget* führe. Entsetzt stellten sie fest, dass das Wahrzeichen dieses größten Parks in der Stadt verschwunden war. Die riesige Stalin-Statue im Zentrum des Heldenparks, ein vier Mann hoher Bronzekoloss mit einem armlangen Schnurrbart, war einfach weg. Der steinerne Sockel stand noch, doch die Skulptur darauf fehlte. Malysch und Soja näherten sich dem geschändeten Monument. Nur zwei bronzene Stiefel waren noch übrig. Der Oberbefehlshaber war etwa in Kniehöhe abgesägt worden. Aus seinem rechten Stiefel ragte noch ein Stahlträger hervor, der Rumpf und der Kopf aber fehlten. Man hatte die Statue exekutiert und die Leiche gestohlen. Zwei Männer waren gerade auf dem Sockel dabei, in Stalins hohlem Stiefel eine der neuen ungarischen Fahnen mit Loch zu befestigen.

Soja fing an zu lachen. Sie zeigte auf die Stelle, wo früher Stalin gestanden hatte. »Er ist tot! Er ist tot! Der Mistkerl ist tot!«

Malysch stieß sie an und hielt ihr die Hand vor den Mund. Sie hatte die Worte auf Russisch gerufen. Die zwei Männer auf dem Sockel unterbrachen ihre Arbeit und schauten herüber. Malysch riss die Faust hoch. »Russkik haza!«

Die Männer nickten halbherzig, und dieser Moment der Ablenkung reichte, dass die Fahne umfiel.

Malysch zog Soja weg. »Hast du vergessen, wer wir sind?«, flüsterte er.

Als Antwort küsste Soja ihn auf den Mund – ein schneller Kuss, ohne Überlegung. Bevor er reagieren konnte, hatte sie sich schon wieder von ihm weggedrückt und tat so, als sei nichts geschehen. Sie wies auf die deutlichen Kratzer auf der Straße.

»In die Richtung haben sie die Leiche gezerrt.«

Mit klopfendem Herzen marschierte sie los und folgte den Spuren, die die Bronze auf den Pflastersteinen hinterlassen hatte.

»Sie müssen sie mit einem Laster oder Lieferwagen weggezogen haben.«

Malysch gab keine Antwort.

Soja schaffte es nicht länger, unbeteiligt zu tun. »Bist du etwa wütend?«

Langsam schüttelte er den Kopf. Ihre Wangen begannen zu glühen.

Sie wechselte das Thema und zeigte auf die Kratzspuren. »Wir laufen um die Wette. Wer zuerst Stalins Leiche findet. Auf drei …«

Noch bevor einer eins gesagt hatte, rannten beide in perfekt abgestimmter Schummelei los.

Malysch gewann zwar einen Vorsprung, aber dann verlor er die Kratzer auf der Straße aus den Augen und musste zurücklaufen. Wie Jagdhunde blieben sie mit gesenkten Köpfen an der ersten Kreuzung stehen und liefen auf der Suche nach dem richtigen Abzweig im Kreis. Soja fand die Spur und flitzte wieder los, Malysch war jetzt hinter ihr. Sie rannten nach Süden und bogen dann in Richtung *Blaha-Lujza*-Platz ab, eine große Kreuzung, an der viele Geschäfte lagen.

Weiter vorn sahen sie die Bronzeskulptur, sie lag auf dem Bauch, etwa so lang und breit wie eine Straßenbahn. Beide beschleunigten noch einmal und rannten aus Leibeskräften. Aber Soja hatte ihre Kräfte besser eingeteilt und mehr Reserven. Sie lag jetzt in Führung, allerdings nur knapp. Sie warf sich nach vorn, streckte sich und berührte mit den Fingerspitzen Stalins bronzene Wade. Keuchend und grinsend warf sie einen Blick auf Malysch und musste feststellen, dass der richtig sauer war. Er konnte nicht verlieren und versuchte schon, einen Grund zu finden, warum das Rennen nicht galt.

Um ihren Sieg zu manifestieren, kletterte Soja auf die Statue. Ihre glatten Schuhsohlen glitten immer wieder auf Stalins glatten Bronzehüften aus, bis sie schließlich ihre Zehen in die nachgebildeten Falten seines Mantels krallte und sich hochdrückte. Als sie jetzt auf ihm stand, sah sie, dass Stalin der Kopf fehlte, der ruppig am Hals abgetrennt war, eine unelegante Enthauptung. Soja balancierte auf seinem Rücken wie eine Seiltänzerin, vorsichtig setzte sie einen Fuß vor den anderen. Malysch blieb unten auf der Straße stehen, die Hände in die Hosentaschen versenkt. Sie lächelte ihn an und rechnete damit, dass er rot werden würde, doch stattdessen lächelte er zurück. Vor Glück zersprang ihr fast das Herz in der Brust, und im Geiste schlug sie Rad auf Stalins Wirbelsäule.

Als sie den bronzenen Hals erreicht hatte, fuhr sie mit den Fingern über die scharfen Kanten, wo man den Kopf offenbar mit einem Schweißbrenner und kräftigen Schlägen abgetrennt hatte. Dann richtete sie sich wieder auf und stemmte die Hände in die Hüften, ganz die Bezwingerin, die den Riesen erschlagen hatte, und inspizierte den Platz. Auf der anderen Seite, wo die *Jozsef Körút* einmündete, hatte sich eine Gruppe Leute versammelt. Und als sie sich ein wenig verstreuten, sah Soja auch Stalins Kopf. Er ruhte auf seinem schartigen Hals und schien sie anzustarren, selbst verblüfft über seine Verstümmelung. In seiner Stirn klaffte auf Höhe des Haaransatzes ein Loch, aus dem ein Straßenschild ragte: 15 km. Mit dem Laster, der die Statue in diesen Stadtbezirk geschleppt hatte, hatte man auch den Kopf vom Körper getrennt, die Ketten hingen noch daran. Soja kletterte hinab und spähte in Stalins dunkle Eingeweide. Genau wie sie es immer schon vermutet hatte, waren sie hohl, schwarz und kalt. Dann lief sie auf die versammelte Menge zu.

Malysch holte sie ein und packte sie an der Hand. »Wir sollten lieber umkehren.«

»Noch nicht.« Soja machte sich los, schritt durch die Menge bis zu Stalins Kopf und spuckte ihm direkt auf sein riesiges, glattes Auge. Nach dem Wettrennen hatte sie einen ganz trockenen Mund und brachte nur wenig Spucke zusammen, aber das machte nichts. Die Umstehenden lachten. Zufrieden wollte Soja nun los. Aber bevor sie sich verziehen konnte, wurde sie hochgehoben und mitten auf Stalins Kopf gesetzt, wo sie nun auf seinem Haarschopf hockte. In der Menge ging eine Diskussion los, dann wurde Soja selbst angesprochen. Sie hatte keine Ahnung, was die Leute sagten, also nickte sie nur. Darauf eilten zwei Männer zum Laster und besprachen sich mit dem Fahrer, während ein dritter ihr eine von den neuen, »angepassten« Ungarn-Fahnen reichte. Der Motor wurde angelassen, und der Laster fuhr langsam los. Die am Boden ruhenden Ketten, die am Heck des Lastwagens und an Stalins Kopf befestigt waren, spannten sich, und dann begann Stalins Kopf sich auch schon in Bewegung zu setzen. Soja umklammerte das aus dem Kopf ragende Fünfzehn-Kilometer-Schild und hielt sich daran fest. Alle Umstehenden redeten jetzt durcheinander. Soja verstand nur, dass sie sie fragten, ob alles in Ordnung sei. Sie nickte. Darauf machten sie dem Fahrer ein Zeichen. Der gab Gas, Stalins Kopf machte einen Satz nach vorn und holperte über die Straßenbahngleise.

Soja überlegte, wie sie verhindern konnte, dass der riesige Kopf sie abwarf. Sie spreizte die Beine und ritt, die Hände um das Straßenschild geklammert, auf Stalins Haartolle. Schließlich wurde sie noch tollkühner und stellte sich hin. Als sie Malyschs besorgtes Gesicht entdeckte, schenkte sie ihm ein beruhigendes Lächeln und winkte ihn herbei, damit er auch aufstieg. Doch er weigerte sich, blieb mit verschränkten Armen zurück und ärgerte sich über ihren Leichtsinn. Soja ignorierte seine verdrießliche Laune und machte Faxen für die Menge. Sie streckte den Arm aus wie eine Kaiserin auf ihrem Streitwagen. Der Laster fuhr mit gleichbleibender Geschwindigkeit und zog Stalins Kopf im Schritttempo hinter sich her, die ungarische Fahne hing schlaff herab und schleifte über den Boden. Soja winkte dem Fahrer – schneller!

Der Laster beschleunigte. Stalins Unterkiefer sprühte Funken, und Sojas Haare wehten im Fahrtwind. Als sie endlich schnell genug waren, fing auch die Fahne zu flattern an und entfaltete sich hinter ihr. In diesem Moment war Soja zum Sinnbild des Widerstands geworden: auf Stalins Kopf reitend, die wehende ungarische Fahne hinter sich. Sie drehte sich um und hoffte, die Bewunderung in den Augen der Menge zu sehen. Vielleicht war ja sogar eine Kamera da, die diesen Augenblick festhielt.

Ihr Publikum hatte sich in Luft aufgelöst.

Am Ende der *Jozsef Körút* stand ein Panzer, das Kanonenrohr genau auf sie gerichtet. Als er anfuhr, knirschten die Ketten über die Straße. Der Laster bremste, die Ketten zwischen ihm und Stalin fielen leblos zu Boden. Der Kopf blieb so abrupt stehen, dass er nach vorne rollte und mit der Nase auf der Straße aufschlug. Soja wurde hinuntergeschleudert. Benommen und alle viere von sich gestreckt, blieb sie mitten auf dem Platz liegen.

Malysch packte sie. Soja setzte sich auf. Sie konnte nicht richtig atmen und hatte überall Schrammen. Dann sahen sie, dass der Panzer direkt auf sie zugerollt kam, er war höchstens noch zweihundert Meter weit weg. Soja stützte sich auf Malysch und humpelte weg. Auf der Suche nach Deckung liefen sie auf das nächstbeste Geschäft, eine Apotheke zu. Soja blickte sich über die Schulter um. Der Panzer feuerte, sie sah das gelbe Mündungsfeuer und hörte ein Zischen. Die Granate schlug hinter ihnen auf der Straße ein – plötzlich nur noch Rauch, Steinsplitter und Feuerblitze. Soja und Malysch wurden zu Boden geworfen.

Plötzlich tauchte aus der Rauchschwade Stalins riesiger Kopf auf, der hochgeschleudert worden war und nun am Ende seiner Kette wie ein gigantischer Morgenstern auf sie zukam, so als wolle er für seine Schändung Rache nehmen. Im letzten Moment drückte Soja Malysch zu Boden, da sauste der Kopf auch schon über sie hinweg, er verfehlte die beiden mit seinen schartigen Kanten nur um Zentimeter. Im nächsten Moment krachte er ins

Schaufenster des Geschäfts und ließ Glassplitter auf sie herabregnen. Der Laster wurde vom Rückstoß der Ketten umgeworfen und rutschte seitlich ein Stück über die Straße. Der Fahrer hing hilflos im Führerhaus.

Noch bevor die beiden sich hochrappeln konnten, tauchte aus dem Qualm der Panzer auf, ein metallisches Monster. Soja und Malysch krochen rückwärts, bis sie an dem zertrümmerten Schaufenster der Apotheke angekommen waren. Es ging nicht mehr weiter, an Flucht war nicht zu denken. Aber der Panzer feuerte nicht. Die Luke ging auf, ein Soldat kam zum Vorschein und setzte sich hinter das Bordmaschinengewehr.

Gelähmt vor Angst blieben Soja und Malysch hocken. In dem Moment, als der Soldat das Maschinengewehr in ihre Richtung schwenkte, traf ihn eine Kugel in den Kiefer. Weitere Geschosse schlugen auf dem Panzer ein, sie kamen aus allen Richtungen des Platzes. Unter Beschuss wurde der tote Soldat ins Panzerinnere gezerrt. Noch bevor man die Luke wieder schließen konnte, rannten zwei Männer auf den Panzer zu. In den Armen hielten sie Glasflaschen, aus deren Hälsen brennende Lappen ragten. Sie warfen sie hinein. Es war, als hätten sie Feuer in den Panzer gegossen.

Malysch packte Soja. »Wir müssen hier weg.«

Ausnahmsweise hatte Soja keine Einwände.

Osteuropa, Sowjetzone
Ungarn, am Stadtrand von Budapest, Budaer Hügel

27. Oktober

Leo ärgerte sich zunehmend, dass ihr Führer es überhaupt nicht eilig zu haben schien. Sie waren schon ewig unterwegs. Für die tausend Kilometer bis zur ungarischen Grenze hatten sie nur zwei Tage gebraucht und nun schon drei für die restlichen dreihundert Kilometer bis nach Budapest. Erst als Karoly in den Radionachrichten gehört hatte, dass in Budapest Unruhen ausgebrochen waren, schien es endlich schneller voranzugehen. Auf ihre Fragen konnte er ihnen auch nur die Berichte aus dem Radio übersetzen: *Harmlose zivile Unruhen, die von einer Bande von Faschisten verübt worden waren.* Aus diesen Worten ließ sich unmöglich ableiten, wie schwer diese Unruhen tatsächlich waren. Radiosendungen wurden zensiert, und mit Sicherheit spielten sie den Aufruhr herunter. Die Aufforderung an die Unruhestifter, wieder nach Hause zu gehen, ließ allerdings vermuten, dass die Behörden die Lage nicht mehr unter Kontrolle hatten. Da sie nichts Genaues wussten, entschied Karoly, dass es zu gefährlich sei, auf direktem Wege in die Stadt zu fahren. Stattdessen fuhren sie im Halbkreis um die Stadt und wichen mehreren Blockaden der sowjetischen Armee aus. So kam es, dass sie nun die Wohnviertel von Buda durchquerten und das Zentrum mit den Regierungs- und Verwaltungsgebäuden und der kommunistischen Parteizentrale, wo Aufstände am ehesten zu erwarten waren, tunlichst vermieden.

Bei Sonnenaufgang stoppte Karoly den Wagen endlich an einem Aussichtspunkt auf dem Budaer Hügel, der mehrere Hundert Meter oberhalb der Stadt lag. Die benachbarten Straßen waren menschenleer. Unten im Tal floss die Donau durch die Stadt und teilte sie in zwei Hälften, Buda und Pest. Während es in Buda noch weitgehend ruhig war, hörte man von der Pester Flussseite Schüsse. Aus verschiedenen Gebäuden stiegen dünne Rauchwolken auf.

»Haben die sowjetischen Truppen die Stadt schon gestürmt?«, fragte Leo. »Ist der Aufstand niedergeschlagen?«

Karoly zuckte die Achseln. »Ich weiß nicht mehr als Sie.«

Raisa schaute ihn an. »Aber das ist doch Ihre Heimat. Es sind Ihre Leute. Und die missbraucht Panin, nur um einen politischen Zwist zu seinen Gunsten zu entscheiden. Wie können Sie nur für ihn arbeiten?«

Karoly wurde ärgerlich. »Meine Leute wären gut beraten, wenn sie aufhören würden, von der Freiheit zu träumen. Sonst reißen sie die anderen nur mit in den Tod. Wenn diese Störenfriede endlich ausgemerzt sind, ist es für die anderen nur gut. Halten Sie von mir, was Sie wollen, aber eigentlich will ich nur meine Ruhe.«

Karoly stieg aus dem Wagen und machte sich auf den Weg den Hügel hinab. »Zuerst gehen wir in meine Wohnung.«

Karolys Wohnung lag ganz in ihrer Nähe, unterhalb des Schlosses an den Donauhängen.

Während sie die Treppe bis zur obersten Etage hochstiegen, fragte Leo: »Leben Sie allein?«

»Mein Sohn wohnt bei mir.«

Eine Familie hatte Karoly nie erwähnt, und auch jetzt ließ er sich nicht mehr entlocken. Stattdessen betrat er die Wohnung und lief von Zimmer zu Zimmer. »Victor?«, rief er.

Raisa fragte ihn: »Wie alt ist Ihr Sohn?«

»Er ist dreiundzwanzig.«

»Dann gibt es bestimmt eine ziemlich einfache Erklärung dafür, wo er gerade steckt.«

»Was ist er von Beruf?«, fragte Leo.

»Er ist kürzlich dem AVH beigetreten.«

Leo und Raisa schwiegen. Erst jetzt begriffen sie die Besorgnis ihres Führers.

Karoly starrte aus dem Fenster. Er sprach mehr zu sich selbst als zu Leo und Raisa. »Es gibt keinen Grund, sich Sorgen zu machen. Wenn ein Aufstand ausgebrochen ist, hat der AVH bestimmt alle Beamten ins Hauptquartier beordert. Da wird er sein.«

In der Wohnung stapelten sich Lebensmittel, Paraffin, Kerzen und eine erkleckliche Anzahl an Waffen. Seit sie die Grenze überquert hatten, trug Karoly selbst auch eine Waffe. Jetzt riet er Leo und Raisa, seinem Beispiel zu folgen, denn auch für Unbewaffnete gab es keine Garantie, dass man sie als Zivilisten behandeln würde. Leo wählte eine TT-33, eine handliche, robuste Pistole aus sowjetischer Produktion. Widerwillig nahm Raisa sie an sich, und erst der Gedanke an die Gefahr, die von Frajera ausging, brachte sie dazu, sich damit vertraut zu machen.

Sie verließen die Wohnung und stiegen den Hügel hinab. Unten würden sie die Donau überqueren und den anderen Teil der Stadt betreten. Sehr wahrscheinlich befand sich Soja an der Seite Frajeras, und zwar mitten im Zentrum des Aufstands. Sie überquerten den *Szena tér* und suchten sich dann einen Weg durch mehrere improvisierte Schanzen. In Hauseingängen saßen junge Männer und rauchten, neben sich Stapel vorbereiteter Molotowcocktails. Straßenbahnen waren umgeworfen und zu Straßensperren umfunktioniert worden. Von den Hausdächern verfolgten Heckenschützen jede ihrer Bewegungen. Um keinen Verdacht zu erregen, gingen die drei auf ihrem Weg zum Fluss sehr langsam.

Karoly brachte sie zur *Margit-híd*, einer breiten Brücke, die über eine kleine Insel in der Donau hinweg bis zur anderen Seite nach Pest führte. Als sie fast in der Mitte waren, bedeutete Karoly ihnen stehen zu bleiben. Er hockte sich hin und zeigte auf die nächste Brücke. Dort waren Panzer postiert. Rund um den Parlamentsplatz konnte man schweres Kriegsgerät ausmachen. Ganz offensichtlich waren also sowjetische Truppen im Einsatz, hatten aber, nach den Schanzen der Aufständischen zu urteilen, noch nicht alles unter Kontrolle. Da sie von allen Seiten ungeschützt waren, eilte Karoly tief gebückt weiter, Leo und Raisa folgten ihm, während ein kalter Wind an ihnen riss. Als sie die andere Seite erreicht hatten, waren sie überaus erleichtert.

Die Stadt befand sich in einem schizophrenen Zustand. Weder war sie ein Kriegsschauplatz noch ein völlig normaler Ort, sondern irgendwie beides zugleich. Von einer Ecke zur nächsten konnte sich das Bild ändern. Soja konnte überall sein. Leo hatte zwei Fotos mitgenommen, eines von Soja zusammen mit ihnen, das sie erst vor wenigen Monaten hatten aufnehmen lassen und auf dem sie elend und unglücklich aussah, blass vor Widerwillen. Das andere war Frajeras Fahndungsfoto. Sie hatte sich so sehr verändert, dass es kaum noch zu gebrauchen war. Karoly zeigte die Bilder allen möglichen Passanten, und alle wollten helfen. Offenbar gab es viele Familien, die dasselbe machten wie sie und auf diese Weise nach vermissten Verwandten suchten. Doch immer wurden ihnen die Fotos mit bedauerndem Achselzucken zurückgereicht.

Sie eilten weiter und kamen in eine schmale Gasse, in der von den Kämpfen nicht das Geringste zu merken war. Es war später Vormittag, und ein kleines Café hatte geöffnet. Gäste saßen da und nippten an ihrem Kaffee, als sei alles in bester Ordnung. Der einzige Hinweis darauf, dass etwas nicht stimmte, waren die vielen Flugblätter, die überall in der Gosse lagen. Leo bückte sich, hob ein paar der Blättchen hoch und wischte sie ab. Ganz oben befand sich ein Stempel, eine Art Emblem. Es war ein orthodoxes Kreuz. Der Text darunter war auf Ungarisch, aber den Namen erkannte er: Nikita Sergejewitsch Chruschtschow. Das war Frajeras Werk. Aufgeregt über diesen Beweis, dass sie sich in der Stadt befand, trug er das Flugblatt zu Karoly.

Karoly stand da und starrte unverwandt auf einen Punkt in der Ferne. Leo folgte seinem Blick. An ihrem Ende traf die Straße auf einen kleinen Platz, auf dem ein einzelner, nackter Baum stand. Während sie selbst im Schatten waren, wurde der Platz von der Sonne beschienen. Als sich seine Augen an das Licht gewöhnt hatten, konzentrierte Leo sich auf den Baumstamm. Er schien zu schwanken.

Karoly rannte los. Leo und Raisa liefen ihm hinterher. Als sie am Café vorbeikamen, zogen sie die Aufmerksamkeit der am Fenster sitzenden Gäste auf sich. Sie erreichten das Ende der Straße und blieben kurz vor der Schattengrenze stehen. Vom dicksten Ast des Baumes hing kopfüber ein Mann herab. Seine Füße waren mit einem Seil zusammengebunden, die Arme schwangen hin und her wie ein gespenstisches Glockenspiel. Unter ihm hatte man ein Feuer entzündet, sodass ihm am Kopf Haare, Haut und Fleisch verbrannt waren. Seine Gesichtszüge waren nicht mehr zu erkennen. Man hatte ihn bis zur Hüfte entkleidet, nur die Hosen hatte man ihm als letzte Zurückhaltung in diesem grausamen Mordakt gelassen. Das Feuer hatte auch seine Schultern verbrannt, sein gesamter Torso war schwarz von Ruß. An den Hautstellen, die unversehrt geblieben waren, konnte man das Alter des Mannes abschätzen. Er war noch sehr jung gewesen. Seine Uniformjacke, sein Hemd und seine Mütze lagen unter ihm in der Asche. Man hatte ihn mit seiner eigenen Uniform verbrannt. Als würde sie ihm ins Ohr flüstern, meinte Leo Frajeras Stimme zu hören:

Genau das werden sie auch mit dir anstellen.

Der Mann hatte zur AVH gehört, der ungarischen Geheimpolizei.

Leo drehte sich zu Karoly um. Der raufte sich die Haare, als seien sie von Läusen befallen.

»Ich …«, flüsterte er.

Er ging näher heran und streckte die Hand aus, um das verkohlte Gesicht zu berühren, zog sie aber wieder zurück und umkreiste die Leiche. »Ich weiß nicht …«

Er wandte sich Leo zu. »Ich weiß nicht, ob das mein Sohn ist.«

Er fiel auf die Knie, mitten in das erloschene Feuer, und ein Aschewölkchen stieg auf. Passanten versammelten sich um sie und glotzten. Leo wandte den Kopf, um in ihre Gesichter zu sehen: Was er las, waren Feindseligkeit und Wut angesichts dieser Trauer des Gegners, Wut darüber, dass man ihre Gerechtigkeit in Zweifel zog. Leo hockte sich neben Karoly und legte einen Arm um ihn. »Wir müssen weiter.«

»Ich bin sein Vater. Ich müsste es doch wissen.«

»Das ist nicht Ihr Sohn. Bestimmt lebt Ihr Sohn. Wir werden ihn finden. Jetzt müssen wir los.«

»Ja, er lebt noch. Er lebt doch noch, oder?«

Leo half Karoly auf. Aber die Menge wollte sie nicht durchlassen.

Leo sah, wie Raisas Hand auf die Waffe zukroch, die sie in ihrem Hosenbund versteckt hatte. Raisa hatte recht, sie waren in Gefahr. Mehrere Leute in der Menge begannen miteinander zu tuscheln. Einer hatte einen Gurt mit fingerdicken Patronen um den Hals hängen. Ihr Ton hörte sich anklagend an.

Immer noch mit Tränen in den Augen zog Karoly die Fotos von Soja und Frajera hervor. Als er die Fotos sah, entspannte sich der Mann mit dem Patronengurt und legte Karoly eine Hand auf die Schulter. Sie sprachen eine Weile miteinander. Dann zerstreute sich die Menge.

Als alle verschwunden waren, flüsterte Karoly Leo und Raisa zu: »Ihre Tochter hat uns gerade das Leben gerettet.«

»Hat der Mann sie gesehen?«

»Er hat sie am Corvin-Kino kämpfen sehen.«

»Was hat er noch gesagt?«

Karoly dachte kurz nach. »Sie können stolz auf sie sein. Sie hat viele Russen getötet.«

Am selben Tag

Der näher kommende sowjetische Mannschaftswagen löste in der Menge eine Panik aus, als sei mitten unter ihnen eine Bombe detoniert. Samt und sonders stoben sie in alle Richtungen davon, jeder wollte unbedingt weg von der Straße. Raisa rannte so schnell sie konnte, neben ihr waren Männer, Frauen und Kinder, immer wieder neue Gesichter. Ein älterer Mann fiel hin, eine Frau versuchte ihm zu helfen. Sie zog an seinem Mantel und versuchte ihn von der Straße wegzuzerren. Entweder hatte man den Mann in dem gepanzerten Mannschaftswagen nicht gesehen, oder es kümmerte keinen, auf jeden Fall würde er die beiden gleich überfahren, als seien sie nur ein Hindernis. Raisa eilte zurück und hievte den Mann gerade noch rechtzeitig zur Seite, bevor das Kettenfahrzeug knirschend vorbeifuhr. Die Ketten kamen ihr so nah, dass sie einen metallischen Geruch in der Luft wahrnahm.

Raisa sah die Straße auf und ab. Weder Leo noch Karoly waren zu sehen, aber weit konnten sie nicht sein. Sie nutzte das Durcheinander aus, das der Mannschaftswagen verursacht hatte, und bog in die nächste Nebenstraße ab. Dann rannte sie weiter, bis sie nicht mehr konnte, blieb stehen und wartete keuchend. Sie hatte sich von Leo getrennt. Jetzt konnte sie allein nach Soja suchen.

Die Idee war ihr bereits in Moskau gekommen, fast sofort,

als sie gehört hatte, dass Soja noch lebte. Ein Leben mit Raisa konnte Soja sich vorstellen, so hatte sie es ihr jedenfalls gesagt. Ein Leben mit Leo allerdings nicht. Raisa glaubte nicht daran, dass sich diese Haltung im Verlauf der vergangenen fünf Monate geändert hatte. Wenn überhaupt, dann hatte Soja sich eher noch mehr verhärtet. Auf der Fahrt nach Ungarn war Raisa in ihrem Entschluss noch bestärkt worden, als sie gesehen hatte, wie Leo mit Karoly umging. Zwei ehemalige Agenten, die einander nicht trauten und trotzdem miteinander verbunden waren wie Angehörige derselben Gesellschaft. Soja würde fragen: *Ihr habt zwei KGB-Agenten geschickt, um mich zu retten?* Ihr würde schlecht werden bei der Vorstellung. Wie wenig sie wussten von dem, was in Soja vorging. Frajera dagegen hatte Sojas Gemütslage bestimmt für sich ausgenutzt und behauptet, ihre Verlassenheit zu verstehen.

Dass Leo sich eingestehen würde, sie sei absichtlich verschwunden, bezweifelte Raisa. Karoly würde vielleicht ihre wahren Motive erahnen, aber Leo würde es von sich weisen. Diese Verzögerung verschaffte ihr einen kleinen Vorteil. Für den Fall, dass sie sich verlieren sollten, hatte Karoly beiden einen Stadtplan mitgegeben, auf dem seine Wohnung eingezeichnet war. Sie schätzte, dass sie irgendwo in der Nähe die *Stáhly út* sein musste. Also musste sie sich direkt nach Süden wenden und dabei die offensichtlichsten Strecken zum Corvin-Kino, wo man Soja gesichtet hatte, vermeiden.

Weil sie ihren Stadtplan verborgen halten musste, kam sie nur langsam voran. Endlich erreichte sie die *Üllöi út*. In diesem Stadtbezirk war heftig gekämpft worden. Überall auf dem Pflaster lagen leere Granathülsen. Obwohl es eine große Straße war, konnte Raisa nur wenige Menschen entdecken. Gelegentlich huschte eine Gestalt von einem Türeingang zum nächsten, dann wieder nichts – angesichts einer so wichtigen Durchgangsstraße herrschte hier eine gespenstische Stille. Raisa hielt sich dicht an den Hauswänden und bewegte sich vorsichtig weiter. Irgendwann hob sie einen zerbrochenen Ziegelstein auf. Wenn sie in Deckung gehen musste, würde sie sich entweder in einen Türeingang kauern oder damit ein Fenster einschlagen und hineinklettern. Als sie den Ziegel nahm, merkte sie, dass seine Unterseite ganz feucht war. Verdutzt schaute sie hinunter und sah, dass die ganze Straße mit irgendetwas Glitschigem überzogen war.

Über die gesamte Straßenbreite hinweg hatte man eine Art Stoff ausgelegt. Es war Seide, Ballen kostbarer Seide, und sie war in Seifenschaum getränkt. Verwirrt machte Raisa einen vorsichtigen Schritt, und sofort rutschte sie mit ihren glatten Schuhsohlen aus. Jetzt kam sie nur noch weiter, wenn sie sich stets mit einer Hand an der Wand abstützte. Als hätte sie einen Alarm ausgelöst, schrie man ihr aus den Fenstern über ihr etwas zu. Zu beiden Seiten tauchten in den Fenstern und auf den Dächern Menschen auf, die alle bis an die Zähne bewaffnet waren. Raisa hörte ein Poltern, spürte die Erschütterungen und blickte sich um. Gerade fuhr ein Panzer in die Straße ein. Er drehte sich einmal um die eigene Achse, kontrollierte beide Seiten, dann schwenkte er in ihre Richtung und beschleunigte. Die Menschen in den Fenstern und auf den Dächern verschwanden und ließen sich nicht mehr blicken. Das hier war eine Falle. Und sie steckte mittendrin.

Raisa hetzte über die nasse Seide, schlug hin, rappelte sich wieder hoch und hielt auf das nächstgelegene Geschäft zu. Die Tür war verriegelt. Der Panzer war schon dicht hinter ihr. Sie holte mit dem Ziegelstein aus und zertrümmerte die Scheibe. Ringsherum fielen große Scherben zu Boden. Kaum war Raisa hineingeklettert, hatte der Panzer auch schon den Anfang der seifigen Seide erreicht. Raisa warf einen hastigen Blick zurück, überzeugt, dass der Panzer dieses lächerliche Hindernis mit Leichtigkeit nehmen würde. Doch der rutschte sofort zur Seite. Nutzlos mahlten die Ketten auf der glitschigen Seide, sie fanden keinen Griff mehr. Der Panzer war manövrierunfähig. Als Raisa wieder zu den Dächern hochblickte, sah sie, wie sich die Aufständischen dort wieder versammelten. Ein Hagel von Molotowcocktails schlug rund um den Panzer ein und setzte ihn in Brand. Der Panzer richtete sein Rohr auf eines der Dächer aus und feuerte eine Granate ab, doch weil er keinen festen Stand hatte, traf sie nicht, sondern jagte in den Himmel hinein.

Hektisch verkroch sich Raisa ins Innere des Geschäfts. Die Wände fingen an zu zittern. Sie schaute rasch über die Schulter. Durch das zerborstene Fenster sah sie, wie der Panzer sich in ihre Richtung drehte. Raisa warf sich zu Boden, und im nächsten Moment krachte der Panzer auch schon durch die Fassade des Geschäfts, der Turm durchstach die Decke über ihr. Die Mauern stürzten ein. Der Panzer war festgekeilt.

In dem Rauch und den Staubwolken rappelte Raisa sich wieder hoch und taumelte in die Hinterräume des zerstörten Geschäfts. Kaum hatte sie die Treppe erreicht, hörte sie, wie die Aufständischen vom Dach herunterkamen. Jetzt saß sie zwischen dem Panzer und den Rebellen in der Falle. Sie kauerte sich hinter die Ladentheke und zog ihre Pistole. Als sie vorsichtig über die Theke lugte, sah sie, wie ein sowjetischer Soldat die Luke des Panzers öffnete.

Die Aufständischen waren da. Raisa sah ein Maschinengewehr, das von einer jungen Frau mit einem Barett getragen wurde. Die Frau hob das Gewehr und legte schussbereit auf den russischen Soldaten an. Die junge Frau war Soja.

Raisa erhob sich. Sofort reagierte Soja auf die Bewegung, wirbelte herum und richtete die Waffe auf sie. Nach fünf Monaten standen sie sich inmitten von Ziegelstaub und Qualm zum ersten Mal wieder von Angesicht zu Angesicht gegenüber. Soja ließ das Maschinengewehr sinken, als sei es plötzlich viel zu schwer geworden. Sprachlos und mit offenem Mund stand sie da. Der rußverschmierte russische Soldat hinter ihr, der selbst nicht älter als zwanzig sein mochte, nutzte die Situation und zielte mit seiner Waffe auf Soja. Instinktiv richtete Raisa ihre TT-33 auf ihn und drückte mehrmals ab. Ein Schuss traf den jungen Mann in den Kopf und schleuderte ihn zurück.

Fassungslos über ihre eigene Tat starrte Raisa auf den toten Soldaten, auf den sie immer noch zielte. Erst dann kam ihr wieder zu Bewusstsein, dass ja die Zeit drängte, also riss sie sich zusammen und sah Soja an. Sie machte einen Schritt vor und ergriff die Hände ihrer Tochter.

»Soja, wir müssen hier weg. Du hast mir doch schon mal vertraut. Ich flehe dich an, vertrau mir noch einmal.«

In Sojas Gesicht spiegelte sich ihr innerer Kampf wider. Raisa war erleichtert, das war wenigstens ein Anfang. Gerade wollte Raisa weiterreden, da blieben ihr die Worte im Halse stecken. Am Fuß der Treppe stand Frajera.

Raisa zog Soja beiseite und zielte. Frajera, die nicht mit ihr gerechnet hatte, verteidigte sich nicht. Raisa hatte freie Schussbahn, doch sie zögerte. Im nächsten Moment spürte sie, wie ihr ein Gewehrlauf in den Rücken gedrückt wurde. Soja zielte direkt auf ihr Herz.

Am selben Tag

Nachdem er mehrere Stunden lang nach Raisa gesucht hatte, immer in der Angst, sie könnte verletzt sein, begriff Leo endlich, dass sie sich offensichtlich davongemacht hatte, um Soja zu suchen. Also glaubte sie wohl nicht daran, dass Soja mit ihm nach Hause kommen würde. Um Raisa wieder einzuholen, rannte er zum Corvin-Kino, wo man Soja zuletzt gesehen hatte. Das Kino war ein leicht zu verteidigendes, von der Straße zurückgesetztes

Gebäude. Der Fußpfad, der zu ihm führte, war von einer befestigten Schanze versperrt.

Ein Aufständischer näherte sich. Karoly war weit zurückgeblieben, er hatte Leos Tempo nicht folgen können. Leo war nun ohne Übersetzer, doch jegliche Fragen wurden ihm durch das Auftauchen eines sowjetischen T-34-Panzers erspart, der mittlerweile in der Hand der Aufständischen war. Vom Turm hing eine ungarische Fahne herab. Jubelnd umringten ihn die Kämpfer. Leo schob sich durch die Menge und zeigte das Foto von Soja vor. Nachdem er einen Blick auf das Bild geworfen hatte, deutete ein Mann den Boulevard hinunter.

Leo rannte weiter. Der Boulevard war menschenleer. Leo blieb stehen und hockte sich hin. Auf der Straße lag zerrissene Seide. An einigen Stellen war sie versengt und qualmte, an anderen war sie vollkommen durchtränkt. Leo sah, wo der erbeutete Panzer von der Straße geschlittert und in das Schaufenster eines Geschäfts gekracht war. Auf dem Boden hatte man die Leichen von vier sowjetischen Soldaten übereinandergelegt. Keiner von ihnen war älter als zwanzig.

Sonst war keine Menschenseele da.

Am selben Tag

Raisa schloss die Augen und konzentrierte sich auf die Geräusche in den Nachbarräumen. Sie hörte, wie Leute hin- und herliefen und riefen, wie Gegenstände über den Boden geschleift wurden, hörte auf Russisch und Ungarisch gebrüllte Befehle. Verwundete schrien vor Schmerzen auf. Ein Raum wurde offensichtlich dazu benutzt, die im Kampf erlittenen Verwundungen notdürftig zu verarzten, ein anderer als Kantine für Frajeras Guerillabande. Der Geruch von Desinfektionsmittel mischte sich mit den Kochdünsten von gebratenem Fleisch und Schmalz.

Als man sie mit vorgehaltener Waffe von dem Panzer weggeführt hatte, hatte Raisa kaum darauf geachtet, wohin man sie brachte. Ihr einziges Augenmerk hatte Soja gegolten, die wie eine Soldatin mit langen Schritten und geschultertem Gewehr vornweg marschiert war – demselben Gewehr, mit dem sie kurz zuvor auf Raisas Herz gezielt hatte. Sie waren an einen Wohnblock gekommen, der von der Straße zurückgesetzt und nur über eine Gasse zu erreichen war. Man hatte Raisa ins oberste Stockwerk gebracht und in einen kleinen Raum gesperrt, der eilig ausgeräumt und zur Zelle umfunktioniert worden war.

Die Wände begannen zu zittern, draußen fuhren schwere Panzerfahrzeuge vorbei. Raisa spähte durch das kleine Fenster. Unten in der Straße gab es Scharmützel. Direkt über ihr hörte sie auf den Dachziegeln das Getrappel von Füßen, es stammte von den Heckenschützen, die in Position gingen. Kraftlos kauerte sich Raisa an die am weitesten vom Fenster entfernte Wand und hielt sich die Ohren zu. Sie musste an Soja denken. Und sie musste an den jungen Sowjetsoldaten denken, den sie erschossen hatte. Jetzt endlich ließ sie ihren Tränen freien Lauf.

* * *

Draußen vor dem Zimmer hörte sie Schritte, dann drehte sich ein Schlüssel im Schloss. Raisa stand auf. Frajera betrat den Raum. In Moskau war sie noch die Ruhe selbst gewesen und hatte alles unter Kontrolle gehabt, doch jetzt wirkte sie müde und angespannt. Der Druck der Operation schien auf ihr zu lasten. »Du hast mich also gefunden.«

»Ich bin hier, um Soja zu holen.« Raisas Stimme bebte vor Zorn.

»Wo ist Leo?«

»Ich bin allein.«

»Du lügst. Aber wir finden ihn schon noch. Die Stadt ist nicht besonders groß.«

»Lassen Sie Soja gehen.«

»Du tust gerade so, als ob ich sie euch geklaut hätte. Ich habe sie eher vor euch gerettet.«

»Was für Probleme wir als Familie auch haben mögen, wir lieben Soja. Sie nicht.«

Frajera schien diese Bemerkung gar nicht zu registrieren. »Soja wollte sich mir anschließen, also habe ich sie gelassen. Sie kann tun, was immer ihr beliebt. Wenn sie mit dir nach Hause gehen will, bitte sehr. Ich werde sie nicht aufhalten.«

»Es ist einfach, sich das Wohlwollen eines Kindes zu erschleichen, wenn man es alles machen lässt und ihm genau das sagt, was es hören will, ihm ein Maschinengewehr in die Hand drückt und ihm weismacht, es sei ein Revolutionär. Was für eine verführerische Lüge! Aber ich glaube nicht, dass Soja Sie deswegen liebt.«

»Das verlange ich doch auch gar nicht. Du und Leo dagegen, ihr verlangt Liebe. Ihr seid beide süchtig danach. Und tatsächlich war sie bei euch doch jämmerlich unglücklich. Bei mir hingegen fühlt sie sich pudelwohl.«

Über Frajeras Schulter hinweg konnte Raisa am Ende des Flurs einen Verletzten sehen, der auf einem Küchentisch lag. Es gab keinen Arzt und kaum nennenswerte Instrumente, nur blutige Lappen und kochendes Wasser.

»Wenn Sie hierbleiben, werden Sie sterben. Und Soja wird mit Ihnen sterben.«

Frajera schüttelte den Kopf. »Dass du dich um Sojas Wohlbefinden sorgst, ist noch kein Beweis für deine Mutterschaft. Du bist ebenso wenig ihre Mutter wie ich.«

* * *

Raisa wachte auf. Der Raum war dunkel und kalt. Zitternd zog sie die dünne Bettdecke fester um sich. Es herrschte Nacht, nichts rührte sich in der Stadt. Sie hatte nicht erwartet, schlafen zu können, aber kaum hatte sie sich hingelegt, waren ihr auch schon die Augen zugefallen. Jetzt stand auf dem Boden ein Teller mit Fleisch und Kartoffeln, den man ihr hingestellt haben musste, während sie geschlafen hatte. Sie streckte den Arm aus und zog den Teller näher heran. Erst da fiel ihr auf, dass die Tür offen stand.

Raisa stand auf, schlich hinaus und spähte ins Treppenhaus. Alle Flure waren verwaist. Wenn sie fliehen wollte, brauchte sie einfach nur die Wohnung zu verlassen, das Treppenhaus hinabzusteigen und auf die Straße zu laufen. War es möglich, dass Soja das Schloss aufgebrochen und die Tür für sie geöffnet hatte? Dass sie ihr helfen wollte und doch gleichzeitig ihre Gefühle vor ihr verbarg?

Wer immer das gemacht hatte, war nicht nur listig, sondern überdies auch noch geschickt, ging aber trotzdem von einer völlig falschen Annahme aus. Denn Raisa war ja gar nicht hier, um zu fliehen, sondern um Soja nach Hause zu holen. Soja wusste das auch. Außerdem zeugte dieses Vorgehen von umsichtiger Planung und passte so gar nicht zu Soja, die immer mit dem Kopf durch die Wand wollte.

Nervös geworden, stahl Raisa sich zurück. Im selben Moment tauchte in der Tür eine Silhouette auf. Es war die eines Jungen. Flüsternd sprach er sie an. »Warum fliehen Sie nicht?«

»Nicht ohne Soja.«

Er sprang vor, stellte ein Bein aus und hebelte Raisa zu Boden. Gleichzeitig presste er ihr eine Hand auf den Mund und unterdrückte damit ihren Schrei. Bewegungsunfähig lag Raisa auf dem Rücken. Sie fühlte das Messer, das ihr an den Hals gedrückt wurde.

»Du hättest weglaufen sollen«, flüsterte der Junge.

Durch seine Finger hindurch presste sie erneut hervor: »Nicht ohne Soja.«

Bei der Erwähnung von Sojas Namen spürte sie, wie er starr wurde und ihr die Klinge noch fester an den Hals drückte.

»Magst ... du sie?«, fragte Raisa.

Er drückte nicht mehr ganz so fest zu. Sie hatte also recht. Hier ging es um Soja. Der Junge hatte Angst, sie zu verlieren.

»Hör mir zu«, fuhr Raisa fort. »Sie ist in Gefahr. Und du auch. Komm mit uns.«

»Sie gehört dir nicht!«

»Da hast du recht, sie gehört mir nicht. Aber sie liegt mir sehr am Herzen. Und wenn es dir genauso geht, dann werden wir zwei eine Möglichkeit finden, sie hier rauszuholen. Du merkst doch, dass ich mich anders anhöre als Frajera? Du weißt ganz genau, dass ich Angst um Soja habe. Und du weißt auch, dass sie Frajera egal ist.«

Der Junge nahm das Messer von ihrem Hals weg. Er schien abzuwägen. Raisa erriet seine Gedanken. »Komm mit uns zurück. Du bist der Grund, warum Soja glücklich ist, nicht Frajera.«

Der Junge sprang auf, rannte aus dem Zimmer und schlug die Tür zu. Dann fiel ihm ein, dass ja das Schloss kaputt war, und er machte sie wieder auf. »Tu so, als hättest du versucht auszubrechen. Sonst bringen die anderen mich um.«

Der Junge verschwand.

»Warte!«, rief sie ihm hinterher.

Der Junge kam noch einmal zurück.

»Wie heißt du?«

Er zögerte. »Malysch.«

28. Oktober

Leo zählte mindestens dreißig Panzer. Hintereinander fuhren sie über die wichtigste Einfallstraße in die Stadt. Ein Aufmarsch in dieser Größenordnung, noch dazu um sechs Uhr morgens, konnte nur bedeuten, dass die richtige Invasion der Sowjetarmee unmittelbar bevorstand. Schon bald würde der Aufstand niedergeschlagen sein.

Leo rannte den Hügel hinab, zurück in Karolys Wohnung. Im Treppenhaus nahm er zwei Stufen auf einmal. Oben angekommen, stieß er die Tür auf. Karoly saß an einem Tisch und las ein Flugblatt.

»Die Sowjets haben über dreißig Panzer in Marsch gesetzt«, berichtete Leo. »Sie rollen gerade in die Stadt. Wir müssen sofort nach Soja und Raisa suchen.«

Karoly reichte ihm das Flugblatt. Ungeduldig warf Leo einen Blick darauf. In der oberen Hälfte war ein Foto.

Es war seins.

Karoly übersetzte den Text: »Dieser Mann ist ein sowjetischer Spion. Er hat sich als einer von uns verkleidet. Melden Sie seinen Aufenthaltsort unverzüglich dem nächsten revolutionären Stützpunkt.«

Leo legte das Flugblatt ungeduldig zurück auf den Tisch. »Frajera sucht nach mir. Das ist der Beweis, dass sie Raisa gefangen genommen hat.«

»Leo, Sie sind da draußen nicht mehr sicher«, warnte Karoly.

Aber Leo riss schon die Tür auf. »Wenn sowieso schon an jeder Straßenecke russische Panzer stehen, kümmert sich kein Mensch mehr um einen lächerlichen russischen Spion.«

Die Tür zur gegenüberliegenden Wohnung stand offen, das Gesicht des Nachbarn lugte um die Ecke. Für einen Moment sahen die beiden sich an. Dann schloss der Nachbar die Tür.

Am selben Tag

Zwei *wory* betraten Raisas Zelle, zerrten sie an den Armen hoch und führten sie durch den Flur bis auf den Balkon. Unten auf dem Platz hatte sich eine Menschenmenge versammelt. In ihrer Mitte stand Frajera. Als sie sah, dass Raisa angekommen war, bedeutete sie ihren Männern beiseitezutreten. Sie machten Platz, und zum Vorschein kamen Leo und Karoly, beide auf Knien und die Arme vor dem Körper gefesselt, als seien sie feilgebotene Sklaven. Soja stand mitten unter den Schaulustigen.

Leo erhob sich. Sofort richteten sich Gewehre auf ihn, doch auf eine Handbewegung von Frajera hin wurden sie wieder gesenkt. »Lasst ihn reden.«

»Frajera, wir haben nicht viel Zeit. Jetzt schon befinden sich über dreißig T-34-Panzer in der Stadt. Die Sowjets werden diesen Aufstand niederschlagen. Und sie werden jeden töten, der eine Waffe trägt, ob Mann, Frau oder Kind. Ihr habt nicht die geringste Chance zu gewinnen.«

»Da bin ich anderer Meinung.«

»Frol Panin lacht doch nur über euch. Der ganze Aufstand ist eine Inszenierung. Hier geht es gar nicht um die Zukunft Ungarns. Ihr werdet doch alle nur hintergangen.«

»Du verstehst wirklich gar nichts, Maxim. Nicht etwa ich werde von Panin hintergangen, ich hintergehe ihn selbst. Allein hätte ich das hier nie geschafft. Dann wäre es mit meiner Rache schon in Moskau vorbei gewesen. Doch jetzt kann ich mich nicht nur an den Männern und Frauen rächen, die mich verhaftet haben, so wie ich es ursprünglich vorhatte – jetzt kann ich mich an ebendem Staat rächen, der mein Leben zerstört hat. Jetzt kann ich Russland Schaden zufügen.«

»Nein, das kannst du nicht! Denn selbst wenn die sowjetischen Streitkräfte hundert Panzer und tausend Soldaten verlieren sollten, wird das am Ergebnis nichts ändern. Das juckt die überhaupt nicht.«

»Panin unterschätzt, wie tief der Hass hier sitzt.«

»Hass allein reicht nicht.«

Frajera wandte ihr Augenmerk Karoly zu. »Bist du sein Übersetzer? Hat Panin dich dazu beauftragt?«

»Ja.«

»Hast du außerdem noch die Anweisung erhalten, mich zu töten?«

Karoly dachte kurz nach, doch dann gab er Antwort. »Entweder ich oder Leo sollten dich töten. Sobald der Aufstand begonnen hatte.«

Leo war schockiert. Doch Frajera schüttelte nur gleichgültig den Kopf. »Ist dir nicht klar geworden, weshalb du eigentlich hier bist, Leo? Ohne es auch nur zu ahnen, solltest du mich für die zur Strecke bringen. Du arbeitest für Panin, ich nicht.«

»Das wusste ich nicht.«

»Das ist wohl deine Standardantwort auf alles – *das wusste ich nicht*. Dann werde ich es dir mal erklären. Ich habe diesen Aufstand nicht vom Zaun gebrochen. Ich habe ihn nur unterstützt. Auch wenn du mich umbringst, ändert das nichts.«

Leo wandte sich an Soja. Sie hatte ein Gewehr geschultert, an ihrem Gürtel baumelten Handgranaten. Ihre Kleider waren zerrissen, die Hände zerschunden.

Soja hielt seinem Blick stand, das Gesicht zu einer hasserfüllten Maske erstarrt, so als befürchte sie, dass sich sonst auch noch andere Gefühle anschleichen könnten. Neben ihr stand der Junge, der den Patriarchen ermordet hatte. Er hielt ihre Hand.

»Wenn ihr kämpft, werdet ihr sterben.«

Frajera wandte sich an Soja. »Was sagst du dazu, Soja? Maxim spricht mir dir.«

Soja reckte das Gewehr in die Luft. »Wir kämpfen.«

Am selben Tag

Raisa hätte gern etwas gesagt, aber Leos ganze Körpersprache verbot es ihr. Seit er mit Gewalt in diese Zelle verfrachtet worden war, hatte er kein Wort von sich gegeben. Auf der anderen Seite des Zimmers lag Karoly mit geschlossenen Augen auf einer Bettstelle. Er war bei der Gefangennahme am Bein verwundet worden.

»Es tut mir leid, Leo«, begann Raisa.

Leo schaute zu ihr auf. »Ich habe einen Fehler gemacht, Raisa. Ich hätte dir das mit Soja sagen sollen. Ich hätte dir erzählen sollen, dass sie mit einem Messer vor meinem Bett gestanden hat.«

Immer noch mit geschlossenen Augen daliegend, warf Karoly ein: »Reden wir hier von dem Töchterchen, das wir gerade zu retten versuchen?« Er machte ein Auge auf und linste damit erst Leo und dann Raisa an.

Um Karoly nicht weiter am Gespräch teilhaben zu lassen, senkte Leo die Stimme. »Wenn wir überhaupt eine Chance haben wollen, hier wegzukommen, müssen wir einander vertrauen können.«

Raisa nickte. »Mit Vertrauen allein kommen wir allerdings nicht aus diesem Zimmer raus.«

»Hast du eine Idee, wie wir Soja weglotsen sollen?«, fragte Leo.

»Sie ist verliebt.«

Überrascht fuhr Leo zurück. »Verliebt? In wen?«

»In einen Gangster. Er ist noch jung, so alt wie sie. Er heißt Malysch.«

»Der Junge ist ein Mörder! Ich war selbst dabei, als er den Patriarchen umgebracht hat. Er hat einen Siebzigjährigen mit einem Draht garottiert.«

Karoly setzte sich auf. »Hört sich an, als würden die zwei gut zusammenpassen.«

Raisa nahm Leos Hände. »Malysch könnte unsere letzte Rettung sein.«

Am selben Tag

Soja lag flach auf dem Bauch, das Gewehr vor sich. Die gesamte Fassade auf der zerstörten Seite des Hauses war von Granaten durchsiebt und drohte einzustürzen. Durch das Zielfernrohr sah sie am anderen Ende der *Kossuth-híd*, der Brücke nicht weit vom Parlament, zwei Panzer stehen. Genau wie Leo vorausgesagt hatte, warteten sie vermutlich auf den Befehl, in die Stadt vorzurücken.

Soja hatte nicht damit gerechnet, Leo noch einmal wiederzusehen. Wenn sie an sein Gesicht dachte, konnte sie sich nicht konzentrieren. Außerdem musste sie dringend pinkeln. Erneut nahm sie die Panzer ins Visier, doch da rührte sich nichts. Also legte sie ihr Gewehr hin und schaute sich in dem zertrümmerten Schafzimmer um, in dem sie sich befand. Da die gesamte Fassade des Hauses eingestürzt war, war der Raum nun einsehbar. Wenn sie sich nicht zu weit von ihrem Posten entfernen wollte, blieb ihr als einziges abgeschiedenes Plätzchen der Kleiderschrank. Sie schlüpfte hinein, zog die Tür hinter sich zu und hockte sich hin. Als sie sich mit dem Ärmel eines Mantels trocken tupfte, hatte sie ein schlechtes Gewissen – eigentlich verrückt, wenn man bedachte, dass sie gerade im Begriff war, einen Menschen zu erschießen. Zwar hatte sie mittlerweile schon zahlreiche Schüsse abgegeben, aber jemanden daraufhin sterben oder fallen sehen hatte sie noch nicht. Ohne Vorwarnung musste sie sich übergeben. Gerade noch rechtzeitig griff sie nach einem herumstehenden Schuh und kotzte ihn randvoll.

Auf wackligen Beinen kletterte sie aus dem Kleiderschrank und drückte die Tür hinter sich zu. Das Gewehr lag noch auf dem Trümmerhaufen, wo sie es zurückgelassen hatte. Zitternd begab sich Soja zurück auf ihren Posten. Ein sowjetischer Soldat wankte auf die beiden Panzer zu. Soja nahm den Verletzten ins Fadenkreuz. Sein Gesicht konnte sie nicht sehen, nur seinen Rücken – und das braune Haar. Vielleicht kamen die anderen Offiziere ihm ja zur Hilfe. Frajera hatte ihr beigebracht, dass sie zuerst auf die schießen musste. Das lohnte sich. Den Verletzten konnte sie danach immer noch erledigen.

Zehn Schritte vor dem Panzer brach der Verwundete zusammen. Soja richtete das Fadenkreuz auf die Luke und wartete ab, ob die Besatzung den Köder schlucken würde. Der Panzer setzte sich in Bewegung und manövrierte so nahe wie möglich an den Verletzten heran. Sie hatten also vor, ihn zu retten. Die Luke ging auf. Vorsichtig hob ein Soldat den stählernen Deckel hoch und spähte hinaus. Bereit, sich schnell wieder zurückzuziehen, wartete er, ob man auf ihn schießen würde. Nach einer Weile kletterte er hinaus und eilte seinem verwundeten Kameraden zur Hilfe. Soja hatte den Mann im Visier. Wenn sie jetzt nicht abdrückte, würde er den Kameraden in den Panzer zerren, und danach würden sie weiter in die Stadt vorrücken und noch mehr unschuldige Leute umbringen. Was wären ihre Skrupel dann noch wert? Schließlich war sie zum Kämpfen hier. Da drüben war der Feind. Er hatte Kinder, Mütter und Väter getötet.

Gerade wollte sie abdrücken, da schob jemand das Gewehr herunter. Es war Malysch. Er lag neben ihr, sein Gesicht dicht an ihrem. Soja zitterte.

Er nahm ihr das Gewehr ab und beobachtete durch das Fernrohr die Panzer.

Soja spähte über die Trümmer hinweg. Die Panzer setzten

sich wieder in Bewegung. Aber sie drangen nicht in die Stadt vor, sondern fuhren über die Brücke zurück in die entgegengesetzte Richtung.

»Wo wollen die hin?«, fragte Soja.

Malysch schüttelte den Kopf. »Keine Ahnung.«

Am selben Tag

Auf der Suche nach einer Fluchtmöglichkeit durchsuchte Leo das Zimmer. Während er sich an der Tür, dem Fenster und den Fußbodendielen zu schaffen machte, fiel ihm plötzlich auf, wie still es geworden war. Die Explosionen und Schüsse hatten aufgehört. Draußen vor der Zelle hörte er Schritte.

Die Tür ging auf, und Frajera marschierte herein. »Hört euch das an!«

Im Nachbarzimmer war ein Radio auf volle Lautstärke gestellt. Der Nachrichtensprecher redete Ungarisch. Leo warf Karoly einen fragenden Blick zu. Der hörte noch ein paar Sekunden zu.

»Übersetzen Sie!«, fuhr Frajera ihn an.

Karoly warf Leo einen flüchtigen Blick zu.

»Ein Waffenstillstand ist ausgerufen worden. Die sowjetischen Truppen ziehen sich aus der Stadt zurück.«

Am selben Tag

Frajera spürte Skepsis aufkeimen und bestand deshalb auf einem Siegeszug. Also machten sie sich auf den Weg: Leo, Raisa und Karoly, umringt von Aufständischen und den Überbleibseln von Frajeras Bande. Sie selbst und Malysch nicht eingerechnet, zählte Leo nur noch vier *wory*. Das waren viel weniger als in Moskau. Vielleicht waren ein paar getötet worden, aber die anderen hatten sie offenbar im Stich gelassen. Das Leben eines Revolutionärs war nun einmal nichts für einen Berufsverbrecher. Frajera schien das allerdings nicht zu scheren, sie führte die Gruppe so stolz die breite *Sztálin út* entlang, als marschiere sie auf Stalins Grabmal. Raisa lief neben Leo, Karoly dicht hinter ihnen, er zog sein verletztes Bein nach. Hinter den bewaffneten Männern erhaschte Leo einen Blick auf Soja, die am Rand der Gruppe marschierte, mit Malysch an ihrer Seite. Soja ignorierte Leo zwar vollkommen, doch Malysch warf ihm von Zeit zu Zeit verstohlen einen feindseligen Blick zu. Raisa hatte recht. Die beiden waren ganz eindeutig ineinander verliebt.

Leo konnte sich beim besten Willen nicht vorstellen, dass die ungarische Seite gesiegt haben sollte. Er hatte die Aufständischen gesehen, mit kaum mehr als Ziegelsteinen und Molotowcocktails bewaffnet. Sie hatten zwar furchtlos gekämpft, weil es um ihre Heimat ging, um die eigene Scholle. Aber eine vernünftige Strategie hatte Leo als ehemaliger Soldat dahinter nicht entdecken können. Der Aufstand war planlos und improvisiert. Die Rote Armee hingegen war das mächtigste Heer der Welt, zahlenmäßig ebenso wie in Bezug auf die Ausrüstung. Panin und seine Mitverschwörer wollten, dass das so blieb. Den Verlust Ungarns würde man niemals hinnehmen, egal wie blutig der Konflikt wurde. Doch als er jetzt durch die Stadt marschierte, stellte Leo zu seiner eigenen Überraschung fest, dass es tatsächlich nirgendwo mehr sowjetische Truppen gab, weder Panzer noch Soldaten. Viele der ungarischen Rebellen hatten bereits ihre Stellungen verlassen.

Frajera blieb stehen. Sie waren an einem Bürogebäude angekommen, einem nicht sehr großen und unscheinbaren Komplex. Vor dem Eingang herrschte Unruhe, es war ein einziges Kommen und Gehen. Karoly schleppte sich nach vorn und schloss zu Leo auf.

»Das ist das Hauptquartier des AVH.«

»Hier steckt also Ihr Sohn?«, frage Leo.

»Normalerweise arbeitet er hier. Aber die Agenten sind sicher geflohen, sobald der Aufruhr losging.«

Frajera bemerkte, dass die beiden miteinander redeten. Sie drängte sich durch ihre Männer.

»Wisst ihr, was das ist?«, fragte sie. »Das ist der Sitz der ungarischen Geheimpolizei. Die Leute sind stiften gegangen und verstecken sich jetzt irgendwo. Aber wir werden sie schon finden.«

Karoly gelang es, seine Besorgnis vor ihr zu verbergen.

Frajera fuhr fort. »Jetzt, wo die Stadt befreit ist, steht das Gebäude allen offen. Die Geheimnisse, die hier gehütet wurden, sind jetzt keine mehr.«

Die meisten Aufständischen blieben draußen. Es herrschte ein zu großes Gedränge, als dass alle hineingekonnt hätten. Frajera führte eine kleinere Gruppe durch die Tür und betrat einen Innenhof. Massen getippter und abgestempelter Papiere regneten von den Balkonen herab, die Bürokratie des Terrors. Es fing schon an zu dämmern. Immer wieder fiel der Strom aus. Um dem abzuhelfen, wurden Kerzen entzündet und auf den Balkonen und in den Fluren aufgestellt. Die Räume quollen über vor Menschen, die Akten durchwühlten. Im Kerzenlicht blätterten Männer und Frauen die Informationen durch, die man über sie gesammelt hatte. Übersetzungen der Dokumente brauchte Leo nicht, ihm reichte schon der Anblick der weinenden Menschen. Die Akten enthielten auch die Namen der Familienmitglieder oder Freunde, von denen sie denunziert worden waren, und das, was diese Leute über sie ausgesagt hatten. Als hätte man hundert Spiegel auf den Boden geworfen, sah Leo, wie überall um ihn herum der Glaube an die Menschheit erschüttert wurde. »Nach unten«, raunte Frajera.

Die Büros waren zwar voller Menschen, die Treppe zum Keller jedoch verwaist. Jeder nahm eine Kerze, dann stiegen sie hinunter. Die Luft war feucht und kühl. Leo konnte sich nicht nur vorstellen, was in den Akten stand, er wusste auch, was sie im Keller finden würden: die Zellen, wo man die Verdächtigen verhört und gefoltert hatte.

Wasser tropfte auf den rissigen Betonboden. Alle Zellentüren waren aufgebrochen worden. In der ersten Zelle standen ein Tisch und zwei Stühle. Die zweite besaß lediglich einen in der Mitte eingelassenen Abfluss. Leo beobachtete, was auf Sojas Gesicht vorging. Wie gerne hätte er sie jetzt hochgehoben und herausgetragen. Sie nahm Malyschs Hand. Verzweifelt ballte Leo die Fäuste. Wie lange wollte Frajera denn noch hier unten bleiben? Zu seiner Überraschung machte dieser Ort der sonst so furchtlos erscheinenden Frajera erkennbar zu schaffen. Leo stellte sich die Folterungen vor, die sie nach ihrer Verhaftung durchlitten haben musste.

Schließlich seufzte sie. »Trinken wir einen darauf, dass das alles jetzt ein Ende hat.«

Einen Moment lang stand sie da im Halbdunkel und war wieder ein Mensch.

* * *

Frajera wollte die Erste sein, die den Sieg feierte. Das Fest sollte im Hof des von ihr in Beschlag genommenen Hauses stattfinden, und jedermann war eingeladen. Frajera hatte kistenweise Alkohol besorgt, Schnaps und Champagner aus den Vorräten der Elite. Viele hatten solcherlei Getränke, die Frajera genau für diesen Augenblick gehortet hatte, noch nie probiert. Als Leo jetzt die Vorbereitungen zum Fest verfolgte, wurde ihm klar, dass Frajera die ganze Zeit an einen Sieg geglaubt hatte.

Um die Kälte zu vertreiben, hatte man in der Mitte des Hofes ein mannshohes Feuer errichtet, die Flammen züngelten hinauf in den nächtlichen Himmel. Unbeholfene Nachbildungen von

Stalin und seinem ungarischen Pendant Rákosi waren in Uniformen gesteckt worden, die man den Leichen sowjetischer Soldaten ausgezogen hatte. Leo registrierte, wie Frajera vom Balkon aus die brennenden Puppen sorgsam fotografierte und dann die Kamera wieder verstaute.

Während die brennenden Uniformen sich allmählich in Asche verwandelten, tauchte eine *cigány*-Kapelle mit ihren handbemalten Instrumenten auf. Anfangs spielten sie noch zaghaft, wie aus Furcht, ihre Geigen könnten einen sowjetischen Granatenbeschuss auf sie lenken, doch allmählich vergaßen sie ihre Angst. Die Musik wurde immer lauter und schneller, und die Aufständischen fingen an zu tanzen.

Leo und Raisa waren abseits des Festes unter Bewachung gestellt und mussten mitansehen, wie Soja sich betrank und der Champagner ihre Wangen rötete. Frajera trank aus einer Flasche, die sie mit niemandem teilte – nichts überließ sie dem Zufall. Als sie sah, dass Leo sie beobachtete, kam sie herbei. »Ihr könnt ruhig tanzen, wenn ihr wollt.«

»Was hast du jetzt mit uns vor?«, fragte Leo.

»Ehrlich gesagt weiß ich das noch nicht genau.«

Soja versuchte, Malysch zum Tanzen zu bewegen. Ohne Erfolg griff sie nach seiner Hand und zog ihn in den Kreis derer, die das Feuer umgaben. Er, den sie schon behände wie eine Katze Regenrinnen hatte hinaufklettern sehen, stellte sich jetzt tollpatschig an.

»Tu einfach so, als wären wir ganz allein«, flüsterte Soja ihm zu.

Und als seien nur sie beide da, tanzten sie um das Feuer. Die Welt um sie herum verschwamm, die Flammen erhitzten ihre Gesichter. Immer schneller wirbelten sie herum, bis die Musik schließlich aufhörte und alle applaudierten. Doch für die beiden drehte die Welt sich weiter, und sie hatten nur einander, um sich festzuhalten.

30. Oktober

Das Feuer war zu einem Haufen glimmender Asche und verkohlten Scheiten herabgebrannt. Die *cigány*-Kapelle hatte aufgehört zu spielen. Die Feiernden, sofern sie nicht besinnungslos in einer Ecke lagen, waren nach Hause zurückgekehrt.

Malysch und Soja hatten sich nahe dem ausgehenden Feuer in eine Decke gerollt. Karoly summte irgendeine unidentifizierbare Melodie. Nachdem er um Alkohol gebeten hatte, um den dumpfen Schmerz in seinem Bein zu betäuben, war er nun betrunken. Frajera dagegen war so putzmunter, als hätte sie sich die ganze Nacht ausgeruht.

»Warum sollten wir denn in einer viel zu engen Wohnung schlafen?«, fragte sie.

Es blieb ihnen nichts anderes übrig, als weiter an Frajeras Zug durch die Stadt teilzunehmen. Also verließen sie den Hof, überquerten die Donau und trotteten danach müde ihrem Ziel entgegen, den Regierungsvillen auf den satten Hügeln von Buda.

Malysch und Soja kamen mit, außerdem die übrigen *wory* und ihr ungarischer Übersetzer. Vom Gipfel des Rosenhügels aus verfolgten sie den Sonnenaufgang über der Stadt.

»Zum ersten Mal nach über zehn Jahren wacht diese Stadt in Freiheit auf«, erklärte Frajera.

Sie kamen am Tor einer von hohen Mauern umgebenen Villa vorbei. Erstaunlicherweise waren rund um das Grundstück Wachen postiert.

Frajera wandte sich an ihren Übersetzer. »Sag ihnen, sie sollen nach Hause gehen. Sag ihnen, das hier ist jetzt Volkseigentum.«

Der Übersetzer näherte sich dem Tor und wiederholte ihre Worte auf Ungarisch. Auf diese Idee waren die Wachen, die vermutlich vom Ausgang der Kämpfe gehört hatten, ohnehin schon gekommen. Schließlich bewachten sie hier die Privilegien eines untergegangenen Regimes. Sie öffneten das Tor, nahmen ihre Siebensachen und machten sich davon, während der Übersetzer aufgeregt zurückkehrte. »Sie sagen, das war Rákosis Villa.«

Karoly raunte Leo zu: »Die Spielwiese meines ehemaligen Chefs, des einst so glorreichen Führers meines Landes. Hier haben wir ihn immer angerufen und gefragt: Sollen wir in den Mund des Verdächtigen pissen, Genosse Vorsitzender? Wollen Sie dabei zuhören? Ja, hat er dann gesagt. Ich will alles hören.«

Sie betraten das mustergültig angelegte Grundstück.

Frajera rauchte eine selbstgedrehte Zigarette. Nach dem Geruch zu urteilen vermutete Leo, dass sie Aufputschmittel enthielt. Amphetamine würden auch erklären, warum sie immer noch eine solch unbändige Energie besaß. Ihre Augen waren vollkommen schwarz, die Pupillen wie Öllachen. Als er noch MGB-Agent gewesen war, hatte er diese Droge oft selbst bei nächtlichen Razzien und stundenlangen Verhören genommen. Danach würde Frajera keinen klaren Kopf mehr haben. Ihre Gewaltbereitschaft würde steigen und eine grenzenlose Selbstüberschätzung jede ihrer Entscheidungen unverrückbar machen.

Mit den Schlüsseln aus dem Wachhäuschen sprang Frajera die Treppe hinauf, entriegelte die Haustür und riss sie weit auf. Dann verbeugte sie sich vor Malysch und Soja. »Ein junges Paar sollte auch ein Nest haben.«

Malysch wurde rot. Soja betrat lächelnd das Haus, und bald darauf hallte die riesige Eingangshalle von ihrem erstaunten Ausruf wider. »Es gibt sogar ein Schwimmbad!«

Das Becken, draußen im Garten hinter der Villa, war mit Schutzfolie aus Plastik abgedeckt, auf der totes Laub lag. Soja steckte einen Finger ins Wasser unter der Plane. »Es ist kalt.«

Die Heizung war abgestellt, die Teakholzstühle waren in einer Ecke zusammengestapelt. Ein nur noch halb aufgeblasener grellbunter Strandball wurde sanft vom Wind hin und her gerollt.

Das einst luxuriöse Haus wirkte ungepflegt. Die Küche war, seit Rákosi nach der Geheimen Rede Ungarn unfreiwillig verlassen hatte und im sowjetischen Exil lebte, nicht mehr benutzt worden, und alles war mit einer dicken Staubschicht bedeckt. Dennoch war sie nach neuestem technischen Standard ausgerüstet, die Geräte stammten aus dem Ausland. In den Schränken türmten sich Kristall und feinstes Porzellan. Es gab noch ungeöffnete Flaschen französischen Weins.

Vor dem Kühlschrank trafen Soja und Leo zufällig zusammen. Seit seiner Gefangennahme war er ihr noch nicht so nahe gekommen. Seite an Seite versuchten sie, die mittlerweile mit Schimmel überzogenen Lebensmittel zu identifizieren.

»Soja ...«, begann Leo.

Bevor er weiterreden konnte, rief Frajera: »Soja!«

Soja gehorchte der Stimme ihrer Herrin und rannte davon.

Leo folgte ihr und betrat das Wohnzimmer. Dort stand er unversehens Stalin gegenüber. Von einem riesigen Ölgemälde an der Wand starrte der Diktator hinab und beobachtete seine Untergebenen. Frajera zog ein Messer und hielt es Soja hin. »Diesmal gibt es niemanden, der dich denunzieren wird.«

Mit dem Messer in der Hand stieg Soja auf einen Stuhl. Ihre Augen waren jetzt in Höhe von Stalins Hals, in idealer Höhe also, um sein Gesicht zu verstümmeln. Doch Soja unternahm nichts.

»Stich ihm die Augen aus!«, rief Frajera. Mach ihn blind! Rasier ihm den Schnurrbart ab!«

Soja stieg wieder herunter und gab Frajera das Messer zurück. »Ich habe ... keine Lust.«

Frajeras Euphorie verwandelte sich in Zorn. »Du hast keine Lust? So einfach verfliegt Wut nicht. Die Wut ist nicht wankelmütig. Die Wut ist wie die Liebe, nicht etwas, was man in einem Moment spürt und im nächsten nicht mehr. Die Wut bleibt immer in einem. Er hat deine Eltern ermordet.«

Aufgebracht erwiderte Soja: »Ich will aber nicht ständig nur daran denken!«

Frajera schlug Soja ins Gesicht. Leo sprang vor. Frajera hob ihre Pistole und richtete sie auf Leos Brust, sprach dabei aber weiter mit Soja. »Du vergisst deine Eltern? Geht das so einfach? Was ist denn plötzlich mit dir los? Nur, weil Malysch dich geküsst hat? Ist es das?«

Frajera trat zu Malysch, riss ihn an sich und küsste ihn. Er wehrte sich, aber sie ließ nicht los. Als sie fertig war, riss sie den Kopf weg. »Nicht schlecht. Aber wütend bin ich immer noch.«

Sie schoss Stalin zwischen die Augen, wieder und wieder, bis sie ihr ganzes Magazin auf das Ölgemälde geleert hatte. Bei jedem Schuss erzitterte die Leinwand. Irgendwann waren alle Kugeln verschossen, und der Abzugshahn schlug nur noch klickend gegen das leere Patronenlager. Frajera warf Stalin die Pistole ins Gesicht, sie prallte zurück und fiel klackernd zu Boden. Da erst wischte Frajera sich über die Stirn und fing an zu lachen. »Zeit fürs Bettchen.«

Anzüglich grinsend schob sie Soja und Malysch aufeinander zu.

* * *

Erschrocken fuhr Leo hoch. Einer der *wory* hatte ihn geweckt. »Wir brechen auf.«

Ohne jede Erklärung wurden Leo, Raisa und Karoly hochgezerrt. Man hatte sie in ein marmornes Badezimmer gesperrt, wo sie sich aus Handtüchern ein Lager hergerichtet hatten, doch mehr als zwei Stunden konnten sie unmöglich geschlafen haben. Frajera stand draußen am Tor, Soja neben ihr. Alle waren erschöpft, alle außer Frajera, die vor chemischer Energie geradezu sprühte. Sie deutete hinunter ins Stadtzentrum.

»Es heißt, sie haben die verschwundenen AVH-Agenten gefunden. Sie hatten sich die ganze Zeit in der kommunistischen Parteizentrale versteckt.«

Von einem Moment zum nächsten veränderte sich Karolys Gesichtsausdruck. Seine Erschöpfung war wie weggeblasen.

Sie brauchten über eine Stunde, um vom Berg hinabzusteigen, den Fluss zu überqueren und zum Platz der Republik zu gelangen, wo sich die Parteizentrale der Kommunisten befand. Man hörte Schüsse und sah Rauch.

Die Zentrale wurde belagert. Panzer, die in die Hände der Aufständischen gelangt waren, beschossen die Außenmauern. Zwei Lastwagen brannten. Die Fenster waren zersprungen, und große Brocken Beton prasselten zu Boden.

Frajera lief über den Platz und suchte Deckung hinter einer Statue. Von den Dächern wurde geschossen, Kugeln pfiffen ihnen über die Köpfe. Das Kreuzfeucr hinderte sie am Weiterkommen. Urplötzlich hörten die Schüsse auf. Ein Mann mit einer improvisierten weißen Fahne trat aus der Parteizentrale und flehte um sein Leben. Er wurde erschossen. Noch während er zusammenbrach, preschte die erste Reihe der Aufständischen vor und stürmte das Gebäude.

Frajera nutzte die Feuerpause und führte ihre Gruppe über den Platz. Am Eingang versammelte sich neben den schwelenden Lastwagen gerade eine Traube von Rebellen. Frajera schloss sich ihnen an, Leo und die anderen folgten ihr. Unter einem der Lastwagen lagen die verkohlten Leichen von Soldaten. Die Menge wartete darauf, dass ihr die gefangen genommenen AVH-Agenten ausgeliefert wurden. Leo bemerkte, dass nicht alle hier draußen Kämpfer waren. Fotografen und ausländische Presseleute hatten sich daruntergemischt, um ihre Hälse baumelten Kameras. Leo wandte sich zu Karoly um. Eben noch hatte in dessen Gesicht die Hoffnung gestanden, dass er womöglich seinen Sohn wiederfinden würde, doch jetzt war darin nur noch Grauen zu lesen und der Wunsch, dass sein Sohn möglichst weit weg von hier sein möge.

Der erste AVH-Beamte wurde herausgezerrt, es war ein junger Mann. Kaum hatte er die Hände erhoben, wurde er erschossen. Der zweite wurde herausgezogen. Leo verstand nicht, was er sagte, aber es war offensichtlich, dass er um sein Leben flehte. Mitten in seinem Redeschwall wurde auch er erschossen. Ein dritter kam herausgelaufen. Als er seine toten Freunde am Boden liegen sah, versuchte er wieder ins Gebäude zurückzugelangen. Leo sah, dass Karoly einen Schritt nach vorn machte. Dieser junge Mann war sein Sohn.

Wütend, dass der Mann versuchte, der Gerechtigkeit zu entfliehen, packten die Rebellen den Agenten und schlugen auf ihn ein, während er sich noch an die Tür klammerte. Karoly riss sich von Leo los, drängte sich durch die Kämpfer nach vorn und legte schützend die Arme um seinen Sohn. Überrascht über dieses Wiedersehen fing der junge Mann an zu weinen, irgendwie schien er zu hoffen, sein Vater würde ihn beschützen können. Karoly schrie die Menge an. Vater und Sohn blieben nur wenige Sekunden vereint, dann wurde Karoly weggezerrt und zu Boden gedrückt. Er musste mitansehen, wie man seinem Sohn die Uniform vom Leib riss. Die Knöpfe sprangen ab, das Hemd ging in Fetzen. Sie drehten den jungen Mann kopfüber und banden ihm ein Seil um die Fußgelenke, dann schleiften sie ihn zu einem der Bäume auf dem Platz.

Leo wandte sich an Frajera und wollte um das Leben des Jungen bitten, doch da sah er, dass Soja schon an ihrem Arm zerrte.

»Halt sie auf! Bitte!«

Frajera beugte sich zu ihr hinab wie eine Mutter, die einem Kind die Welt erklärt. »Siehst du. Das ist Wut.«

Mit diesen Worten holte Frajera ihre Kamera hervor.

Karoly riss sich los und taumelte kraftlos hinter seinem Sohn her. Er weinte, als er sah, wie man ihn aufknüpfte, wie er kopfüber, aber immer noch lebend vom Baum hing, mit hochrotem Kopf und hervortretenden Adern. Karoly umklammerte seinen

Sohn und hob ihn hoch, doch sofort wurde ihm ein Gewehrkolben ins Gesicht geschlagen. Er kippte nach hinten. Sein Sohn wurde mit Benzin übergossen.

Blitzschnell trat Leo an einen der *wory* heran, der von der bevorstehenden Hinrichtung abgelenkt war. Mit einem Schlag gegen den Hals raubte er ihm die Luft und nahm ihm das Gewehr ab. Dann stützte er sich auf einem Knie ab und zielte durch die Menge. Er hatte nur eine Chance, nur einen Schuss. Das Benzin wurde angezündet. Der Sohn fing an zu brennen, schreiend wand er sich hin und her. Leo kniff ein Auge zu und wartete auf eine Lücke in der Menge. Dann schoss er. Die Kugel traf den jungen Mann in den Kopf. Er brannte noch, doch sein Körper hing jetzt schlaff herunter. Die Aufständischen wirbelten herum und starrten Leo an.

Frajera hatte bereits ihre Waffe auf ihn gerichtet. »Runter damit!«

Leo ließ das Gewehr fallen.

Karoly stand auf und umklammerte den Leichnam seines Sohnes. Er versuchte die Flammen zu ersticken, so als könne ihn das noch retten. Auch er selbst brannte mittlerweile, die Haut an seinen Händen wurde krebsrot und warf Blasen. Aber Karoly schien es längst nicht mehr wahrzunehmen, er hielt weiter seinen Sohn umklammert, während seine Kleider Feuer fingen. Die Kämpfer sahen zu, wie der Mann trauerte und brannte, und ihr rasender Hass verschwand.

Leo wollte schreien, dass sie halfen, dass sie irgendetwas unternahmen. Schließlich hob ein Mann mittleren Alters seine Waffe und schoss Karoly in den Hinterkopf. Unter seinem Sohn fiel er ins Feuer. Noch während sie zusammen verbrannten, machten sich viele aus der Menge davon.

Am selben Tag

Sie waren wieder in der Wohnung. Zwischen den verkaterten *wory* und den ausgelassenen ungarischen Studenten versuchte Malysch ein ruhiges Plätzchen zu finden. Er zog sich in die Küche zurück und machte unter dem Tisch ein Lager. Dann ergriff er Sojas Hände. Wie jemand, den man aus dem eiskalten Meer gerettet hatte, konnte sie einfach nicht aufhören zu zittern. Als Frajera die Küche betrat, spürte Malysch, wie Soja erstarrte, so als sei ein Raubtier in der Nähe. In einer Hand hielt Frajera ihre Waffe, in der anderen eine Flasche Champagner. Sie hockte sich hin. Ihre Augen waren blutunterlaufen, die Lippen aufgesprungen.

»Auf einem der Plätze gibt es heute Abend ein Fest. Da kommen Tausende von Leuten. Die Bauern aus der Umgebung stiften das Essen. Ganze Schweine werden gebraten.«

»Soja geht es nicht gut«, antwortete Malysch.

Frajera streckte die Hand aus und befühlte Sojas Stirn. »Da gibt es keine Polizei, keinen Staat, nur die Bürger eines freien Landes, und keiner muss mehr Angst haben. Wir müssen dabei sein, und zwar alle.«

Sobald Frajera den Raum verlassen hatte, fing Soja, die sich während der Unterredung zusammengerissen hatte, wieder an zu zittern. In den auf den Straßen liegenden Soldatenleichen, über die man Kalk geschüttet hatte, sah man statt dem Menschen nur noch die Uniform, das Symbol der Besatzer. Jeder, ob tot oder lebendig, war für irgendetwas ein Symbol. Die toten Ungarn, auf deren Gräber man Blumen gelegt hatte, waren die Symbole des gerechten Widerstandes. Karoly jedoch war vor allen Dingen ein Vater gewesen, und der Beamte, den man aufgehängt hatte, sein Sohn.

»Heute Nacht laufen wir weg«, flüsterte Malysch Soja zu.

»Ich weiß noch nicht, wohin. Aber wir schlagen uns schon durch. Im Durchschlagen bin ich gut. Es ist das Einzige, was ich gut kann, außer vielleicht töten.«

Soja dachte einen Moment lang nach, dann fragte sie: »Und Frajera?«

»Wir dürfen es ihr nicht sagen. Wir warten, bis alle beim Fest sind, dann hauen wir ab. Was hältst du davon? Kommst du mit?«

* * *

Im Halbschlaf dämmerte Soja vor sich hin. In ihren Träumen stellte sie sich vor, wo sie leben würden. Irgendwo weit weg, auf einem abgelegenen Bauernhof mitten im Wald, in einem freien Land. Viel Land würden sie nicht besitzen, gerade genug, um sich davon zu ernähren. Es gab auch einen Fluss, nicht zu breit, nicht zu schnell und nicht zu tief. Darin schwammen sie, oder sie angelten. Soja öffnete die Augen. Die Wohnung lag im Dunkeln. Sie wusste nicht, wie lange sie geschlafen hatte, und sah Malysch an. Er legte einen Finger an die Lippen. Sie bemerkte, dass er ein Bündel geschnürt hatte, in dem vermutlich Kleidung, Verpflegung und Geld waren. Offenbar hatte er, während sie schlief, alles vorbereitet. Sie verließen die Küche, im größten Zimmer nebenan trafen sie auf niemanden. Alle waren beim Fest. Sie eilten aus der Wohnung, die Treppe hinunter und auf den Hof. Da blieb Soja stehen. Leo und Raisa fielen ihr ein, die in der Wohnung unter dem Dach eingeschlossen waren.

Aus dem dunklen Flur hörte man eine Stimme. »Sie werden bestimmt gerührt sein, wenn ich ihnen erzähle, dass du noch einmal gezögert und an sie gedacht hast, bevor du abgehauen bist.«

Aus dem Schatten trat Frajera.

»Wir wollen zum Fest«, log Soja schlagfertig.

»Und was ist in dem Bündel da?« Frajera schüttelte den Kopf.

Malysch trat vor. »Du brauchst uns nicht mehr.«

Und Soja fügte hinzu: »Du redest doch die ganze Zeit von Freiheit. Dann lass uns auch gehen.«

Frajera nickte. »Freiheit muss man sich aber erkämpfen. Diese Chance gebe ich euch. Sobald Blut fließt, lasse ich euch beide gehen. Ein einziger Schnitt reicht, ein Pieks, nur ein Tröpfchen Blut.«

Malysch blieb unsicher stehen.

Frajera kam näher. »Ohne Messer wirst du mich kaum verletzen können.«

Malysch zog sein Messer und schob gleichzeitig Soja hinter sich. Frajera kam noch näher. Sie war unbewaffnet. Malysch duckte sich angriffsbereit.

»Malysch, ich dachte, du hättest es begriffen. Beziehungen machen einen schwach. Schau doch mal, wie nervös du bist. Und warum? Weil es um zu viel geht. Ihr Leben, dein Leben, euer Traum vom gemeinsamen Leben ... das macht dir Angst. Es macht dich verwundbar.«

Malysch griff an. Mit einem Ausfallschritt wich Frajera der Klinge aus, packte sein Handgelenk und schlug ihm ins Gesicht. Er ging zu Boden.

Sie stand über ihm, nun hatte sie sein Messer in der Hand. »Du bist eine große Enttäuschung für mich.«

* * *

Leo drehte den Kopf zur Tür. Malysch kam als Erster herein, gefolgt von Soja, der ein Messer an den Hals gedrückt wurde. Frajera ließ die Klinge sinken und stieß Soja hinein. »Freut euch nicht zu früh. Ich habe sie erwischt, als sie gemeinsam abhauen wollten. Es schien ihnen nichts auszumachen, euch zurückzulassen, ohne auch nur auf Wiedersehen zu sagen.«

Raisa machte einen Schritt vor. »Sie können sagen, was Sie wollen, es wird nichts daran ändern, wie wir zu Soja stehen.«

Mit gespieltem Ernst gab Frajera zurück: »Da scheint sogar etwas dran zu sein. Soja kann anstellen, was sie will. Sie kann mit einem Messer vor eurem Bett stehen, weglaufen, sich tot stellen – trotzdem glaubt ihr immer noch, dass sie euch eines Tages möglicherweise doch lieben könnte. Das ist ja beinahe schon Gefühlsfanatismus. Du hast recht, da kann ich natürlich reden, so viel ich will. Aber eines kann ich dir vielleicht trotzdem sagen, und danach wirst du zumindest zu Malysch anders stehen.«

Frajera legte eine Kunstpause ein. »Er ist dein Sohn, Raisa.«

Am selben Tag

Leo wartete darauf, dass Raisa diesen absurden Gedanken von sich wies. Während des Großen Vaterländischen Krieges hatte sie ein Kind bekommen, aber das war wenig später gestorben. Einen Sohn gab es nicht, und schon gar nicht war dieser Sohn Malysch.

Schließlich sprach Raisa, doch sie klang kleinlaut. »Mein Sohn ist tot.«

Mit selbstgefälligem Grinsen wandte sich Frajera an Leo und wies mit dem Messer auf Raisa. »Ihr Sohn lebt. Wie du ja weißt, wurde er im Krieg gezeugt, das Ergebnis einer Belohnung für die Soldaten, bei der die sich jede nehmen konnten, die ihnen gefiel. Sie haben Raisa hergenommen, immer wieder. Dabei ist ein Bastard der Sowjetarmee herausgekommen.«

Raisa antwortete kraftlos, doch ihre Stimme war fest und ruhig. »Mir war es egal, wer der Vater war. Es war mein Kind, nicht seins. Ich hatte mir geschworen, es zu lieben, auch wenn es auf abscheuliche Weise zustande gekommen war.«

»Allerdings hast du den Jungen dann trotzdem im Stich gelassen und ins Waisenhaus gegeben.«

»Ich war krank und hatte keine Bleibe. Ich hatte gar nichts, noch nicht einmal etwas zu essen.«

Raisa hatte Malysch nicht angeschaut. Frajera schüttelte angewidert den Kopf. »Nie im Leben hätte ich mein Kind aufgegeben, egal, wie schwierig die Umstände gewesen wären. Mir mussten sie meinen Sohn im Schlaf rauben.«

Raisa war vollkommen kraftlos, sie konnte sich nicht mehr wehren. »Ich schwor mir, zu ihm zurückzukehren. Sobald es mir besser ging, sobald der Krieg vorbei war und ich eine Bleibe hatte.«

»Aber als du dann ins Waisenhaus zurückgekehrt bist, haben sie dir erzählt, dein Sohn sei gestorben. Und du dumme Gans hast ihnen das geglaubt. An Typhus, haben sie gesagt, oder?«

»Ja.«

»Da ich selbst einige Erfahrung mit den Lügen habe, die einem in Waisenhäusern aufgetischt werden, habe ich deine Geschichte überprüft. Tatsächlich wurden damals viele Kinder vom Typhus dahingerafft. Eine Menge haben aber auch überlebt, weil sie Reißaus genommen haben. Und oft verdingen sich Kinder, die aus Waisenhäusern weglaufen, als Taschendiebe in Bahnhöfen.«

Malysch, dessen Vergangenheit hier mit jedem Wort neu erzählt wurde, meldete sich zum ersten Mal selbst zu Wort. »Wie damals, als ich dir im Bahnhof Geld gestohlen habe?«

Frajera nickte. »Ich hatte dich schon länger im Auge. Du solltest aber glauben, wir träfen uns nur zufällig. Schon damals hatte ich vor, dich bei meiner Rache an der Frau einzusetzen, die sich in einen Mann verliebt hatte, den ich hasste. Aber dann bist du mir ans Herz gewachsen, und bald schon sah ich in dir einen Sohn. Also habe ich meine Pläne geändert. Ich wollte dich wie ein eigenes Kind bei mir behalten. Und mit Soja ist es mir genauso gegangen, auch sie habe ich lieb gewonnen und wollte sie bei mir behalten. Heute habt ihr beide diese Liebe mit Füßen getreten. Auf die kleinste Provokation hin hast du ein Messer gegen mich gezogen. Und soll ich dir etwas sagen? Wenn du gesagt hättest, das mache ich nicht, hätte ich euch beide ziehen lassen.«

Frajera wandte sich zur Tür. Dort blieb sie noch einmal stehen und blickte sich zu Leo um. »Du hast dir doch immer eine Familie gewünscht, Leo. Jetzt hast du eine. Viel Spaß damit. Sie ist eine grausamere Rache als alles, was ich mir hätte ausdenken können.«

Am selben Tag

Raisa wandte ihr Gesicht den anderen zu. Vor ihr stand Malysch, die Brust und die Arme übersät mit Tätowierungen. Sein Ausdruck verriet abwartende Wachsamkeit, er hatte sich gegen Ablehnung und Gleichgültigkeit gewappnet.

Als Erste sagte Soja etwas. »Es spielt keine Rolle, ob er dein Sohn ist. Denn eigentlich ist er es nicht, nicht richtig jedenfalls, nicht mehr. Du hast ihn weggegeben, und das heißt, du bist nicht mehr seine Mutter. Und damit ist alles gesagt. Wir sind keine Familie.«

Malysch berührte Raisas Arm. Soja fasste das als Vorwurf auf. »Sie ist nicht deine Mutter, begreif das doch!«

Soja war den Tränen nahe. »Wir können immer noch fliehen.«

Malysch nickte. »Es ist alles beim Alten.«

»Versprochen?«

»Versprochen.«

Malysch machte einen Schritt auf Raisa zu, den Blick gesenkt. »Ist mir sowieso egal. Ich will es nur wissen.«

Seine Frage kam schroff, wie die eines Kindes, das seine Verletzlichkeit verbergen will. Er wartete Raisas Antwort gar nicht erst ab, sondern fügte hinzu: »Im Waisenhaus wurde ich Felix genannt. Aber den Namen haben sie mir im Waisenhaus gegeben. Sie haben allen neue Namen gegeben, Namen, die sie sich merken konnten. Wie ich wirklich heiße, weiß ich nicht.«

Malysch zählte an seinen Fingern ab. »Ich bin jetzt vierzehn. Vielleicht auch erst dreizehn. Wann genau ich geboren wurde, weiß ich nicht. Also, bin ich jetzt dein Sohn oder nicht?«

»Kannst du dich noch an irgendwas aus deinem Waisenhaus erinnern?«, fragte Raisa.

»Im Hof stand ein Baum. In dem haben wir oft gespielt. Das Waisenhaus lag in der Nähe von Leningrad, aber nicht in einer Stadt, sondern auf dem Land. War es da? Mit dem Baum im Hof? Hast du da deinen Sohn hingebracht?«

»Ja«, sagte Raisa.

Sie trat näher an Malysch heran. »Was haben sie dir im Waisenhaus über deine Eltern erzählt?«

»Nur, dass sie tot sind. Für mich warst du immer tot.«

Wie um das Thema abzuschließen, fügte Soja hinzu: »Damit ist wohl alles gesagt.«

Soja zog Malysch in die entlegenste Ecke und drückte ihn auf einen Stuhl. Raisa und Leo blieben am Fenster stehen. Leo drang nicht mit Fragen auf Raisa ein, er ließ ihr Zeit.

Schließlich wandte sie ihr Gesicht ab, sodass Malysch es nicht sehen konnte, und flüsterte ihm zu: »Leo, ich habe mein Kind im Stich gelassen. Das ist die größte Schande meines Lebens. Ich habe es dir nie erzählt. Ich wollte nie wieder darüber reden. Tatsächlich aber vergeht kaum ein Tag, ohne dass ich daran denke.«

Leo zögerte. »Ist Malysch …?«

Raisa sprach noch leiser weiter. »Was Frajera gesagt hat, stimmt zum Teil. Es gab tatsächlich eine Typhus-Epidemie. Viele Kinder sind gestorben. Aber mein Sohn war, als ich zurückgekehrt bin, noch am Leben. Er lag allerdings im Sterben und hat mich gar nicht mehr erkannt. Ich bin bei ihm geblieben, bis er tot war. Dann habe ich ihn selbst begraben. Malysch ist nicht mein Sohn, Leo.«

In Gedanken versunken verschränkte Raisa die Arme. Dann versuchte sie sich zusammenzureimen, was passiert sein mochte: »Frajera ist wahrscheinlich 1953 oder 1954 nach ihrer Freilassung zurückgekommen und hat nach meinem Sohn gesucht. Die Unterlagen müssen das reine Chaos gewesen sein, unmöglich, dass sie die Wahrheit über meinen Sohn herausgefunden hat. Sie konnte nicht wissen, dass ich bei seinem Tod dabei war. Frajera hat sich einfach jemanden gesucht, der ungefähr in seinem Alter war. Vielleicht hat sie tatsächlich vorgehabt, ihn gegen mich zu benutzen, und hat es dann gelassen, weil sie sich in Malysch vernarrt hat. Vielleicht wusste sie aber auch nur nicht, ob ich ihr diese Lüge abkaufen würde.«

»Es könnte auch einfach nur ihr verzweifelter Versuch sein, uns noch einmal wehzutun.«

»Und was ist mit ihm?«

Leo dachte nach. »Warum sagen wir ihm nicht die Wahrheit? Mit ihm spielt Frajera doch auch nur.«

»Aber wie hört sich die Wahrheit in seinen Ohren an? Vielleicht glaubt er sie einfach nicht. Vielleicht denkt er, dass ich ihn nur nicht haben will und irgendwelche Geschichten erfinde, warum er auf keinen Fall mein Sohn sein kann. Leo, wenn er will, dass ich ihn liebe, wenn er eine Mutter sucht ...«

Mit ihrer seltenen Gabe, andere zu manipulieren, trug Frajera genau in diesem Augenblick zwar nur einen einzigen, dafür aber großen Teller mit heißem Eintopf herein. Es blieb ihnen keine Wahl, als sich im Schneidersitz zusammenzuhocken und gemeinsam zu essen. Soja sperrte sich zunächst und hielt sich abseits von den anderen. Doch das Essen wurde kalt, und da seine Wärme ohnehin das einzige Gute an ihm war, kam sie schließlich herbei und aß mit den anderen. Mit klappernden Gabeln piekten alle Gemüse und Fleisch heraus.

»Soja hat erzählt, dass du Lehrerin bist«, meldete sich Malysch.

Raisa nickte. »Das stimmt.«

»Ich kann nicht lesen und nicht schreiben. Würde ich aber gern.«

»Wenn du willst, helfe ich dir.«

Soja schüttelte den Kopf. Ohne Raisa eines Blickes zu würdigen, wandte sie sich an Malysch. »Das kann ich dir doch beibringen. Du brauchst sie nicht.«

Der Teller war beinahe leer. Bald würden sie wieder auseinandergehen und jeder sich in seine Ecke des Raumes zurückziehen.

Leo packte die Gelegenheit beim Schopf. »Elena braucht dich.«

Soja hörte auf zu essen, antwortete aber nichts.

Leo fuhr fort. »Ich will dich nicht aufregen. Aber Elena liebt dich. Sie will, dass du wieder nach Hause kommst.«

Mehr sagte er nicht, auch wenn es tatsächlich viel schlimmer war.

Soja ließ ihre Gabel fallen und stand auf. Sie blieb noch einen Moment abgewandt stehen, dann legte sie sich auf das Lager in der Ecke und drehte den anderen ihren Rücken zu. Malysch setzte sich zu ihr und legte ihr den Arm um die Schulter.

* * *

Fröstelnd erwachte Leo. Es war früher Morgen. Er und Raisa hatten sich in einer Zimmerecke aneinandergeschmiegt, abseits von Malysch und Soja, die in einer anderen lagen. Frajera war den ganzen vorigen Tag unterwegs gewesen, einer der ungarischen Aufständischen hatte ihnen etwas zu essen gebracht. Leo merkte, dass sich etwas geändert hatte: In der ganzen Wohnung herrschte gedrückte Stimmung. Das Feiern und trunkene Hurrageschrei waren vorbei.

Er stand auf, trat an das kleine Fenster und wischte das Kondenswasser ab. Draußen fiel Schnee. Eigentlich das perfekte Bild einer friedvollen Stadt, ganz weiß und ruhig – und trotzdem wurde Leo die Unruhe nicht los. Er sah keine Kinder spielen, keine Schneeballschlachten. Es war der erste Schnee in einer befreiten Stadt, und doch gab es kein Zeichen von Erregtheit oder gar Begeisterung. Keine Menschenseele ließ sich auf den Straßen blicken.

4. November

Irgendwo über der Wohnung kam aus dem Himmel ein entferntes Heulen, das aber bald zu einem lauten Donnern anwuchs. Ein Düsenflugzeug war über sie hinweggeflogen. Trotz der Dunkelheit im Zimmer wachte Raisa sofort auf und fragte: »Was ist los?«

Noch bevor Leo antworten konnte, waren fast gleichzeitig überall in der Stadt Explosionen zu hören. Im Nu waren Malysch und Soja auf den Beinen, sprangen an Leos Seite und spähten aus dem Fenster.

»Sie sind wieder da«, erklärte Leo.

In den angrenzenden Zimmern herrschte Panik. Auf dem Dach war Getrappel zu hören, als die vollkommen überraschten Aufständischen ihre Posten besetzten. Auf der Straße konnte Leo einen Panzer sehen. Sein Kanonenrohr schwenkte hierhin und dorthin, bis es schließlich die Heckenschützen auf dem Dach ins Visier nahm.

»Deckung!«, Leo scheuchte die anderen in die entlegenste Zimmerecke. Einen Moment lang war Totenstille, dann kam die Explosion. Alle wurden von den Beinen gerissen. Das Dach stürzte ein, Holzbalken krachten herab, und die Rückwand brach zusammen. Der kleine Teil, der von dem Raum noch übrig war, lag unter schräg aufragenden Trümmern begraben. Hustend zog Leo sich das Hemd vors Gesicht, um nach den anderen sehen zu können.

Raisa umklammerte einen zerbrochenen Balken und rammte ihn gegen die Tür. Leo half ihr, gemeinsam versuchten sie, die Tür aufzubrechen.

»Hier lang!«, rief Malysch.

Am Fuß der Innenwand war ein breiter Riss entstanden. Flach auf den Bauch gedrückt und jede Sekunde in Gefahr, dass das

Dach endgültig einstürzte, krochen sie wie durch einen Tunnel aus den Trümmern und in den Flur. Es gab keine Wachen und auch keine *wory*. Die Wohnung war leer. Als sie die Balkontür zum Hof öffneten, sahen sie, wie die Bewohner des Hauses fluchtartig ihre Wohnungen verließen. Viele drängten sich unschlüssig zusammen, sie wussten nicht, ob sie sich auf die Straße wagen sollten oder es an Ort und Stelle nicht doch sicherer war.

Wie der Blitz rannte Malysch noch einmal zurück.

»Malysch!«, schrie Leo ihm hinterher.

Als er wieder auftauchte, hatte Malysch einen Patronengürtel, Handgranaten und eine Pistole dabei. Kopfschüttelnd versuchte Raisa ihn zu entwaffnen. »Sie werden dich töten.«

»Die töten uns sowieso.«

»Ich will nicht, dass du dieses Zeug mitnimmst.«

»Falls wir aus der Stadt rauskommen, werden wir die Sachen brauchen.«

Raisa sah zu Leo.

»Gib mir die Pistole«, sagte der.

Zögernd reichte Malysch sie ihm. Eine Explosion ganz in der Nähe machte dem Streit ein Ende.

»Wir haben nicht mehr viel Zeit.«

Leo blickte hinauf in den dunklen Himmel. Als er das Dröhnen von Flugzeugmotoren hörte, scheuchte er die anderen hektisch zur Treppe. Von den *wory* war weit und breit nichts zu sehen. Leo vermutete, dass sie entweder kämpften oder geflohen waren. Am Fuß der Treppe angelangt, drängten sie sich durch die verängstigten Menschen in die Gasse hinein.

»Maxim!«

Leo drehte sich um und sah hinauf. Auf dem Dach stand Frajera, ein Maschinengewehr im Anschlag. Mitten im Hof saßen sie in der Falle. Sie würden es nie bis zur Gasse schaffen, bevor Frajera sie niedermähte.

»Es ist vorbei, Frajera!«, rief Leo ihr zu. »Diesen Kampf konntest du von Anfang an nicht gewinnen!«

»Ich habe ihn schon gewonnen, Maxim!«

»Schau dich doch mal um!«

»Nicht mit dem Gewehr! Hiermit!«

Um ihren Hals hing eine Kamera.

»Panin wollte von Anfang an die geballte Kraft seiner Armee einsetzen. Und ich wollte das auch. Ich will, dass er diese Stadt in Schutt und Asche legt und keinen am Leben lässt. Ich will, dass die ganze Welt sieht, was für ein Land wir in Wahrheit sind. Keine Geheimnisse mehr! Kein Mensch wird je wieder an die guten Absichten unseres Vaterlandes glauben. Das ist meine Rache.«

»Lass uns gehen.«

»Du hast es immer noch nicht verstanden, Maxim. Ich hätte dich schon hundertmal töten können. Aber wenn du am Leben bleibst, ist das eine größere Strafe als der Tod. Geht zurück nach Moskau, alle vier. Mit einem Sohn, der wegen Mordes gesucht wird, und voll der Liebe für eine Tochter, die dich hasst. Versucht ruhig, eine Familie zu sein.«

Leo entfernte sich ein paar Schritte von den anderen. »Frajera, was ich dir angetan habe, tut mir leid.«

»Ehrlich gesagt, Maxim … bevor ich dich gehasst habe, war ich ein Nichts.«

Leo wandte sich zur Gasse um und rechnete jeden Moment damit, eine Kugel in den Rücken zu bekommen. Doch es fiel kein Schuss. Als er den Ausgang zur Straße erreicht hatte, blieb er noch einmal stehen und drehte sich um. Frajera war verschwunden.

Am selben Tag

Die Hände mit Tischdecken umwickelt, um sich vor den Glasscherben zu schützen, lag Leo flach auf dem Bauch in den Trümmern eines verlassenen Cafés und wartete darauf, dass die Panzer vorbeifuhren. Vorsichtig hob er den Kopf und spähte durch das zerstörte Fenster. Insgesamt waren es drei Panzer, die ihre Türme hin- und herschwenkten und die Gebäude kontrollierten, auf der Suche nach feindlichen Zielen. Mittlerweile setzte die Rote Armee nicht mehr auf kleine Verbände mit den schwerfälligen und verwundbaren T-34-Panzern, sondern auf die größeren und schwer bewaffneten T-54. Nach allem zu urteilen, was Leo bislang beobachtet hatte, schienen die Sowjets eine neue Strategie zu verfolgen. Sie griffen in Stoßtrupps an und schlugen mit unverhältnismäßiger Wucht zurück. Auf einen einzigen gefallenen Schuss antworteten sie mit der Zerstörung eines ganzen Gebäudes. Die Panzer fuhren erst weiter, wenn sie alles verwüstet hatten.

Weil sie sich an fast jeder Kreuzung hatten Deckung suchen müssen, hatten sie in zwei Stunden noch nicht einmal einen Kilometer geschafft. Jetzt brach schon der Morgen an, und ohne den Schutz der Dunkelheit würden sie sogar noch langsamer vorankommen. Sie waren in einer Stadt eingeschlossen, die systematisch dem Erdboden gleichgemacht wurde. Auch wenn man in den Häusern blieb, war das mittlerweile keine Garantie mehr, dass einem nichts passierte. Die Panzer waren mit schweren Granaten ausgerüstet, die drei Zimmer durchschlugen, bevor sie mitten in den Gebäuden detonierten und alles zum Einsturz brachten.

Angesichts einer solchen Demonstration militärischer Stärke fragte Leo sich unwillkürlich, ob der erste Fehlversuch, die Situation wieder unter Kontrolle zu bekommen, nicht vielleicht sogar Absicht gewesen war. Denn was hier passierte, stand nicht nur im krassen Gegensatz zu jeglicher Position moderaten Eingreifens, es veranschaulichte auch gleichzeitig die Ineffizienz der älteren Waffen, die sogar von einem Mob ausgeschaltet worden waren. Jetzt aber stellte man auf den Straßen von Budapest das neueste Kriegsgerät vor wie in einem Propagandafilm des Militärs. Jeder, der das in Moskau zu sehen bekam, konnte nur eine Schussfolgerung ziehen: Alle Pläne, die konventionellen Streitkräfte abzubauen, waren falsch. Man musste nicht weniger, sondern mehr Geld in die Entwicklung neuer Waffen stecken. Die Stärke des gesamten Sowjetblocks hing davon ab.

Aus dem Augenwinkel registrierte Leo ein orangefarbenes Flackern, das sich deutlich von den grauen Steintrümmern und dem trüben Morgenlicht abhob. Drei junge Männer auf der anderen Straßenseite zündeten ihre Molotowcocktails an. Wild mit den Armen wedelnd, versuchte Leo, auf sich aufmerksam zu machen. Mit Benzinbomben würden sie nichts ausrichten können, weil, anders als beim T-34, die Motorkühlung des T-54 nicht mehr der Schwachpunkt war. Die da drüben kämpften hier gegen eine vollkommen andere Waffengeneration, gegen die ihre primitive Ausrüstung wirkungslos war.

Die drei Männer sprangen auf und rannten auf den letzten Panzer zu. Sie warfen ihre selbstgebastelten Bomben, die alle perfekt trafen und das Heck des T-54 mit brennendem Benzin überzogen. Flammen schossen hoch. Während sie sich davonmachten, blickten sie über die Schulter und warteten auf die Explosion, die jedoch mit Sicherheit ausbleiben würde. Das Feuer mochte zwar lodern, doch anhaben konnte es dem Panzer nichts. Die Männer rannten schneller und suchten nach Deckung. Leo duckte sich. Der Panzer wendete und feuerte. Das ganze Café erzitterte, und die letzten Glasscherben im Fenster prasselten zu Boden. Durch das Loch quollen Staub und Qualm herein. Im Schutz der Wolke zog sich Leo hustend zurück und kroch über das zerbrochene Geschirr auf die Küche zu, wo Raisa, Soja und Malysch hinter den eisernen Öfen hockten.

»Die Straßen sind unpassierbar.«

Malysch deutete auf das Dach. »Was ist mit den Dächern? Über die könnten wir kriechen.«

Leo dachte nach. »Aber wenn sie uns sehen oder hören, werden sie auf jeden Fall feuern. Und von da oben kann man viel schlechter fliehen. Da säßen wir in der Falle.«

»Hier unten erst recht«, warf Raisa ein.

Auf dem obersten Treppenabsatz gab es zwei Fenster. Eines wies zur Hauptstraße hinaus, das andere auf eine kleine Gasse an der Rückfront, die zu schmal für einen T-54 war. Leo öffnete das Hinterfenster und überlegte, wie sie dort hochkommen sollten. Es gab keine Regenrinne und auch nichts, worauf man den Fuß setzen konnte, um leichter nach oben zu kommen.

Malysch stieß ihn an. »Lassen Sie mich mal sehen.«

Leo machte Malysch auf dem Fenstersims Platz. Der schätzte kurz die Entfernung ab, dann sprang er hoch und hielt sich an der Kante fest, seine Beine baumelten herab. Leo wollte ihm helfen, doch Malysch rief herunter: »Es geht schon.«

Er zog sich hoch, schwang erst den einen Fuß über die Kante, dann den anderen.

»Als Nächste ist Soja dran«, rief er.

Soja blickte hinunter. Es ging fünfzehn Meter in die Tiefe.

»Warte.«

Raisa nahm die Tischdecken, die Leo sich um die Hände gewickelt hatte, verknotete sie und band sie dann um Sojas Taille.

Soja passte das nicht. »Ich bin monatelang allein klargekommen.«

»Deshalb wäre es auch furchtbar peinlich, wenn du ausgerechnet jetzt sterben würdest«, gab Raisa zurück. Dann küsste sie Soja auf die Stirn.

Soja schaffte es gerade noch, ein Grinsen zu unterdrücken und daraus ein Stirnrunzeln zu machen.

Als sie auf dem Fenstersims stand, hob Leo sie hoch.

Sie klammerte sich an die Dachkante. »Du musst loslassen, damit ich mich hochschwingen kann!«

Zögernd ließ Leo los und sah zu, wie sie ein Bein auf das Dach schwang. Im nächsten Moment packte Malysch sie und zog sie hinauf. Die zusammengeknoteten Tischdecken spannten sich.

»Ich bin oben.«

Raisa ließ die Tischdecken los, und Soja zog das improvisierte Sicherungsseil nach. Dann war Raisa an der Reihe. Leo stieg als Letzter hoch.

Das Dach erhob sich zu einem schmalen Giebel, auf dem Malysch und Soja hockten. Raisa war ein Stück hinter ihnen. Als Leo zu ihnen kletterte, löste sich eine der Pfannen, schepperte das Dach hinunter und fiel über die Kante. Es dauerte einen Moment, bevor man sie auf die Gasse schlagen hörte. Die vier hielten den Atem an und drückten sich flach gegen das Dach. Wenn eine Dachpfanne auf die andere Seite abrutschte und auf die Hauptstraße fiel, würde sie den patrouillierenden Panzern verraten, wo sie waren.

Leo blickte um sich. Überall in der Stadt stiegen mächtige Rauchsäulen auf. Dächer waren eingestürzt, und wo einst Häuser gestanden hatten, klafften jetzt Lücken. MIG-Bomber schossen im Tiefflug über die Stadt, stießen zum Angriff noch weiter hinab und nahmen ihre Ziele unter Beschuss. Hier oben auf dem Dach wären sie gut zu sehen.

»Wir müssen uns beeilen«, drängte Leo.

Auf allen vieren krochen sie los, vorbei an den drohenden Gefahren auf der Straße. Endlich kamen sie wieder ein wenig voran.

Ein Stück weiter vorn stand das letzte Haus. Sie hatten das Ende der Straßenflucht erreicht.

Malysch erklärte: »Wir müssen runter, über die Straße und auf der anderen Seite wieder rauf.«

Die Dachpfannen fingen an zu scheppern. Leo ließ sich das Dach hinunter und spähte über den Rand. Direkt unter ihm fuhren vier Panzer vorbei. Einer nach dem anderen bog von der Hauptstraße ab. Bestürzt beobachtete Leo, wie der vierte stehen blieb. Offenbar sollte er die Kreuzung überwachen. Um den würden sie sich irgendwie herumschleichen müssen.

Leo wollte umkehren und den anderen die schlechte Nachricht überbringen, da nahm er in dem Wohnungsfenster direkt unter sich eine Bewegung wahr. So weit es ging, reckte er sich vor und sah, wie zwei Frauen aus dem obersten Fenster die neue ungarische Fahne hängten, aus der Hammer und Sichel herausgeschnitten waren. Der Panzer hatte die Widerständler bemerkt. So schnell es ging, kroch Leo das Dach wieder hinauf und gestikulierte den anderen zu: »Sofort weg da!«

Sie krochen über den Dachfirst auf die der Straße abgewandte Seite.

Dann flog hinter ihnen das ganze Dach in die Luft. Trümmer regneten hinab. Durch die Druckwelle kamen alle Dachpfannen ins Rutschen. Malysch, der der Kante am nächsten war, hatte plötzlich keinen festen Boden mehr unter den Füßen und stürzte mitsamt dem Dach ab. Soja warf ihm die Tischdecke zu, Malysch erwischte gerade noch einen Zipfel, bevor auch schon sämtliche Dachpfannen wie eine Lawine abrutschten und ihn mitrissen.

Auch Soja wurde von Malysch mitgezogen. Verzweifelt versuchte sie sich irgendwo festzuhalten, fand aber nichts. Leo streckte die Hand aus, verfehlte sie, erwischte aber einen Tischdeckenzipfel und schaffte es, den Fall der beiden aufzuhalten. Soja hing jetzt über der Dachkante, Malysch baumelte unter ihr. Wenn der Panzer Malysch entdeckte, würde er feuern, und sie wären alle tot. Leo versuchte die Tischdecke nach oben zu zerren.

Raisa reckte den Arm vor. »Nimm meine Hand!«

Sie umklammerte Malyschs Hand und zog ihn hoch, dann

blieben die beiden nebeneinander liegen. Leo rollte sich bis zum Rand und spähte auf den Panzer unter ihnen. Das Rohr drehte sich in ihre Richtung.

»Weg hier!«

Alle sprangen auf und kraxelten auf die andere Seite, wo die zerschossene Wohnung lag. Hinter ihnen schlug die Granate ein, genau an der Kante, an der Malysch abgerutscht war. Alle wurden in die Luft geschleudert und kamen auf allen vieren wieder auf. Halb taub und hustend besahen sie sich die Zerstörung vor und hinter ihnen: Zwei Löcher klafften in dem Gebäude, so als ob ein riesiges Ungeheuer zweimal zugebissen hätte.

Leo verschaffte sich einen Überblick über die unter ihnen liegende, ausgebombte Wohnung. Die erste Granate war weit oben eingeschlagen, hatte das Dach zum Einsturz gebracht und das oberste Stockwerk in das darunterliegende krachen lassen. Über die zerborstenen Balken würden sie allerdings nach unten klettern können. Leo machte den Anfang und hoffte, dass die Besatzung des Panzers sie für tot hielt. Als er die eingestürzte Decke erreichte, sah er darunter die staubbedeckte Hand der Frau herausragen, die die Fahne herausgehängt hatte. Dafür hatte Leo jetzt keine Zeit, er suchte nach einem Ausweg. Die Treppe befand sich im hinteren Teil des Gebäudes. Leo zog an den Resten einer Tür und versuchte sich Zutritt zu verschaffen, doch sie war von Trümmern blockiert.

Raisa befand sich auf der Vorderseite der zerstörten Wohnung und spähte hinunter auf die Hauptstraße. »Sie kommen hinten herum!«

Der Panzer kehrte zurück. Jetzt saßen sie wirklich in der Falle. Nirgendwo konnten sie sich noch verstecken, nirgendwohin verschwinden.

Mit aller Kraft versuchte Leo, ins Treppenhaus zu gelangen, ihrem einzigen Fluchtweg. Soja und Raisa halfen ihm. Malysch war verschwunden. Offensichtlich war er irgendwie geflohen, hatte sich selbst in Sicherheit gebracht – er war und blieb eben ein Krimineller. Leo warf einen Blick über die Schulter. Der Panzer brachte sich direkt vor dem Gebäude in Position für einen dritten Schuss. Er würde so lange weiterfeuern, bis alles in Schutt und Asche lag. Und sie selbst waren in einer ausgebombten Wohnung gefangen und kamen nicht auf die Treppe. Die einzige Chance, die ihnen noch blieb, war ein Sprung hinunter auf die Straße.

Leo riss Soja und Raisa an sich und rannte mit ihnen genau auf den Panzer zu. An der Hausecke blieb er stehen. Jetzt sah er, dass Malysch schon vor ihnen aus dem zerstörten Gebäude auf die Straße geklettert war und die Aufmerksamkeit des Panzers auf sich lenkte. Er hielt eine Handgranate umklammert.

Malysch zog den Sicherheitsbolzen und kletterte behände von vorn auf den Panzer. Sofort fuhr das Rohr des Panzers gen Himmel, damit Malysch nicht an die Mündung kam. Doch Malysch war zu flink und zu geschickt. Mit den Beinen umklammerte er das Kanonenrohr und schob sich hoch. Die Luke ging auf. Einer von der Besatzung wollte Malysch erschießen, bevor er die Handgranate ins Rohr fallen lassen konnte.

Leo zog seine Waffe und feuerte auf den auftauchenden Soldaten. Die Kugeln prallten von der Panzerung ab, zwangen den Mann aber immerhin dazu, in Deckung zu gehen und die Luke wieder zu schließen. Malysch schaffte es bis zur Mündung, versenkte die Handgranate und ließ sich auf die Straße fallen.

Im nächsten Moment detonierte die Handgranate und kurz darauf die im Rohr steckende Granate, die eine erheblich stärkere Explosion auslöste und den Panzer von innen erschütterte. Malysch wurde von den Beinen und auf die Straße geschleudert. Aus dem Panzer quoll Rauch. Keiner kam mehr hervor.

Soja war inzwischen hinabgeklettert, rannte auf Malysch zu und half ihm auf. Sie strahlte. Nach ihr kletterte auch Leo hinunter und rannte Soja hinterher.

»Wir müssen schleunigst von der Straße runter ...«

Da erschien plötzlich mitten auf Malyschs Hemd ein blutroter Fleck.

Leo ließ sich auf die Knie fallen, riss das Hemd auf und sah auf Malyschs Bauch einen daumenlangen Schnitt, eine klaffende Wunde. Er tastete den Rücken des Jungen ab, fand aber keine Austrittswunde.

Am selben Tag

Mit Malysch auf dem Arm, Raisa und Soja neben sich, rannte Leo in die Zweite Medizinische Klinik. Um das Krankenhaus zu erreichen, waren sie ohne Deckung die Straßen entlanggelaufen und hatten dabei die patrouillierenden Panzer in Kauf nehmen müssen. Mehrmals waren die Kanonenrohre ihnen gefolgt, aber keiner hatte gefeuert. Das Foyer der Klinik quoll über vor Verletzten. Einige stützten sich auf Freunde oder Familienangehörige, andere lagen einfach nur auf der Erde. Die Wände und der Boden waren blutbesudelt. Auf der Suche nach einer Schwester oder einem Arzt entdeckte Leo endlich einen vorbeieilenden weißen Kittel. Er drängte sich durch die Menge. Der Arzt war umringt von Patienten, keinem konnte er mehr als nur ein paar Sekunden seiner Zeit opfern. Er untersuchte die Wunden, bestimmte, wohin man sie zu bringen hatte, ließ aber nur die ernstesten Fälle ins Krankenhaus selbst hinein. Die anderen mussten in der Vorhalle bleiben.

Im Kreis der anderen wartete Leo auf das Urteil des Arztes. Endlich wandte der sich Malysch zu, betastete sein Gesicht und befühlte seine Stirn. Der Junge atmete nur noch flach, seine Haut war blass. Leo hatte Malyschs Hemd gegen die Wunde gepresst, mittlerweile war es blutdurchtränkt. Der Arzt nahm es weg und beugte sich vor. Seine Finger strichen über die klaffende Wunde und öffneten sie – Blut trat aus. Der Arzt untersuchte den Rücken des Jungen und fand keine Austrittswunde. Zum ersten Mal sah er Leo an. Er sprach kein Wort, schüttelte nur kaum merklich den Kopf und hastete weiter.

Soja umklammerte Leos Arm. »Warum helfen sie ihm nicht?«

Leo war Soldat gewesen, er kannte solche Verletzungen. Das Blut war schwarz, und das bedeutete, dass das Schrapnell in Malyschs Leber eingedrungen war. Auf dem Schlachtfeld gab es in einem solchen Fall keine Hoffnung mehr, und hier in diesem Krankenhaus herrschten kaum bessere Bedingungen. Sie waren machtlos.

»Warum behandeln sie ihn nicht?«

Leo wusste nicht, was er sagen sollte.

Unsanft rempelte Soja sich durch die Menge, riss den Arzt am Arm und versuchte, ihn zu Malysch zurückzuzerren. Die anderen Leute in der Menge fingen an zu zetern, aber Soja ließ nicht nach, bis er sie schließlich zurückstieß und anbrüllte. Sie stürzte zwischen die Beine der anderen Leute. Raisa half ihr auf die Füße.

»Warum helfen sie ihm nicht?« Soja fing an zu weinen und legte ihre Hände auf Malyschs Gesicht.

Dann blickte sie zu Leo auf, ihre geröteten Augen flehten ihn an. »Bitte, Leo, bitte! Ich will auch alles machen, was du willst. Ich will deine Tochter sein, will fröhlich sein. Aber lass ihn nicht sterben.«

Malysch bewegte die Lippen. Leo beugte sich hinab und hörte angestrengt zu.

»Nicht … hier … drin.«

Auf der Suche nach einem Ort, wo sie allein sein konnten, trug Leo Malysch vorbei am blutverschmierten Empfang zum Eingang und durch die Tür. Draußen in den toten Blumenbeeten, deren Erde schon gefroren war, hockte er sich hin und lehnte Malyschs Kopf an sein Bein. Soja setzte sich neben ihn und nahm Malyschs Hand.

Raisa blieb stehen, rastlos ging sie auf und ab. »Vielleicht können wir ihm wenigstens etwas besorgen, was die Schmerzen lindert.«

Leo sah auf und schüttelte den Kopf. Nach den zwölftägigen Kämpfen würde in der Klinik nichts mehr aufzutreiben sein.

Malysch war still und matt, immer wieder fielen ihm die Augen zu. Sein Blick suchte Raisa. »Ich weiß, dass ...«

Seine Stimme war kaum zu verstehen. Raisa setzte sich neben ihn. Malysch fuhr fort. »Frajera ... hat gelogen. Ich weiß, dass du ... nicht ... meine Mutter bist.«

»Nichts wäre ich lieber gewesen als deine Mutter.«

»Ich hätte das auch schön gefunden ... dein Sohn zu sein.«

Malysch schloss die Augen und lehnte seinen Kopf an den von Soja. Sie lag neben ihm, ihr Gesicht ganz nah an seinem, so als würden sie beide gleich einschlafen. Dann umarmte sie ihn und flüsterte: »Habe ich dir eigentlich schon von dem Bauernhof erzählt, auf dem ich mit dir wohnen will?«

Malysch gab keine Antwort, er hielt die Augen geschlossen.

»Er liegt ganz in der Nähe von einem Wald, in dem es lauter Beeren und Pilze gibt. Außerdem ist da ein Fluss, und im Sommer gehen wir darin schwimmen. Wir werden sehr glücklich miteinander sein.«

Am selben Tag

Frajera stand auf den Trümmern des Daches. Sie hielt kein Gewehr mehr in den Händen, sondern eine Kamera, mit der sie die Verheerungen fotografierte. Bald schon würden diese Bilder in der ganzen Welt abgedruckt werden. Selbst wenn die letzte Rolle Film, die sie mittlerweile eingelegt hatte, verloren ging, war das egal. Frajera hatte mittlerweile schon Hunderte von Fotos geschossen und mit Hilfe der Familienangehörigen von Dissidenten oder der internationalen Presse aus der Stadt geschmuggelt. Noch in Jahren würde man ihre Bilder von den toten Einwohnern und den zerstörten Häusern veröffentlichen, immer mit dem Hinweis: *Quelle unbekannt*.

Vielleicht zum ersten Mal, seit man ihr vor beinahe sieben Jahren den Sohn genommen hatte, fühlte sie sich einsam. Malysch war nicht bei ihr, und auch sonst sprang keiner herbei, sobald sie rief. Die Bande, die sie in Jahren zusammengefügt hatte, war auseinandergebrochen. Die Letzten ihrer *wory* waren geflohen. Die Aufständischen um sie herum waren zerstreut worden, und bei der ersten Angriffswelle heute Morgen waren viele gestorben. Frajera hatte ihre Leichen fotografiert. Ihr Übersetzer, Zsolt Polgar, war bis zuletzt an ihrer Seite geblieben. In ihm hatte sie sich getäuscht. Er war für seine Sache gestorben. Mit seinem Foto, als er sterbend dalag, hatte sie sich besondere Mühe gegeben.

Jetzt waren nur noch drei Bilder übrig. In der Ferne kreiste ein Kampfbomber, dann schoss er auf sie zu. Frajera hob die Kamera und stellte den Fokus auf das Flugzeug ein. Die MIG neigte sich in den Angriffsanflug. Um Frajera herum begannen die Dachpfannen zu zittern. Sie wartete, bis der Düsenjäger fast genau über ihr war. Im nächsten Moment flog das ganze Dach in die Luft, die Splitter der umhersirrenden Dachziegel verbrannten ihr Arme und Gesicht. Doch Frajera war sich sicher, dass dies ihr letztes, ihr bestes Foto überhaupt werden würde.

Zwei Wochen danach

Sowjetunion
Moskau

19. NOVEMBER

Es war sein erster Arbeitstag. Leos Hände waren voller Mehl und sein Gesicht glühend heiß von den Öfen. Als er gerade eine Lage frisch gebackener Brotlaibe herausholte, hörte er Filipp rufen: »Leo, du hast Besuch.«

Ein tadellos gekleideter Frol Panin betrat die Bäckerei und blickte sich mit wohlwollender Geringschätzung um. »Wir erfüllen auch Sonderwünsche«, sagte Leo. »Roggenmehl mit Koriandersamen, gesüßt mit Honig anstatt Zucker, koscher, fettfrei ...«

Er holte eines der noch warmen Brote, brach es und hielt es Panin hin. Der nahm es an und biss hinein. Diesem Mann schien es weder peinlich zu sein, noch zeigte er nur einen Hauch Reue, dass er Leo betrogen und mit seinen Feinden gemeinsame Sache gemacht hatte. »Lecker!«

Panin legte das Brot hin, klopfte sich das Mehl von den Fingern und sah sich prüfend um, ob Filipp auch nicht mithörte. »Leo, niemand will hier zum Stalinismus zurückkehren. Massenverhaftungen gehören der Vergangenheit an. Die Lager werden geschlossen und die Folterzellen abgerissen. All diese Veränderungen spielen sich gerade ab, und sie werden auch weitergehen. Aber sie müssen heimlich weitergehen, ohne dass wir irgendwelche Verfehlungen zugeben. Wir werden uns weiterentwickeln ... aber wir schauen dabei nicht zurück auf die Vergangenheit.«

Trotz allem, was geschehen war, konnte Leo nicht umhin, Panin zu bewundern. Dem wäre es ein Leichtes gewesen, dafür zu sorgen, dass Leo nie mehr aus Budapest herausgekommen wäre. Doch Panin traf Entscheidungen nur aus praktischen Erwägungen, nicht etwa aus böser Absicht oder gar Niedertracht. Jetzt, wo der Aufstand niedergeschlagen und Frajera tot war, spielte Leo keine Rolle mehr, deshalb konnte man ihn ebenso gut leben lassen.

»Was wollen Sie noch von mir, Frol Panin? Ihr habt doch gewonnen.«

»Ich würde behaupten wollen, dass wir alle gewonnen haben.«

»Nein, ich habe schon vor langer Zeit verloren. Ich versuche nur, nicht noch einmal zu verlieren.«

»Was immer Sie von mir halten mögen, Leo, meine Entscheidungen galten immer nur dem ...«

Leo unterbrach ihn. »Dem Wohl des Ganzen?«

Panin nickte und fügte hinzu: »Ich will, dass Sie für mich arbeiten. Wir brauchen Männer wie Sie.«

»Verstehe. Männer wie mich.« Leo ließ den Satz wirken, dann fuhr er fort: »Heißt das, Sie wollen das Morddezernat wiedereröffnen?«

»Nein, so weit sind wir noch nicht.«

»Wenn Sie so weit sind, können Sie mich ja informieren.«

»Und derweil wollen Sie Roggenbrot mit Koriandersamen backen?« Panin lächelte. »Na schön. Ich hoffe, eines Tages werde ich etwas für Sie tun können.«

Es war eine Art Entschuldigung. Eine versteckte Entschuldigung. Leo nahm sie an. »Es gibt in der Tat etwas, was Sie jetzt schon für mich tun können.«

Am selben Tag

Am Empfang des Moskauer Konservatoriums fragte Leo nach Pjotr Orlow, einem der vielversprechendsten jungen Geiger des Landes. Er wurde in ein Übungszimmer geführt. Orlow, erst Ende zwanzig, öffnete die doppelte, schalldichte Tür.

»Ja bitte?«, fragte er brüsk.

»Mein Name ist Leo Demidow. Frol Panin hat mir gesagt, Sie könnten mir vielleicht helfen.«

Als er den Namen Panin hörte, wurde der Geiger sogleich zugänglicher.

Das Übungszimmer war klein. Es gab nur einen Notenständer und ein Klavier. Orlow legte die Geige an den Hals. Der Bogen und etwas Kolophonium lagen auf dem Notenständer.

»Und was kann ich für Sie tun?«

Leo öffnete seine Mappe und nahm ein einzelnes Notenblatt heraus. In der Mitte war ein Loch hineingesengt, das vor sieben Jahren in Lasars Kirche von einer Kerze verursacht worden war. Doch dann hatte Leo es sich anders überlegt. Er hatte das Blatt auf den Steinboden gelegt und die Flamme ausgetreten. Diese halb verkohlten Noten waren alles, was von den Kompositionen des verhafteten Musikers übrig geblieben war. Man hatte sie in Lasars Hinterlassenschaft gefunden und als Beweis für seine konterrevolutionären Kontakte zu den Akten genommen.

Orlow trat an den Notenständer und musterte die wenigen Noten, die noch übrig waren.

»Ich kann keine Noten lesen«, erklärte Leo. »Deshalb weiß ich auch nicht, ob noch genug übrig ist, um einen Gesamteindruck des Stücks zu bekommen. Ich wollte nur einmal hören, wie es klingt, wenn es gespielt wird. So viel wie möglich.«

Orlow klemmte die Geige unter sein Kinn, nahm den Bogen

und begann zu spielen. Leo war alles andere als musikalisch, außerdem hatte er ein langsames, trauriges Stück erwartet. Stattdessen war es schnell und mitreißend. Es gefiel ihm sehr.

Leo brauchte einen Moment, bis er merkte, dass Orlow mit den wenigen Noten, die er bekommen hatte, unmöglich so lange hätte spielen können. Trotz seiner Überraschung wartete er höflich auf das Ende.

»Das ist gerade sehr populär. Eine der erfolgreichsten Kompositionen der letzten Jahre.«

»Aber Sie müssen sich irren! Diese Musik galt als verschollen! Der Komponist ist gestorben, bevor sie aufgeführt werden konnte.«

Orlow schaute verblüfft drein. »Das Stück ist erst letzte Woche gespielt worden. Der Komponist lebt.«

* * *

Im Flur eines exklusiven Wohnblocks klopfte Leo an die Tür. Er musste lange warten, bis ein Mann mittleren Alters die Tür aufmachte. Es war ein Diener mit einer schmucken schwarzen Livree.

»Kann ich Ihnen helfen?«

»Ich möchte zu Robert Meschik.«

»Haben Sie einen Termin?«

»Nein.«

»Ohne Termin empfängt er niemanden.«

Leo reichte ihm das angekohlte Notenblatt. »Mich wird er empfangen.«

Zögernd fügte der Mann sich. »Warten Sie hier.«

Einige Minuten später kehrte der Diener zurück, ohne das Notenblatt. »Bitte folgen Sie mir.«

Leo folgte ihm durch eine teuer eingerichtete Wohnung in ein weiter hinten gelegenes Musikzimmer. Der Komponist Robert

Meschik stand am Fenster, in den Händen hielt er das Notenblatt. Er wandte sich an seinen Diener. »Sie können gehen.«

Der Diener entfernte sich.

»Ihnen scheint es ja nicht schlecht zu gehen«, bemerkte Leo.

Meschik seufzte. »Irgendwie bin ich sogar erleichtert. Seit Jahren habe ich auf den Moment gewartet, wo jemand auftaucht und mich als Betrüger entlarvt.«

»Kannten Sie den wahren Komponisten?«, fragte Leo.

»Kyrill? Ja, wir waren Freunde. Sehr gute Freunde sogar. Wir haben immer zusammen geübt. Ich war neidisch auf ihn. Kyrill war ein Genie. Ich bin keins.«

»Haben Sie ihn denunziert?«, fragte Leo.

»Nein, wo denken Sie hin? Ich habe ihn geliebt, das können Sie mir glauben. Als er dann verhaftet wurde, habe ich natürlich trotzdem nichts unternommen und den Mund gehalten. Er und sein Lehrer wurden in ein Arbeitslager gesteckt. Nach Stalins Tod habe ich versucht, Kyrill zu finden, aber es hieß, er habe nicht überlebt. Ich habe um ihn getrauert. Dann hatte ich den Einfall, eins von Kyrills Werken neu niederzuschreiben, zu seinem Gedenken. Es gab zwar keine Noten mehr, aber das machte nichts. Schließlich hatte ich ihn seine Stücke so oft spielen hören, dass sie mir in Fleisch und Blut übergegangen waren. Ich nahm nur ein paar kleine Veränderungen vor. Und das Stück wurde ein Erfolg.«

»Aber woher es stammte, haben Sie nicht erklärt.«

»Ich wurde so gepriesen, dass ich mich davon verführen ließ. Seitdem habe ich jedes Stück neu aufgeschrieben, an das ich mich noch erinnern konnte, immer nur mit kleinen Änderungen. Das Lob dafür habe ich ebenso eingestrichen wie die ganzen Vergünstigungen. Kyrill hatte keine Familie, müssen Sie wissen. Er hatte gar niemanden. Und niemand hatte an ihn geglaubt. Keiner kannte also seine Musik außer seinem Lehrer. Und mir.«

»Einen Menschen gab es schon noch.«

»Wen?«

»Die Frau eines Priesters.«

»Haben Sie mich durch sie gefunden?«

»In gewisser Weise ja.«

Nach einer Pause fragte er: »Wollen Sie mich jetzt verhaften?«

Leo schüttelte den Kopf. »Ich habe keine Befugnis, Sie zu verhaften.«

Meschik schien nicht zu verstehen. »Dann werde ich morgen früh aller Welt die Wahrheit sagen.«

Leo schlenderte durch das Zimmer und schaute aus dem Fenster. Draußen hatte es angefangen zu schneien, Kinder tollten in den Flocken herum. »Was wollen Sie denn sagen? Dass der Staat ein Genie ermordet hat und Sie dessen Musik gestohlen haben? Wem wäre mit so einem Geständnis schon gedient? Wer wollte es hören?«

»Und was soll ich Ihrer Meinung nach tun?«

Draußen bildete sich bereits eine dünne Schneedecke.

»Einfach weitermachen wie bisher.«

Am selben Tag

Soja saß frierend auf dem Dach, um sie herum fiel der Schnee. Seit ihrer Rückkehr kletterte sie jeden Tag hier herauf und blickte über die Stadt. Hier stürzten keine Dächer ein, hier peitschten keine Schüsse, und vorbeifahrende Panzer brachten keine Dachziegel zum Scheppern. Soja kam sich vor, als sei sie gar nicht in Moskau, auch nicht woanders, sondern einfach nur in einem Schwebezustand. Das Heimatgefühl, das sie in Budapest verspürt hatte, hatte mit jener Stadt gar nichts zu tun gehabt, auch nicht mit dem Aufstand, sondern einzig und allein mit Malysch. Sie vermisste ihn so sehr, dass es ihr vorkam, als fehle ein Teil von ihr selbst. Malysch hatte ihr die Last der Einsamkeit von den Schultern genommen. Jetzt war diese Last wieder da, schwerer als je zuvor.

Sie hatten ihn außerhalb von Budapest beerdigt. Soja wollte seinen Leichnam nicht im Krankenhaus lassen, so anonym zwischen all den anderen Toten, ohne Familie oder Freunde, die ihn betrauerten. Leo hatte ihn durch den russischen Belagerungsring getragen. Schließlich hatten sie unter einem Baum die gefrorene Erde aufgehackt und ihn dort begraben, ein Stück abseits der Straße, auf der unterdessen die Panzer und Lastwagen vorbeigerollt waren. Mit Malyschs eigenem Messer hatte sie seinen Namen in die Rinde des Baumes geschnitten. Dann war ihr eingefallen, dass er ja gar nicht lesen konnte, also hatte sie um die Buchstaben noch ein Herz geritzt.

Als Soja zum ersten Mal aufs Dach geklettert war, war Raisa besorgt nachgekommen, vermutlich aus Angst, sie würde sich hinabstürzen. Doch seit Raisa und Leo begriffen hatten, dass Soja einfach nur hier oben sitzen wollte, ließen sie sie gewähren, auch wenn sie stundenlang blieb. Soja griff sich eine Handvoll Schnee und sah zu, wie er schmolz.

* * *

Raisa deckte den Abendbrottisch ab. Als sie sich umdrehte, stand Soja schlotternd in der Küchentür, das Haar voller Schnee. Raisa nahm ihre Hände.

»Du bist ja ganz kalt. Setz dich. Willst du etwas essen? Ich habe dir etwas aufbewahrt.«

»Ist Elena schon im Bett?«

»Ja.«

»Und Leo?«

»Der ist noch nicht zurück.«

Elena war aus dem Krankenhaus zurückgekehrt. Das Wunder, dass Soja noch am Leben war, hatte auch ihr den Lebensmut zurückgegeben. Als Soja ihre Schwester gesehen hatte, war sie vor lauter Schuldgefühl in Tränen ausgebrochen. Elena war besorgniserregend abgemagert. Man musste Soja nicht erst erklären, dass ihre kleine Schwester nicht mehr viel länger gelebt hätte. Fragen hatte Elena keine gestellt. Sie war so überglücklich, dass die Einzelheiten dessen, was passiert war und warum, sie gar nicht interessierten. Hauptsache, ihre Familie war am Leben.

Raisa hockte sich vor Sojas Stuhl.

»Was ist los?«

Ein Schlüssel drehte sich in der Wohnungstür. Leo kam herein, er wirkte abgehetzt und hatte ein erhitztes Gesicht. »Tut mir leid …«

Raisa antwortete: »Da bist du ja noch rechtzeitig gekommen, um den Mädchen etwas vorzulesen.«

Soja schüttelte den Kopf. »Kann ich zuerst mit euch reden? Mit euch beiden?«

»Natürlich.«

Leo kam in die Küche, zog zwei Stühle heran und setzte sich neben Soja. »Was hast du denn?«

»Früher habe ich Elena immer alles gesagt. Aber seit ich wieder da bin, ist sie so glücklich. Ich will das nicht kaputtmachen. Ich will ihr nicht erzählen, was passiert ist. Ich will ihr nicht die Wahrheit sagen. Dass ich sie im Stich gelassen habe.«

Soja fing an zu weinen. »Wenn ich ihr doch die Wahrheit sage, glaubt ihr, dass sie mir dann verzeiht?«

Leo hätte jetzt gern seinen Arm um Soja gelegt, doch er ahnte, dass ihr das noch nicht recht wäre.

»Sie hat dich sehr lieb«, tröstete er sie.

Soja sah erst Leo an, dann Raisa. »Aber wird sie mir auch verzeihen?«

Alle drei wandten die Köpfe zur Tür. Da stand Elena in ihrem

Nachthemd. Sie war erst eine Woche wieder zu Hause und wirkte trotzdem schon wie verwandelt. Sie hatte zugenommen und wieder Farbe bekommen.

»Was ist denn los?«

Soja lief zu ihr. »Elena, ich muss dir etwas sagen.«

Leo stand auf. »Aber vorher erzähle ich euch erst einmal eine Gutenachtgeschichte.«

Elena freute sich. »Selbst ausgedacht?«

Leo nickte: »Selbst ausgedacht!«

Soja wischte sich die Tränen ab und nahm Leos Hand.

Danksagung

Meine Lektoren Suzanne Baboneau bei Simon & Schuster und Mitch Hoffman bei Grand Central sind einfach die besten Lektoren, die man sich als Autor nur wünschen kann. Ich habe den Eindruck, außergewöhnlich viel Glück mit ihnen gehabt zu haben. Und ich bin ihnen außergewöhnlich dankbar.

Besonderer Dank geht an Eva-Marie v. Hippel im DuMont Verlag; eine gute Freundin mit einem scharfen Blick fürs Detail. Ich danke Jonny Geller bei Curtis Brown und Robert Bookman von CAA für ihre Unterstützung. Robert Bookman hat eine einzigartige Gabe, Menschen zusammenzubringen; er hat den Kontakt zwischen mir und Michael Korda vermittelt, dessen großartiges Buch »Journey to a Revolution« mir bei der Recherche unentbehrlich war. Ich weiß es zu schätzen, dass Michael sich die Zeit genommen hat, meine Fragen zu beantworten.

Ich weiß nicht mehr, welcher Schriftsteller es war, der betont hat, wie wichtig es ist, Leser zu haben, denen man vertrauen kann – vielleicht betont das jeder Schriftsteller irgendwann einmal. Ich habe zwei solche Leser: Ben Stephenson und Alex Arlango. Ich bin ihnen in Liebe und Dankbarkeit verbunden.

Weiterführende Lektüre

Die Bücher, die ich im Anhang von »Kind 44« genannt habe, waren auch für diesen Roman von entscheidender Bedeutung und bilden das Grundgestein der Recherchen zu diesem Buch. Außerdem war William Taubmans Chruschtschow-Biographie »Khrushchev: The Man and His Era« unentbehrlich.

Michael Kordas Buch über seine Erfahrungen im Ungarischen Aufstand habe ich bereits erwähnt. Ebenso inspirierend und wichtig waren Victor Sebestyens »Twelve Days: Revolution 1956« und György Litváns »The Hungarian Revolution of 1956«.

Außerdem möchte ich eine Autobiographie besonders erwähnen: »Shallow Graves in Siberia« von Michael Krupa. Seine Geschichte ist ganz außergewöhnlich und sehr bewegend, und sie hat mich daran erinnert, dass, egal wie erdrückend der Gegner ist, irgendwer ihm immer überlegen ist.

Diesen Autoren schulde ich enorm viel. Ich sollte noch erwähnen, dass alle Ungenauigkeiten nur auf mich zurückzuführen sind.